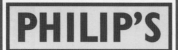

C000261846

STREET ...S

Anglesey, Conwy Gwynedd

ATLAS STRYDOEDD Conwy, Gwynedd, Sir Ynys Môn

First published in 2004 by

Philip's, a division of
Octopus Publishing Group Ltd
2-4 Heron Quays, London E14 4JP

First edition 2004
Second impression 2006
ACGAB

ISBN-10   0-540-08587-1 (spiral)
ISBN-13   978-0-540-08587-3 (spiral)

© Philip's 2004

OS Ordnance Survey®

This product includes mapping data licensed
from Ordnance Survey® with the permission of
the Controller of Her Majesty's Stationery Office.
© Crown copyright 2004. All rights reserved.
Licence number 100011710.

Printed by Toppan, China

Contents

Inside front cover:
Administrative and Postcode boundaries

II	**Key to map pages**
IV	**Route planning**
VIII	**Key to map symbols**

| 2 | **Street maps** at 1¾ inches to 1 mile |
| 112 | **Street maps** at 3½ inches to 1 mile |

| 164 | **Index** of towns and villages |
| 167 | **Index** of streets, hospitals, industrial estates, railway stations, schools, shopping centres, universities and places of interest |

Digital Data

The exceptionally high-quality mapping found in this atlas is available as digital data in TIFF format, which is easily convertible to other bitmapped (raster) image formats.

The index is also available in digital form as a standard database table. It contains all the details found in the printed index together with the National Grid reference for the map square in which each entry is named.

For further information and to discuss your requirements, please contact Philip's on 020 7644 6932 or james.mann@philips-maps.co.uk

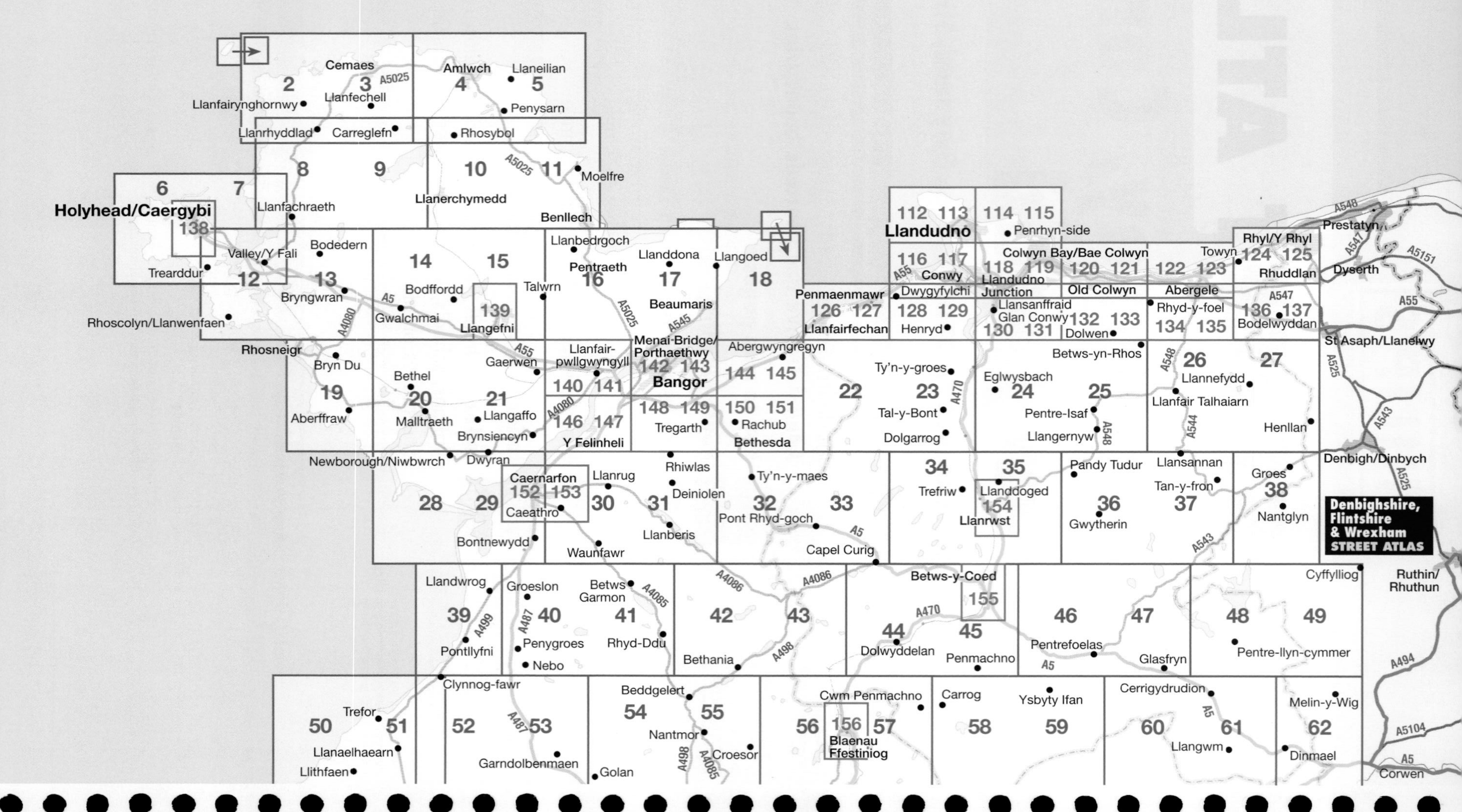

Denbighshire, Flintshire & Wrexham STREET ATLAS

Ruthin/Rhuthun
Corwen

Prestatyn
Dyserth
St Asaph/Llanelwy
Denbigh/Dinbych
Cyffylliog
Melin-y-Wig
Dinmael

Rhyl/Y Rhyl **124 125**
Rhuddlan **136 137**
Bodelwyddan
Henllan
Groes
Nantglyn **27**
49
Pentre-llyn-cymmer **62**

Towyn **123**
Abergele **122**
Rhyd-y-foel **134 135**
Llanefydd **26**
Llanfair Talhaiarn
Llansannan
Tan-y-fron **37**
Gwytherin **38**
48
61
Llangwm
60

Colwyn Bay/Bae Colwyn **120 121**
Old Colwyn **132 133**
Betws-yn-Rhos
Pentre-Isaf **25**
Llangernyw **36**
Gwytherin
Glasfryn
47
Cerrigydrudion
59
Ysbyty Ifan

Penrhyn-side
Llandudno **118 119**
Junction
Glan Conwy **130 131**
Dolwen
Eglwysbach **24**
Llanddoged **35**
Llanrwst **154**
Pentrefoelas
Carrog
58
46
Penmachno

Penmaenmawr **116 117**
Conwy
Dwygyfylchi **128 129**
Henryd
Ty'n-y-groes **23**
Tal-y-Bont
Dolgarrog
Trefriw **34**
Betws-y-Coed **155**
Dolwyddelan **45**
Cwm Penmachno **57**
Blaenau Ffestiniog **156**
56

Llandudno **112 113**

Llanfairfechan **126 127**
22
Abergwyngregyn
Capel Curig
Pont Rhyd-goch
44
43

Llangoed **18**
Beaumaris **17**
Menai Bridge/Porthaethwy **142 143**
Bangor **150 151**
Rachub **149**
Bethesda
Ty'n-y-maes **33**
Deiniolen **32**
Bethania
Croesor
Nantmor **55**
Beddgelert **54**
Golan

Moelfre
Benllech
Llanddona **16**
Pentraeth
Talwrn
Llanfair-pwllgwyngyll **140 141**
Tregarth **148**
Rhiwlas
Llanberis **31**
Rhyd-Ddu **41**
Penygroes **40**
Nebo **53**
Garndolbenmaen

Llanelian **5**
Penysarn
Rhosybol
Llanerchymedd **10**
Llangefni **139**
Gaerwen
Y Felinheli **146 147**
Llanrug **30**
Waunfawr
Betws Garmon
Clynnog-fawr **52**

Amlwch **4**
Rhoscefnhir
Bodffordd **15**
Bethel
Llangaffo
Brynsiencyn **21**
Caernarfon **152 153**
Caeathro **29**
Groeslon
Bontnewydd
Pontllyfni
Trefor **51**

Cemaes **3**
Carreglefn
Bodedern **9**
Gwalchmai **14**
Dwyran
Malltraeth **20**
Newborough/Niwbwrch **28**
Llandwrog **39**
Llanaelhaearn
Llithfaen **50**

Llanfechell **2**
Llanrhyddlad
Llanfachraeth **8**
Bryngwran **13**
Bryn Du
Aberffraw **19**
Rhosneigr

Llanfairynghornwy
Valley/Y Fali **12**
Rhoscolyn/Llanwenfaen **7**

Holyhead/Caergybi **138**
Trearddur **6**

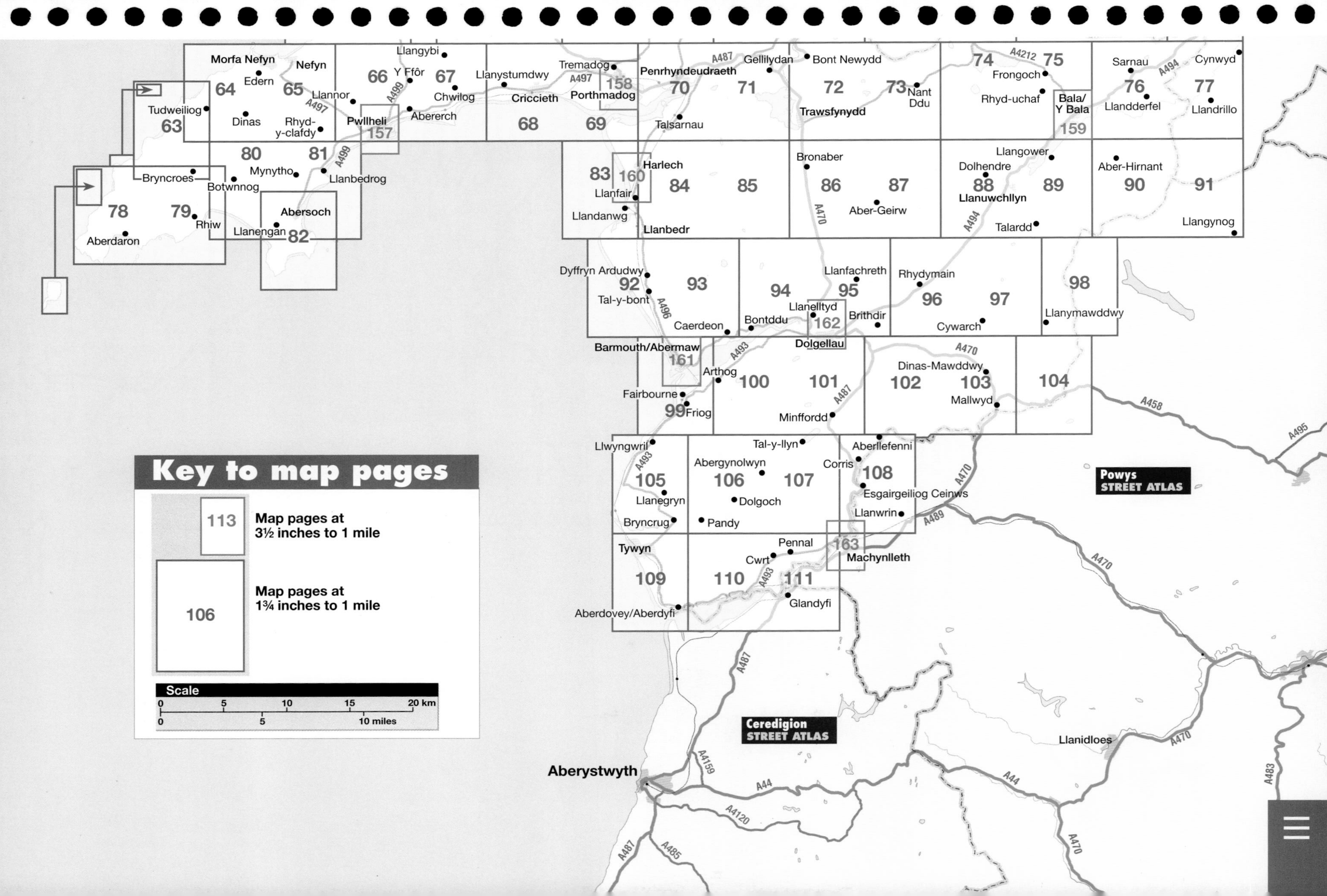

Powys STREET ATLAS

Ceredigion STREET ATLAS

Key to map pages

Map pages at 3½ inches to 1 mile

113

Map pages at 1¾ inches to 1 mile

106

Scale

| 0 | 5 | 10 | 15 | 20 km |

| 0 | 5 | 10 miles |

Cynwyd **77** Llandrillo

Sarnau **76** Llandderfel

Llanderfel

Aber-Hirnant **90**

Llangynog

Llangynog **91**

Bala/ Y Bala **159**

75 Frongoch Rhyd-uchaf

74

Llangower **89**

Dolhendre **88** Llanuwchllyn

Llanuwchllyn

Talardd

Llanymawddwy

98

104

Nant Ddu **73**

Bont Newydd **72** Trawsfynydd

Bronaber **87** Aber-Geirw

86 A470

Rhydymain **96**

Rhydymain

Brithdir **95**

Cywarch **97**

Dinas-Mawddwy **102**

Mallwyd **103**

A470

Gellilydan **71**

Penrhyndeudraeth **70** Talsarnau

85

Harlech **84** Llanbedr

Llanfachreth

Llanelltyd **162** Dolgellau

Dolgellau

101 Minffordd

Aberllefenni

Corris **108** Esgairgeiliog Ceinws

Llanwrin

Machynlleth

94 Bontddu

163

Tremadog **158**

Porthmadog **69**

83 160

Llanfair

Llandanwg

Dyffryn Ardudwy **92** Tal-y-bont

93 Caerdeon

A496

100 Arthog

Barmouth/Abermaw **161**

Fairbourne

Friog **99**

Tal-y-llyn

Abergynolwyn **106** Dolgoch

107 Pandy

Pennal **111** Glandyfi

Cwrt **110**

Llanystumdwy

Criccieth **68**

Chwilog **67** Abererch

Llangybi Y Ffôr **66**

Pwllheli **157**

Llanbedrog

Abergynolwyn

105 Llanegryn Bryncrug

Llwyngwril

Tywyn **109**

Aberdovey/Aberdyfi

Morfa Nefyn Nefyn **65** Edern

Llannor Rhyd-y-clafdy **81**

Mynytho Llanbedrog

Abersoch **82**

64 Dinas **80**

Botwnnog

Bryncroes **79** Rhiw

Tudweiliog **63**

78 Aberdaron

Llangian

Aberystwyth

A483
A495
A470
A458
A470
A44
A470
Llanidloes
A44
A489
A487
A4159
A4120
A485
A487
A494
A4212
A499
A497

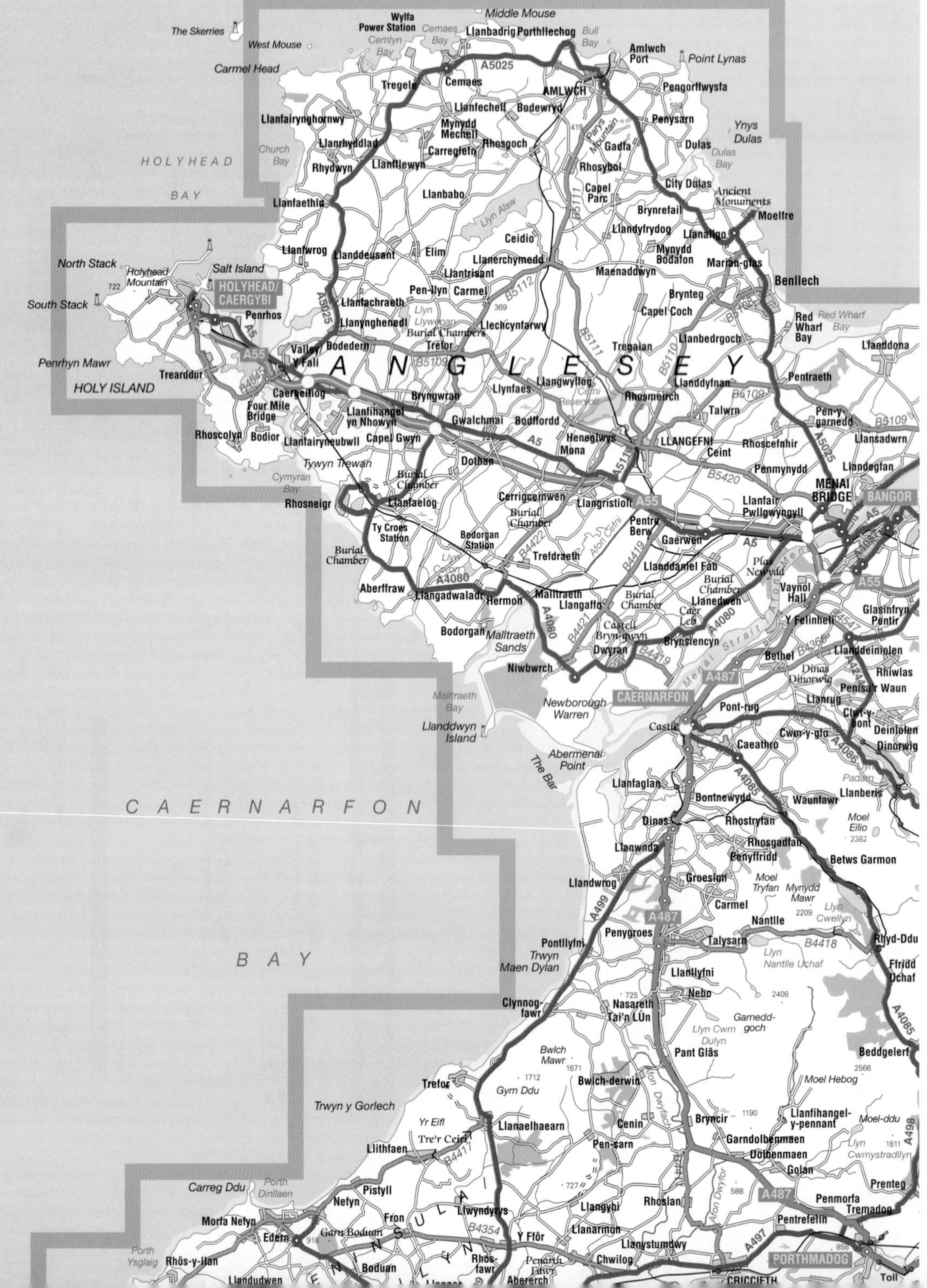

IRISH SEA

HOLYHEAD BAY

HOLY ISLAND

CAERNARFON

BAY

ANGLESEY

Route planning

Scale

0 1 2 3 4 5 6 7 8 km

0 1 2 3 4 5 miles

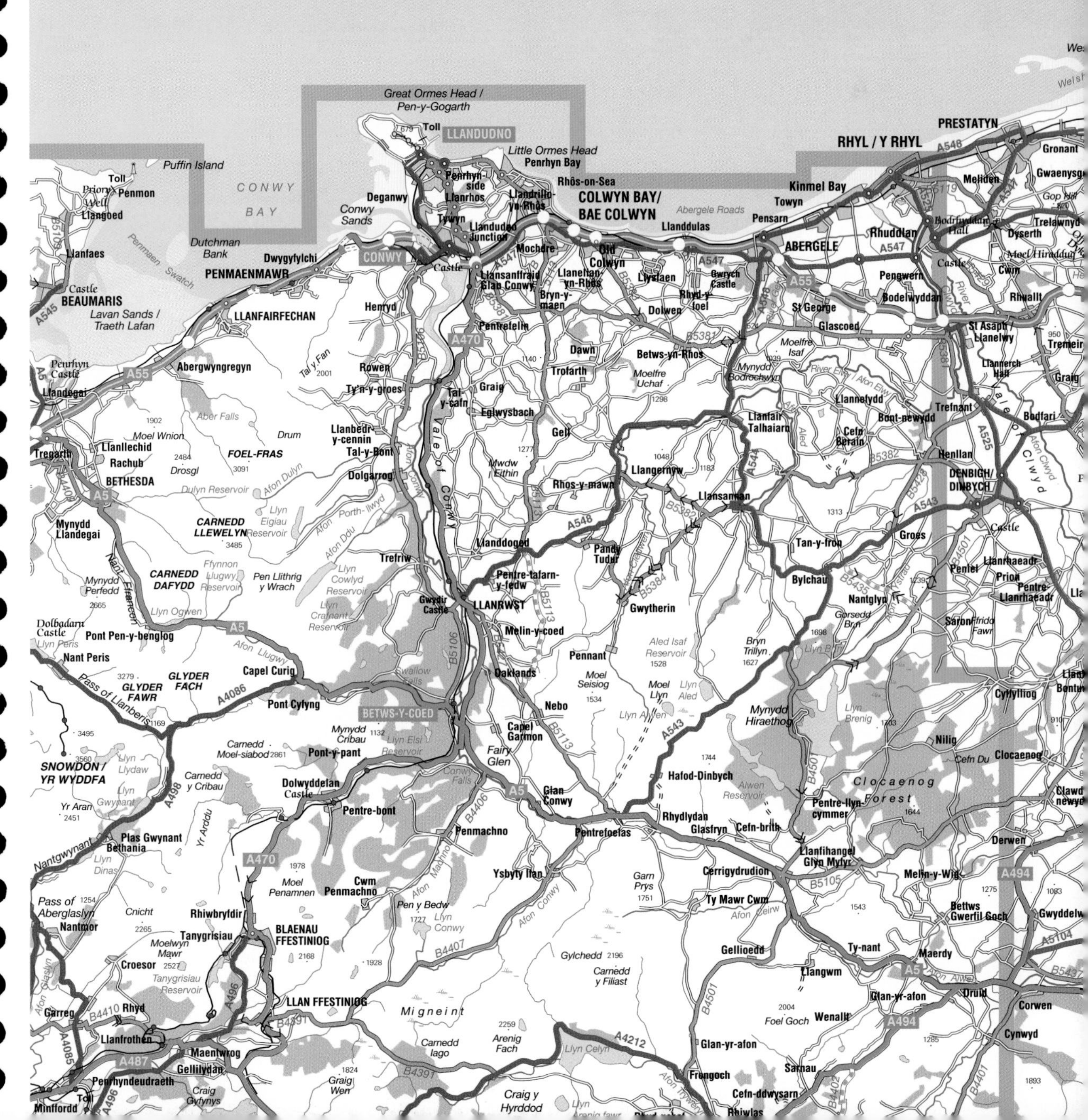

Great Ormes Head / Pen-y-Gogarth
Toll
LLANDUDNO
Little Ormes Head
Penrhyn Bay
Rhôs-on-Sea
COLWYN BAY/ BAE COLWYN
Abergele Roads
RHYL / Y RHYL
PRESTATYN
Gronant
Gwaenysgor
Meliden
Kinmel Bay
Towyn
Pensarn
ABERGELE
Rhuddlan
Dyserth
Trelawnyd
Puffin Island
Toll
Penmon
Priory Well
Llangoed
CONWY BAY
Dutchman Bank
Penmaen Swatch
Deganwy
Conwy Sands
Penrhyn-side
Llanrhos
Llandrillo-yn-Rhos
Tywyn
Llandudno Junction
Mochdre
Old Colwyn
Llanddulas
CONWY
Castle
Dwygyfylchi
PENMAENMAWR
Llanfaes
Castle
BEAUMARIS
Lavan Sands / Traeth Lafan
LLANFAIRFECHAN
Llansanffraid Glan Conwy
Llanelian-yn-Rhos
Bryn-y-maen
Llysfaen
Rhyd-y-foel
Gwrych Castle
Dolwen
St George
Glascoed
Bodelwyddan
Pengwern
Rhuallt
St Asaph / Llanelwy
Tremeirchion
Henryd
Pentrefelin
Dawn
Betws-yn-Rhos
Moelfre Isaf
Mynydd Bodrochwyn
Penrhyn Castle
Llandegai
Abergwyngregyn
Tal y Fan 2001
Rowen
Ty'n-y-groes
Tal-y-cafn
Graig
Trofarth
Moelfre Uchaf
Llannefydd
Trefnant
Bont-newydd
Bodfari
Aber Falls
Moel Wnion 1902
Drum
Llanllechid
Tregarth
Rachub
BETHESDA
Drosgl 2484
FOEL-FRAS 3091
Llanbedr-y-cennin
Tal-y-Bont
Eglwysbach
Gell
Llanfair Talhaiarn
Cefn Berain
Henllan
DENBIGH/ DINBYCH
Vale of Conwy
Vale of Clwyd
Dulyn Reservoir
Afon Dulyn
Dolgarrog
Mwdw Eithin
Rhos-y-mawn
Llangernyw
Llansannan
Mynydd Llandegai
CARNEDD LLEWELYN 3485
Llyn Eigiau Reservoir
Afon Porth-llwyd
Afon Ddu
Llanddoged
Pandy Tudur
Tan-y-fron
Groes
Castle
Llanrhaeadr
Prion
Pentre-Llanrhaeadr
Mynydd Perfedd 2665
CARNEDD DAFYDD
Ffynnon Llugwy Reservoir
Pen Llithrig y Wrach
Llyn Cowlyd Reservoir
Trefriw
Pentre-tafarn-y-fedw
Bylchau
Nantglyn
Gorsedd Brân
Saron
Llyn Ogwen
Llyn Crafnant Reservoir
Gwydir Castle
LLANRWST
Gwytherin
Dolbadarn Castle
Llyn Peris
Pont Pen-y-benglog
Nant Peris
Afon Llugwy
Capel Curig
Melin-y-coed
Pennant
Aled Isaf Reservoir 1528
Bryn Trillyn 1627
Llyn Brân
Pass of Llanberis
GLYDER FAWR 3279
GLYDER FACH
Pont Cyfyng
Swallow Falls
Oaklands
Moel Seisiog 1534
Moel Llyn
Llyn Aled
Cyffylliog
Llyn Alwen
Mynydd Hiraethog
Llyn Brenig
BETWS-Y-COED
Nebo
Capel Garmon
Nilig
Clocaenog
SNOWDON / YR WYDDFA 3560
Llyn Llydaw
Carnedd Moel-siabod 2861
Mynydd Cribau
Llyn Elsi Reservoir
Pont-y-pant
Fairy Glen
Cefn Du
Carnedd y Cribau
Conwy Falls
Hafod-Dinbych
Alwen Reservoir
Clocaenog Forest
Yr Aran 2451
Llyn Gwynant
Dolwyddelan Castle
Glan Conwy
Pentre-bont
Rhydlydan
Glasfryn
Cefn-brith
Pentre-llyn-cymmer
Yr Arddu
Penmachno
Pentrefoelas
Llanfihangel Glyn Myfyr
Derwen
Nantgwynant
Plas Gwynant
Bethania
Llyn Dinas
Moel Penamnen 1978
Cwm Penmachno
Ysbyty Ifan
Garn Prys 1751
Cerrigydrudion
Melin-y-Wig
Pass of Aberglaslyn
Cnicht 2265
Nantmor
Rhiwbryfdir
Pen y Bedw
Llyn Conwy
Afon Machno
Afon Conwy
Ty Mawr Cwm
Afon Ceirw
Betws Gwerfil Goch
Gwyddelwern
Moelwyn Mawr 2527
Tanygrisiau
BLAENAU FFESTINIOG
Croesor
Tanygrisiau Reservoir
Gellioedd
Ty-nant
Maerdy
Gylchedd 2196
Carnedd y Filiast
Llangwm
Garreg
Rhyd
LLAN FFESTINIOG
Migneint
Glan-yr-afon
Druid
Corwen
Foel Goch 2004
Wenallt
Llanfrothen
Maentwrog
Carnedd Iago
Arenig Fach 2259
Llyn Celyn
Glan-yr-afon
Cynwyd
Gellilydan
Penrhyndeudraeth
Craig Gyfynys
Graig Wen 1824
Frongoch
Sarnau
Toll
Minffordd
Craig y Hyrddod
Cefn-ddwysarn
Rhiwlas
A55
A547
A548
A470
A5
A4086
A498
A543
A544
A525
A494
A4212
A487
A496
A4085
A5104
B5381
B5382
B5384
B5113
B5106
B4406
B4407
B4391
B4410
B4501
B5105
B4401
B4402
B5435

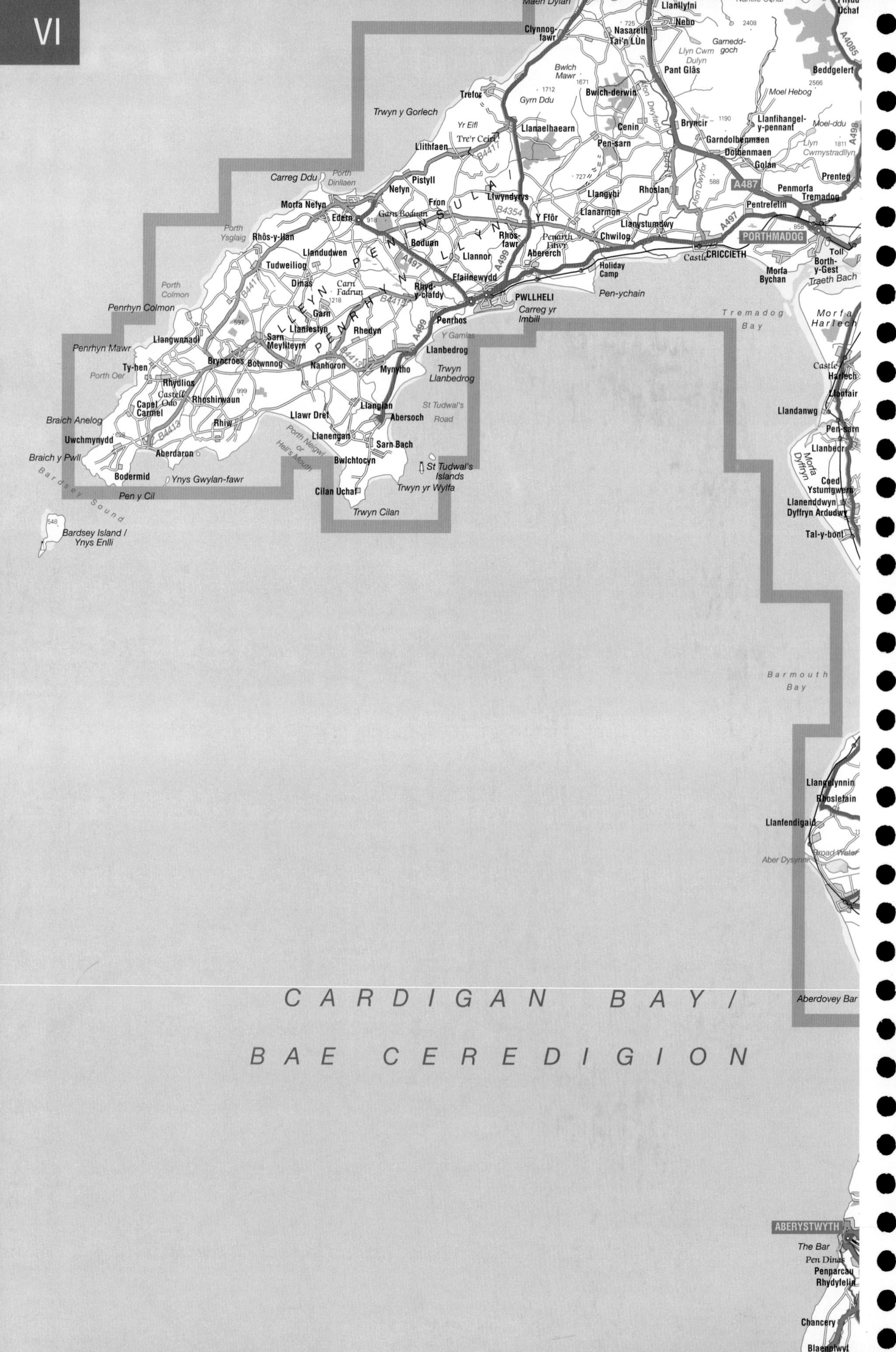
CARDIGAN BAY /
BAE CEREDIGION
PWLLHELI
PORTHMADOG
CRICCIETH
ABERYSTWYTH
Nefyn
Morfa Nefyn
Abersoch
Aberdaron
Llanbedrog
Bardsey Island /
Ynys Enlli
Bardsey Sound
St Tudwal's Islands
Tremadog Bay
Barmouth Bay
Harlech
Beddgelert
Trefor
Llithfaen
Pistyll
Edern
Tudweiliog
Botwnnog
Sarn Meyllteyrn
Rhiw
Llanengan
Mynytho
Penrhos
Efailnewydd
Chwilog
Llanystumdwy
Penmorfa
Tremadog
Bryncir
Garndolbenmaen
Dolbenmaen
Golan
Pant Glâs
Nebo
Nasareth
Llanllyfni
Clynnog-fawr
Llangelynnin
Rhoslefain
Llanfendigaid
Aberdovey Bar
Penparcau
Rhydyfelin
Chancery
Blaenplwyf
A487
A497
A499
B4417
B4413
B4354

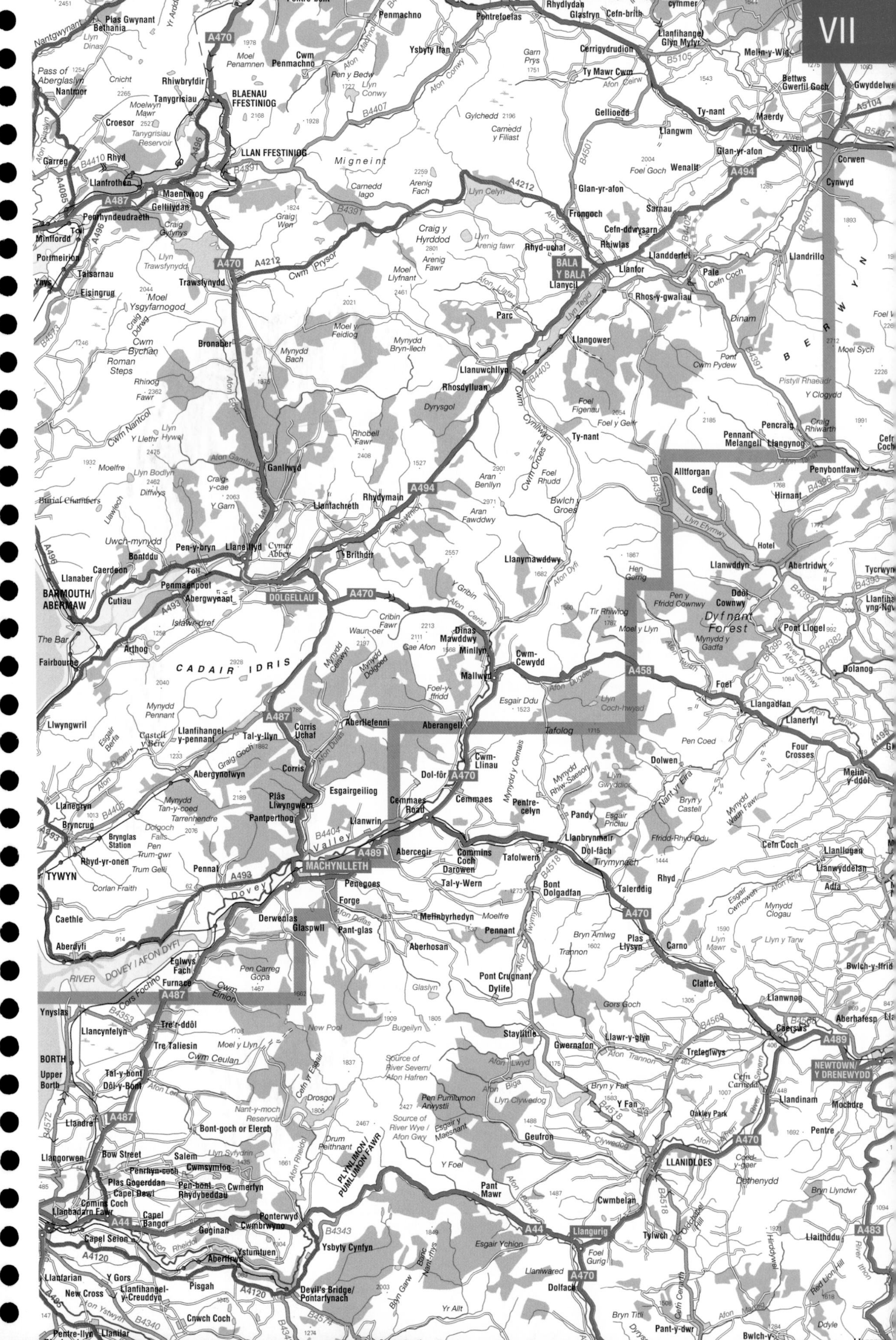
Plas Gwynant
Bethania
Nantgwynant
Llyn Dinas
Pass of Aberglaslyn
Nantmor
Cnicht
Moelwyn Mawr
Croesor
Tanygrisiau
Tanygrisiau Reservoir
Rhiwbryfdir
BLAENAU FFESTINIOG
LLAN FFESTINIOG
Moel Penamnen
Penmachno
Cwm Penmachno
Ysbyty Ifan
Pentrefoelas
Llyn Conwy
Afon Conwy
Garreg
Rhyd
Llanfrothen
Maentwrog
Gellilydan
Penrhyndeudraeth
Minffordd
Portmeirion
Talsarnau
Ynys
Eisingrug
Trawsfynydd
Llyn Trawsfynydd
Moel Ysgyfarnogod
Cwm Bychan
Roman Steps
Bronaber
Rhinog Fawr
Cwm Nantcol
Llyn Hywel
Y Llethr
Moelfre
Llyn Bodlyn
Diffwys
Burial Chambers
Y Garn
Uwch-mynydd
Pen-y-bryn
Bontddu
Caerdeon
Llanaber
Ganllwyd
Llanelltyd
Cymer Abbey
BARMOUTH/ ABERMAW
Cutiau
Penmaenpool
Abergwynant
DOLGELLAU
Islawr-dref
The Bar
Arthog
Fairbourne
CADAIR IDRIS
Mynydd Pennant
Llwyngwril
Llanfihangel-y-pennant
Castell y Bere
Tal-y-llyn
Graig Goch
Abergynolwyn
Llanegryn
Bryncrug
Mynydd Tan-y-coed
Tarrenhendre
Dolgoch Falls
Brynglas Station
Rhyd-yr-onen
Trum Gelli
TYWYN
Corlan Fraith
Pennal
Caethle
Aberdyfi
RIVER DOVEY / AFON DYFI
Dovey
Migneint
Arenig Fach
Llyn Celyn
Carnedd Iago
Craig y Hyrdd
Arenig Fawr
Moel Llyfnant
Cwm Prysor
Gylchedd
Carnedd y Filiast
Garn Prys
Rhydlydan
Glasfryn
Cefn-brith
Cerrigydrudion
Ty Mawr Cwm
Afon Ceirw
Llanfihangel Glyn Myfyr
Melin-y-Wig
Bettws Gwerfil Goch
Gwyddelwern
Ty-nant
Maerdy
Gellioedd
Llangwm
Glan-yr-afon
Druid
Corwen
Cynwyd
Foel Goch
Wenallt
Frongoch
Sarnau
Cefn-ddwysarn
Rhiwlas
Llandderfel
Rhyd-uchaf
BALA
Y BALA
Llanycil
Llanfor
Pale
Llandrillo
Rhos-y-gwaliau
Llyn Tegid
Parc
Llangower
Llanuwchllyn
Rhosdylluan
Moel y Feidiog
Mynydd Bryn-llech
Mynydd Bach
Dyrysgol
Rhobell Fawr
Aran Benllyn
Aran Fawddwy
Cwm Cynllwyd
Cwm Croes
Foel Rhudd
Bwlch y Groes
Foel Figenau
Foel y Geifr
Ty-nant
Rhydymain
Llanfachreth
Brithdir
Llanymawddwy
BERWYN
Moel Sych
Pistyll Rhaeadr
Y Clogydd
Pont Cwm Pydew
Pennant Melangell
Llangynog
Pencraig
Craig Rhiwarth
Penybontfawr
Alltforgan
Cedig
Hirnant
Llyn Efyrnwy
Hotel
Llanwddyn
Abertridwr
Hen Gerrig
Pen y Ffridd Cownwy
Ddôl Cownwy
Dyfnant Forest
Mynydd y Gadfa
Pont Llogel
Tir Rhiwiog
Moel y Llyn
Cribin Fawr
Waun-oer
Cae Afon
Dinas Mawddwy
Minllyn
Mallwyd
Cwm-Cewydd
Foel-y-ffridd
Esgair Ddu
Afon Dugoed
Llyn Coch-hwyad
Foel
Llangadfan
Llanerfyl
Dolanog
Tafolog
Mynydd Ceiswyn
Mynydd Dolgoed
Aberllefenni
Corris Uchaf
Corris
Aberangell
Esgairgeiliog
Plâs Llwyngwern
Pantperthog
Llanwrin
Cwm-Llinau
Dol-fôr
Cemmaes
Cemmaes Road
Mynydd y Cemais
Mynydd Rhiw-Saeson
Pentre-celyn
Pandy
Esgair Priciau
Pen Coed
Dolwen
Four Crosses
Melin-y-ddôl
Bryn y Castell
Mynydd Waun Fawr
Ffridd-Rhyd-Ddu
Llanbrynmair
Dôl-fâch
Tirymynach
Abercegir
Commins Coch
Darowen
Tafolwern
MACHYNLLETH
Penegoes
Forge
Tal-y-Wern
Bont Dolgadfan
Talerddig
Rhyd
Cefn Coch
Llanllugan
Llanwyddelan
Adfa
Derwenlas
Glaspwll
Pant-glas
Melinbyrhedyn
Moelfre
Pennant
Aberhosan
Bryn Amlwg
Trannon
Plas Llysyn
Carno
Mynydd Clogau
Llyn y Tarw
Llyn Mawr
Eglwys Fach
Furnace
Pen Carreg Gopa
Cwm Einion
Cors Fochno
Glaslyn
Pont Crugnant
Dylife
Clatter
Bwlch-y-ffridd
Ynyslas
Llancynfelyn
Tre'r-ddôl
Tre Taliesin
Moel y Llyn
Cwm Ceulan
BORTH
Upper Borth
Tal-y-bont
Dôl-y-Bont
Llandre
Bont-goch or Elerch
Nant-y-moch Reservoir
Drosgol
Bugeilyn
New Pool
Staylittle
Gwernafon
Llawr-y-glyn
Trefeglwys
Gors Goch
Llanwnog
Caersws
Aberhafesp
NEWTOWN/ Y DRENEWYDD
Source of River Severn/ Afon Hafren
Pen Pumlumon Arwystli
Llyn Clywedog
Bryn y Fan
Y Fan
Cefn Carnedd
Llandinam
Mochdre
Oakley Park
Pentre
Source of River Wye / Afon Gwy
Esgair y Maesnant
Drum Peithnant
Geufron
LLANIDLOES
Cefn-y-gaer
Dethenydd
Bryn Llyndwr
Bow Street
Salem
Llangorwen
Llyn Syfydrin
Penrhyn-coch
Cwmsymlog
Plas Gogerddan
Capel Dewi
Pen-bont Rhydybeddau
Cwmerfyn
PLYNLIMON / PUMLUMON FAWR
Y Foel
Pant Mawr
Cwmbelan
Comins Coch
Llanbadarn Fawr
Capel Bangor
Goginan
Cwmbrwyno
Ponterwyd
Capel Seion
Aberffrwd
Ystumtuen
Ysbyty Cynfyn
Esgair Ychion
Llangurig
Tylwch
Llaithddu
Llanfarian
Y Gors
New Cross
Llanfihangel-y-Creuddyn
Pisgah
Devil's Bridge/ Pontarfynach
Foel Gurig
Llaniwared
Dolfach
Red Lion Hill
Cnwch Coch
Bryn Titli
Pant-y-dwr
Bwlch-y-
Ddyle
Yr Allt
Bryn Garw
A470
A487
A496
A493
A494
A4212
A458
A489
A44
A4120
A5
A4085
A483
B4391
B4407
B4410
B4401
B4403
B4393
B4395
B4405
B4404
B4518
B4569
B4353
B4343
B4340
B4574
B4572
B4501
B5105
B4396
B4402
B4382
B4573

Traffordd gyda rhif y gyffordd	**Gorsaf ambiwlans**
Prif dramwyfeydd – ffordd ddeuol/un lôn	**Gorsaf gwylwyr y glannau**
Ffordd A – ffordd ddeuol/un lôn	**Gorsaf Dân**
Ffordd B – ffordd ddeuol/un lôn	**Swyddfa'r heddlu**
Ffyrdd bychan – ffordd ddeuol/un lôn	**Mynedfa damwain ac argyfwng i'r ysbyty**
Ffyrdd bychan eraill – ffordd ddeuol/un lôn	**Ysbyty**
Ffordd yn cael ei hadeiladu	**Lle o addoliad**
Twnnel, ffordd dan orchudd	**Canolfan gwybodaeth** (a'r agor drwy'r flwyddyn)
Trac gwledig, ffordd breifat, neu ffordd mewn ardal ddinesig	**Parcio**
Llidiart neu rhwystr i draffig (gall fod cyfyngiadau ddim yn ddilys ar gyfer bob amser neu i bob drafnidiaeth)	**Parcio a chludo**
Llwybr, llwybr march, cilffordd yn agored i bob trafnidiaeth, ffordd a ddefnyddir yn lwybr cyhoeddus	**Swyddfa'r post**
	Safle gwersylla
Mân cerddwyr	**Safle carafan**
DY7 **Ffiniau codau-post**	**Cwrs golff**
Ffiniau Sir ac awdurdod unedol	**Safle picnic**
Rheilffordd, twnnel, rheilffordd yn cael ei hadeiladu	**Adeiladau pwysig, ysgolion, colegau, prifysgolion ac ysbytai**
Tramffordd, tramffordd yn cael ei hadeiladu	Prim Sch
Rheilffordd ar raddfa fychan	River Medway **Enw dŵr**
Gorsaf rheilffordd Walsall	**Afon, cored, nant**
Gorsaf rheilffordd breifat	**Camlas, loc, twnnel**
Gorsaf metro South Shields	**Dŵr**
Atalfa tram, atalfa tram yn cael ei hadeiladu	**Dŵr llanw**
Gorsaf fysiau	**Coed**
	Ardal adeiledig

Acad	Academi	IRB Sta	Gorsaf bad achub y glannau	Pal	Palas brenhinol	*Church* **Hynafiaeth anrhufeinig**
Allot Gdns	Gerddi ar osod			PH	Tŷ tafarn	
Cemy	Mynwent	Inst	Institiwt	Recn Gd	Maes chwaraeon	ROMAN FORT **Hynafiaeth rhufeinig**
C Ctr	Canolfan ddinesig	Ct	Llys cyfraith	Resr	Cronfa ddŵr	
		L Ctr	Canolfan hamdden	Ret Pk	Parc adwerthu	**94**
CH	Tŷ Clwb			Sch	Ysgol	
Coll	Coleg	LC	Croesfan wastad	Sh Ctr	Canolfan Siopa	**Arwyddion dalennau cyfagos a bandiau gorymylon**
Crem	Amlosgfa			TH	Neuadd y dref	Y mae lliw y saeth â'r band yn dynodi gradd y ddalen gyfagos â'r ddalen gorymyl (gwelwch y graddau islaw)
Ent	Menter	Liby	Llyfrgell	Trad Est	Ystad Fasnachol	
Ex H	Neuadd Arddangos	Mkt	Marchnad	Univ	Prifysgol	**164**
		Meml	Coffa	W Twr	Tŵrdŵr	
Ind Est	Ystad ddiwydiannol	Mon	Cofgolofn	Wks	Gwaith	
		Mus	Amgueddfa	YH	Hostel ieuenctid	
		Obsy	Arsylffa			

■ Y mae'r rhifau bach o gwmpas ochrau'r mapiau yn dynodi llinelli grid cenedlaethol 1 cilomedr
■ Mae'r ffin llwyd tywyll ar ochr fewn rhai tudalennau yn dynodi nad yw'r mapio yn canlyn ymlaen i'r tudalen gyffiniol

Gradd y mapiau ar y dalennau gyda rhifau glas yw 5.52 cm i 1 km • 3½ modfedd i 1 filltir • 1: 18103	0 ¼ ½ ¾ 1 milltir / 0 250m 500m 750m 1 km
Gradd y mapiau ar y dalennau gyda rhifau gwyrdd yw 2.76 cm i 1 km • 1¾ modfedd i 1 filltir • 1: 36206	0 ¼ ½ ¾ 1 milltir / 0 250m 500m 750m 1 km

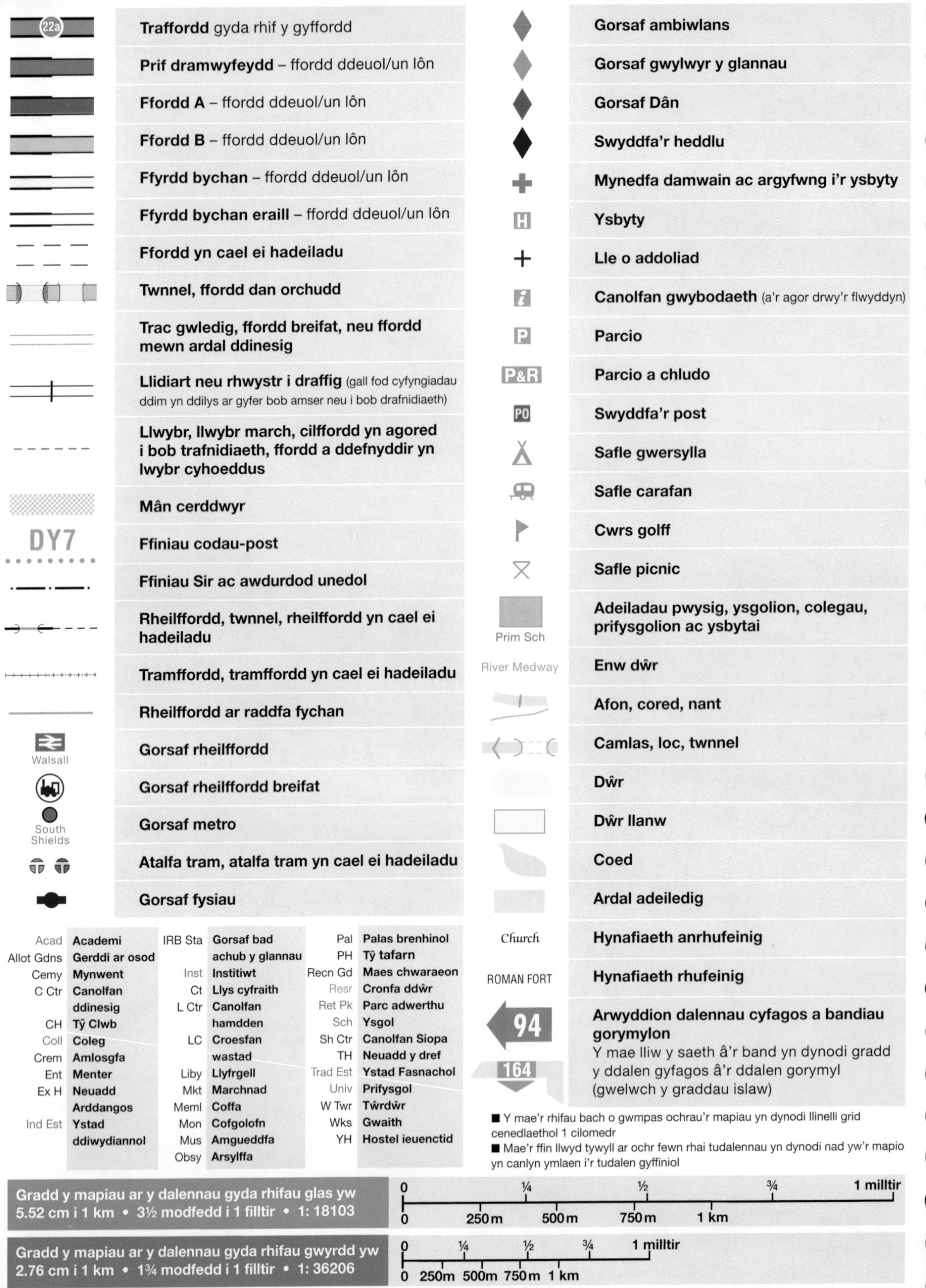

Symbol	Description
(22a)	**Motorway** with junction number
	Primary route – dual/single carriageway
	A road – dual/single carriageway
	B road – dual/single carriageway
	Minor road – dual/single carriageway
	Other minor road – dual/single carriageway
	Road under construction
	Tunnel, covered road
	Rural track, private road or narrow road in urban area
	Gate or obstruction to traffic (restrictions may not apply at all times or to all vehicles)
	Path, bridleway, byway open to all traffic, road used as a public path
	Pedestrianised area
DY7	**Postcode boundaries**
	County and unitary authority boundaries
	Railway, tunnel, railway under construction
	Tramway, tramway under construction
	Miniature railway
Walsall	**Railway station**
	Private railway station
South Shields	**Metro station**
	Tram stop, tram stop under construction
	Bus, coach station

Symbol	Description
◆	**Ambulance station**
◆	**Coastguard station**
◆	**Fire station**
◆	**Police station**
✚	**Accident and Emergency entrance to hospital**
H	**Hospital**
+	**Place of worship**
i	**Information Centre** (open all year)
P	**Parking**
P&R	**Park and Ride**
PO	**Post Office**
⋏	**Camping site**
	Caravan site
►	**Golf course**
✕	**Picnic site**
Prim Sch	**Important buildings, schools, colleges, universities and hospitals**
River Medway	**Water name**
	River, weir, stream
	Canal, lock, tunnel
	Water
	Tidal water
	Woods
	Built up area
Church	**Non-Roman antiquity**
ROMAN FORT	**Roman antiquity**
94 / 164	**Adjoining page indicators and overlap bands** The colour of the arrow and the band indicates the scale of the adjoining or overlapping page (see scales below)

Acad	Academy	Inst	Institute	Recn Gd	Recreation Ground
Allot Gdns	Allotments	Ct	Law Court		
Cemy	Cemetery	L Ctr	Leisure Centre	Resr	Reservoir
C Ctr	Civic Centre	LC	Level Crossing	Ret Pk	Retail Park
CH	Club House	Liby	Library	Sch	School
Coll	College	Mkt	Market	Sh Ctr	Shopping Centre
Crem	Crematorium	Meml	Memorial	TH	Town Hall/House
Ent	Enterprise	Mon	Monument	Trad Est	Trading Estate
Ex H	Exhibition Hall	Mus	Museum	Univ	University
Ind Est	Industrial Estate	Obsy	Observatory	W Twr	Water Tower
IRB Sta	Inshore Rescue Boat Station	Pal	Royal Palace	Wks	Works
		PH	Public House	YH	Youth Hostel

■ The small numbers around the edges of the maps identify the 1 kilometre National Grid lines

■ The dark grey border on the inside edge of some pages indicates that the mapping does not continue onto the adjacent page

The scale of the maps on the pages numbered in blue is 5.52 cm to 1 km • 3½ inches to 1 mile • 1: 18103

0	¼	½	¾	1 mile
0	250 m	500 m	750 m	1 kilometre

The scale of the maps on pages numbered in green is 2.76 cm to 1 km • 1¾ inches to 1 mile • 1: 36206

0	¼	½	¾	1 mile
0	250m	500m	750m	1 kilometre

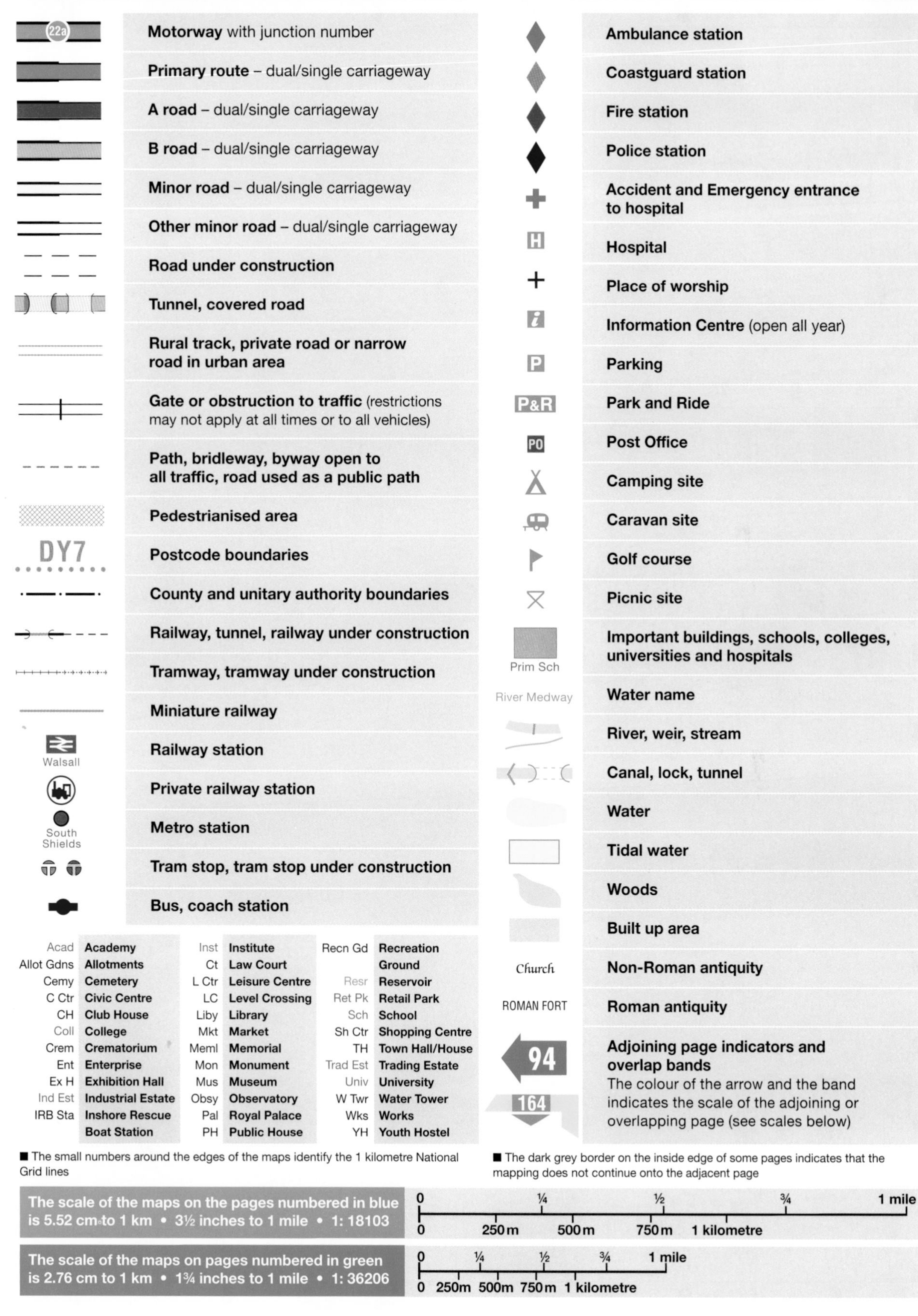

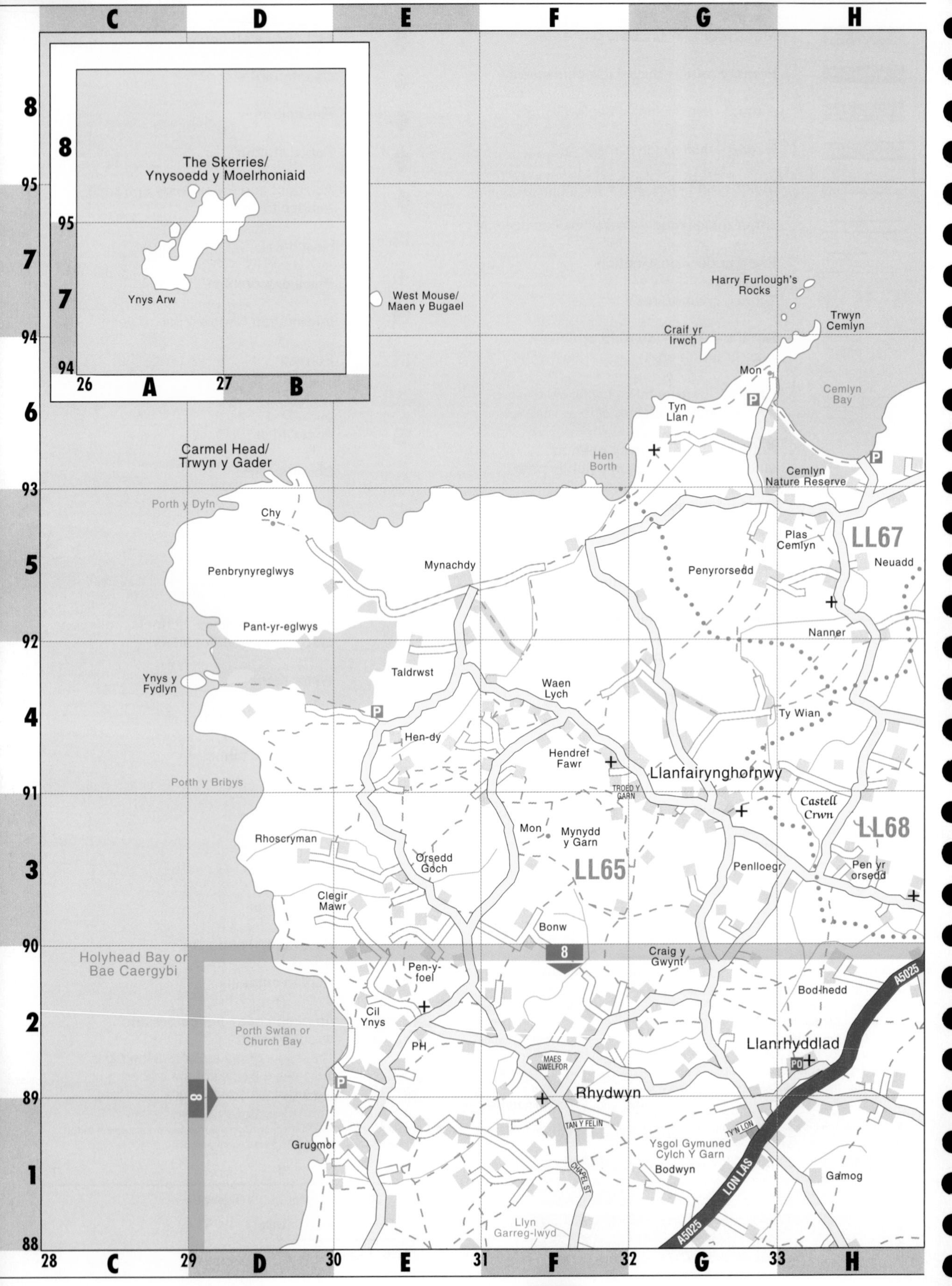

The Skerries/
Ynysoedd y Moelrhoniaid

Ynys Arw

West Mouse/
Maen y Bugael

Harry Furlough's
Rocks

Craif yr
Irwch

Trwyn
Cemlyn

Mon

Cemlyn
Bay

Carmel Head/
Trwyn y Gader

Hen
Borth

Tyn
Llan

Cemlyn
Nature Reserve

Porth y Dyfn

Chy

LL67

Plas
Cemlyn

Penbrynyreglwys

Mynachdy

Penyrorsedd

Neuadd

Pant-yr-eglwys

Nanner

Taldrwst

Waen
Lych

Ty Wian

Ynys y
Fydlyn

Hen-dy

Hendref
Fawr

Llanfairynghornwy

Porth y Bribys

TROED Y
GARN

Castell
Crwn

Rhoscryman

Mon

Mynydd
y Garn

LL68

Orsedd
Goch

Penlloegr

Pen yr
orsedd

Clegir
Mawr

LL65

Bonw

Holyhead Bay or
Bae Caergybi

Craig y
Gwynt

8

Pen-y-
foel

Bod-hedd

A5025

Porth Swtan or
Church Bay

Cil
Ynys

Llanrhyddlad

PO

8

PH

MAES
GWELFOR

Rhydwyn

Grugmor

TAN Y FELIN

LON LAS

Ysgol Gymuned
Cylch Y Garn

Bodwyn

Gamog

CHAPEL ST

TY'N LON

Llyn
Garreg-lwyd

A5025

8

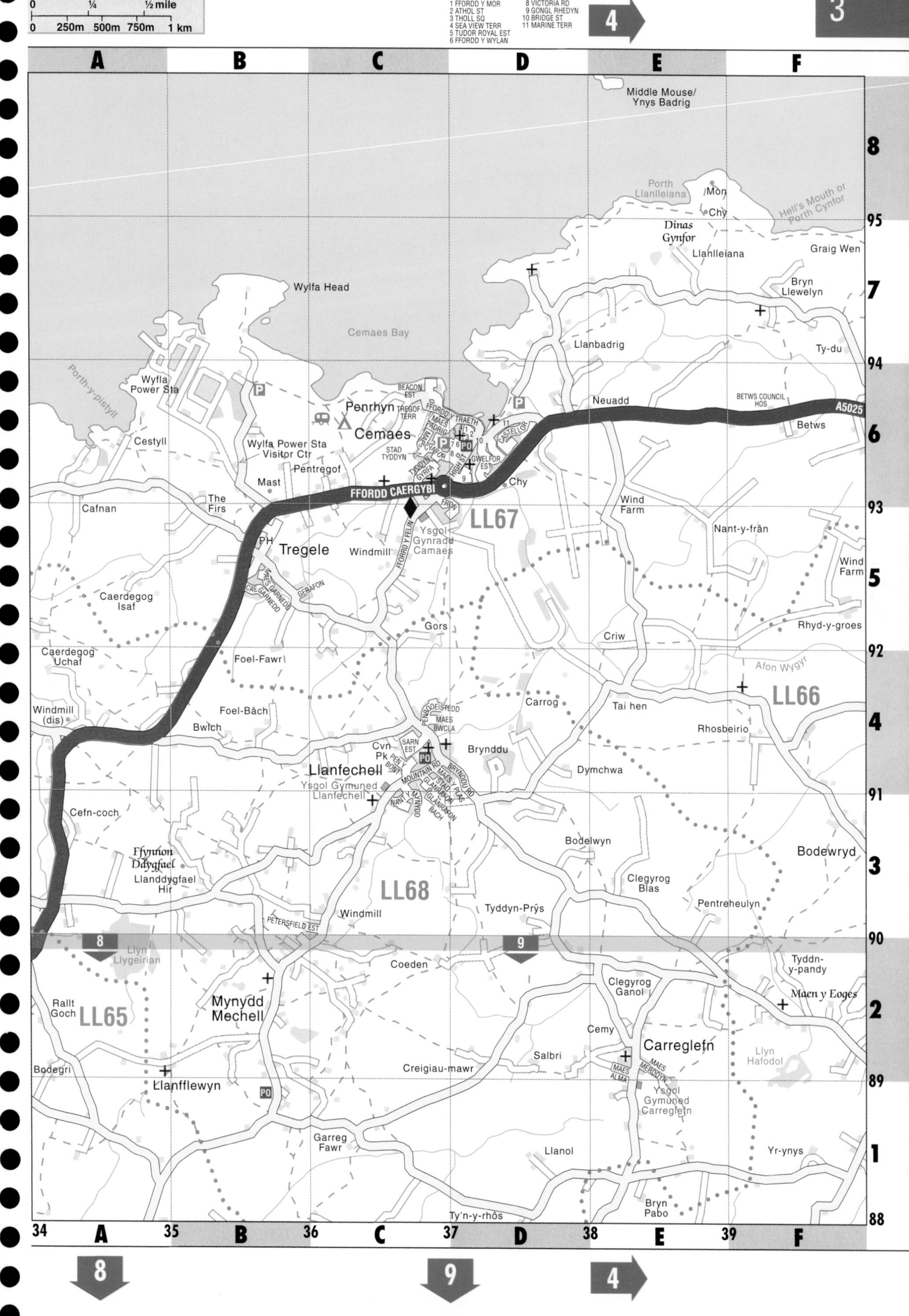

Scale: 1¾ inches to 1 mile
0 ¼ ½ mile
0 250m 500m 750m 1 km
D6
1 FFORDD Y MOR
2 ATHOL ST
3 THOLL SQ
4 SEA VIEW TERR
5 TUDOR ROYAL EST
6 FFORDD Y WYLAN
7 GLASGOED RD
8 VICTORIA RD
9 GONGL RHEDYN
10 BRIDGE ST
11 MARINE TERR
4
A
B
C
D
E
F
Middle Mouse/
Ynys Badrig
Porth
Llanlleiana
Mon
Chy
Hell's Mouth or
Porth Cynfor
Dinas
Gynfor
Llanlleiana
Graig Wen
Bryn
Llewelyn
Wylfa Head
Cemaes Bay
Llanbadrig
Ty-du
Porth-y-pistyll
Wylfa
Power Sta
Penrhyn
Cemaes
BEACON EST
TREGOF TERR
Neuadd
BETWS COUNCIL HOS
A5025
Betws
Cestyll
Wylfa Power Sta
Visitor Ctr
STAD TYDDYN
Pentregof
GWELFOR EST
Chy
Mast
FFORDD CAERGYBI
Cafnan
The
Firs
LL67
Ysgol
Gynradd
Camaes
Wind
Farm
Nant-y-frân
PH
Tregele
Windmill
FFORDD Y FELIN
Wind
Farm
Caerdegog
Isaf
MAES GARNEDD
CAE GARNEDD
GERAFON
Gors
Rhyd-y-groes
Criw
Caerdegog
Uchaf
Foel-Fawr
Afon Wygyr
Carrog
Tai hen
LL66
Windmill
(dis)
Foel-Bâch
PENRODEISTEDD
MAES BWCLA
Bwlch
Rhosbeirio
Cvn
Pk
SARN EST
Brynddu
PEN Y BONT
Llanfechell
Dymchwa
Ysgol Gymuned
Llanfechell
MOUNTAIN RD
MAES Y PLAS
BRYNDDU RD
STAD GLANRAFON
NANT Y MYNYDD
GLANRAFON BACH
Cefn-coch
Bodelwyn
Bodewryd
Ffynnon
Dygfael
Llanddygfael
Hir
Clegyrog
Blas
LL68
Tyddyn-Prŷs
Pentreheulyn
Windmill
PETERSFIELD EST
8
Llyn
Llygeirian
9
Tyddn-
y-pandy
Coeden
Clegyrog
Ganol
Maen y Eoges
Rallt
Goch
LL65
Mynydd
Mechell
Cemy
Carreglefn
Llyn
Hafodol
Salbri
MAES MERDDYN
MAES ALMA
Bodegri
Creigiau-mawr
Llanfflewyn
PO
Ysgol
Gymuned
Carreglefn
Garreg
Fawr
Llanol
Yr-ynys
Bryn
Pabo
Ty'n-y-rhôs
34
35
36
37
38
39
88
89
90
91
92
93
94
95
1
2
3
4
5
6
7
8
9

3

Scale: 1¾ inches to 1 mile
0 ¼ ½ mile
0 250m 500m 750m 1 km

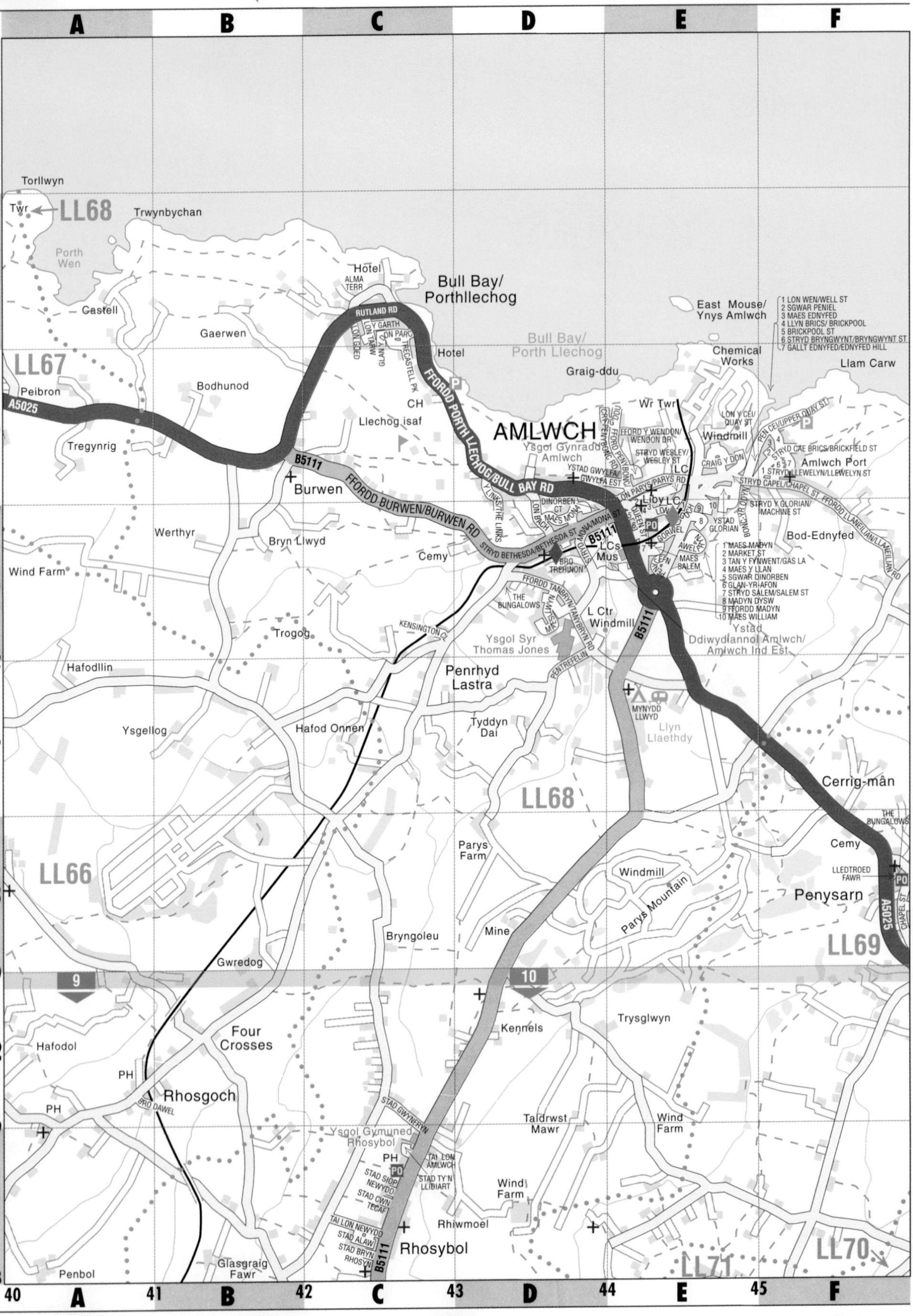
A
B
C
D
E
F
8
95
7
94
6
93
5
92
4
91
3
90
2
89
1
88
40
41
42
43
44
45
Torllwyn
Twr
LL68
Trwynbychan
Porth
Wen
Castell
Gaerwen
Hotel
ALMA
TERR
Bull Bay/
Porthllechog
Bull Bay/
Porth Llechog
RUTLAND RD
Hotel
LL67
Peibron
A5025
Bodhunod
CH
Llechog isaf
Graig-ddu
AMLWCH
Ysgol Gynradd
Amlwch
FFORDD PORTH LLECHOG/BULL BAY RD
East Mouse/
Ynys Amlwch
Chemical
Works
Llam Carw
1 LON WEN/WELL ST
2 SGWAR PENIEL
3 MAES EDNYFED
4 LLYN BRICS/ BRICKPOOL
5 BRICKPOOL ST
6 STRYD BRYNGWYNT/BRYNGWYNT ST
7 GALLT EDNYFED/EDNYFED HILL
Wr Twr
Windmill
Amlwch Port
Tregynrig
B5111
Burwen
FFORDD BURWEN/BURWEN RD
Werthyr
Bryn Llwyd
Cemy
Wind Farm
STRYD BETHESDA/BETHESDA ST
B5111
LCs
Mus
BRO
TREHINON
FFORDD TANBRYN/TANYBRYN RD
THE
BUNGALOWS
L Ctr
Windmill
Bod-Ednyfed
1 MAES MADYN
2 MARKET ST
3 TAN Y FYNWENT/GAS LA
4 MAES Y LLAN
5 SGWAR DINORBEN
6 GLAN-YR-AFON
7 STRYD SALEM/SALEM ST
8 MADYN DYSW
9 FFORDD MADYN
10 MAES WILLIAM
Ystad
Ddiwydiannol Amlwch/
Amlwch Ind Est
KENSINGTON CL
Trogog
Ysgol Syr
Thomas Jones
Penrhyd
Lastra
Hafodllin
B5111
MYNYDD
LLWYD
Llyn
Llaethdy
Ysgellog
Hafod Onnen
Tyddyn
Dai
LL68
Cerrig-mân
Parys
Farm
THE
BUNGALOWS
Cemy
LL66
Windmill
Parys Mountain
LLEDTROED
FAWR
Penysarn
A5025
Bryngoleu
Mine
LL69
Gwredog
9
10
Kennels
Trysglwyn
Four
Crosses
Hafodol
PH
Rhosgoch
BRO DAWEL
PH
STAD GWYNFRYN
Taldrwst
Mawr
Wind
Farm
Ysgol Gymuned
Rhosybol
PH
PO
TAI LON
AMLWCH
STAD TY'N
LLIDIART
STAD SIOP
NEWYDD
STAD CWM
TECAF
Wind
Farm
TAI LON NEWYDD
STAD ALAW
STAD BRYN
RHOSYN
Rhiwmoel
Rhosybol
B5111
LL71
LL70
Penbol
Glasgraig
Fawr

9
3
10

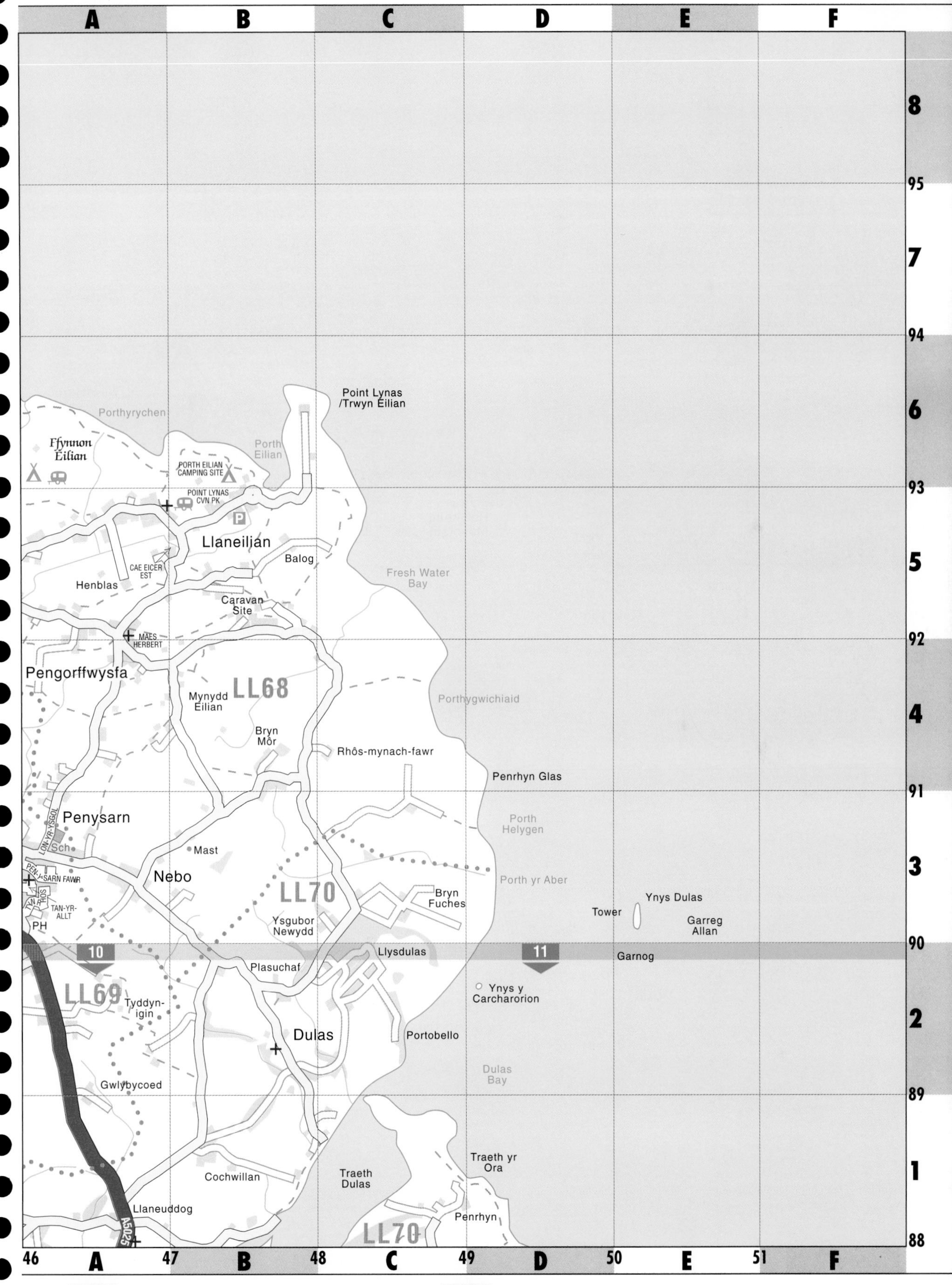

Scale: 1¾ inches to 1 mile

| 0 | ¼ | ½ mile |
| 0 | 250m | 500m | 750m | 1 km |

A B C D E F

8
95
7
94
6
93
5
92
4
91
3
90
2
89
1
88

Porthyrychen

Ffynnon Eilian

Point Lynas /Trwyn Eilian

Porth Eilian

PORTH EILIAN CAMPING SITE

POINT LYNAS CVN PK

P

Llaneilian

Balog

Fresh Water Bay

CAE EICER EST

Henblas

Caravan Site

MAES HERBERT

Pengorffwysfa

Mynydd Eilian

LL68

Porthygwichiaid

Bryn Môr

Rhôs-mynach-fawr

Penrhyn Glas

Penysarn

LÔN-YR-YSGOL

Sch

Mast

Porth Helygen

Porth yr Aber

Ynys Dulas

Tower

Garreg Allan

PEN ...

TAN-YR-ALLT

Nebo

LL70

Bryn Fuches

PH

Ysgubor Newydd

10

Llysdulas

11

Garnog

90

LL69

Tyddyn-igin

Plasuchaf

Dulas

Portobello

Ynys y Carcharorion

Dulas Bay

89

Gwlybycoed

Cochwillan

Traeth Dulas

Traeth yr Ora

Llaneuddog

A5025

LL70

Penrhyn

46 A 47 B 48 C 49 D 50 E 51 F

10 11

A   B   C   D   E   F

8

85

7

84

6

83

5

82

4

81

3

80

2

79

1

78

19   **A**   20   **B**   21   **C**   22   **D**   23   **E**   24   **F**

North Stack/
Ynys Arw

Signal
Station

Porth
Namarch

Breakwater

Ynys
Wellt

138

New Harbour

Gogarth Bay

Breakwater
Ctry Pk

Cae-mawr

Soldiers'
Point

Mus Marina

BEACH RD

PRINCE OF WALES

Chy

Porth-y-felin

Mountain

Llaingoch

NEW PRAS

PORTH-Y-FELIN RD

WALTHEW AVE

KENYON

TH

A5154

Caer y Twr
Holyhead
Mountain

PENTRE
PELLA

Sch

Liby
Sch

Sch

Mast

Mast

South Stack/
Ynys Lawd

Foel

HIBRON

GARREGLWYD RD

MILL BAY

THOMAS ST

Pont Hwfa

Stryd

Holyhead

A5154

A55

A5

Mast

Ellin's
Twr

Goferydd

Cytiau'r
Gwyddelod

Tŷ-
mawr

SOUTH STACK RD

Well

Tŵr

Tre-Wilmot

138

Sch
Cemy

B4545

Kingsland

Pen-las Rock

Pen-y-
bonc

LL65

PLAS RD

KINGSLAND RD

B4545

Bodwarren
Farm

Standing
Stones

Cytiau'r
Gwyddelod

Plas Meilw

Penrhosfeilw

Pen-y-bryn

PORTHDAFARCH RD

MILL RD

Sea &
Surf Ctr

L Ctr

Abraham's Bosom

The
Cottage

Gorsgoch

Tŷ-mawr

Cytiau'r
Gwyddelod

138

Garreg
Fawr

LON GARREG FAWR

Llwyn-
y-berth

Penrhyn
Mawr

Porth Ruffydd

Fort

Porth Dafarch

Porthy-post

LON ISALLT

Hotel

HOLIDAY
BGLWS

ISALLT
LODGES

ISALLT

TRAETH
ATSAIN

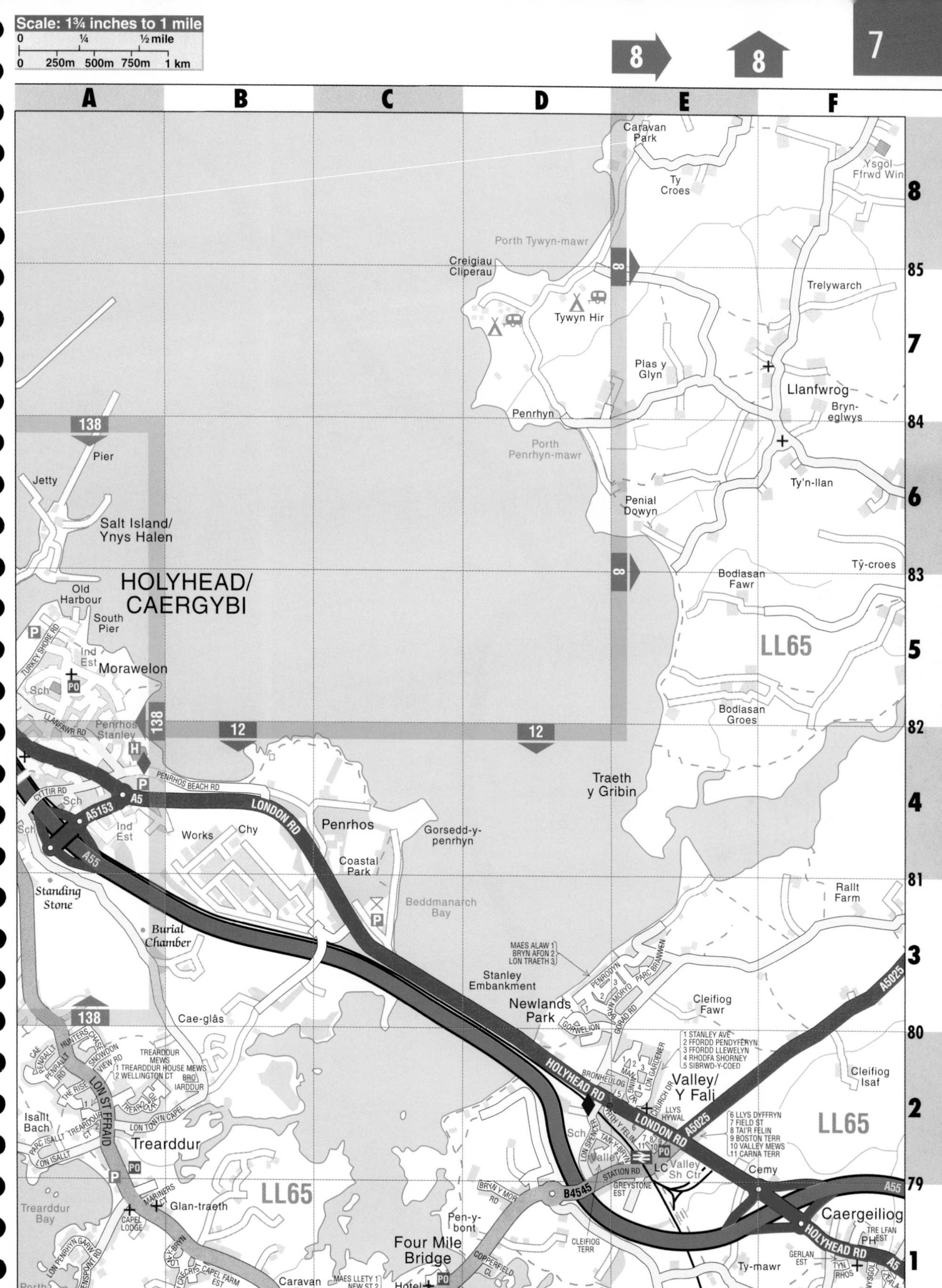

Scale: 1¾ inches to 1 mile

0   ¼   ½ mile
0   250m 500m 750m 1 km

8 → 8 ↑

8
8
8

A   B   C   D   E   F

Caravan Park
Ty Croes
Ysgol Ffrwd Win

Porth Tywyn-mawr
Creigiau Cliperau
Trelywarch

Tywyn Hir

Plas y Glyn
Llanfwrog
Bryn-eglwys

Penrhyn

Porth Penrhyn-mawr
Ty'n-llan

138
Pier
Jetty

Penial Dowyn
Tŷ-croes

Salt Island/ Ynys Halen
Bodlasan Fawr

Old Harbour
LL65

HOLYHEAD/ CAERGYBI
South Pier

Morawelon
Bodlasan Groes

Sch PO
Ind Est

Penrhos Stanley
Traeth y Gribin

LLANFAWR RD
138

CYTTIR RD
138

PENRHOS BEACH RD
LONDON RD
Penrhos

A5
A5153
A55

Ind Est
Works Chy
Coastal Park
Gorsedd-y-penrhyn

Rallt Farm

Standing Stone
Burial Chamber
Beddmanarch Bay

MAES ALAW 1
BRYN AFON 2
LON TRAETH 3

Stanley Embankment

A5025

Cae-glâs
Newlands Park

HOLYHEAD RD
Cleifiog Fawr

138

TREARDDUR MEWS
1 TREARDDUR HOUSE MEWS
2 WELLINGTON CT
BRO IARDDUR

1 STANLEY AVE
2 FFORDD PENDYFERYN
3 FFORDD LLEWELYN
4 RHODFA SHORNEY
5 SIBRWD-Y-COED

Cleifiog Isaf

Isallt Bach
Trearddur

Valley/ Y Fali
LL65

6 LLYS DYFFRYN
7 FIELD ST
8 TAI'R FELIN
9 BOSTON TERR
10 VALLEY MEWS
11 CARNA TERR

LON ST FFRAID
Trearddur Bay
Glan-traeth
LL65

Cemy

A55

LONDON RD
Valley
LC Valley Sh Ctr
Caergeiliog

Capel Lodge
BRYN Y MOR RD
B4545
GREYSTONE EST

TRE LFAN EST
HOLYHEAD RD
A5

Porth Diana
Pen-y-pont
Four Mile Bridge
Cleifiog Terr

Ty-mawr
PH
GERLAN EST

Caravan Pk
MAES LLETY 1
NEW ST 2
FFORDD CARADOC 3
HEOL BRADWEN 4

Hotel PO
RHODFA GWILYM
LON GEDRIC

Bagnol

25 A 26 B 27 C 28 D 29 E 30 F

For full street detail of the highlighted area see page 138.

12 ↓   13 →

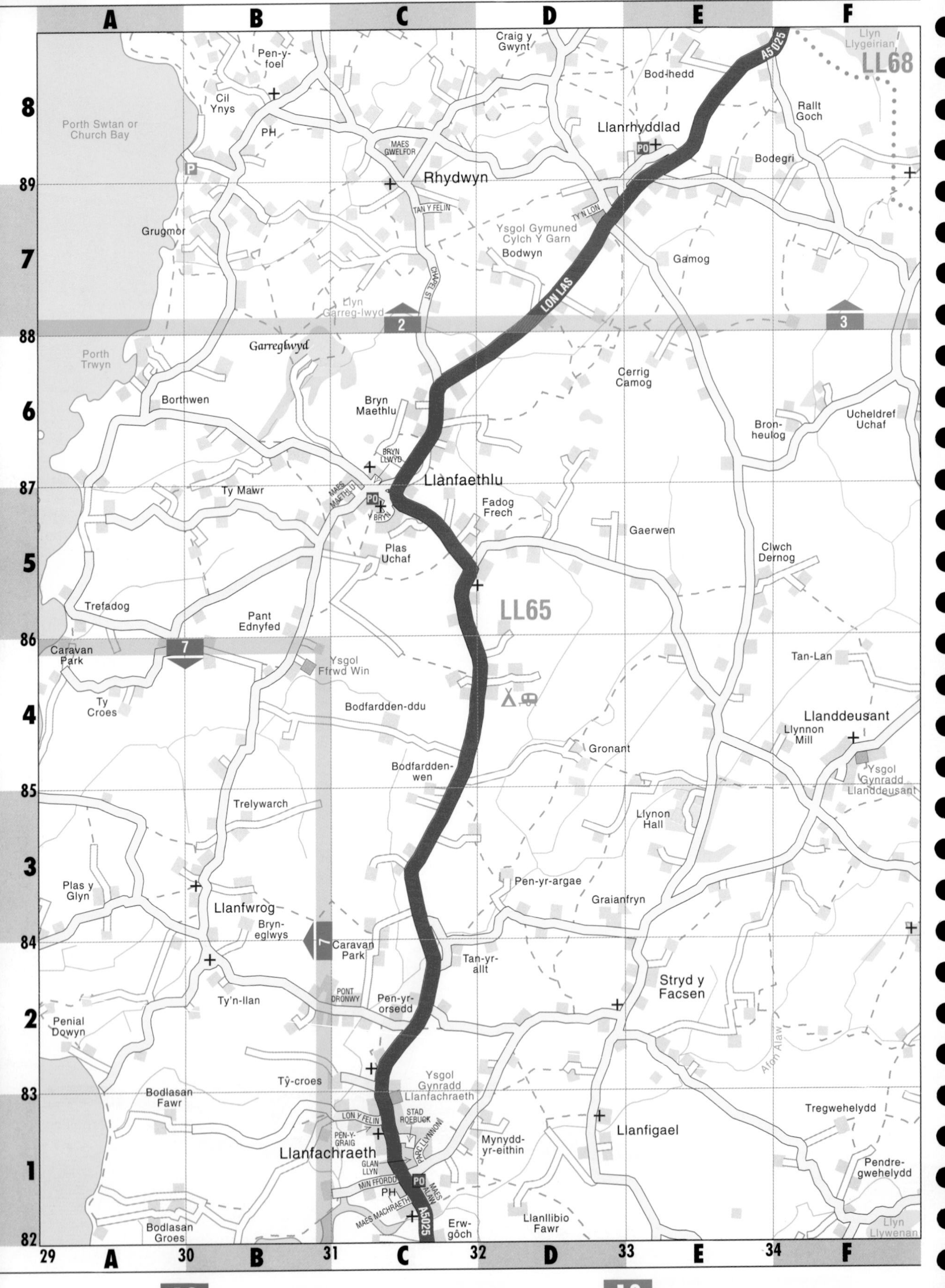
Scale: 1¾ inches to 1 mile
0 ¼ ½ mile
0 250m 500m 750m 1 km
2
3
A B C D E F
Craig y Gwynt
Pen-y-foel
Cil Ynys
PH
Porth Swtan or Church Bay
Bod-hedd
Llanrhyddlad
Rallt Goch
Bodegri
LL68
Llyn Llygeirian
A5025
MAES GWELFOR
Rhydwyn
TAN Y FELIN
TY'N LON
Grugmor
Ysgol Gymuned Cylch Y Garn
Bodwyn
Gamog
CHAPEL ST
LON LAS
Llyn Garreg-lwyd
Garreglwyd
Porth Trwyn
Cerrig Camog
Borthwen
Bryn Maethlu
BRYN LLWYD
Llanfaethlu
MAES MAETHLU
Y BRYN
Bron-heulog
Ucheldref Uchaf
Ty Mawr
Fadog Frech
Gaerwen
Plas Uchaf
Clwch Dernog
LL65
Trefadog
Pant Ednyfed
Caravan Park
Ysgol Ffrwd Win
Tan-Lan
Ty Croes
Bodfardden-ddu
Llanddeusant
Llynnon Mill
Gronant
Bodfardden-wen
Ysgol Gynradd Llanddeusant
Trelywarch
Llynon Hall
Plas y Glyn
Pen-yr-argae
Llanfwrog
Graianfryn
Bryn-eglwys
Caravan Park
Tan-yr-allt
Stryd y Facsen
Ty'n-llan
PONT DRONWY
Pen-yr-orsedd
Penial Dowyn
Afon Alaw
Tŷ-croes
Ysgol Gynradd Llanfachraeth
Bodlasan Fawr
STAD ROEBUCK
LON Y FELIN
Llanfigael
Tregwehelydd
PEN-Y-GRAIG
PARC LLYNNON
Mynydd-yr-eithin
Llanfachraeth
GLAN LLYN
MIN FFORDD
PH
MAES ALAW
Pendre-gwehelydd
MAES MACHRAETH
Erw-gôch
Llanllibio Fawr
Llyn Llywenan
Bodlasan Groes
7
8
89
7
88
6
87
5
86
4
85
3
84
2
83
1
82
29 30 31 32 33 34

12
13

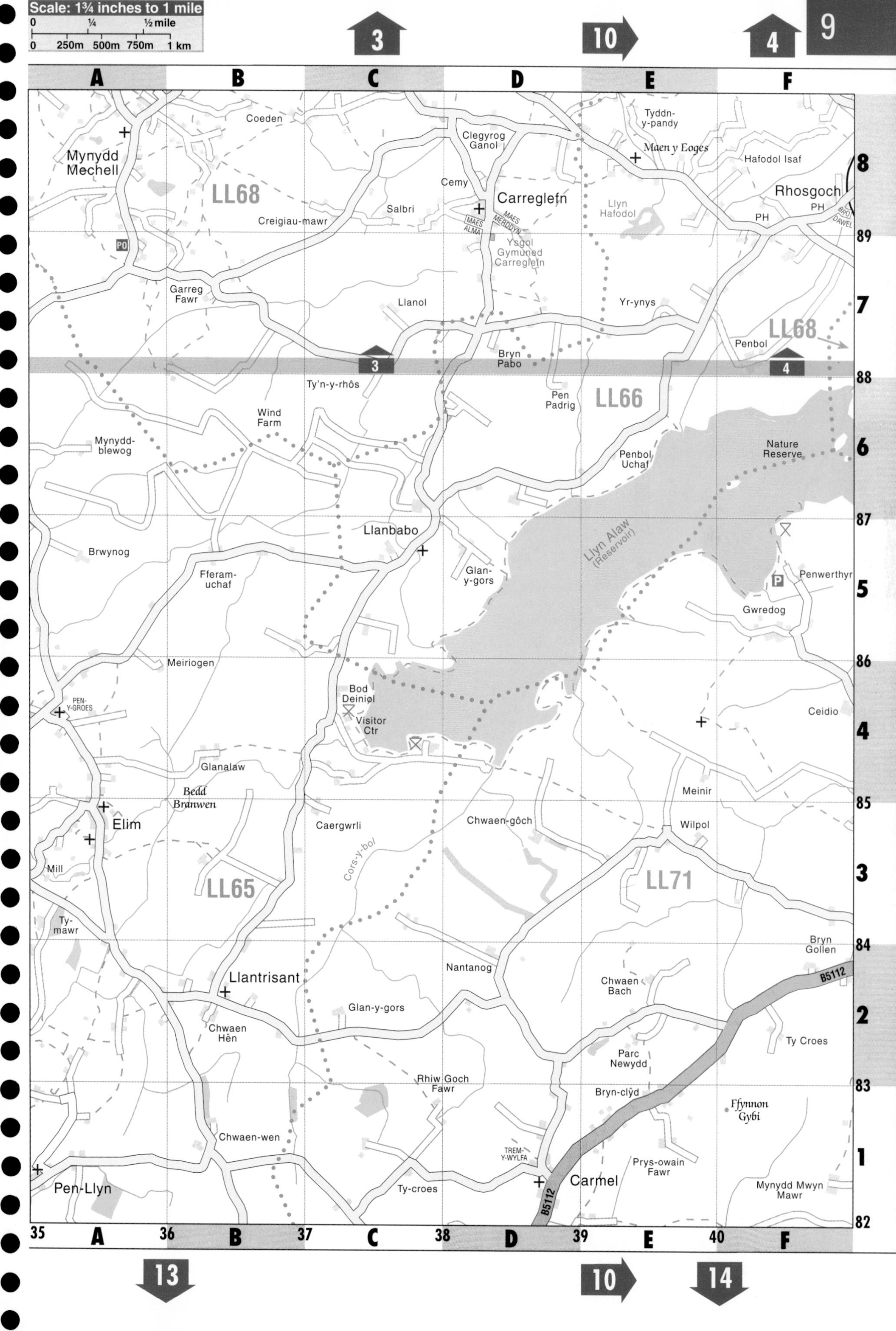
Scale: 1¾ inches to 1 mile
0 ¼ ½ mile
0 250m 500m 750m 1 km
3
10
4
A B C D E F
Coeden
Mynydd Mechell
LL68
PO
Creigiau-mawr
Salbri
Clegyrog Ganol
Cemy
Carreglefn
MAES ALMA
MAES MERDDYN
Ysgol Gymuned Carreglefn
Tyddn-y-pandy
Maen y Eoges
Llyn Hafodol
Hafodol Isaf
Rhosgoch
PH
BRO DAWEL
Garreg Fawr
Llanol
Yr-ynys
Penbol
Bryn Pabo
Ty'n-y-rhôs
Wind Farm
Pen Padrig
LL66
Mynydd-blewog
Penbol Uchaf
Nature Reserve
Llanbabo
Brwynog
Fferam-uchaf
Glan-y-gors
Llyn Alaw (Reservoir)
Penwerthyr
Gwredog
Meiriogen
PEN-Y-GROES
Bod Deiniol
Visitor Ctr
Ceidio
Glanalaw
Bedd Branwen
Meinir
Elim
Caergwrli
Chwaen-gôch
Wilpol
Mill
Cors-y-bol
LL65
LL71
Ty-mawr
Bryn Gollen
Nantanog
Llantrisant
Chwaen Bach
B5112
Glan-y-gors
Chwaen Hên
Ty Croes
Parc Newydd
Rhiw Goch Fawr
Bryn-clŷd
Ffynnon Gybi
Chwaen-wen
TREM-Y-WYLFA
Prys-owain Fawr
Pen-Llyn
Ty-croes
Carmel
Mynydd Mwyn Mawr
8 89 7 88 6 87 5 86 4 85 3 84 2 83 1 82
35 36 37 38 39 40
13
14

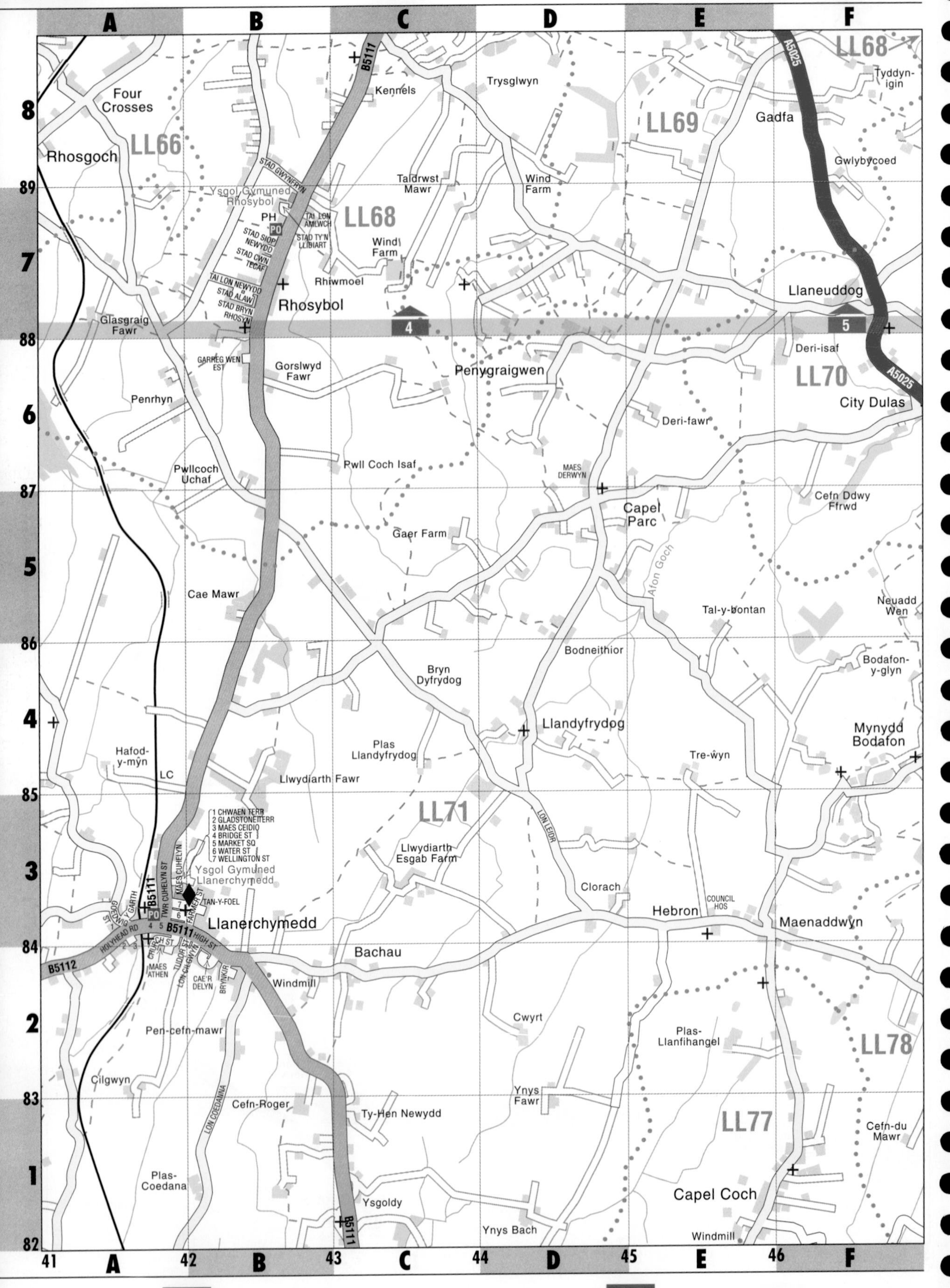

Scale: 1¾ inches to 1 mile
4
5
Four Crosses
Rhosgoch
LL66
Ysgol Gymuned Rhosybol
LL68
Rhosybol
Kennels
Trysglwyn
LL69
Gadfa
Tyddyn-igin
Gwlybycoed
Taldrwst Mawr
Wind Farm
Rhiwmoel
Llaneuddog
Glasgraig Fawr
Gorslwyd Fawr
Penygraigwen
Deri-isaf
LL70
City Dulas
Penrhyn
Deri-fawr
Pwllcoch Uchaf
Pwll Coch Isaf
Capel Parc
Cefn Ddwy Ffrwd
Gaer Farm
Afon Goch
Cae Mawr
Tal-y-bontan
Neuadd Wen
Bryn Dyfrydog
Bodneithior
Bodafon-y-glyn
Llandyfrydog
Mynydd Bodafon
Hafod-y-mŷn
Plas Llandyfrydog
Tre-ŵyn
Llwydiarth Fawr
LL71
Llwydiarth Esgab Farm
Ysgol Gymuned Llanerchymedd
Clorach
Hebron
Maenaddwyn
Llanerchymedd
Bachau
Windmill
Cwyrt
Plas-Llanfihangel
LL78
Pen-cefn-mawr
Cilgwyn
Cefn-Roger
Ty-Hen Newydd
Ynys Fawr
LL77
Cefn-du Mawr
Plas-Coedana
Capel Coch
Ysgoldy
Ynys Bach
Windmill
B5111
B5112
A5025
14
15

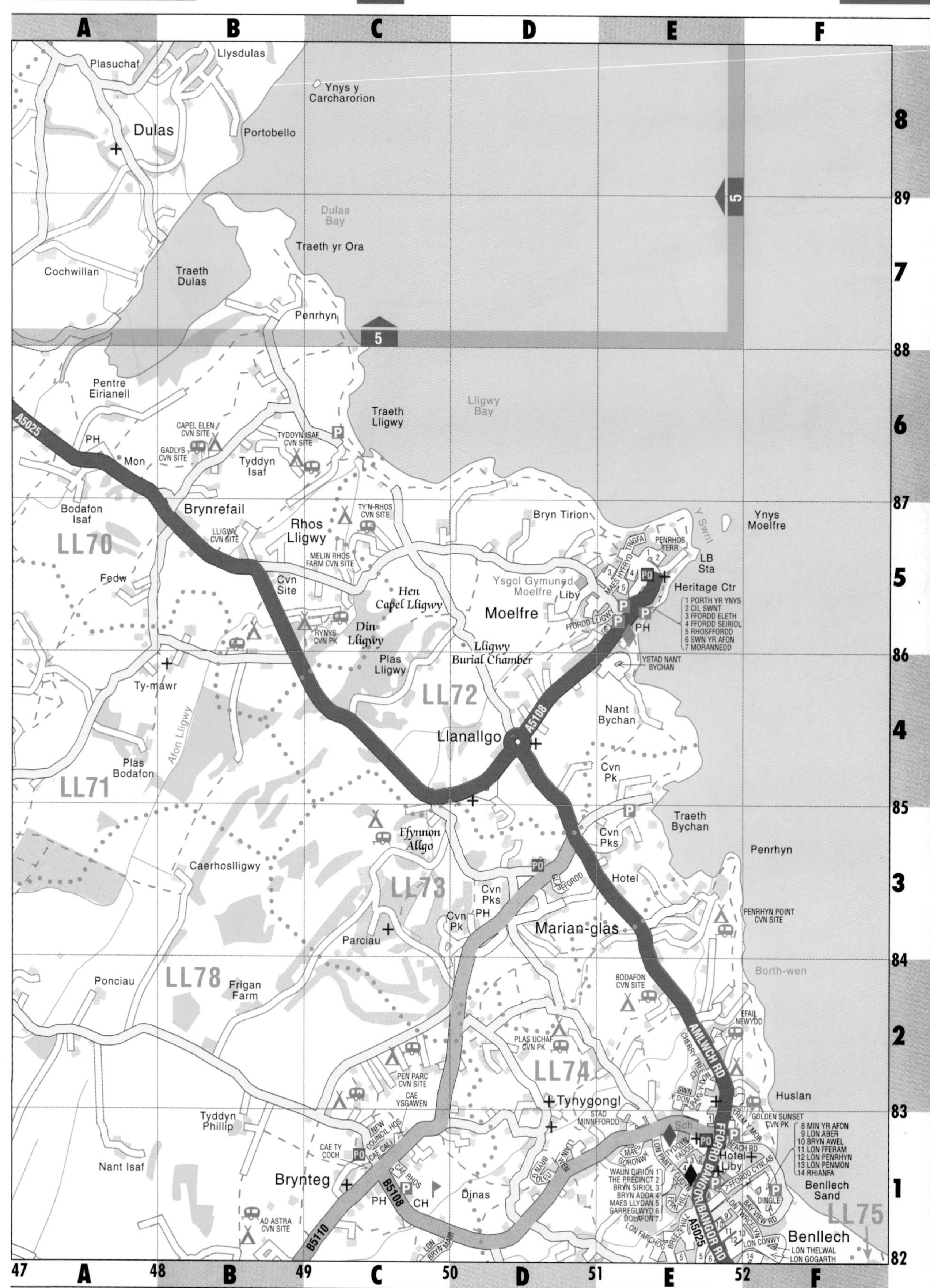

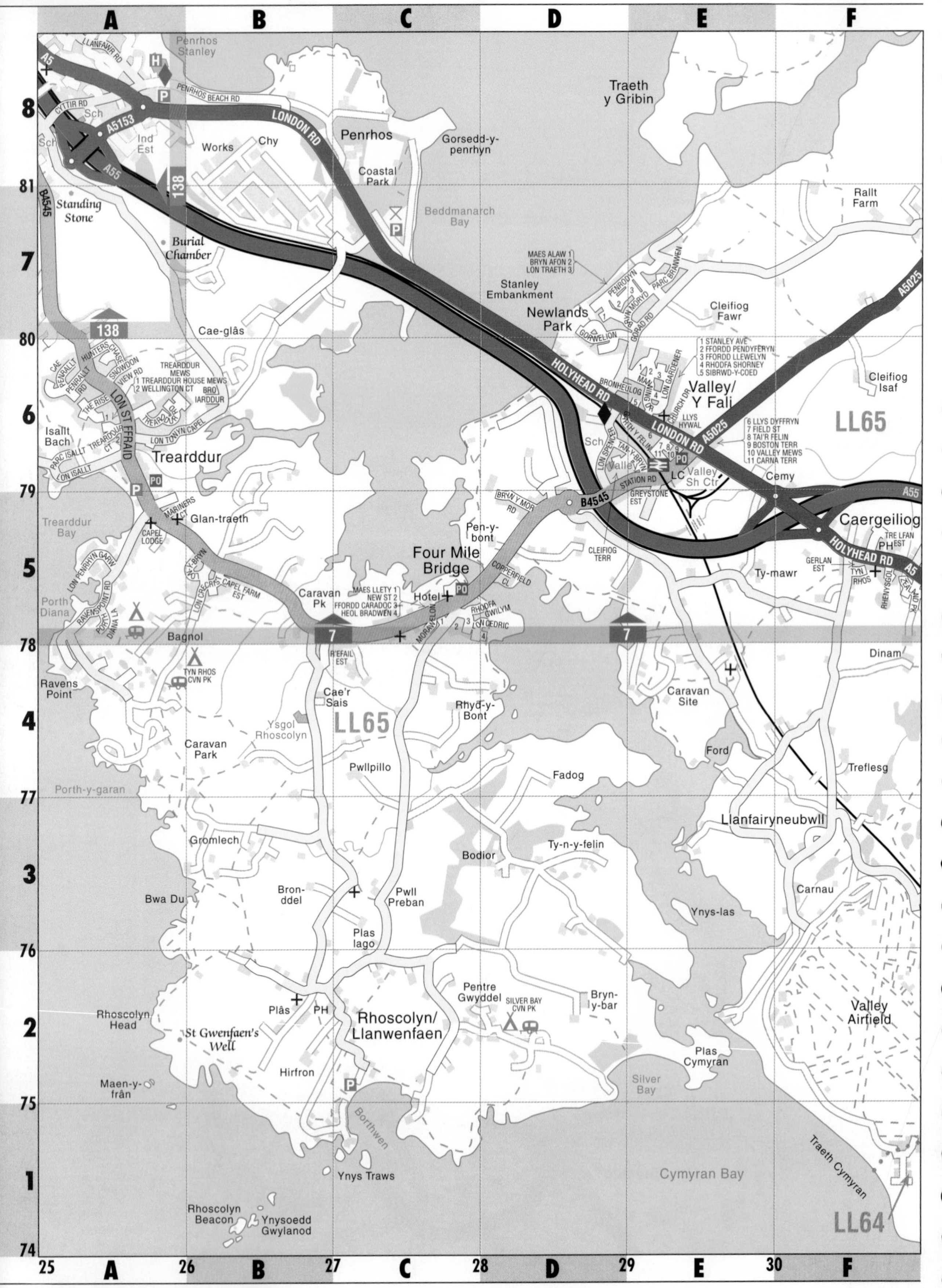

Scale: 1¾ inches to 1 mile
0   ¼   ½ mile
0   250m   500m   750m   1 km

For full street detail of the highlighted area see page 138

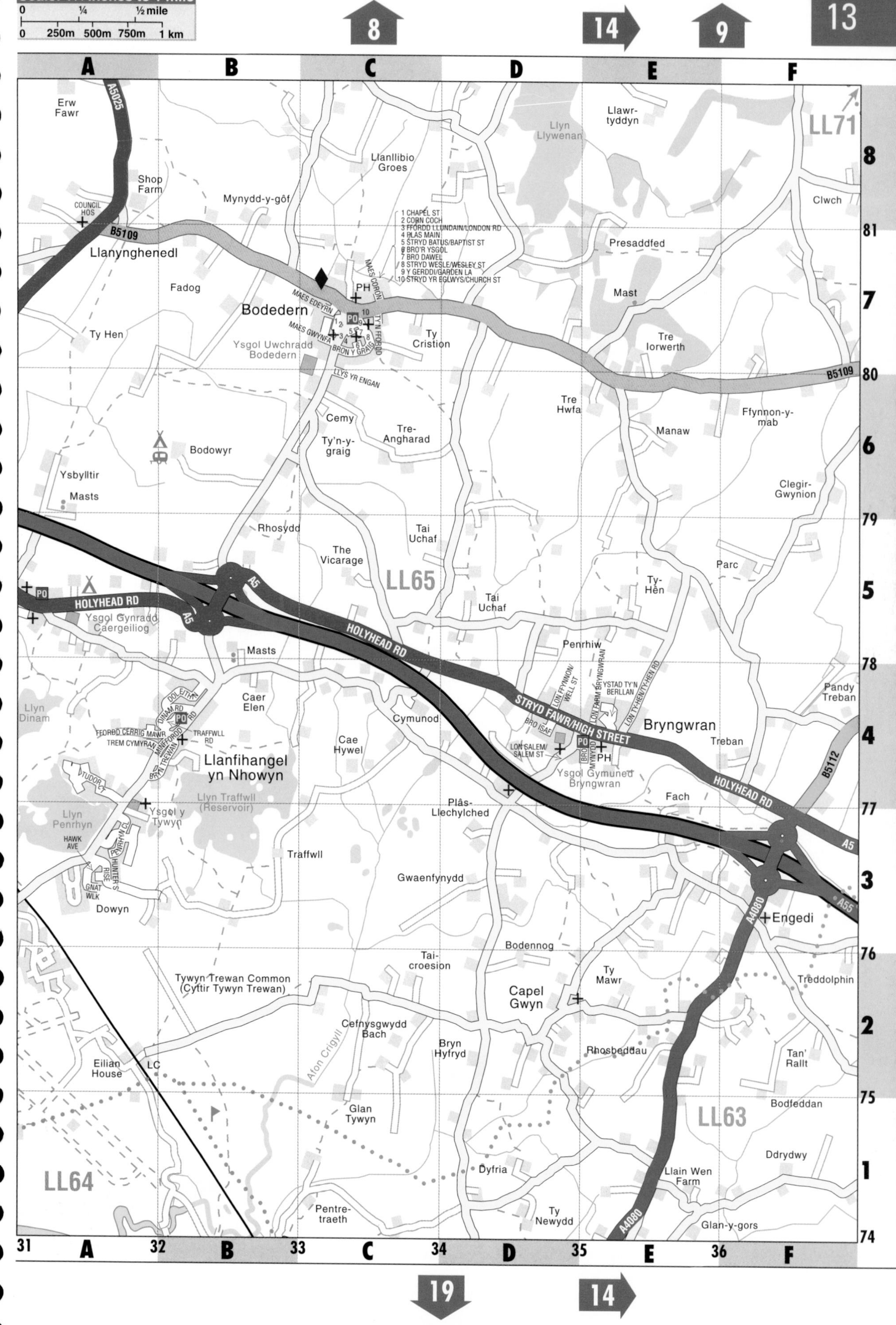
Scale: 1¾ inches to 1 mile
0 ¼ ½ mile
0 250m 500m 750m 1 km
8
14
9
A B C D E F
LL71
LL65
LL63
LL64
Erw Fawr
Llawr-tyddyn
Llyn Llywenan
Llanllibio Groes
Shop Farm
Mynydd-y-gôf
Clwch
COUNCIL HOS
Llanynghenedl
Presaddfed
Fadog
Mast
Bodedern
Ty Hen
Ty Cristion
Tre Iorwerth
Ysgol Uwchradd Bodedern
Tre Hwfa
Ffynnon-y-mab
Manaw
Cemy
Tre-Angharad
Ty'n-y-graig
Bodowyr
Ysbylltir
Masts
Clegir-Gwynion
Rhosydd
Tai Uchaf
The Vicarage
Parc
Ty-Hen
Tai Uchaf
HOLYHEAD RD
Ysgol Gynradd Caergeiliog
Masts
Penrhiw
Caer Elen
Llyn Dinam
Pandy Treban
Cymunod
Bryngwran
Cae Hywel
Treban
Llanfihangel yn Nhowyn
Llyn Traffwll (Reservoir)
Ysgol Gymuned Bryngwran
Fach
Llyn Penrhyn
Ysgol y Tywyn
Plâs-Llechylched
Traffwll
Gwaenfynydd
Dowyn
Engedi
Bodennog
Tai-croesion
Tywyn Trewan Common (Cyttir Tywyn Trewan)
Ty Mawr
Capel Gwyn
Treddolphin
Cefnysgwydd Bach
Bryn Hyfryd
Rhosbeddau
Eilian House
LC
Tan' Rallt
Afon Crigyll
Bodfeddan
Glan Tywyn
Ddrydwy
Dyfria
Llain Wen Farm
Pentre-traeth
Ty Newydd
Glan-y-gors
1 CHAPEL ST
2 CORN COCH
3 FFORDD LLUNDAIN/LONDON RD
4 PLAS MAIN
5 STRYD BATUS/BAPTIST ST
6 BRO'R YSGOL
7 BRO DAWEL
8 STRYD WESLE/WESLEY ST
9 Y GERDDI/GARDEN LA
10 STRYD YR EGLWYS/CHURCH ST
MAES EDEYRN
MAES GWYNFA
MAES CORON
TY'N FFORDD
BRON Y GRAIG
LLYS YR ENGAN
PH
PO
A5025
B5109
A5
A55
A4080
B5112
STRYD FAWR/HIGH STREET
LON FFYNNON/WELL ST
LON FARM BRYNGWRAN
BYSTAD TY'N BERLLAN
LON TY-HEN/TY-HEN RD
BRO ISAF
LON SALEM/SALEM ST
MYNYDD
DOLEITHIN
DINAM RD
FFORDD CERRIG MAWR
TREM CYMYRAN
MINFFORDD RD
TRAFFWLL RD
BRYN TREWAN
TUDOR CT
HAWK AVE
PENRHYN CL
HUNTER'S RISE
GNAT WLK
8 81 7 80 6 79 5 78 4 77 3 76 2 75 1 74
31 32 33 34 35 36
19
14

13
9
10

Scale: 1¾ inches to 1 mile

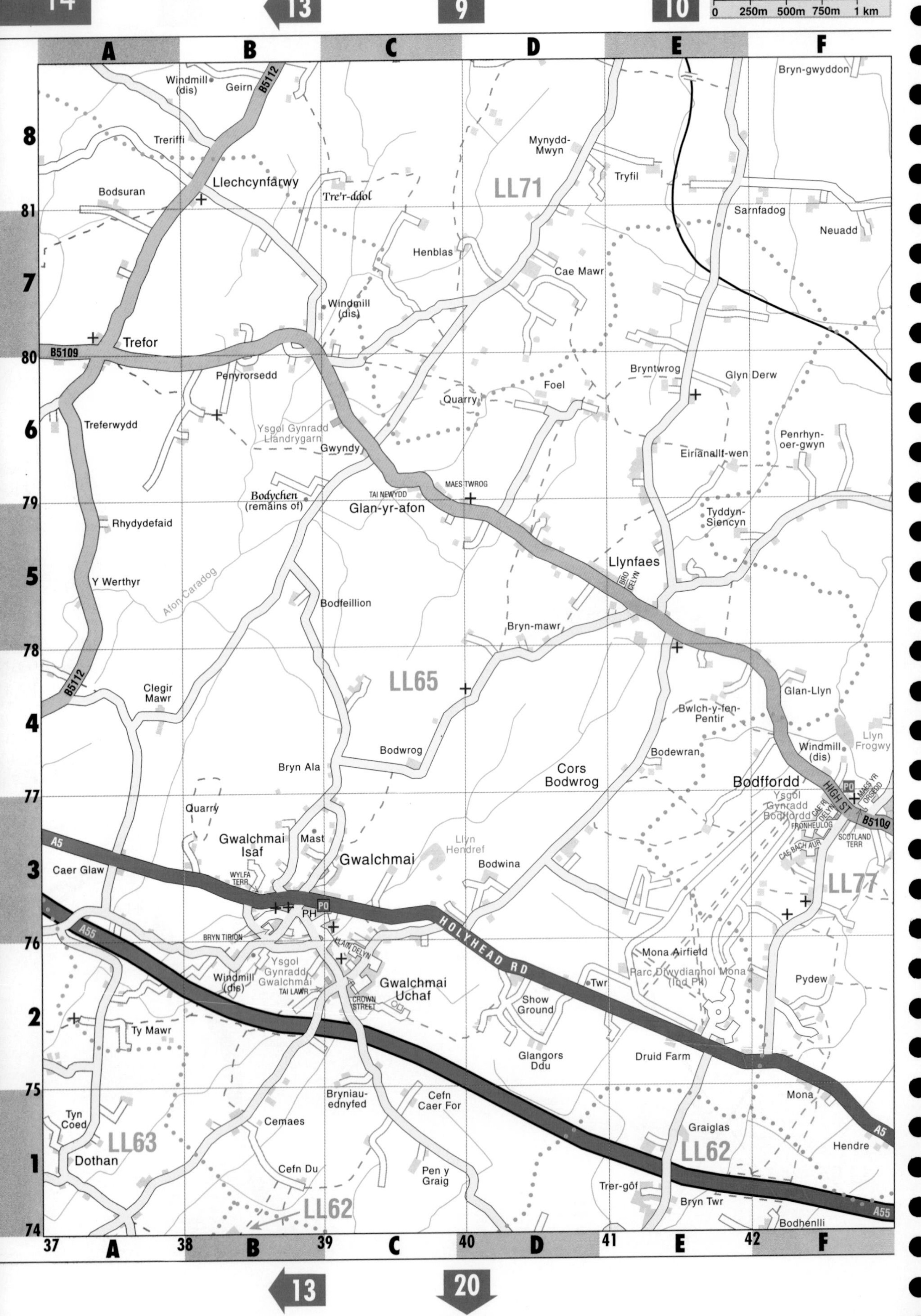

Windmill (dis)
Geirn
B5112
Treriffi
Llechcynfarwy
Bodsuran
Tre'r-ddol
Mynydd-Mwyn
LL71
Tryfil
Sarnfadog
Neuadd
Bryn-gwyddon
Henblas
Cae Mawr
Windmill (dis)
Trefor
B5109
Penyrorsedd
Quarry
Foel
Bryntwrog
Glyn Derw
Treferwydd
Ysgol Gynradd Llandrygarn
Gwyndy
Penrhyn-oer-gwyn
Eirianallt-wen
Bodychen (remains of)
TAI NEWYDD
MAES TWROG
Glan-yr-afon
Tyddyn-Siencyn
Rhydydefaid
Llynfaes
BRO CELYN
Y Werthyr
Afon Caradog
Bodfeillion
Bryn-mawr
Clegir Mawr
LL65
Glan-Llyn
Bwlch-y-fen-Pentir
Windmill (dis)
Llyn Frogwy
Bodwrog
Bodewran
Bryn Ala
Cors Bodwrog
Bodffordd
HIGH ST
MAES YR ORSEDD
Ysgol Gynradd Bodffordd
CAE'R DELYN
FRONHEULOG
SCOTLAND TERR
CAE BACH AUR
Quarry
Gwalchmai Isaf
Mast
Llyn Hendref
A5
Caer Glaw
WYLFA TERR
Gwalchmai
Bodwina
LL77
PH
PO
HOLYHEAD RD
A55
BRYN TIRION
LLAIN DELYN
Ysgol Gynradd Gwalchmai
Windmill (dis)
TAI LAWR
Gwalchmai Uchaf
CROWN STREET
Mona Airfield
Parc Diwydiannol Mona (Ind Pk)
Twr
Show Ground
Pydew
Ty Mawr
Glangors Ddu
Druid Farm
Bryniau-ednyfed
Cefn Caer For
Mona
Tyn Coed
Cemaes
LL63
Dothan
Graiglas
LL62
Hendre
Cefn Du
Pen y Graig
Trer-gôf
Bryn Twr
LL62
Bodhenlli
A B C D E F
8 81 7 80 6 79 5 78 4 77 3 76 2 75 1 74
37 38 39 40 41 42

13
20

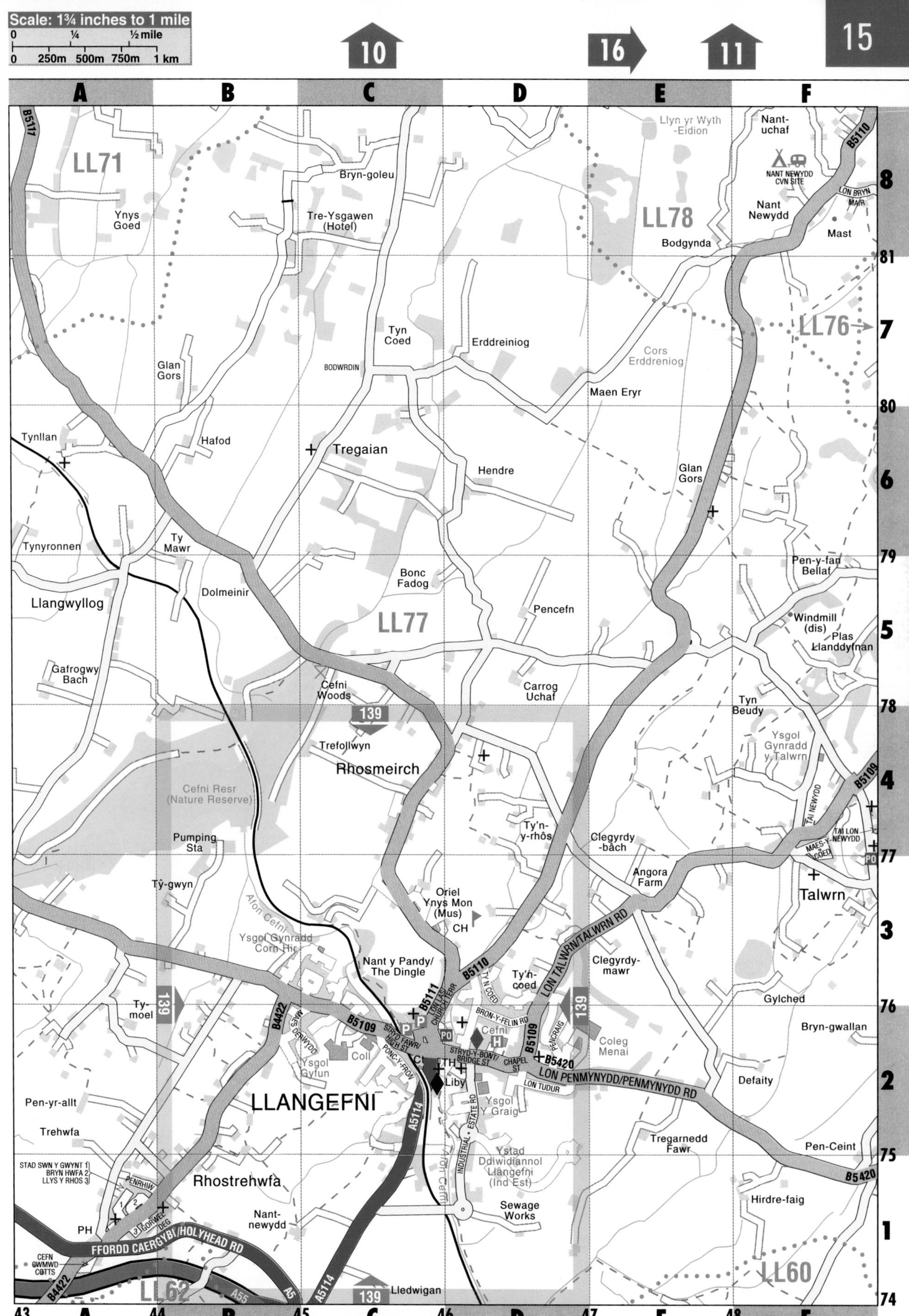

15
11

Scale: 1¾ inches to 1 mile

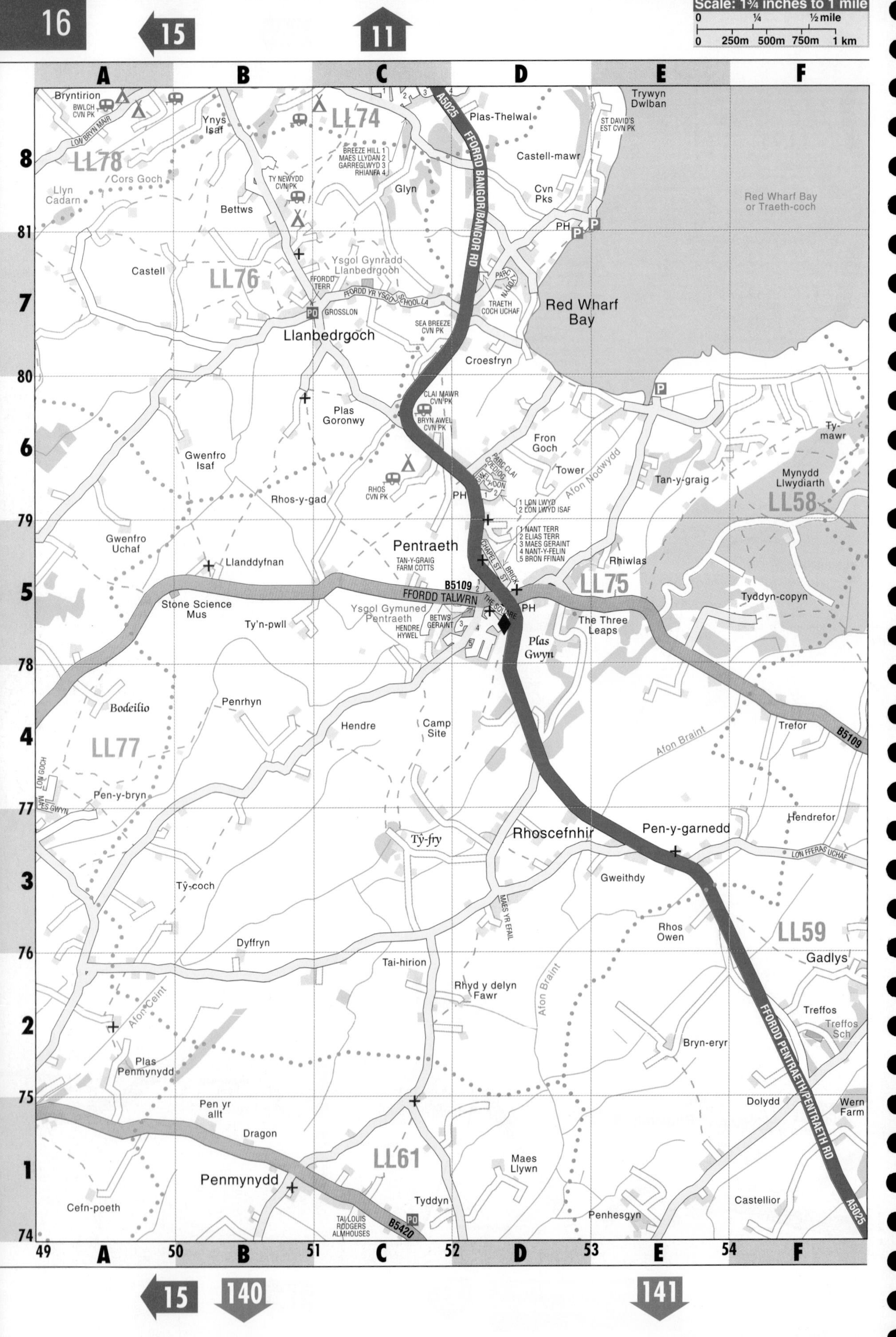
Bryntirion
Ynys Isaf
LL74
Plas-Thelwal
Trywyn Dwlban
Castell-mawr
LL78
Cors Goch
Llyn Cadarn
Bettws
Glyn
Cvn Pks
Red Wharf Bay or Traeth-coch
Castell
LL76
Ysgol Gynradd Llanbedrgoch
Red Wharf Bay
Llanbedrgoch
Croesfryn
Plas Goronwy
Fron Goch
Tower
Tan-y-graig
Ty-mawr
Mynydd Llwydiarth
LL58
Gwenfro Isaf
Rhos-y-gad
Pentraeth
Gwenfro Uchaf
Llanddyfnan
Rhiwlas
LL75
Stone Science Mus
Ty'n-pwll
Ysgol Gymuned Pentraeth
The Three Leaps
Plas Gwyn
Tyddyn-copyn
FFORDD TALWRN
B5109
FFORDD BANGOR/BANGOR RD
A5025
Bodeilio
Penrhyn
Hendre
Camp Site
Trefor
LL77
Pen-y-bryn
Tŷ-fry
Rhoscefnhir
Pen-y-garnedd
Hendrefor
Tŷ-coch
Gweithdy
Rhos Owen
LL59
Dyffryn
Tai-hirion
Gadlys
Rhyd y delyn Fawr
Treffos
Treffos Sch
Plas Penmynydd
Bryn-eryr
Pen yr allt
Dragon
Dolydd
Wern Farm
LL61
Maes Llywn
Penmynydd
Tyddyn
Castellior
Cefn-poeth
Penhesgyn
FFORDD PENTRAETH/PENTRAETH RD
B5420

15
140
141

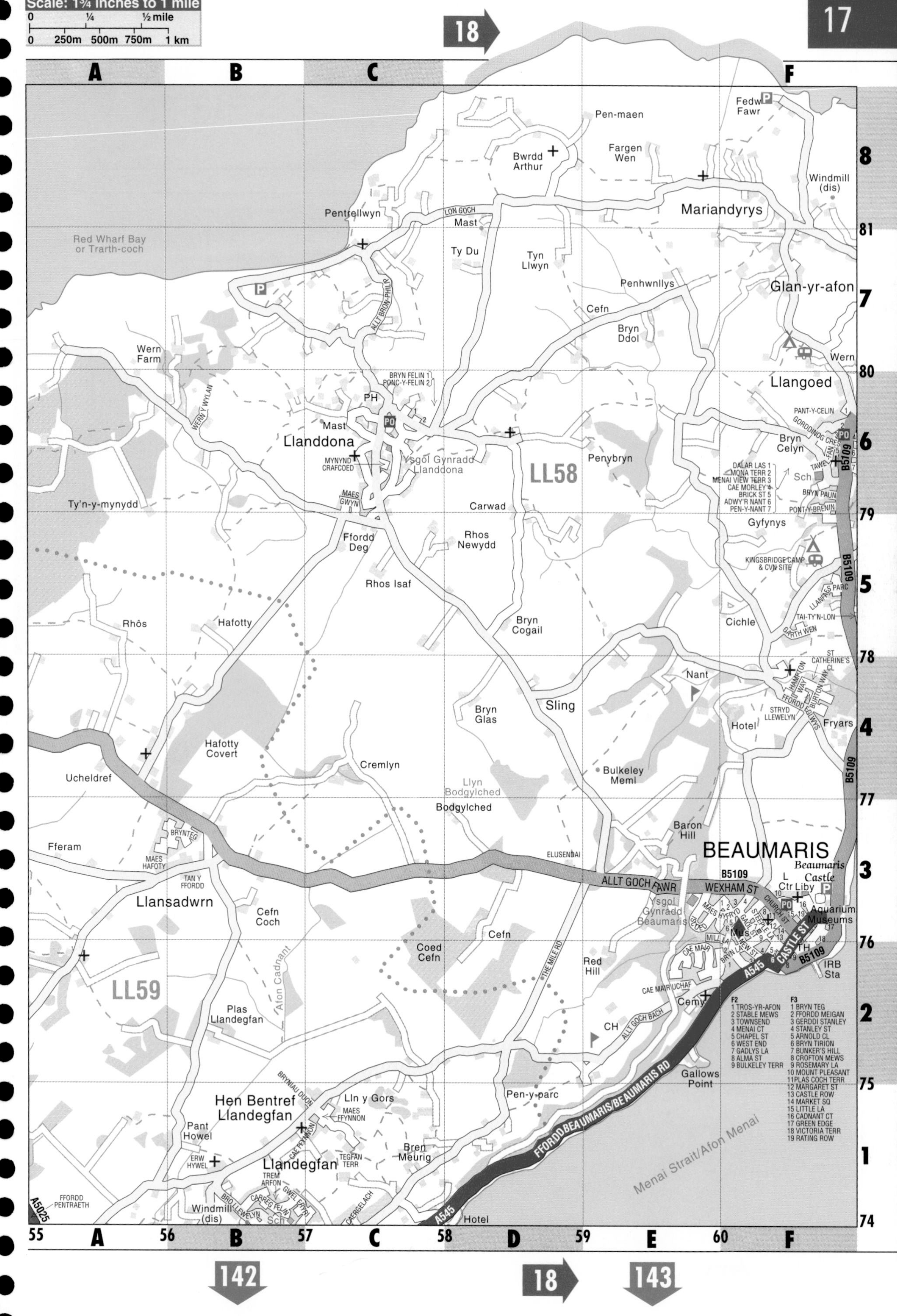
Scale: 1¾ inches to 1 mile
0 ¼ ½ mile
0 250m 500m 750m 1 km
18
A B C F
Pen-maen
Bwrdd Arthur
Fargen Wen
Fedw Fawr
Windmill (dis)
Mariandyrys
Pentrellwyn
LON GOCH
Mast
Red Wharf Bay or Tharth-coch
Ty Du
Tyn Llwyn
Penhwnllys
Glan-yr-afon
Cefn
Bryn Ddol
Wern Farm
Wern
Llangoed
BRYN FELIN 1
PONC-Y-FELIN 2
PH
Mast
Llanddona
MYNYND CRAFCOED
Ysgol Gynradd Llanddona
LL58
Penybryn
PANT-Y-CELIN
Bryn Celyn
Sch
DALAR LAS 1
MONA TERR 2
MENAI VIEW TERR 3
CAE MORLEY 4
BRICK ST 5
ADWY'R NANT 6
PEN-Y-NANT 7
BRYN PAUN
PONT-Y-BRENIN
Ty'n-y-mynydd
MAES GWYN
Carwad
Gyfynys
Ffordd Deg
Rhos Newydd
KINGSBRIDGE CAMP & CVN SITE
B5109
Rhos Isaf
LLANFAES PARC
Rhôs
Hafotty
Bryn Cogail
Cichle
TAI-TY'N-LON
GARTH WEN
ST CATHERINE'S CL
Nant
Sling
Bryn Glas
Hafotty Covert
STRYD LLEWELYN
Hotel
Fryars
Ucheldref
Cremlyn
Bulkeley Meml
Llyn Bodgylched
Bodgylched
BRYNTEG
Baron Hill
Fferam
MAES HAFOTY
ELUSENDAI
BEAUMARIS
Beaumaris Castle
TAN Y FFORDD
ALLT GOCH FAWR
WEXHAM ST
L
Ctr Liby
Llansadwrn
Ysgol Gynradd Beaumaris
Aquarium
Museums
Cefn Coch
Mus
CASTLE ST
Cefn
Coed Cefn
THE MILE RD
CAE MAIR
TH
Red Hill
A545
IRB Sta
LL59
CAE MAIR UCHAF
Cemy
Afon Cadnant
F2
1 TROS-YR-AFON
2 STABLE MEWS
3 TOWNSEND
4 MENAI CT
5 CHAPEL ST
6 WEST END
7 GADLYS LA
8 ALMA ST
9 BULKELEY TERR
F3
1 BRYN TEG
2 FFORDD MEIGAN
3 GERDDI STANLEY
4 STANLEY ST
5 ARNOLD CL
6 BRYN TIRION
7 BUNKER'S HILL
8 CROFTON MEWS
9 ROSEMARY LA
10 MOUNT PLEASANT
11 PLAS COCH TERR
12 MARGARET ST
13 CASTLE ROW
14 MARKET SQ
15 LITTLE LA
16 CADNANT CT
17 GREEN EDGE
18 VICTORIA TERR
19 RATING ROW
Plas Llandegfan
ALLT GOCH BACH
CH
Gallows Point
BRYNIAU DUON
Hen Bentref Llandegfan
Lln y Gors
Pen-y-parc
MAES FFYNNON
FFORDD BEAUMARIS/BEAUMARIS RD
Menai Strait/Afon Menai
Pant Howel
ERW HYWEL
Llandegfan
TEGFAN TERR
Bren Meurig
TREM ARFON
A5025
FFORDD PENTRAETH
Windmill (dis)
BRO LLEWELYN
CAERGELACH
Sch
Hotel
81
80
79
78
77
76
75
74
8
7
6
5
4
3
2
1
55 A 56 B 57 C 58 D 59 E 60 F
142
18
143

17

Scale: 1¾ inches to 1 mile
0 ¼ ½ mile
0 250m 500m 750m 1 km

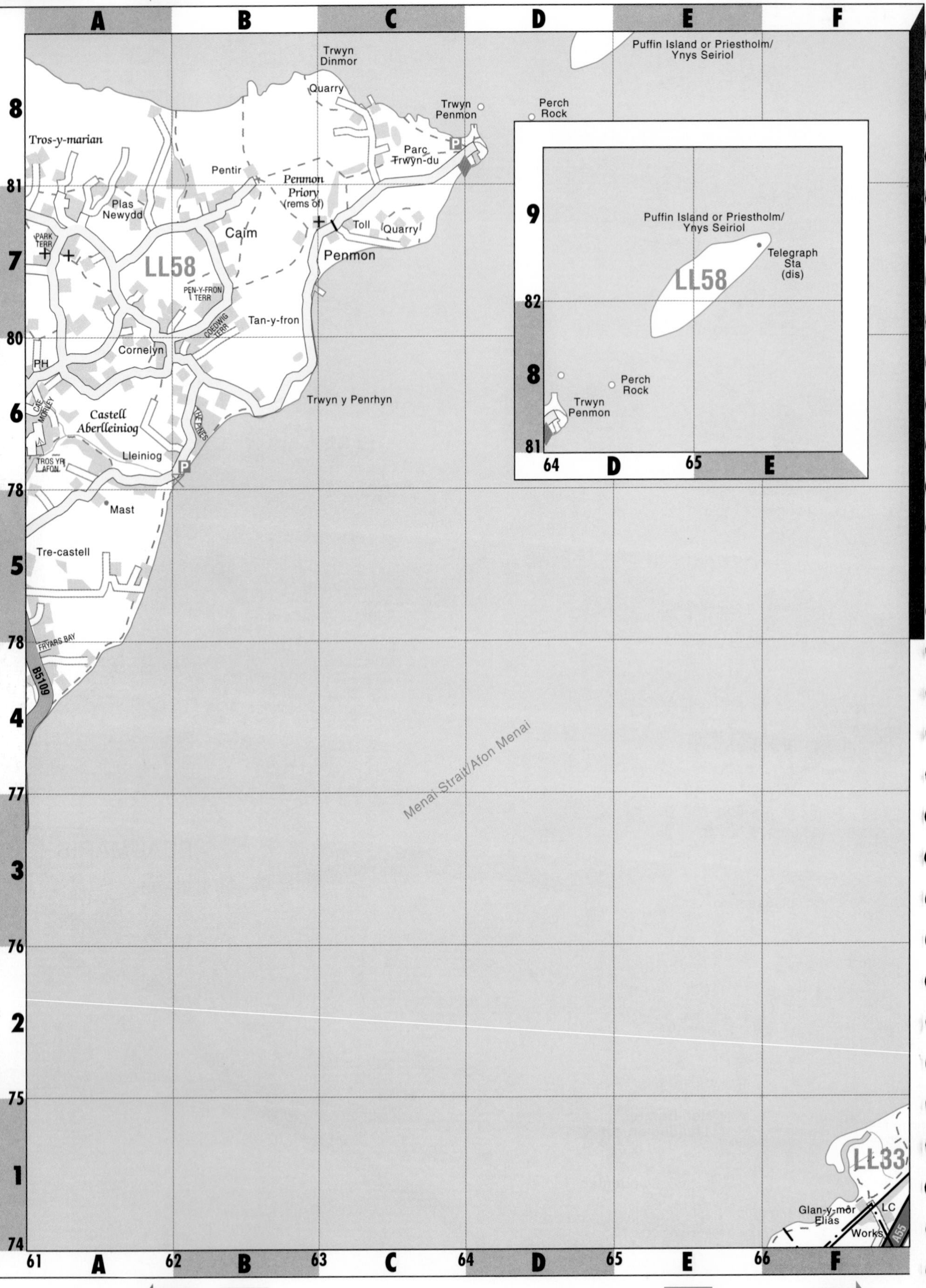
A B C D E F
Trwyn Dinmor
Puffin Island or Priestholm/ Ynys Seiriol
Quarry
Trwyn Penmon
Perch Rock
Tros-y-marian
Parc Trwyn-du
Pentir
Penmon Priory (rems of)
Plas Newydd
Caim
Toll
Quarry
PARK TERR
Penmon
LL58
PEN-Y-FRON TERR
COEDWIG TERR
Tan-y-fron
Cornelyn
PH
CAE MORLEY
Castell Aberlleiniog
Trwyn y Penrhyn
THE PINES
Lleiniog
TROS YR AFON
Mast
Tre-castell
FRYARS BAY
B5109
Menai Strait/Afon Menai
Puffin Island or Priestholm/ Ynys Seiriol
Telegraph Sta (dis)
LL58
Perch Rock
Trwyn Penmon
9
82
8
81
64 D 65 E
LL33
Glan-y-môr Elias
LC
Works
A55
8 81 7 80 6 78 5 78 4 77 3 76 2 75 1 74
61 A 62 B 63 C 64 D 65 E 66 F

17 144 145 126

13
20

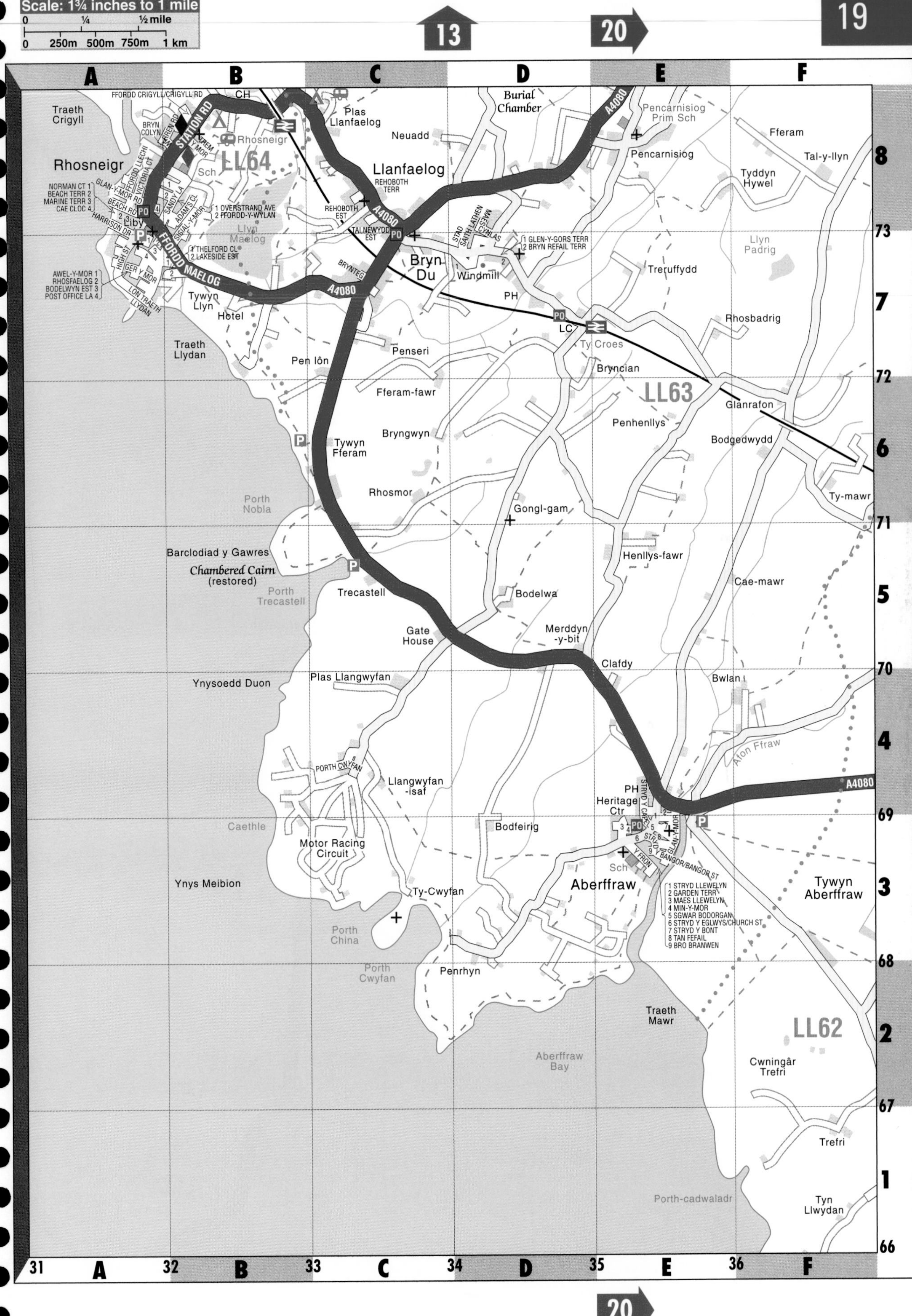

Scale: 1¾ inches to 1 mile
0 ¼ ½ mile
0 250m 500m 750m 1 km
Traeth Crigyll
Rhosneigr
FFORDD CRIGYLL/CRIGYLL RD
STATION RD
FFORDD MAELOG
LL64
Llyn Maelog
Tywyn Llyn
Hotel
Traeth Llydan
Plas Llanfaelog
Llanfaelog
Neuadd
Burial Chamber
A4080
Pencarnisiog Prim Sch
Pencarnisiog
Fferam
Tal-y-llyn
Tyddyn Hywel
Bryn Du
Windmill
Treruffydd
Llyn Padrig
Rhosbadrig
Ty Croes
Bryncian
Penseri
Pen lôn
Fferam-fawr
LL63
Glanrafon
Penhenllys
Bodgedwydd
Bryngwyn
Tywyn Fferam
Rhosmor
Porth Nobla
Gongl-gam
Ty-mawr
Barclodiad y Gawres
Chambered Cairn (restored)
Porth Trecastell
Trecastell
Henllys-fawr
Cae-mawr
Bodelwa
Gate House
Merddyn-y-bit
Clafdy
Ynysoedd Duon
Plas Llangwyfan
Bwlan
Afon Ffraw
Llangwyfan-isaf
Caethle
Motor Racing Circuit
Bodfeirig
Heritage Ctr
Aberffraw
Ynys Meibion
Ty-Cwyfan
Porth China
Porth Cwyfan
Penrhyn
Tywyn Aberffraw
Traeth Mawr
Aberffraw Bay
LL62
Cwningâr Trefri
Trefri
Porth-cadwaladr
Tyn Llwydan

Scale: 1¾ inches to 1 mile

0   ¼   ½ mile
0   250m 500m 750m 1 km

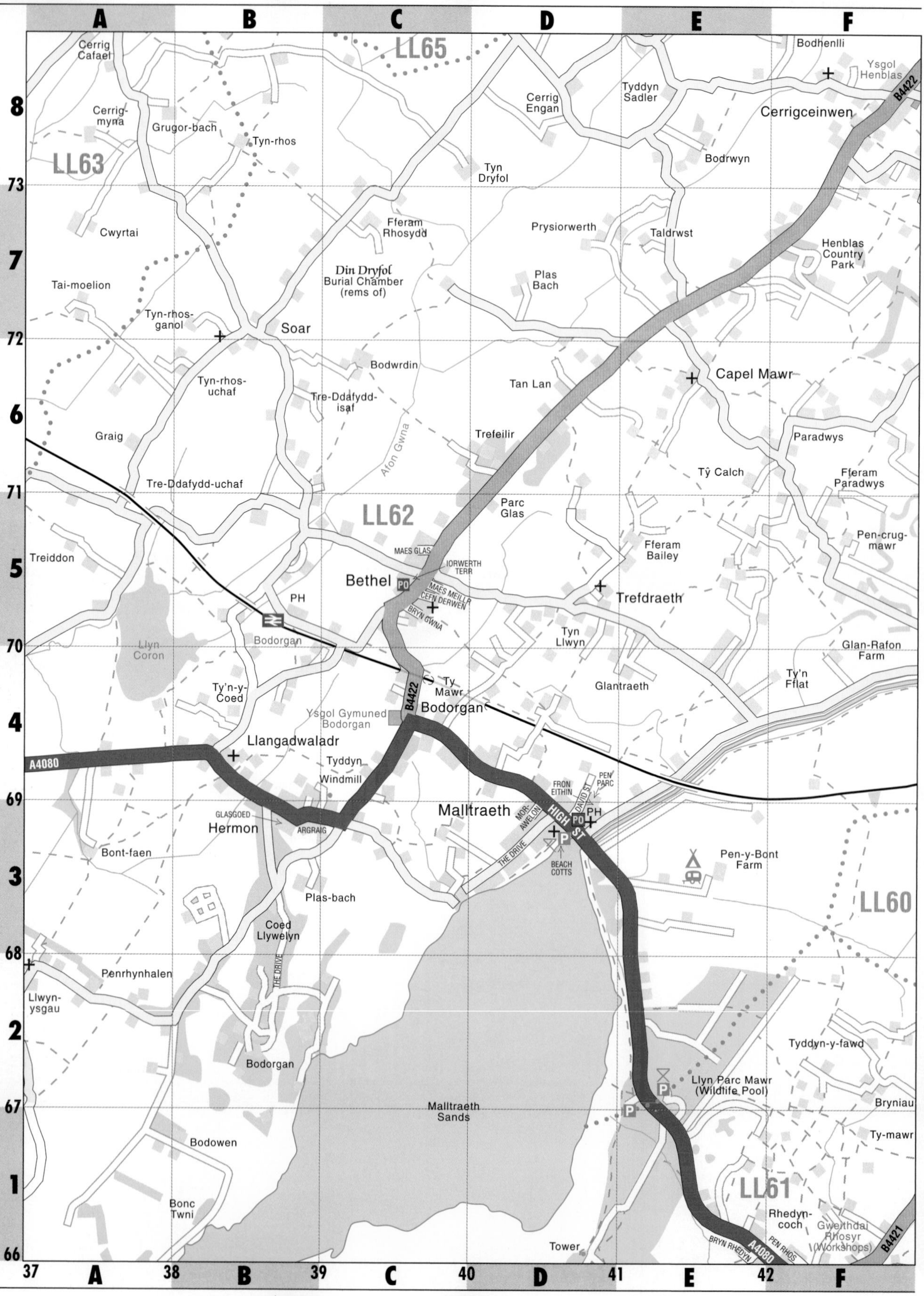

A   B   C   D   E   F

8
73
7
72
6
71
5
70
4
69
3
68
2
67
1
66

37   A   38   B   39   C   40   D   41   E   42   F

LL65

LL63

Cerrig Cafael
Cerrig-myna
Grugor-bach
Tyn-rhos
Tyn Dryfol
Cerrig Engan
Tyddyn Sadler
Bodhenlli
Ysgol Henblas
Cerrigceinwen
B4422

Cwyrtai
Fferam Rhosydd
Prysiorwerth
Taldrwst
Henblas Country Park
Bodrwyn

Tai-moelion
Din Dryfol Burial Chamber (rems of)
Plas Bach
Tan Lan
Capel Mawr
Paradwys

Tyn-rhos-ganol
Soar
Bodwrdin
Trefeilir
Tŷ Calch
Fferam Paradwys

Graig
Tyn-rhos-uchaf
Tre-Ddafydd-isaf
Pen-crug-mawr

Treiddon
Tre-Ddafydd-uchaf
LL62
Parc Glas
Fferam Bailey

Afon Gwna
MAES GLAS
IORWERTH TERR
PH
Bethel
PO
MAES MEILLR
CEFN DERWEN
Trefdraeth
Glan-Rafon Farm

Llyn Coron
Bodorgan
BRYN GWNA
Tyn Llwyn
Ty'n Fflat

Ty'n-y-Coed
B4422
Ty Mawr
Glantraeth

Ysgol Gymuned Bodorgan
Bodorgan
PEN PARC

Llangadwaladr
Tyddyn Windmill
FRON EITHIN
DAVIES T
PH

A4080
Malltraeth
MORFA AWELON
PO

GLASGOED
Hermon
ARGRAIG
HIGH ST
P
Pen-y-Bont Farm

Bont-faen
THE DRIVE
BEACH COTTS

Plas-bach
LL60

Coed Llywelyn

Penrhynhalen
THE DRIVE

Llwyn-ysgau

Bodorgan
Tyddyn-y-fawd

Llyn Parc Mawr (Wildlife Pool)
P
Bryniau

Bodowen
Malltraeth Sands
P
Ty-mawr

Bonc Twni
LL61
Rhedyn-coch
Gweithdai Rhosyr (Workshops)

Tower
BRYN RHEDYN
PEN RHOS
A4080
B4421

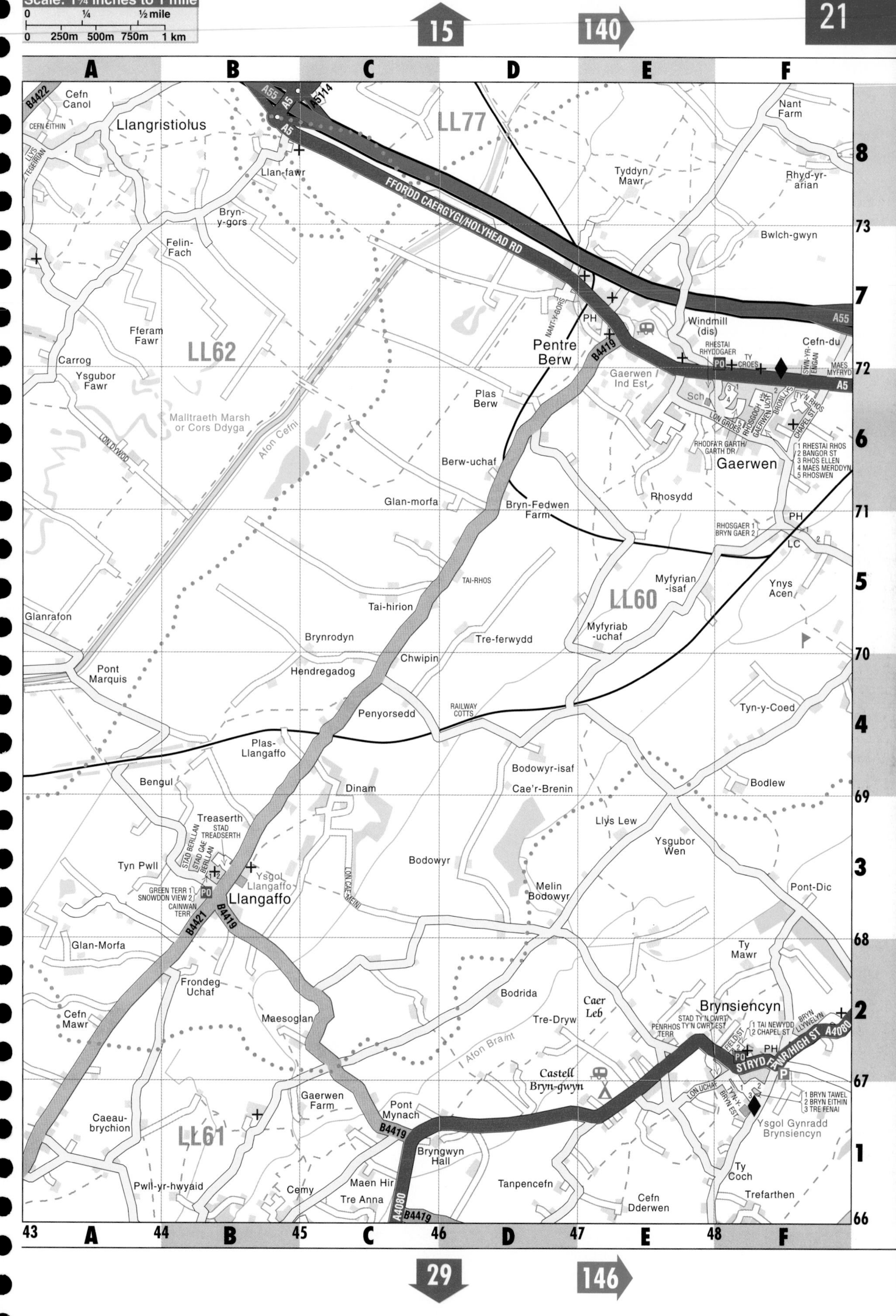
Scale: 1¾ inches to 1 mile
15
140
29
146
Llangristiolus
Cefn Canol
Llan-fawr
Bryn-y-gors
Felin-Fach
Fferam Fawr
LL62
LL77
FFORDD CAERGYGI/HOLYHEAD RD
Carrog
Ysgubor Fawr
Malltraeth Marsh or Cors Ddyga
Afon Cefni
Tyddyn Mawr
Nant Farm
Rhyd-yr-arian
Bwlch-gwyn
Pentre Berw
Windmill (dis)
Cefn-du
Gaerwen Ind Est
Plas Berw
Berw-uchaf
Gaerwen
Rhosydd
Glan-morfa
Bryn-Fedwen Farm
Myfyrian -isaf
LL60
Ynys Acen
Glanrafon
Tai-hirion
Brynrodyn
Tre-ferwydd
Myfyriab -uchaf
Pont Marquis
Hendregadog
Chwipin
Penyorsedd
Tyn-y-Coed
Plas-Llangaffo
Bodowyr-isaf
Cae'r-Brenin
Bodlew
Bengul
Dinam
Treaserth
Llys Lew
Ysgubor Wen
Tyn Pwll
Ysgol Llangaffo
Llangaffo
Bodowyr
Melin Bodowyr
Pont-Dic
Glan-Morfa
Ty Mawr
Frondeg Uchaf
Bodrida
Caer Leb
Brynsiencyn
Cefn Mawr
Maesoglan
Tre-Dryw
Afon Braint
Castell Bryn-gwyn
Gaerwen Farm
Pont Mynach
Caeau-brychion
LL61
Ysgol Gynradd Brynsiencyn
Bryngwyn Hall
Ty Coch
Pwll-yr-hwyaid
Cemy
Maen Hir
Tre Anna
Tanpencefn
Cefn Dderwen
Trefarthen
STRYD FAWR/HIGH ST
1 RHESTAI RHOS
2 BANGOR ST
3 RHOS ELLEN
4 MAES MERDDYN
5 RHOSWEN
1 BRYN TAWEL
2 BRYN EITHIN
3 TRE FENAI

145 126 127

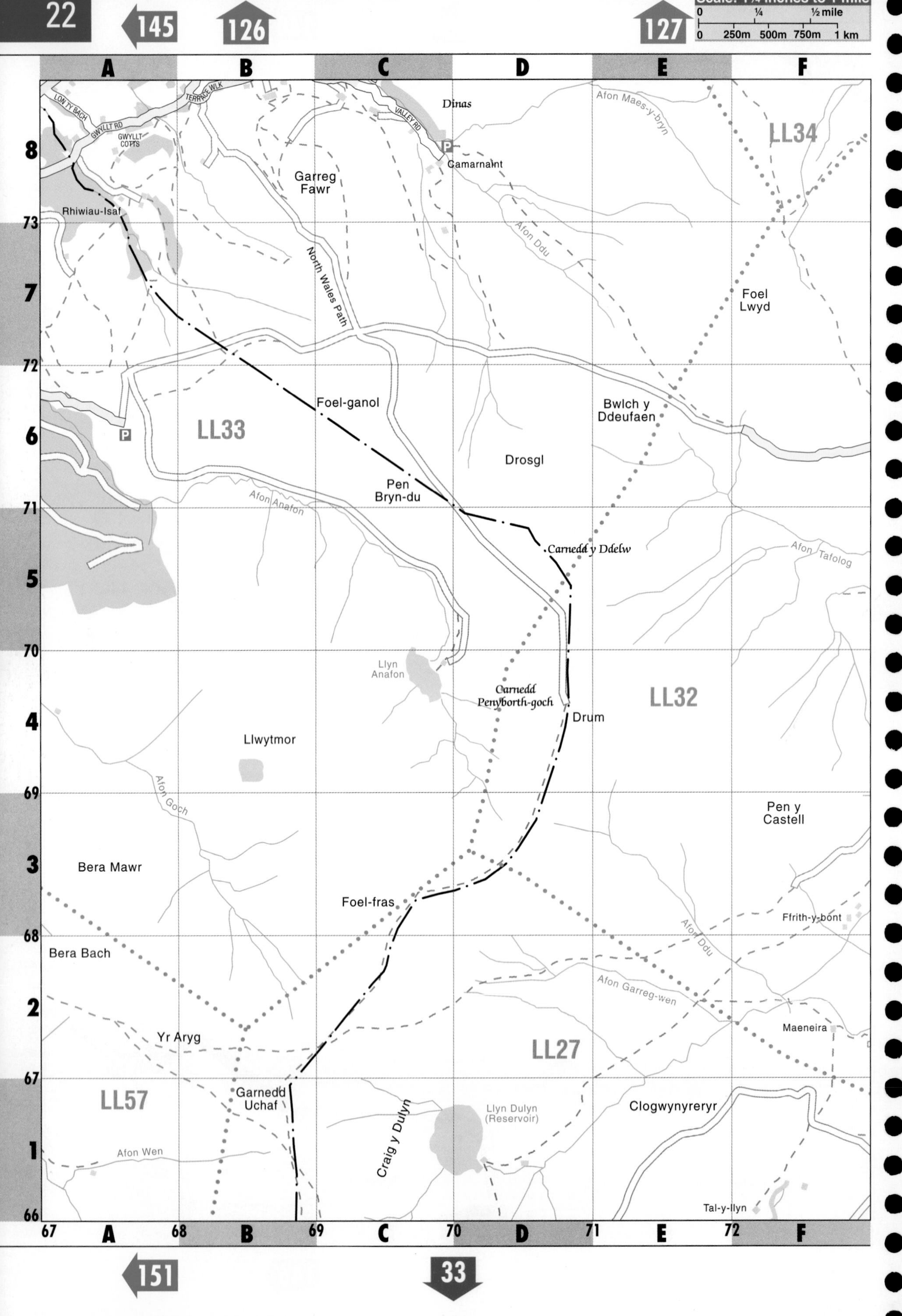
Scale: 1¾ inches to 1 mile
0 ¼ ½ mile
0 250m 500m 750m 1 km
A B C D E F
LON TY BACH
GWYLLT RD
GWYLLT COTTS
TERRACE WLK
VALLEY RD
Dinas
Afon Maes-y-bryn
LL34
Camarnaint
Garreg Fawr
Rhiwiau-Isaf
Afon Ddu
North Wales Path
Foel Lwyd
Foel-ganol
Bwlch y Ddeufaen
LL33
Drosgl
Pen Bryn-du
Afon Anafon
Carnedd y Ddelw
Afon Tafolog
Llyn Anafon
Carnedd Penyborth-goch
Drum
LL32
Llwytmor
Afon Goch
Pen y Castell
Bera Mawr
Foel-fras
Ffrith-y-bont
Bera Bach
Afon Ddu
Afon Garreg-wen
Maeneira
Yr Aryg
LL27
LL57
Garnedd Uchaf
Craig y Dulyn
Llyn Dulyn (Reservoir)
Clogwynyreryr
Afon Wen
Tal-y-llyn
8
73
7
72
6
71
5
70
4
69
3
68
2
67
1
66
67 68 69 70 71 72

151 33

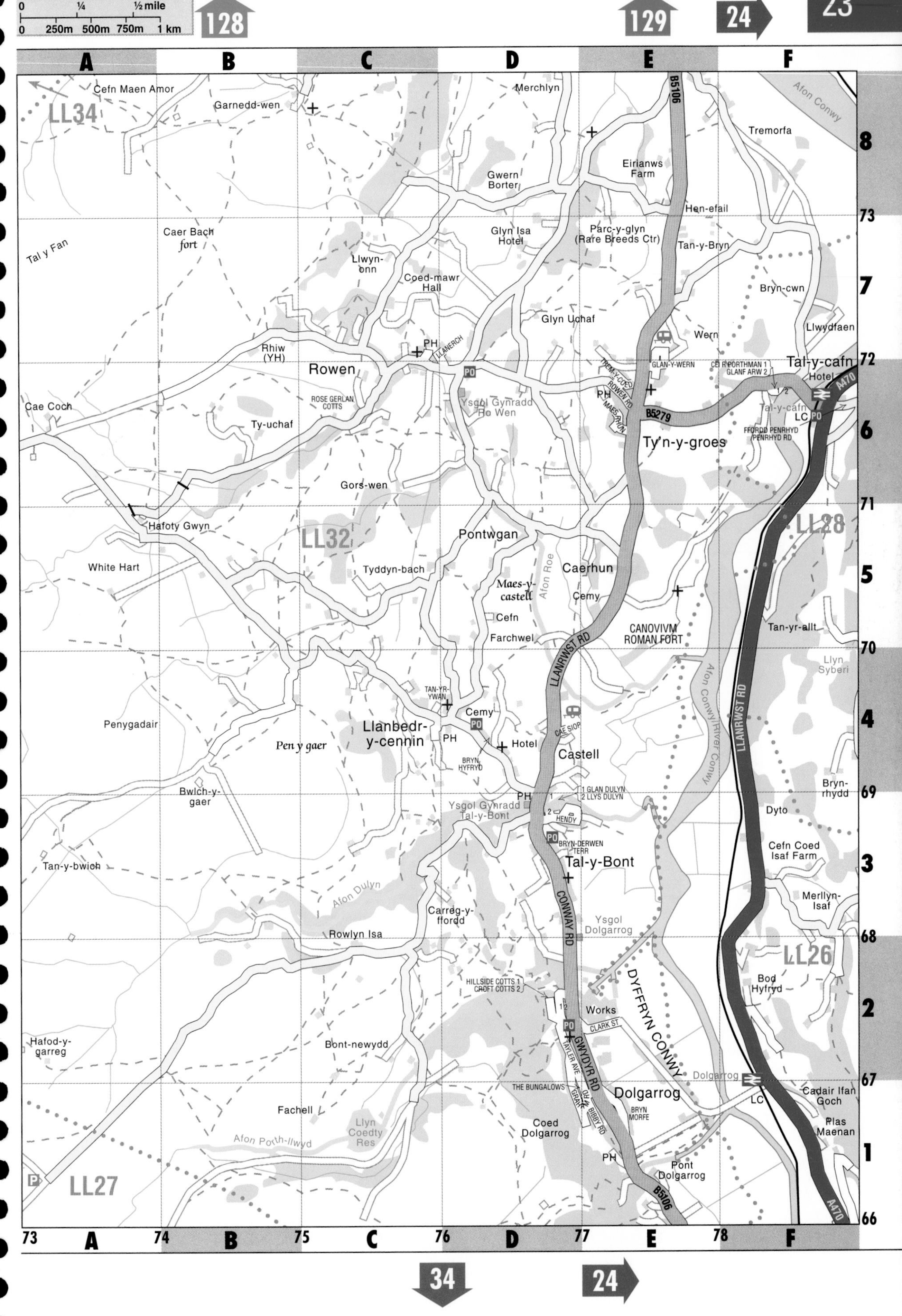
Scale: 1¾ inches to 1 mile
0 ¼ ½ mile
0 250m 500m 750m 1 km
128
129
24
A B C D E F
Cefn Maen Amor
Garnedd-wen
Merchlyn
LL34
B5106
Afon Conwy
Tremorfa
Eirianws Farm
Gwern Borter
Hen-efail
Caer Bach fort
Glyn Isa Hotel
Parc-y-glyn (Rare Breeds Ctr)
Tan-y-Bryn
Tal y Fan
Llwyn-onn
Coed-mawr Hall
Bryn-cwn
Glyn Uchaf
Wern
Llwydfaen
Rhiw (YH)
PH
LLANERCH
Rowen
PO
Tal-y-cafn
Hotel
Cae Coch
ROSE GERLAN COTTS
Ysgol Gynradd Ro Wen
GLAN-Y-WERN
B5279
Ty-uchaf
Tal-y-cafn
LC
A470
Ty'n-y-groes
FFORDD PENRHYD PENRHYD RD
Gors-wen
Hafoty Gwyn
Pontwgan
LL32
LL28
White Hart
Tyddyn-bach
Caerhun
Maes-y-castell
Afon Roe
Cemy
Cefn
Tan-yr-allt
CANOVIVM ROMAN FORT
Farchwel
LLANRWST RD
Llyn Syberi
Afon Conwy/River Conwy
TAN-YR-YWAN
Penygadair
Llanbedr-y-cennin
Cemy
Pen y gaer
Hotel
CAE SIOP
Castell
BRYN HYFRYD
Bryn-rhydd
Bwlch-y-gaer
1 GLAN DULYN
2 LLYS DULYN
Ysgol Gynradd Tal-y-Bont
HENDY
Dyto
BRYN-DERWEN TERR
Tal-y-Bont
Cefn Coed Isaf Farm
Tan-y-bwich
Afon Dulyn
CONWAY RD
Merllyn-Isaf
Carreg-y-ffordd
Ysgol Dolgarrog
Rowlyn Isa
LL26
DYFFRYN CONWY
Bod Hyfryd
HILLSIDE COTTS 1
CROFT COTTS 2
Works
CLARK ST
Hafod-y-garreg
Bont-newydd
GWYDYR RD
Dolgarrog
THE BUNGALOWS
Cadair Ifan Goch
Fachell
Dolgarrog
BRYN MORFE
BIBBY RD
Llyn Coedty Res
Coed Dolgarrog
Plas Maenan
Afon Porth-llwyd
PH
Pont Dolgarrog
LL27
B5106
A470
73 74 75 76 77 78
66 67 68 69 70 71 72 73
1 2 3 4 5 6 7 8
34
24

130 23 131

Scale: 1¾ inches to 1 mile

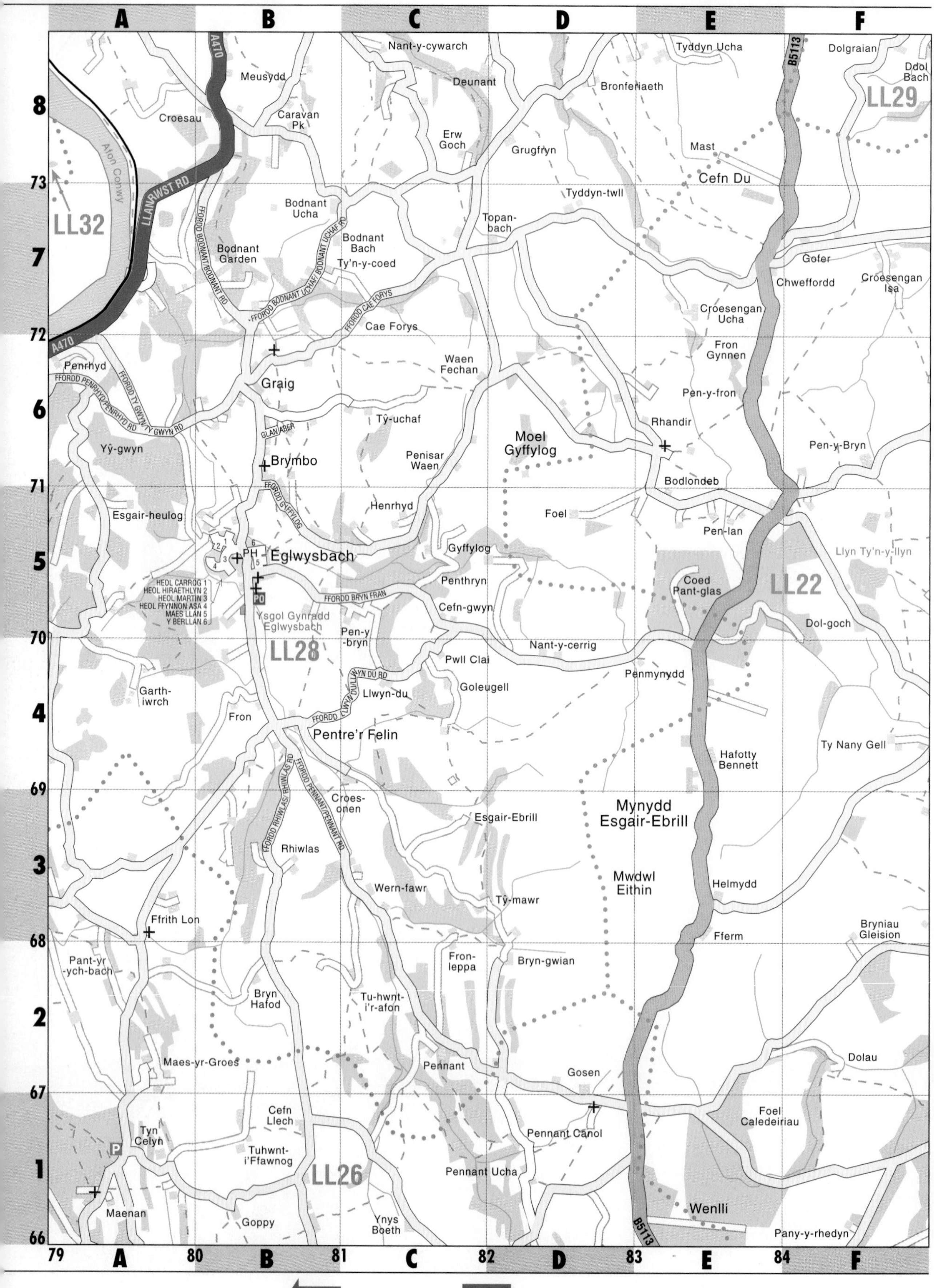
A
B
C
D
E
F
Meusydd
Croesau
Caravan Pk
Nant-y-cywarch
Deunant
Erw Goch
Bronfeiriaeth
Tyddyn Ucha
Dolgraian
Ddol Bach
LL29
Grugfryn
Mast
Cefn Du
Afon Conwy
LL32
LLANRWST RD
A470
Bodnant Ucha
Bodnant Garden
Bodnant Bach
Ty'n-y-coed
Topan-bach
Tyddyn-twll
Gofer
Chwefforddd
Croesengan Isa
Croesengan Ucha
Fron Gynnen
Cae Forys
FFORDD CAE FORYS
FFORDD BODNANT UCHAF/BODNANT UCHAF RD
FFORDD BODNANT/BODNANT RD
Penrhyd
FFORDD PENRHYD/PENRHYD RD
FFORDD TY GWYN/TY GWYN RD
Graig
Waen Fechan
Pen-y-fron
Tŷ-uchaf
Rhandir
Moel Gyffylog
Pen-y-Bryn
Yŷ-gwyn
GLAN ABER
Brymbo
Penisar Waen
Bodlondeb
FFORDD GYFFYLOG
Esgair-heulog
Henrhyd
Foel
Pen-lan
Gyffylog
PH
Eglwysbach
Llyn Ty'n-y-llyn
HEOL CARROG 1
HEOL HIRAETHLYN 2
HEOL MARTIN 3
HEOL FFYNNON ASA 4
MAES LLAN 5
Y BERLLAN 6
Penthryn
Coed Pant-glas
LL22
PO
FFORDD BRYN FRAN
Cefn-gwyn
Ysgol Gynradd Eglwysbach
Dol-goch
Pen-y-bryn
LL28
Nant-y-cerrig
Pwll Clai
Garth-iwrch
FFORDD LLWYN DU RD
Llwyn-du
Goleugell
Penmynydd
Fron
Pentre'r Felin
Ty Nany Gell
Hafotty Bennett
FFORDD RHIWLAS/RHIWLAS RD
FFORDD PENNANT/PENNANT RD
Croes-onen
Esgair-Ebrill
Mynydd Esgair-Ebrill
Rhiwlas
Mwdwl Eithin
Wern-fawr
Helmydd
Tŷ-mawr
Ffrith Lon
Fferm
Bryniau Gleision
Pant-yr-ych-bach
Fron-leppa
Bryn-gwian
Bryn Hafod
Tu-hwnt-i'r-afon
Maes-yr-Groes
Pennant
Gosen
Dolau
Cefn Llech
Foel Caledeiriau
Tyn Celyn
P
Tuhwnt-i'Ffawnog
Pennant Canol
LL26
Pennant Ucha
Wenlli
Maenan
Goppy
Ynys Boeth
Pany-y-rhedyn
B5113
79
80
81
82
83
84
8
73
7
72
6
71
5
70
4
69
3
68
2
67
1
66

23 35

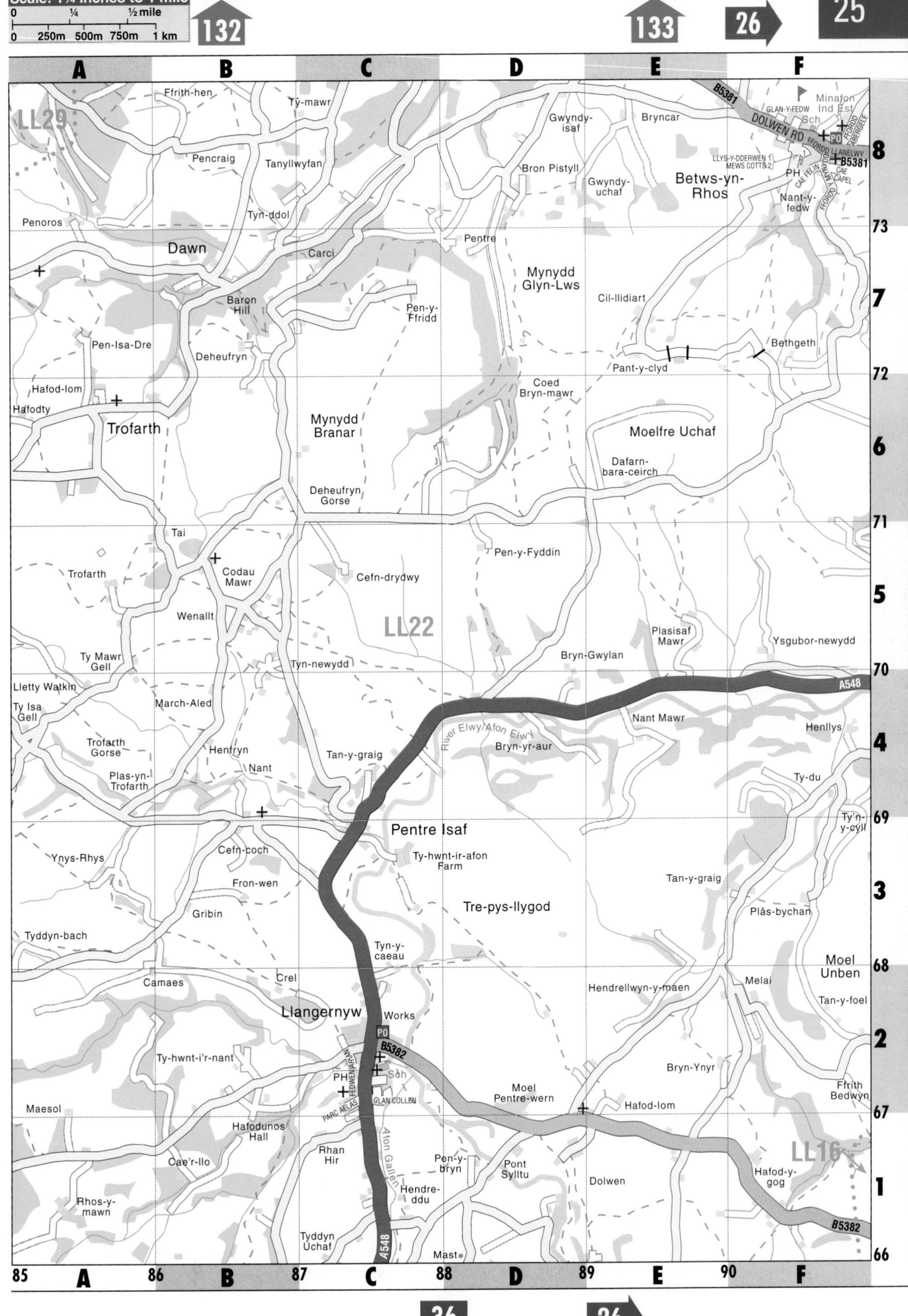

Scale: 1¾ inches to 1 mile
0 ¼ ½ mile
0 250m 500m 750m 1 km
132
133
26
A B C D E F
LL29
Ffrith-hen
Tŷ-mawr
Gwyndy-isaf
Bryncar
B5381
GLAN-Y-FEDW
Minafon Ind Est
Sch
DOLWEN RD
PO
Pencraig
Tanyllwyfan
Bron Pistyll
Gwyndy-uchaf
Betws-yn-Rhos
LLYS-Y-DDERWEN 1
MEWS COTTS 2
PH
Nant-y-fedw
Penoros
Tyn-ddol
Pentre
Dawn
Carci
Mynydd Glyn-Lws
Baron Hill
Pen-y-Ffridd
Cil-llidiart
Pen-Isa-Dre
Deheufryn
Bethgeth
Pant-y-clyd
Coed Bryn-mawr
Hafod-lom
Hafodty
Trofarth
Mynydd Branar
Moelfre Uchaf
Dafarn-bara-ceirch
Deheufryn Gorse
Tai
Pen-y-Fyddin
Trofarth
Codau Mawr
Cefn-drydwy
Wenallt
LL22
Plasisaf Mawr
Ysgubor-newydd
Ty Mawr Gell
Tyn-newydd
Bryn-Gwylan
Lletty Watkin
A548
Ty Isa Gell
March-Aled
Nant Mawr
Henllys
River Elwy/Afon Elwy
Trofarth Gorse
Henfryn
Tan-y-graig
Bryn-yr-aur
Plas-yn-Trofarth
Nant
Ty-du
Ty'n-y-cyll
Pentre Isaf
Ynys-Rhys
Cefn-coch
Ty-hwnt-ir-afon Farm
Fron-wen
Tan-y-graig
Tre-pys-llygod
Gribin
Plâs-bychan
Tyddyn-bach
Tyn-y-caeau
Moel Unben
Camaes
Crel
Hendrellwyn-y-maen
Melai
Tan-y-foel
Llangernyw
Works
PO
B5382
Ty-hwnt-i'r-nant
Sch
Bryn-Ynyr
PH
Ffrith Bedwyn
Maesol
Moel Pentre-wern
Hafod-lom
PARC AELAS
GLAN COLLEN
Hafodunos Hall
Rhan Hir
Afon Gallen
Pen-y-bryn
Pont Sylltu
LL16
Cae'r-llo
Dolwen
Hafod-y-gog
Hendre-ddu
Rhos-y-mawn
B5382
Tyddyn Uchaf
A548
Mast
8 73 7 72 6 71 5 70 4 69 3 68 2 67 1 66
85 86 87 88 89 90
36
26

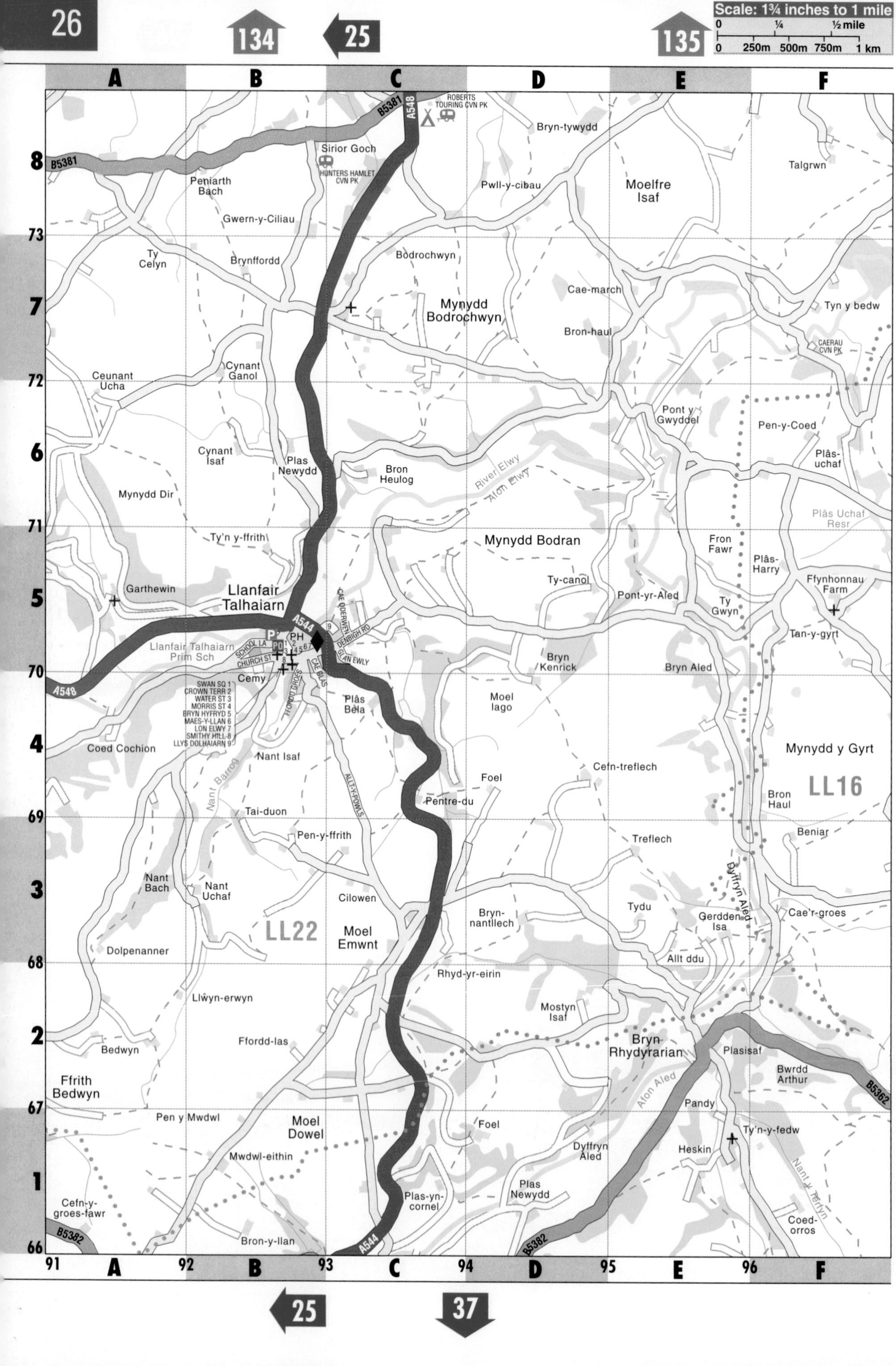
134
25
135
Scale: 1¾ inches to 1 mile
0 ¼ ½ mile
0 250m 500m 750m 1 km
A B C D E F
8 73 7 72 6 71 5 70 4 69 3 68 2 67 1 66
91 92 93 94 95 96
B5381
A548
ROBERTS TOURING CVN PK
Bryn-tywydd
Sirior Goch
HUNTERS HAMLET CVN PK
Peniarth Bach
Pwll-y-cibau
Moelfre Isaf
Talgrwn
Gwern-y-Ciliau
Ty Celyn
Brynffordd
Bodrochwyn
Mynydd Bodrochwyn
Cae-march
Tyn y bedw
Bron-haul
CAERAU CVN PK
Ceunant Ucha
Cynant Ganol
Pont y Gwyddel
Pen-y-Coed
Cynant Isaf
Plas Newydd
Bron Heulog
River Elwy
Afon Elwy
Plâs-uchaf
Mynydd Dir
Plâs Uchaf Resr
Ty'n y-ffrith
Mynydd Bodran
Fron Fawr
Plâs-Harry
Garthewin
Llanfair Talhaiarn
Ty-canol
Pont-yr-Aled
Ty Gwyn
Ffynhonnau Farm
A544
CAE ODERWEN
DENBIGH RD
GLAN EWLY
PH
PO
SCHOOL LA
CHURCH ST
Llanfair Talhaiarn Prim Sch
Cemy
Bryn Kenrick
Bryn Aled
Tan-y-gyrt
SWAN SQ 1
CROWN TERR 2
WATER ST 3
MORRIS ST 4
BRYN HYFRYD 5
MAES-Y-LLAN 6
LON ELWY 7
SMITHY HILL 8
LLYS DOLHAIARN 9
FFORDD GROES
CAE BLAS
Plâs Bela
Moel Iago
Coed Cochion
Nant Isaf
Mynydd y Gyrt
ALLT-Y-POWLS
Cefn-treflech
Nant Barrog
Foel
LL16
Pentre-du
Bron Haul
Tai-duon
Pen-y-ffrith
Treflech
Beniar
Dyffryn Aled
Nant Bach
Nant Uchaf
Cilowen
Tydu
Cae'r-groes
Bryn-nantllech
Gerdden Isa
LL22
Moel Emwnt
Dolpenanner
Allt ddu
Rhyd-yr-eirin
Llwyn-erwyn
Mostyn Isaf
Ffordd-las
Bryn-Rhydyrarian
Plasisaf
Bedwyn
Bwrdd Arthur
Ffrith Bedwyn
Afon Aled
B5362
Pandy
Pen y Mwdwl
Moel Dowel
Foel
Ty'n-y-fedw
Mwdwl-eithin
Dyffryn Aled
Heskin
Nant-y-Terfyn
Plas Newydd
Cefn-y-groes-fawr
Plas-yn-cornel
Coed-orros
B5382
Bron-y-llan
A544
B5382

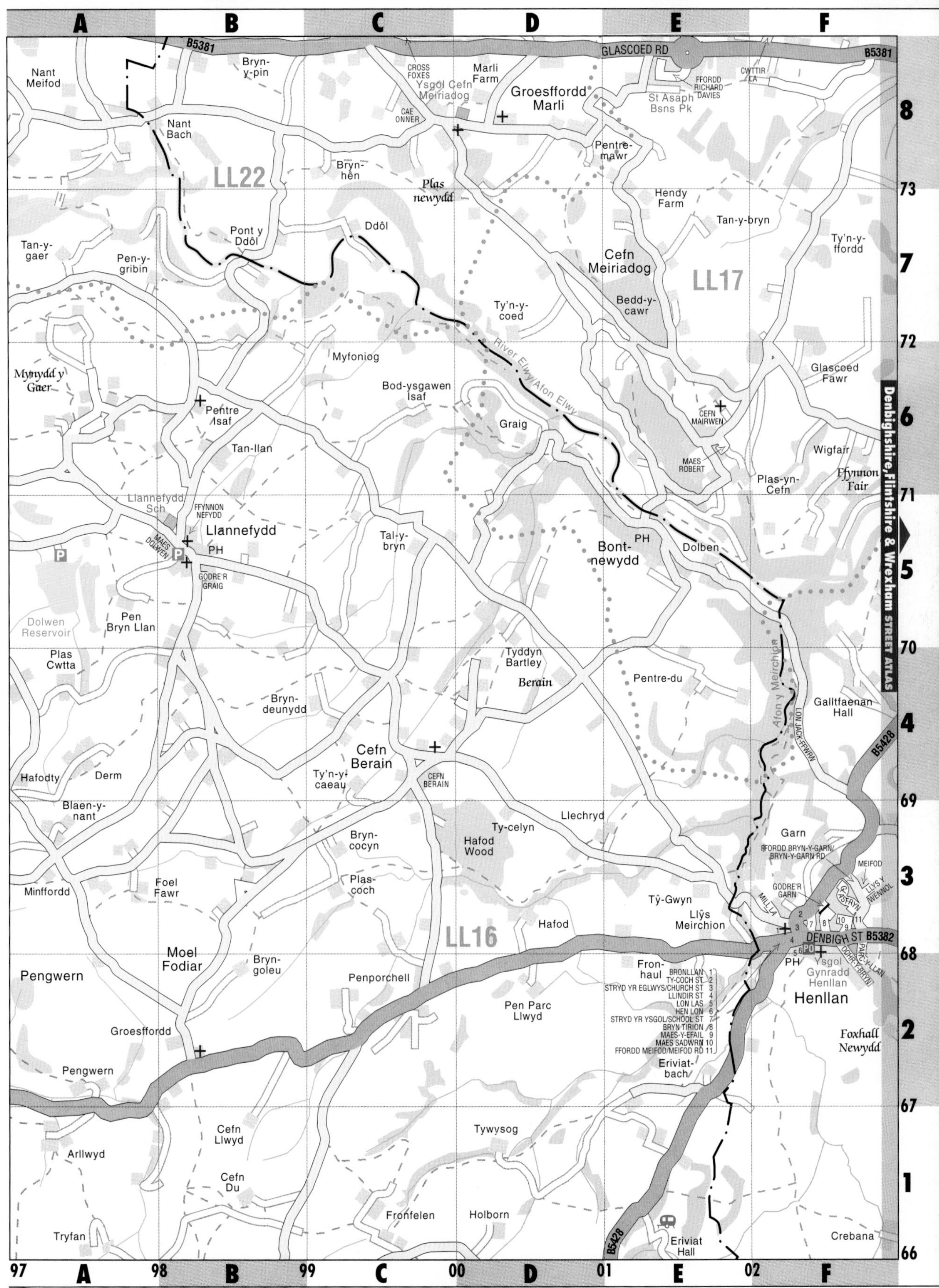

A **B** **C** **D** **E** **F**

B5381

B5381

GLASCOED RD

8

73

7

72

6

71

5

70

4

69

3

68

2

67

1

66

Nant Meifod

Bryn-y-pin

CROSS FOXES

Ysgol Cefn Meiriadog

Marli Farm

Groesffordd Marli

St Asaph Bsns Pk

FFORDD RICHARD DAVIES

CWTTIR LA

Nant Bach

LL22

Bryn-hên

CAE ONNER

Pentre-mawr

Hendy Farm

Tan-y-bryn

Ty'n-y-ffordd

Plas newydd

Tan-y-gaer

Pont y Ddôl

Ddôl

Cefn Meiriadog

LL17

Pen-y-gribin

Ty'n-y-coed

Bedd-y-cawr

River Elwy/Afon Elwy

Glascoed Fawr

Mynydd y Gaer

Myfoniog

Bod-ysgawen Isaf

Pentre Isaf

Graig

CEFN MAIRWEN

6

Wigfair

Tan-llan

MAES ROBERT

Plas-yn-Cefn

Ffynnon Fair

Llannefydd Sch

FFYNNON NEFYDD

Llannefydd

Tal-y-bryn

Bont-newydd

PH

Dolben

Afon y Meirchion

P

MAES DOLWEN

P

PH

GODRE'R GRAIG

Dolwen Reservoir

Pen Bryn Llan

Tyddyn Bartley

Berain

Pentre-du

Galltfaenan Hall

Plas Cwtta

Bryn-deunydd

LON JACK-FFYNN

Hafodty

Derm

Cefn Berain

Ty'n-y-caeau

CEFN BERAIN

Llechryd

Garn

FFORDD BRYN-Y-GARN/BRYN-Y-GARN RD

MEIFOD

Blaen-y-nant

Ty-celyn

Ty-Gwyn

GODRE'R GARN

PEN-Y-GOSTRYN

LLYS Y WEIRGLOD

Minffordd

Foel Fawr

Bryn-cocyn

Hafod Wood

Llŷs Meirchion

MALL LA

DENBIGH ST

B5382

Pengwern

Moel Fodiar

Bryn-goleu

Plas-coch

Hafod

LL16

Fron-haul

BRONLLAN 1
TY-COCH ST 2
STRYD YR EGLWYS/CHURCH ST 3
LLINDIR ST 4
LON LAS 5
HEN LON 6
STRYD YR YSGOL/SCHOOL ST 7
BRYN TIRION /8
MAES-Y-EFAIL 9
MAES SADWRN 10
FFORDD MEIFOD/MEIFOD RD 11

Ysgol Gynradd Henllan

PARC Y LLAN

LLYS Y BRYN

Henllan

Foxhall Newydd

Penporchell

Pen Parc Llwyd

PH

Groesffordd

Eriviat-bach

Pengwern

Cefn Llwyd

Tywysog

Arllwyd

Cefn Du

Fronfelen

Holborn

Crebana

Tryfan

B5428

Eriviat Hall

B5428

A 97 **B** 98 **C** 99 **D** 00 **E** 01 02 **F**

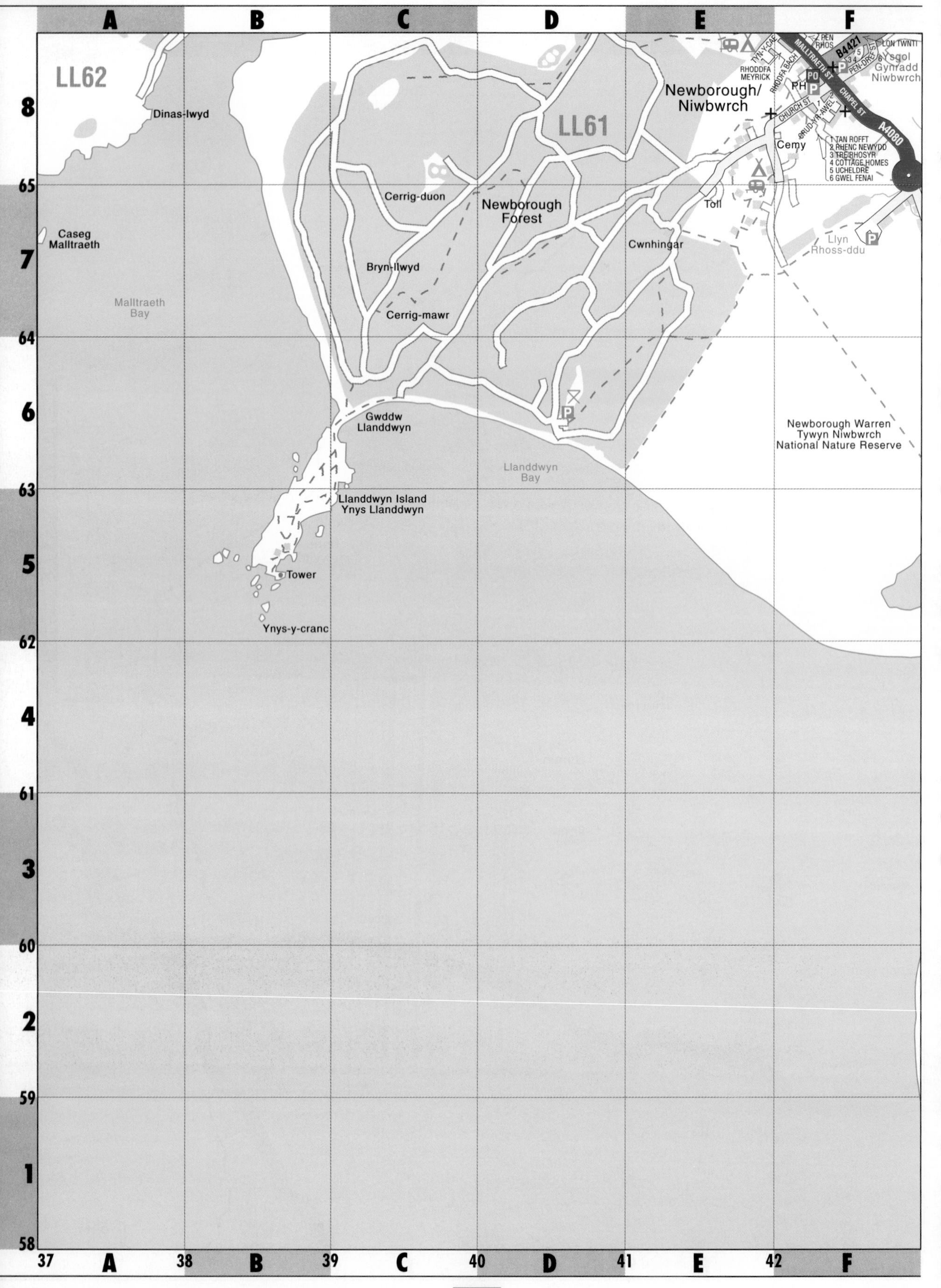

LL62

Dinas-lwyd

Caseg
Malltraeth

Malltraeth
Bay

LL61

Cerrig-duon

Newborough
Forest

Bryn-llwyd

Cerrig-mawr

Gwddw
Llanddwyn

Llanddwyn Island
Ynys Llanddwyn

Tower

Ynys-y-cranc

Newborough/
Niwbwrch

Cefny

Tofl

Cwnhingar

Llanddwyn
Bay

Newborough Warren
Tywyn Niwbwrch
National Nature Reserve

PEN
RHOS

TYN-Y-CAE

RHODDFA
MEYRICK

PO
PH

Cemy

LON TWNTI

Ysgol
Gynradd
Niwbwrch

1 TAN ROFFT
2 RHENC NEWYDD
3 TRE RHOSYR
4 COTTAGE HOMES
5 UCHELDRE
6 GWEL FENAI

Llyn
Rhoss-ddu

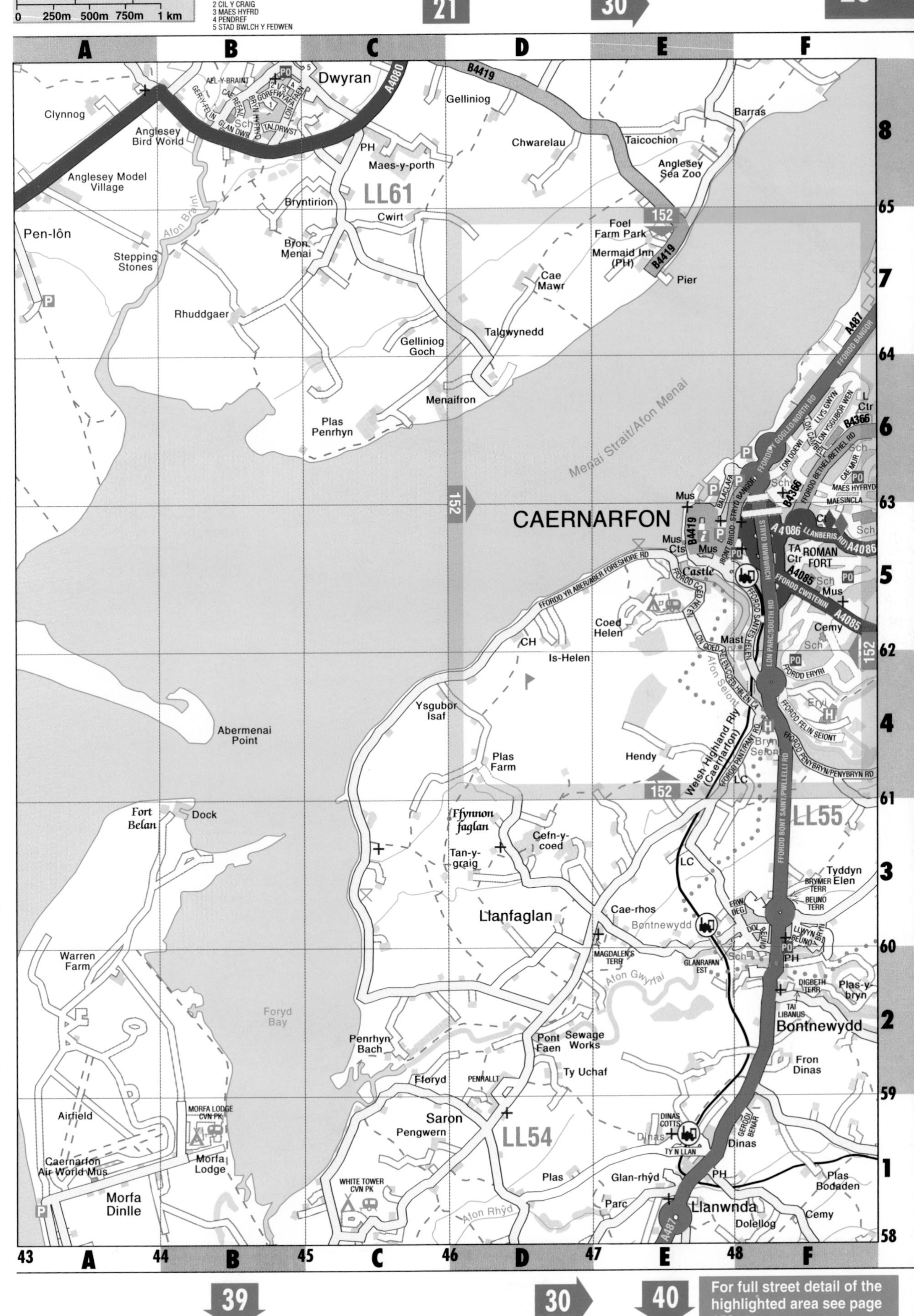

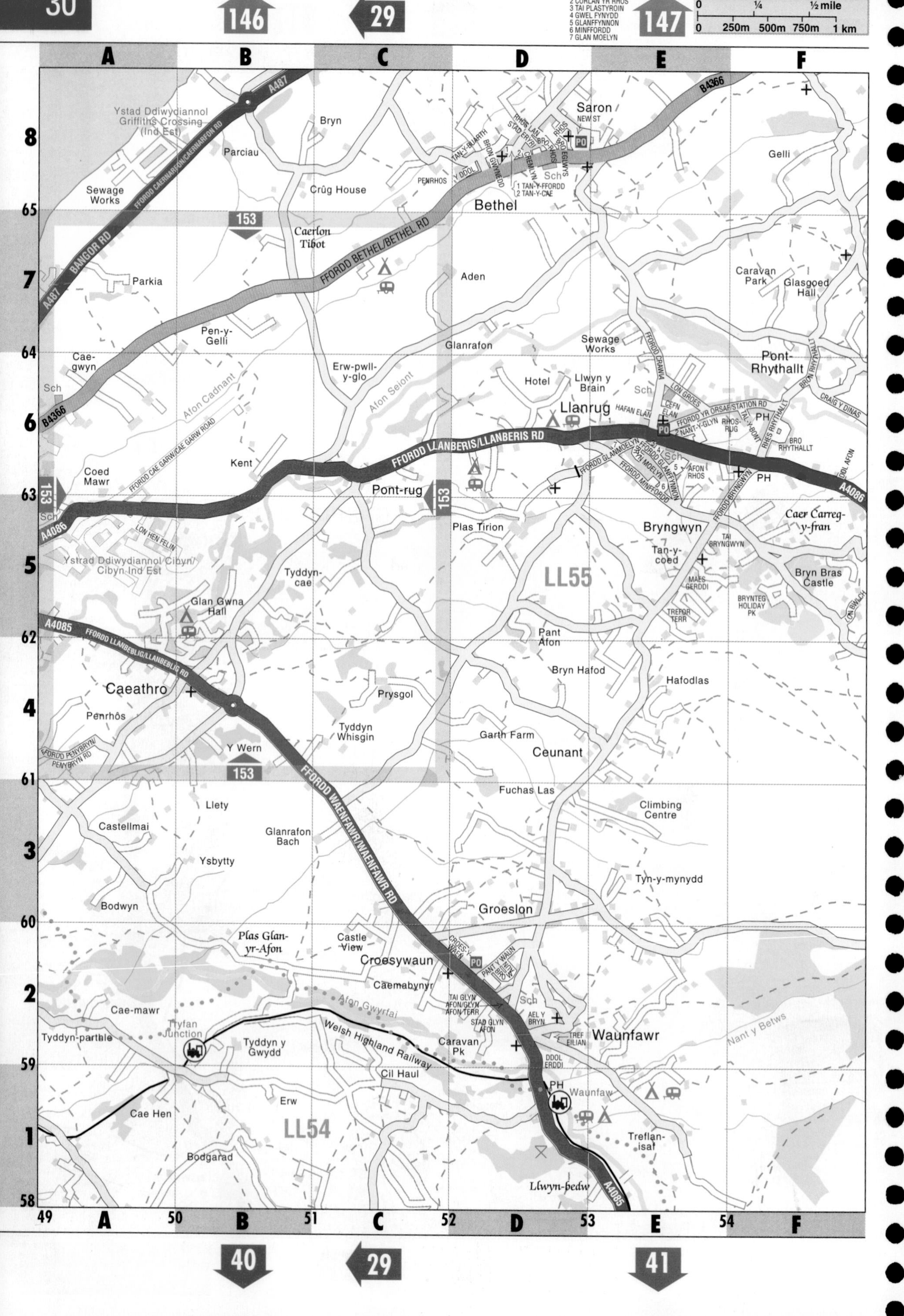
146
29
147
E6
1 ARFON TERR
2 CORLAN YR RHOS
3 TAI PLASTYROIN
4 GWEL FYNYDD
5 GLANFFYNNON
6 MINFFORDD
7 GLAN MOELYN
Scale: 1¾ inches to 1 mile
0 ¼ ½ mile
0 250m 500m 750m 1 km
Ystad Ddiwydiannol Griffiths Crossing (Ind Est)
Bryn
Saron
Parciau
Sewage Works
Crûg House
Bethel
Caerlon Tibot
Parkia
Aden
Gelli
Caravan Park
Glasgoed Hall
Pen-y-Gelli
Cae-gwyn
Glanrafon
Sewage Works
Pont-Rhythallt
Erw-pwll-y-glo
Hotel
Llwyn y Brain
Llanrug
Afon Cadnant
Afon Seiont
Kent
Coed Mawr
Pont-rug
Plas Tirion
Bryngwyn
Caer Carreg-y-fran
Tan-y-coed
Ystrad Ddiwydiannol Cibyn/Cibyn Ind Est
Tyddyn-cae
LL55
Bryn Bras Castle
Glan Gwna Hall
Pant Afon
Bryn Hafod
Hafodlas
Caeathro
Prysgol
Penrhôs
Tyddyn Whisgin
Garth Farm
Y Wern
Ceunant
Fuchas Las
Llety
Climbing Centre
Castellmai
Glanrafon Bach
Ysbytty
Tyn-y-mynydd
Bodwyn
Groeslon
Plas Glan-yr-Afon
Castle View
Croesywaun
Caemabynyr
Afon Gwyrfai
Cae-mawr
Tryfan Junction
Tyddyn-parthle
Tyddyn y Gwydd
Welsh Highland Railway
Caravan Pk
Waunfawr
Nant y Betws
Cil Haul
Erw
Cae Hen
LL54
Treflan-isaf
Bodgarad
Llwyn-bedw
A487
B4366
A4086
A4085
FFORDD LLANBERIS/LLANBERIS RD
FFORDD BETHEL/BETHEL RD
FFORDD WAENFAWR/WAENFAWR RD
FFORDD LLANBEBLIG/LLANBEBLIG RD
153
40
29
41

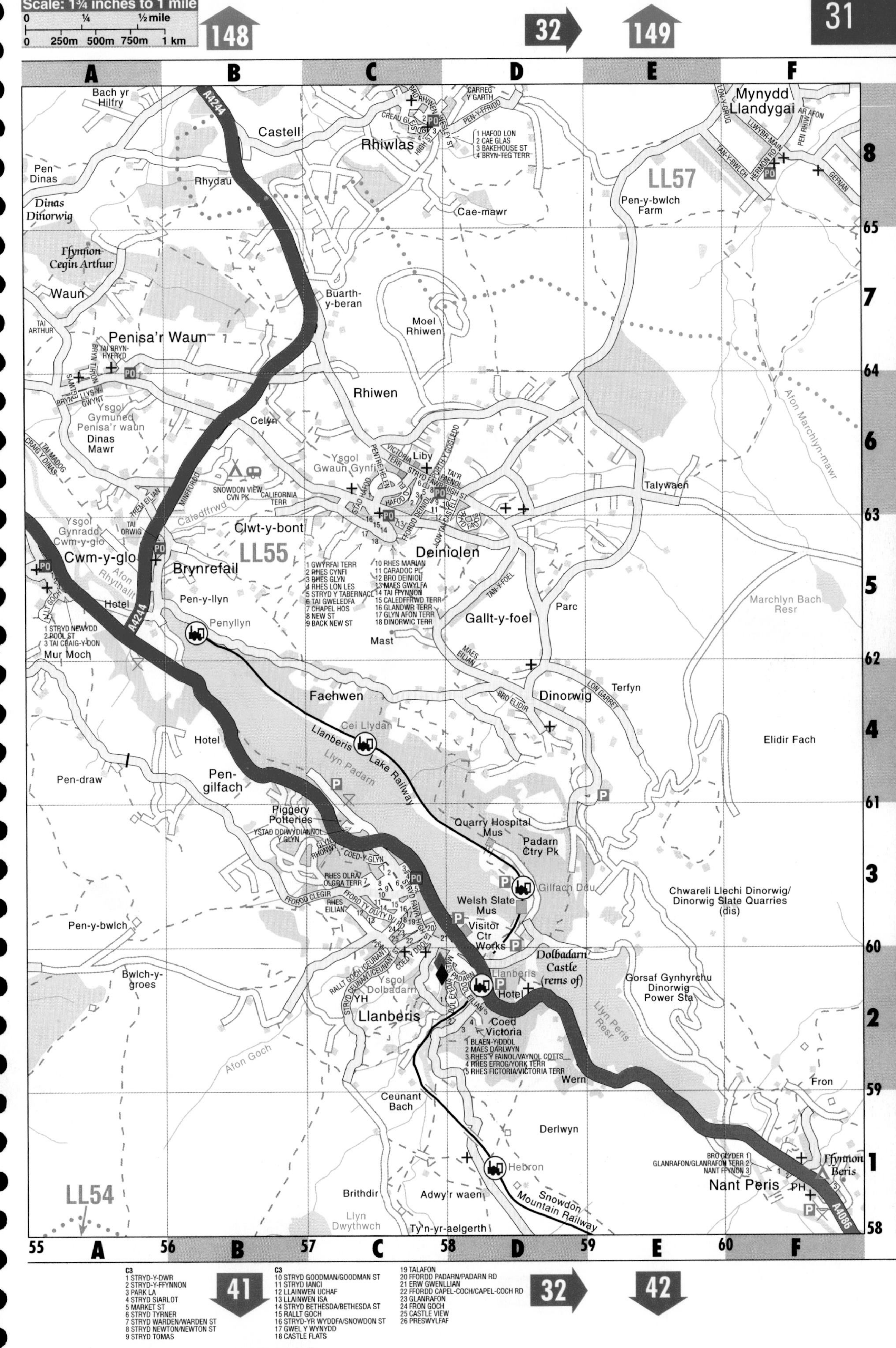
Scale: 1¾ inches to 1 mile
0 ¼ ½ mile
0 250m 500m 750m 1 km
148
32
149
A B C D E F
Bach yr Hilfry
A4244
Castell
Rhiwlas
CARREG Y GARTH
PEN-Y-FFRIDD
1 HAFOD LON
2 CAE GLAS
3 BAKEHOUSE ST
4 BRYN-TEG TERR
Mynydd Llandygai
LL57
Pen-y-bwlch Farm
Pen Dinas
Rhydau
Dinas Dinorwig
Cae-mawr
Ffynnon Cegin Arthur
Waun
Buarth-y-beran
Moel Rhiwen
TAI ARTHUR
Penisa'r Waun
Rhiwen
Ysgol Gymuned Penisa'r waun
Dinas Mawr
Celyn
Afon Marchlyn-mawr
Ysgol Gwaun Gynfi
Liby
Talywaen
SNOWDON VIEW CVN PK
CALIFORNIA TERR
Caledffrwd
Ysgol Gynradd Cwm-y-glo
Clwt-y-bont
Cwm-y-glo
LL55
Deiniolen
Brynrefail
Afon Rhythallt
1 GWYRFAI TERR
2 RHES CYNFI
3 RHES GLYN
4 RHES LON LES
5 STRYD Y TABERNACL
6 TAI GWELEDFA
7 CHAPEL HOS
8 NEW ST
9 BACK NEW ST
10 RHES MARIAN
11 CARADOC PL
12 BRO DEINIOL
13 MAES GWYLFA
14 TAI FFYNNON
15 CALEDFFRWD TERR
16 GLANDWR TERR
17 GLYN AFON TERR
18 DINORWIC TERR
Pen-y-llyn
Hotel
Penyllyn
Gallt-y-foel
Parc
Marchlyn Bach Resr
1 STRYD NEWYDD
2 POOL ST
3 TAI CRAIG-Y-DON
Mur Moch
Mast
Fachwen
Dinorwig
Terfyn
Cei Llydan
Llanberis Lake Railway
Llyn Padarn
Elidir Fach
Hotel
Pen-draw
Pen-gilfach
Piggery Potteries
Quarry Hospital Mus
Padarn Ctry Pk
Gilfach Ddu
Chwareli Llechi Dinorwig/ Dinorwig Slate Quarries (dis)
Welsh Slate Mus
Pen-y-bwlch
Visitor Ctr
Works
Dolbadarn Castle (rems of)
Bwlch-y-groes
Ysgol Dolbadarn
YH
Hotel
Gorsaf Gynhyrchu Dinorwig Power Sta
Llanberis
Coed Victoria
Llyn Peris Resr
1 BLAEN-Y-DDOL
2 MAES DARLWYN
3 RHES Y FAINOL/VAYNOL COTTS
4 RHES EFROG/YORK TERR
5 RHES FICTORIA/VICTORIA TERR
Afon Goch
Wern
Fron
Ceunant Bach
Derlwyn
BRO GLYDER 1
GLANRAFON/GLANRAFON TERR 2
NANT FFYNON 3
Ffynnon Beris
Hebron
Nant Peris
PH
A4086
LL54
Brithdir
Adwy'r waen
Snowdon Mountain Railway
Llyn Dwythwch
Ty'n-yr-aelgerth
55 56 57 58 59 60
65 64 63 62 61 60 59 58
8 7 6 5 4 3 2 1
C3
1 STRYD-Y-DWR
2 STRYD-Y-FFYNNON
3 PARK LA
4 STRYD SIARLOT
5 MARKET ST
6 STRYD TYRNER
7 STRYD WARDEN/WARDEN ST
8 STRYD NEWTON/NEWTON ST
9 STRYD TOMAS
C3
10 STRYD GOODMAN/GOODMAN ST
11 STRYD IANCI
12 LLAINWEN UCHAF
13 LLAINWEN ISA
14 STRYD BETHESDA/BETHESDA ST
15 RALLT GOCH
16 STRYD-YR WYDDFA/SNOWDON ST
17 GWEL Y WYNYDD
18 CASTLE FLATS
19 TALAFON
20 FFORDD PADARN/PADARN RD
21 ERW GWENLLIAN
22 FFORDD CAPEL-COCH/CAPEL-COCH RD
23 GLANRAFON
24 FRON GOCH
25 CASTLE VIEW
26 PRESWYLFAF
41
32
42

150 31 151

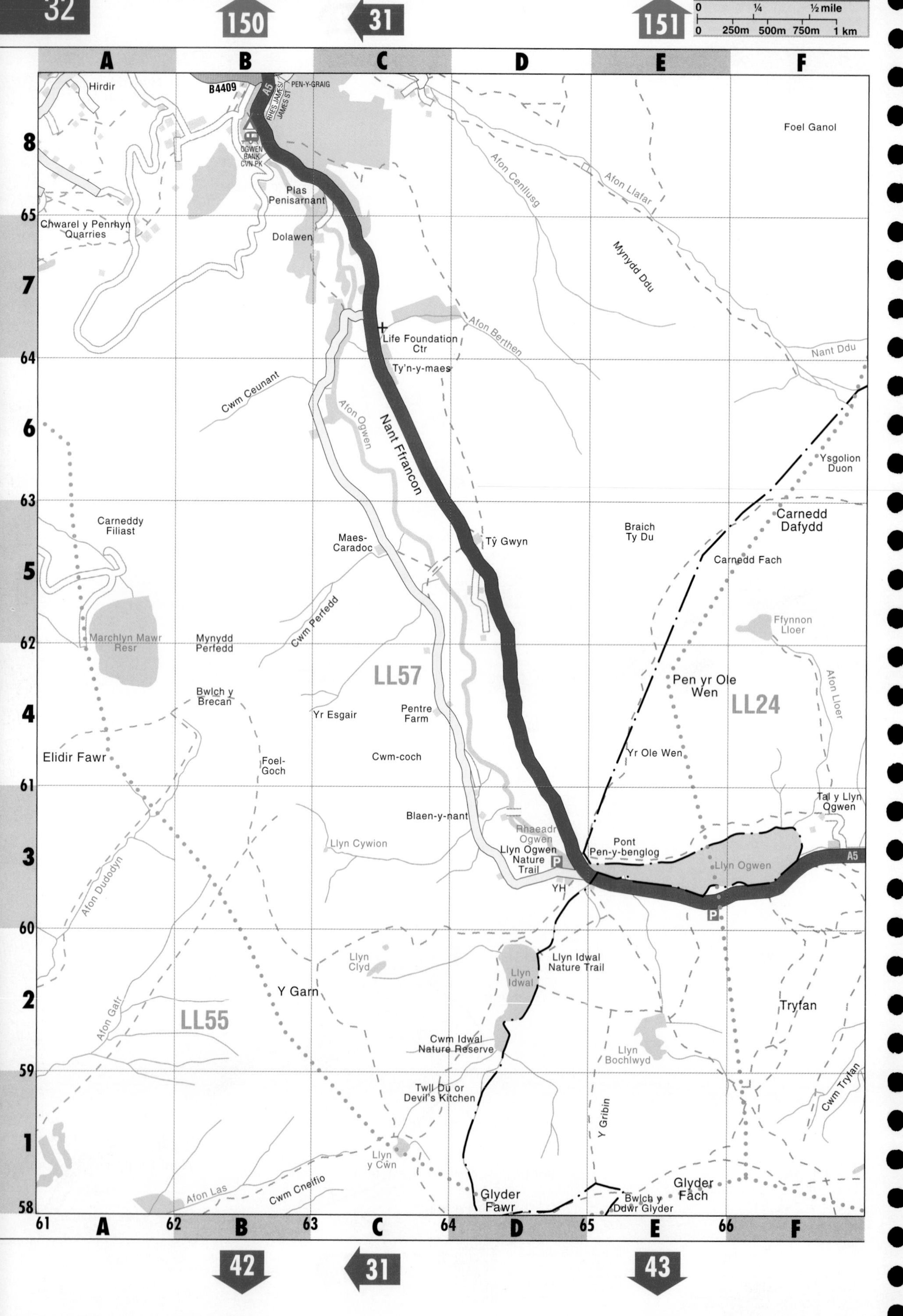

Scale: 1¾ inches to 1 mile
0 ¼ ½ mile
0 250m 500m 750m 1 km
A B C D E F
8 65 7 64 6 63 5 62 4 61 3 60 2 59 1 58
61 62 63 64 65 66
Hirdir
B4409
A5
RHES JAMES
JAMES ST
PEN-Y-GRAIG
OGWEN BANK CVN PK
Foel Ganol
Afon Cenllusg
Afon Llafar
Plas Penisarnant
Chwarel y Penrhyn Quarries
Dolawen
Mynydd Du
Afon Berthen
Life Foundation Ctr
Nant Ddu
Ty'n-y-maes
Cwm Ceunant
Afon Ogwen
Nant Ffrancon
Ysgolion Duon
Carneddy Filiast
Maes-Caradoc
Tŷ Gwyn
Braich Ty Du
Carnedd Dafydd
Carnedd Fach
Cwm Perfedd
Ffynnon Lloer
Marchlyn Mawr Resr
Mynydd Perfedd
LL57
Pen yr Ole Wen
LL24
Afon Lloer
Bwlch y Brecan
Yr Esgair
Pentre Farm
Yr Ole Wen
Elidir Fawr
Foel-Goch
Cwm-coch
Tal y Llyn Ogwen
Blaen-y-nant
Rhaeadr Ogwen
Llyn Cywion
Pont Pen-y-benglog
Llyn Ogwen Nature Trail
Llyn Ogwen
A5
YH
Afon Dudodyn
Llyn Clyd
Llyn Idwal
Llyn Idwal Nature Trail
Y Garn
Tryfan
LL55
Afon Gafr
Cwm Idwal Nature Reserve
Llyn Bochlwyd
Twll Du or Devil's Kitchen
Y Gribin
Cwm Tryfan
Llyn y Cwn
Cwm Cneifio
Afon Las
Glyder Fawr
Bwlch y Ddwr Glyder
Glyder Fach

42 31 43

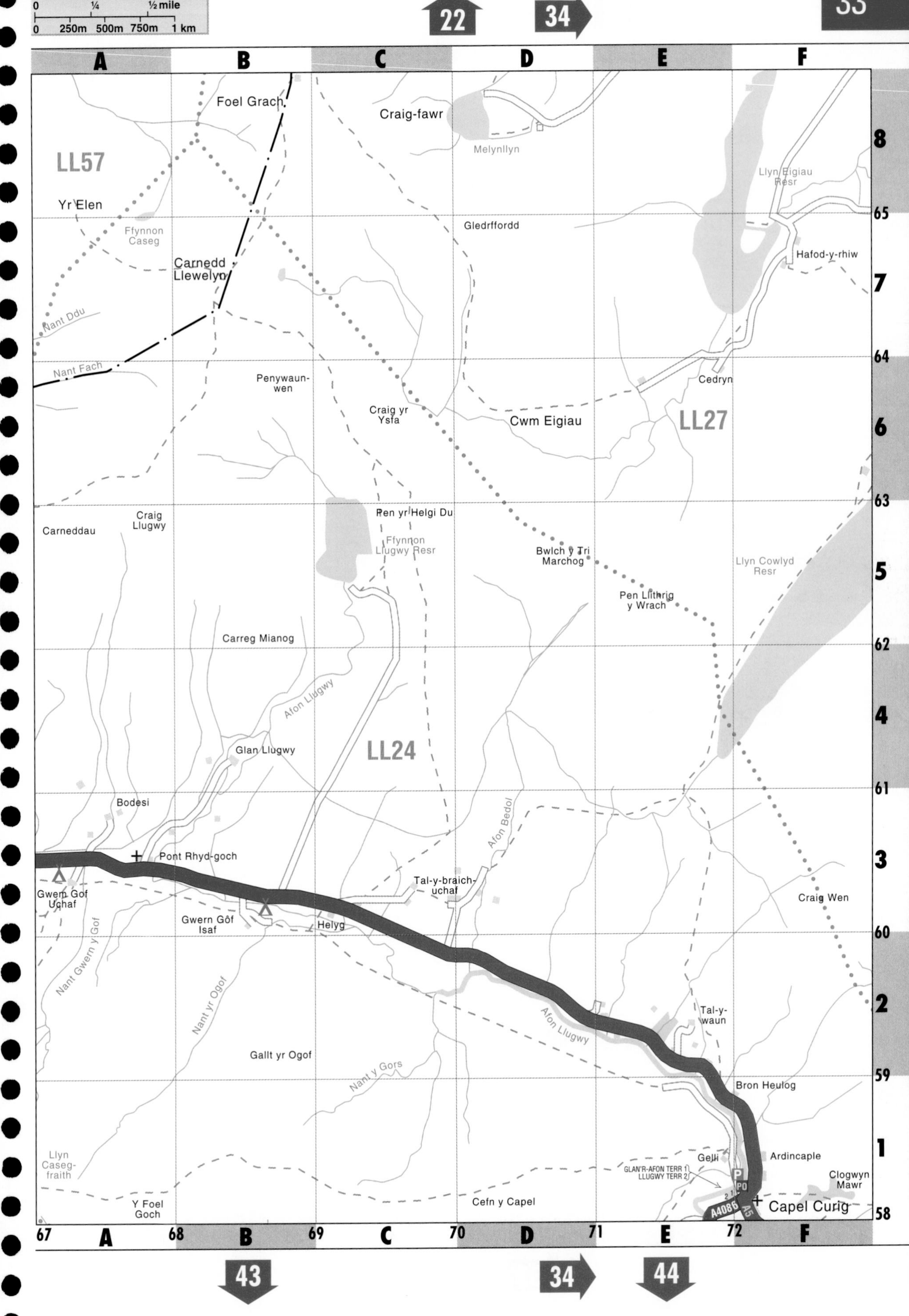
Scale: 1¾ inches to 1 mile
0 ¼ ½ mile
0 250m 500m 750m 1 km
22
34
A B C D E F
Foel Grach
Craig-fawr
Melynllyn
LL57
Yr Elen
Llyn Eigiau Resr
Ffynnon Caseg
Gledrffordd
Hafod-y-rhiw
Carnedd Llewelyn
Nant Ddu
Nant Fach
Penywaun-wen
Cedryn
Craig yr Ysfa
Cwm Eigiau
LL27
Carneddau
Craig Llugwy
Pen yr Helgi Du
Ffynnon Llugwy Resr
Bwlch y Tri Marchog
Llyn Cowlyd Resr
Pen Llithrig y Wrach
Carreg Mianog
Afon Llugwy
LL24
Glan Llugwy
Bodesi
Afon Bedol
Pont Rhyd-goch
Tal-y-braich-uchaf
Gwern Gof Uchaf
Gwern Gôf Isaf
Helyg
Craig Wen
Nant Gwern y Gof
Nant yr Ogof
Afon Llugwy
Tal-y-waun
Gallt yr Ogof
Nant y Gors
Bron Heulog
Llyn Caseg-fraith
Gelli
Ardincaple
GLAN'R-AFON TERR 1
LLUGWY TERR 2
Clogwyn Mawr
Y Foel Goch
Cefn y Capel
P
PO
A4086
A5
Capel Curig
8 65 7 64 6 63 5 62 4 61 3 60 2 59 1 58
67 68 69 70 71 72
43
34
44

33 23

Scale: 1¾ inches to 1 mile

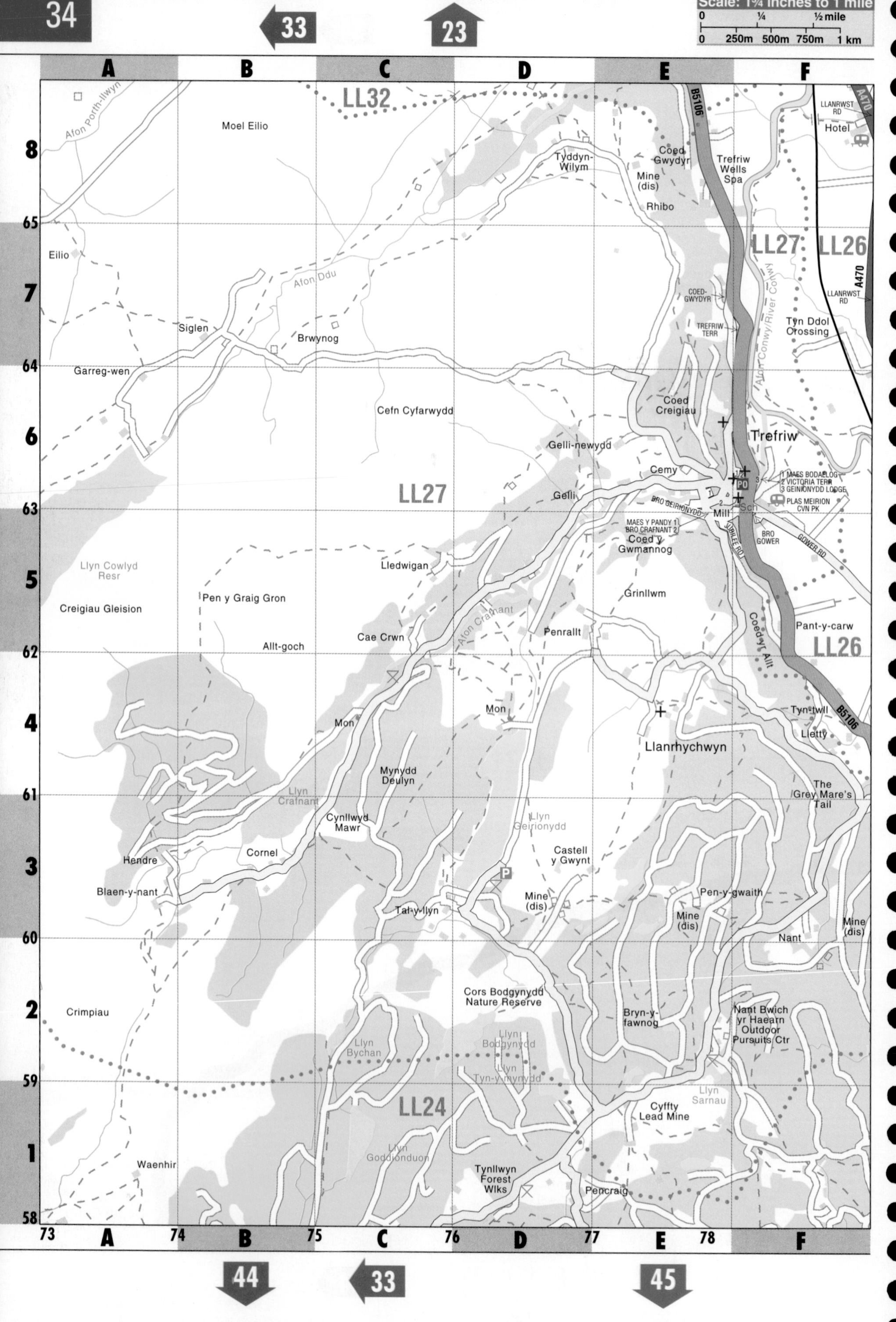

A B C D E F
8 7 6 5 4 3 2 1
65 64 63 62 61 60 59 58
73 74 75 76 77 78
LL32
LL27
LL26
LL24
B5106
A470
Moel Eilio
Afon Porth-llwyn
Eilio
Tyddyn-Wilym
Coed Gwydyr
Mine (dis)
Rhibo
Trefriw Wells Spa
Hotel
LLANRWST RD
Afon Ddu
Siglen
Brwynog
Garreg-wen
COED-GWYDYR
TREFRIW TERR
Tyn Ddol Crossing
Afon Conwy/River Conwy
Cefn Cyfarwydd
Coed Creigiau
Trefriw
Gelli-newydd
Cemy
Gelli
1 MAES BODAELOG
2 VICTORIA TERR
3 GEINIONYDD LODGE
PLAS MEIRION CVN PK
BRO GEIRIONYDD
Mill
Sch
MAES Y PANDY 1
BRO CRAFNANT 2
Coed y Gwmannog
JUBILEE RD
BRO GOWER
GOWER RD
Llyn Cowlyd Resr
Creigiau Gleision
Pen y Graig Gron
Lledwigan
Grinllwm
Afon Crafnant
Allt-goch
Cae Crwn
Penrallt
Pant-y-carw
Coed yr Allt
Mon
Llanrhychwyn
Tyn-twll
Lletty
Mynydd Deulyn
Llyn Crafnant
The Grey Mare's Tail
Cynllwyd Mawr
Llyn Geirionydd
Castell y Gwynt
Cornel
Hendre
Blaen-y-nant
Tal-y-llyn
Mine (dis)
Pen-y-gwaith
Nant
Cors Bodgynydd Nature Reserve
Crimpiau
Bryn-y-fawnog
Nant Bwlch yr Haearn Outdoor Pursuits Ctr
Llyn Bychan
Llyn Bodgynydd
Llyn Tyn-y-mynydd
Llyn Sarnau
Cyffty Lead Mine
Llyn Goddionduon
Waenhir
Tynllwyn Forest Wlks
Pencraig

44 33 45

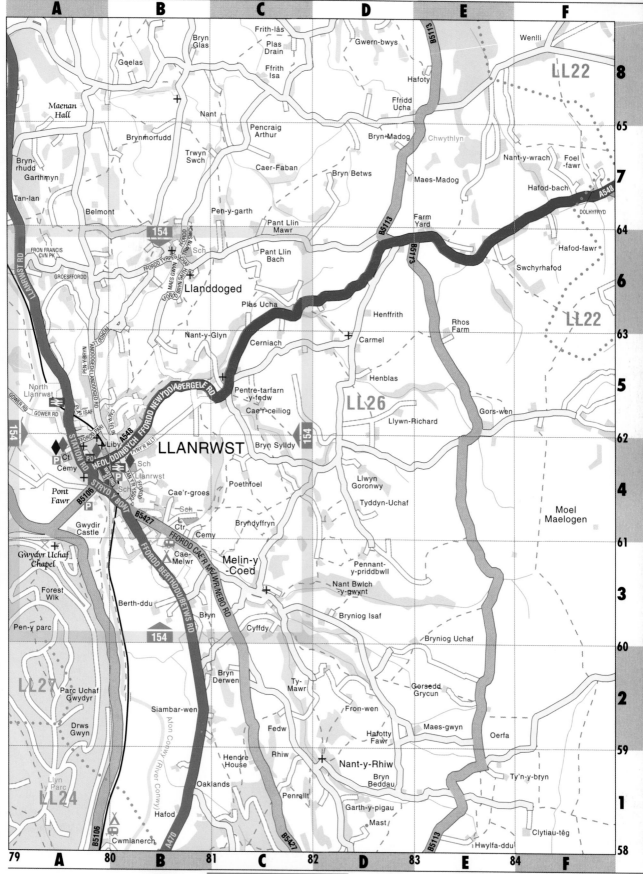

LL22

LL26

LL22

LLANRWST

Llanddoged

Melin-y-Coed

Nant-y-Rhiw

LL27

LL24

Maenan Hall

Bryn-rhudd Garthmyn

Tan-lan

Belmont

FRON FRANCIS CVN PK

GROESFFORDD

North Llanrwst

GOWER RD

GOWER RD

Pont Fawr

Gwydir Castle

Gwydir Uchaf Chapel

Forest Wlk

Pen-y parc

Parc Uchaf Gwydyr

Drws Gwyn

Llyn y Parc

Hafod

Cwmlanerch

Goelas

Brynmorfudd

Bryn Glas

Plas Drain

Ffrith Isa

Nant

Trwyn Swch

Pencraig Arthur

Caer-Faban

Pen-y-garth

Frith-lâs

Gwern-bwys

Hafoty

Ffridd Ucha

Wenlli

Bryn-Madog

Bryn Betws

Maes-Madog

Chwythlyn

Nant-y-wrach

Foel-fawr

Hafod-bach

DOLHYFRYD

A548

Hafod-fawr

Swchyrhafod

Farm Yard

Pant Llin Mawr

Pant Llin Bach

Plas Ucha

Nant-y-Glyn

Cerniach

Henffrith

Carmel

Rhos Farm

Gors-wen

Pentre-tarfarn-y-fedw

Cae'r-ceiliog

Henblas

Bryn Sylldy

Llwyn-Richard

Llwyn Goronwy

Tyddyn-Uchaf

Moel Maelogen

Poethfoel

Cae'r-groes

Bryndyffryn

Cae-Melwr

Berth-ddu

Bryn

Cyffdy

Nant Bwlch-y-gwynt

Pennant-y-priddbwll

Bryniog Isaf

Bryniog Uchaf

Bryn Derwen

Siambar-wen

Fedw

Ty-Mawr

Fron-wen

Hafotty Fawr

Maes-gwyn

Gorsedd Grycun

Oerfa

Ty'n-y-bryn

Hendre House

Oaklands

Rhiw

Penrallt

Bryn Beddau

Garth-y-pigau

Mast

Clytiau-têg

Hwylfa-ddu

154

154

154

154

24

36

45

For full street detail of the highlighted area see page 154.

36

46

Scale: 1¾ inches to 1 mile

0 ¼ ½ mile
0 250m 500m 750m 1 km

| | A | B | C | D | E | F |

8

Bron-yr-haul

Llwyn Du Isa

Ty Gwyn

Ty'n-y-ffordd

Tyn Ddol

A548

Y-Wern

Bryn Barcut

Caravan Pk

Pen Isaf

Plas-onn

Ffrithoedd

Plâs-Madog

65

Llwyn Llydan

Plâs-Matw

Foel Cathau

Pont y Garreg-newydd

Rhos Isaf

B5384

7

A548

Tan-y-lan

Y FRON

Dyffryn-gall

Tyn-twll

Plâs-yn-Blaenau

Cemy

Tŷ-hir

Ty'n-y-caeau

Bont-garreg-fawr

B5384

Pandy Tudur

Cae-coed

64

Ty'n-y-ffynnon

Cefn-y-Castell

Hafod

Ty Celyn

Tyddyn-uchaf

Tŷ'r-felin-isâf

Ty'n-y-ddôl

Cornwal

6

Ty Isa Cefn

Pen-y-cefn

Pont Rhydlechog

63

Tan y Waen

Afon Cledwen

Cwm Isa

Nant Melai

5

Bryniau Pair

Pen-y-fron

Ty Newydd Isa

Hendre Fawr

Bryn Hafod

Hafod-gau

62

Maelogen Fawr

Graig Bâch

Bryn-goleu

Cwm Canol

Llethr

Beaver Grove

4

Gwytherin

PH

PO

PENTREBACH

Bryn-tân

LL22

Gors

LL16

61

LL26

Ffrithuchaf

Llwyn Saint

Bryn-y-clochydd

Bryn Euryn

Moel Goch

3

Ffriddog

Bryn Poeth

60

Foelasfechan

Moel Gydia

Merddyn

Gors Dopiog

Llys Dymper

2

Taipellaf

Tŷ-draw

Pennant

Tu-hwnt ir-afon

Pant-y-fotty

59

Fawnog-fawr

Nant Bach

1

Cefn-rhudd

Cefnen

Creigiau Llwydion

Moel y Gaseg-wen

58

85 A 86 B 87 C 88 D 89 E 90 F

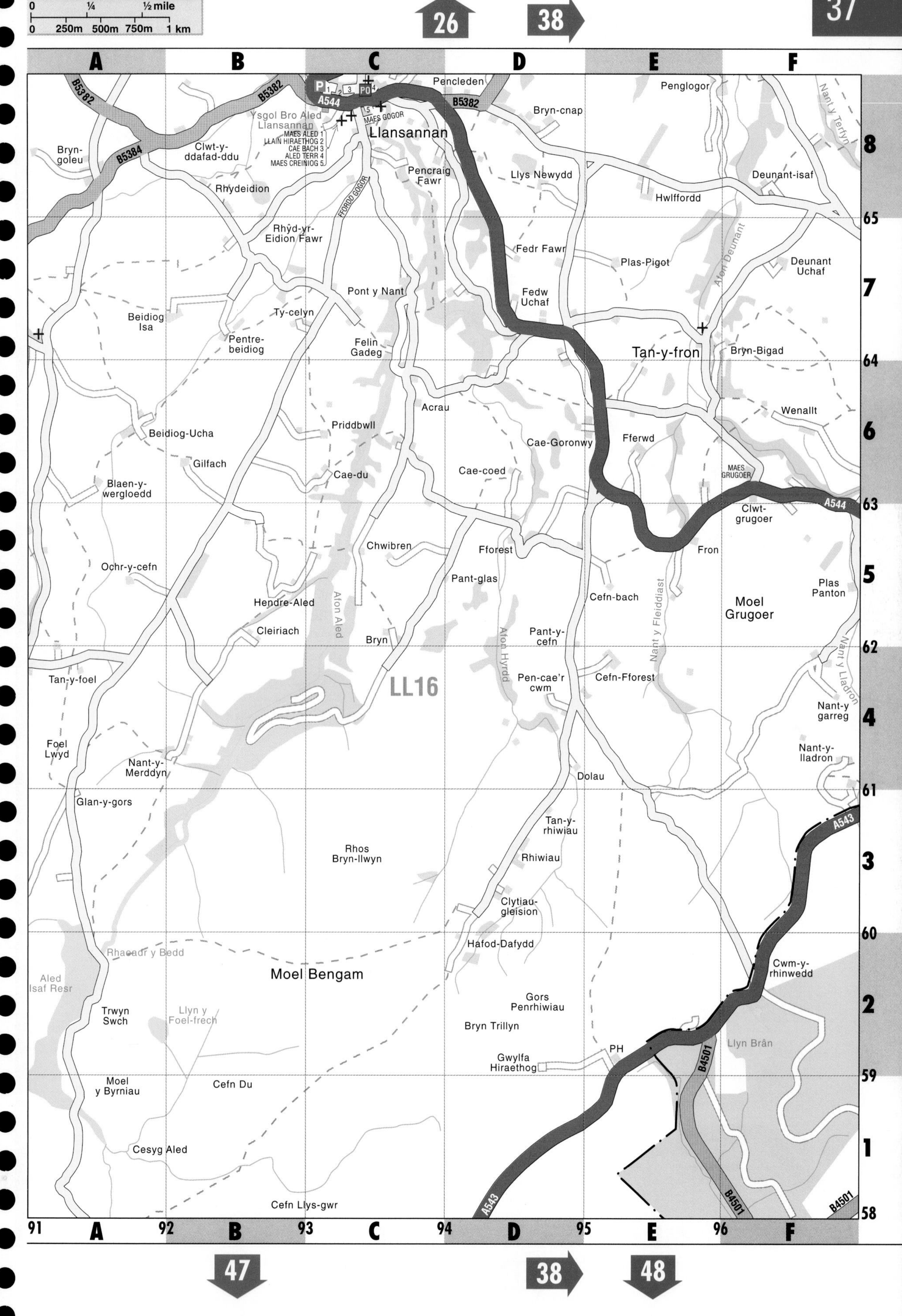

Scale: 1¾ inches to 1 mile
0 ¼ ½ mile
0 250m 500m 750m 1 km
26
38
A B C D E F
Pencleden
Penglogor
Nant y Terfyn
B5382
B5384
A544
Ysgol Bro Aled Llansannan
MAES ALED 1
LLAIN HIRAETHOG 2
CAE BACH 3
ALED TERR 4
MAES CREINIOG 5
MAES GOGOR
Llansannan
Bryn-cnap
Bryn-goleu
Clwt-y-ddafad-ddu
Pencraig Fawr
Llys Newydd
Deunant-isaf
Rhydeidion
FFORDD GOGOR
Hwlffordd
Rhŷd-yr-Eidion Fawr
Fedr Fawr
Plas-Pigot
Afon Deunant
Deunant Uchaf
Pont y Nant
Fedw Uchaf
Beidiog Isa
Ty-celyn
Pentre-beidiog
Felin Gadeg
Tan-y-fron
Bryn-Bigad
Acrau
Wenallt
Priddbwll
Beidiog-Ucha
Cae-Goronwy
Fferwd
Gilfach
Cae-du
Cae-coed
MAES GRUGOER
Blaen-y-wergloedd
Clwt-grugoer
Chwibren
Fforest
Fron
Ochr-y-cefn
Pant-glas
Plas Panton
Hendre-Aled
Afon Aled
Cefn-bach
Moel Grugoer
Nant y Fleiddiast
Cleiriach
Bryn
Afon Hyrdd
Pant-y-cefn
Nant y Lladron
Tan-y-foel
LL16
Pen-cae'r cwm
Cefn-Fforest
Nant-y-garreg
Foel Lwyd
Nant-y-Merddyn
Nant-y-lladron
Dolau
Glan-y-gors
Tan-y-rhiwiau
A543
Rhos Bryn-llwyn
Rhiwiau
Clytiau-gleision
Hafod-Dafydd
Rhaeadr y Bedd
Cwm-y-rhinwedd
Aled Isaf Resr
Moel Bengam
Trwyn Swch
Llyn y Foel-frech
Gors Penrhiwiau
Bryn Trillyn
Llyn Brân
PH
Gwylfa Hiraethog
B4501
Moel y Byrniau
Cefn Du
Cesyg Aled
Cefn Llys-gwr
65 64 63 62 61 60 59 58
8 7 6 5 4 3 2 1
91 92 93 94 95 96
47
38
48

37 27

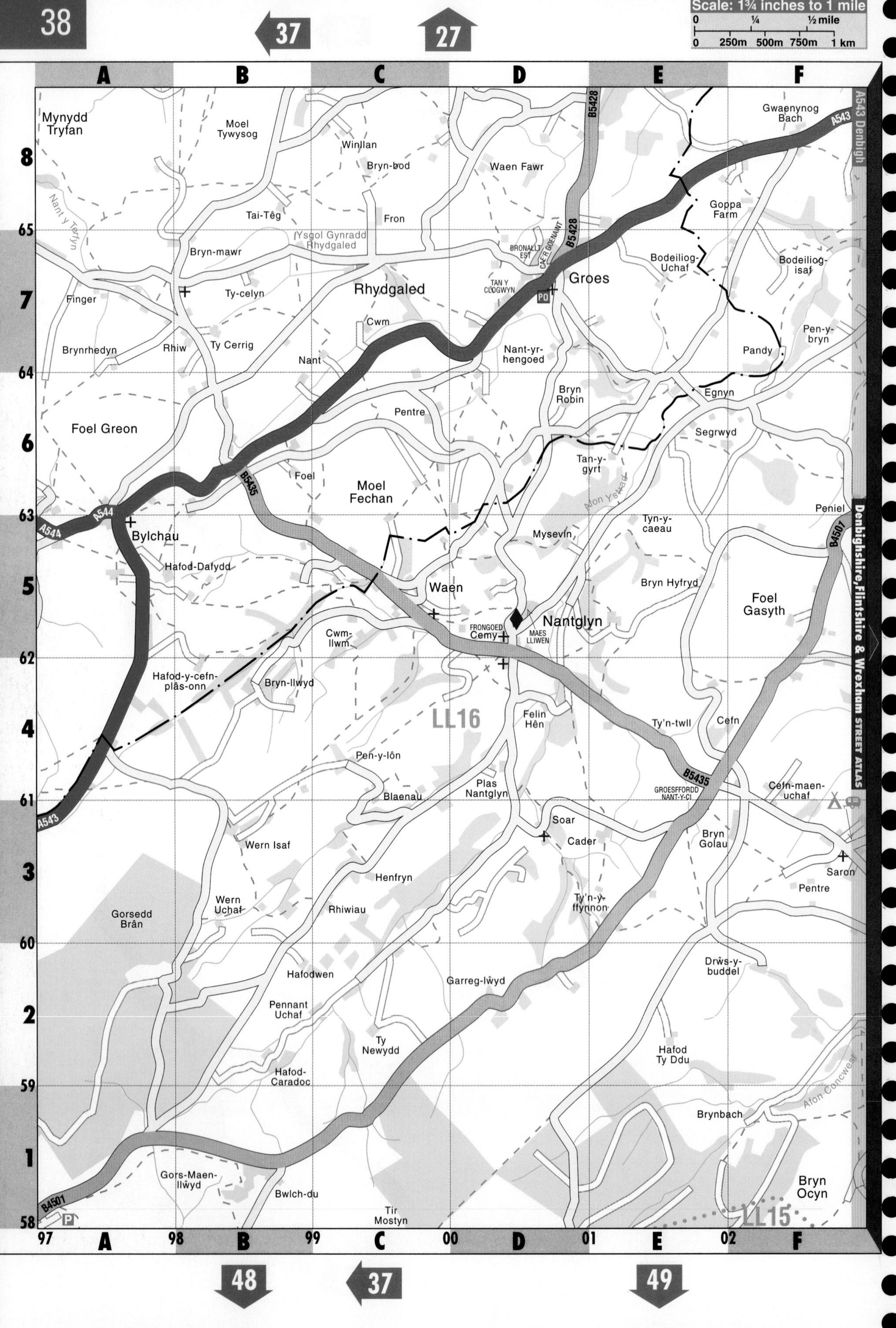
Scale: 1¾ inches to 1 mile
0 ¼ ½ mile
0 250m 500m 750m 1 km
A B C D E F
Mynydd Tryfan
Moel Tywysog
Winllan
Bryn-bod
Waen Fawr
Gwaenynog Bach
A543 Denbigh
Nant y Terfyn
Tai-Têg
Fron
Goppa Farm
Ysgol Gynradd Rhydgaled
Bryn-mawr
BRONALLT EST
CAE'R GOENANT
B5428
Bodeiliog-Uchaf
Bodeiliog-isaf
Finger
Ty-celyn
Rhydgaled
TAN Y CLOGWYN
PO
Groes
Cwm
Pen-y-bryn
Brynrhedyn
Rhiw
Ty Cerrig
Nant
Nant-yr-hengoed
Pandy
Bryn Robin
Egnyn
Foel Green
Pentre
Segrwyd
Tan-y-gyrt
Foel
Moel Fechan
Nant Ystrad
A544
B5435
Peniel
Bylchau
Tyn-y-caeau
Mysevin
Hafod-Dafydd
Waen
Bryn Hyfryd
Foel Gasyth
B4501
Cwm-llwm
FRONGOED
Cemy
MAES LLIWEN
Nantglyn
Hafod-y-cefn-plâs-onn
Bryn-llwyd
LL16
Felin Hên
Ty'n-twll
Cefn
Pen-y-lôn
Plas Nantglyn
Blaenau
GROESFFORDD NANT-Y-CI
Cefn-maen-uchaf
A543
Soar
Cader
Bryn Golau
Wern Isaf
Henfryn
Saron
Pentre
Wern Uchaf
Rhiwiau
Ty'n-y-ffynnon
Gorsedd Brân
Hafodwen
Garreg-lŵyd
Drŵs-y-buddel
Pennant Uchaf
Ty Newydd
Hafod Ty Ddu
Hafod-Caradoc
Afon Concwest
Brynbach
Gors-Maen-llŵyd
Bwlch-du
Tir Mostyn
Bryn Ocyn
LL15
P
8 65 7 64 6 63 5 62 4 61 3 60 2 59 1 58
97 98 99 00 01 02
Denbighshire, Flintshire & Wrexham STREET ATLAS

48 37 49

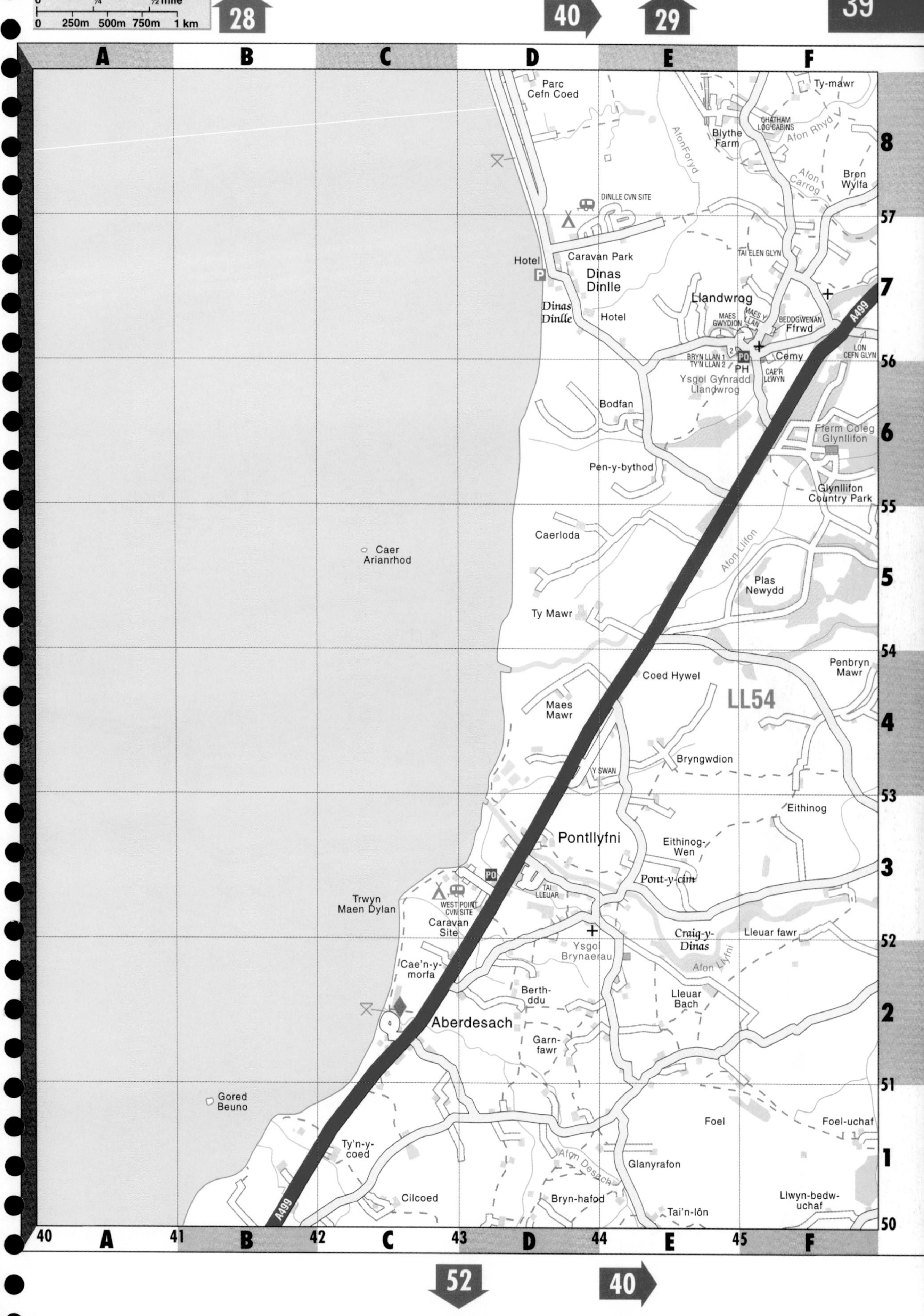

A   B   C   D   E   F

Parc
Cefn Coed

Ty-mawr

CHATHAM
LOG CABINS

Afon Foryd

Blythe
Farm

Afon Rhyd

8

Bron
Wylfa

Afon
Carrog

DINLLE CVN SITE

57

Caravan Park

TAI ELEN GLYN

Hotel

Dinas
Dinlle

Llandwrog

7

MAES
GWYDION

MAES
Y LLAN

BEDDGWENAN
Ffrwd

A499

Dinas
Dinlle

Hotel

BRYN LLAN 1
TY'N LLAN 2

PO
PH

Cemy

56

LON
CEFN GLYN

CAE'R
LLWYN

Bodfan

Ysgol Gynradd
Llandwrog

Fferm Coleg
Glynllifon

6

Pen-y-bythod

Glynllifon
Country Park

55

Caerloda

Afon Llifon

Caer
Arianrhod

Plas
Newydd

5

Ty Mawr

Coed Hywel

LL54

Penbryn
Mawr

54

Maes
Mawr

Bryngwdion

4

Y SWAN

Eithinog

53

Pontllyfni

Eithinog-
Wen

Pont-y-cim

3

TAI
LLEUAR

PO

WEST POINT
CVN SITE

Trwyn
Maen Dylan

Lleuar fawr

Craig-y-
Dinas

52

Caravan
Site

Ysgol
Brynaerau

Afon Llyfni

Cae'n-y-
morfa

Berth-
ddu

Lleuar
Bach

2

Aberdesach

Garn-
fawr

51

Gored
Beuno

Foel

Foel-uchaf

LON

Ty'n-y-
coed

Afon Desach

Glanyrafon

Llwyn-bedw-
uchaf

1

A499

Cilcoed

Bryn-hafod

Tai'n-lôn

50

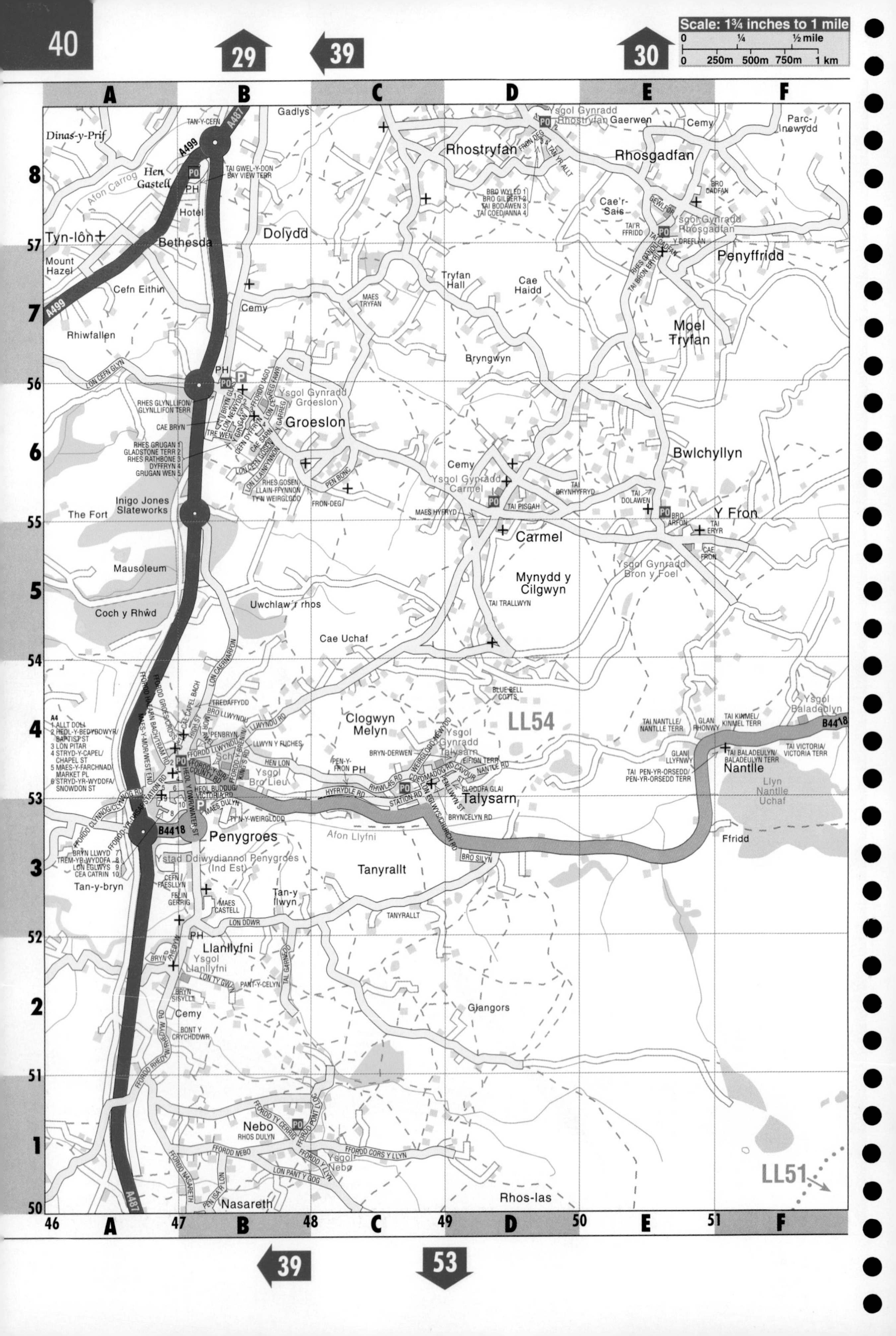

Scale: 1¾ inches to 1 mile

0 ¼ ½ mile
0 250m 500m 750m 1 km

Grid columns: A B C D E F
Grid rows: 8 57 7 56 6 55 5 54 4 53 3 52 2 51 1 50
Bottom grid: 46 A 47 B 48 C 49 D 50 E 51 F

Dinas-y-Prif
Afon Carrog
Hen Gastell
PO
PH
Hotel
TAN-Y-CEFN
TAI GWEL-Y-DON / BAY VIEW TERR
Gadlys
Rhostryfan
Ysgol Gynradd Rhostryfan Gaerwen
Rhosgadfan
Cemy
Parc-y-Inewydd
BRO CADFAN
BRO WYLED 1
BRO GILBERT 2
TAI BODAWEN 3
TAI COED ANNA 4
Cae'r-Sais
TAI'R FFRIDD
Ysgol Gynradd Rhosgadfan
Y DREFLAN
Penyffridd
Tyn-lôn
Bethesda
Dolydd
Mount Hazel
Cefn Eithin
Cemy
Tryfan Hall
Cae Haidd
Moel Tryfan
Rhiwfallen
Bryngwyn
A499
A487
PH
PO P
RHES GLYNLLIFON / GLYNLLIFON TERR
CAE BRYN
TRE WEN
Ysgol Gynradd Groeslon
Groeslon
Cemy
Ysgol Gynradd Carmel
PO
TAI PISGAH
Bwlchyllyn
TAI BRYNHYFRYD
TAI DOLAWEN
PO BRO ARFON
TAI ERYR
Y Fron
CAE FRON
RHES GRUGAN 1
GLADSTONE TERR 2
RHES RATHBONE 3
DYFFRYN 4
GRUGAN WEN 5
RHES GOSEN
LLAIN-FFYNNON
TY'N WEIRGLODD
PEN BONC
FRON-DEG
MAES HYFRYD
Carmel
The Fort
Inigo Jones Slateworks
Mausoleum
Coch y Rhŵd
Uwchlaw'r rhos
Cae Uchaf
Mynydd y Cilgwyn
TAI TRALLWYN
Ysgol Gynradd Bron y Foel
BLUE-BELL COTTS
LL54
Clogwyn Melyn
Ysgol Gynradd Talysarn
EIFION TERR
NANTLLE RD
TAI NANTLLE / NANTLLE TERR
GLAN RHONWY
Ysgol Baladeulyn
B4418
TAI KINMEL / KINMEL TERR
TAI VICTORIA / VICTORIA TERR
A4
1 ALLT DOL
2 HEOL-Y-BEDYDDWYR / BAPTIST ST
3 LON PITAR
4 STRYD-Y-CAPEL / CHAPEL ST
5 MAES-Y-FARCHNAD / MARKET PL
6 STRYD-YR-WYDDFA / SNOWDON ST
PENBRYN
LLWYN Y FUCHES
HEN LON
Ysgol Bro Lieu
PEN-Y-FRON PH
BRYN-DERWEN
RHIWLAS RD
STATION RD
HYFRYDLE RD
PO
Talysarn
ELODFA GLAI
TAI PEN-YR-ORSEDD / PEN-YR-ORSEDD TERR
TAI BALADEULYN / BALADEULYN TERR
GLAN LLYFNWY
Nantlle
Llyn Nantlle Uchaf
TREDAFFYDD
BRO LLWYNDU
LLWYNDU RD
Penygroes
Ystad Ddiwydiannol Penygroes (Ind Est)
P
MAES DULYN
TY'N-Y-WEIRGLODD
BRYNCELYN RD
Afon Llyfni
BRO SILYN
Ffridd
LL51
BRYN LLWYD 7
TREM-YR-WYDDFA 8
LON EGLWYS 9
CEA CATRIN 10
B4418
Tan-y-bryn
CEFN FAESLLYN
FELIN GERRIG
MAES CASTELL
LON DDWR
Tan-y-llwyn
Tanyrallt
TANYRALLT
PH
Llanllyfni
Ysgol Llanllyfni
LON TY RWD
PANT-Y-CELYN
BRYN SISYLLT
Cemy
BONT Y CRYCHDDWR
Glangors
Nebo
RHOS DULYN
FFORDD NEBO
FFORDD Y NEBO
FFORDD CORS Y LLYN
LON PANT Y GOG
Nasareth
Rhos-las
PO

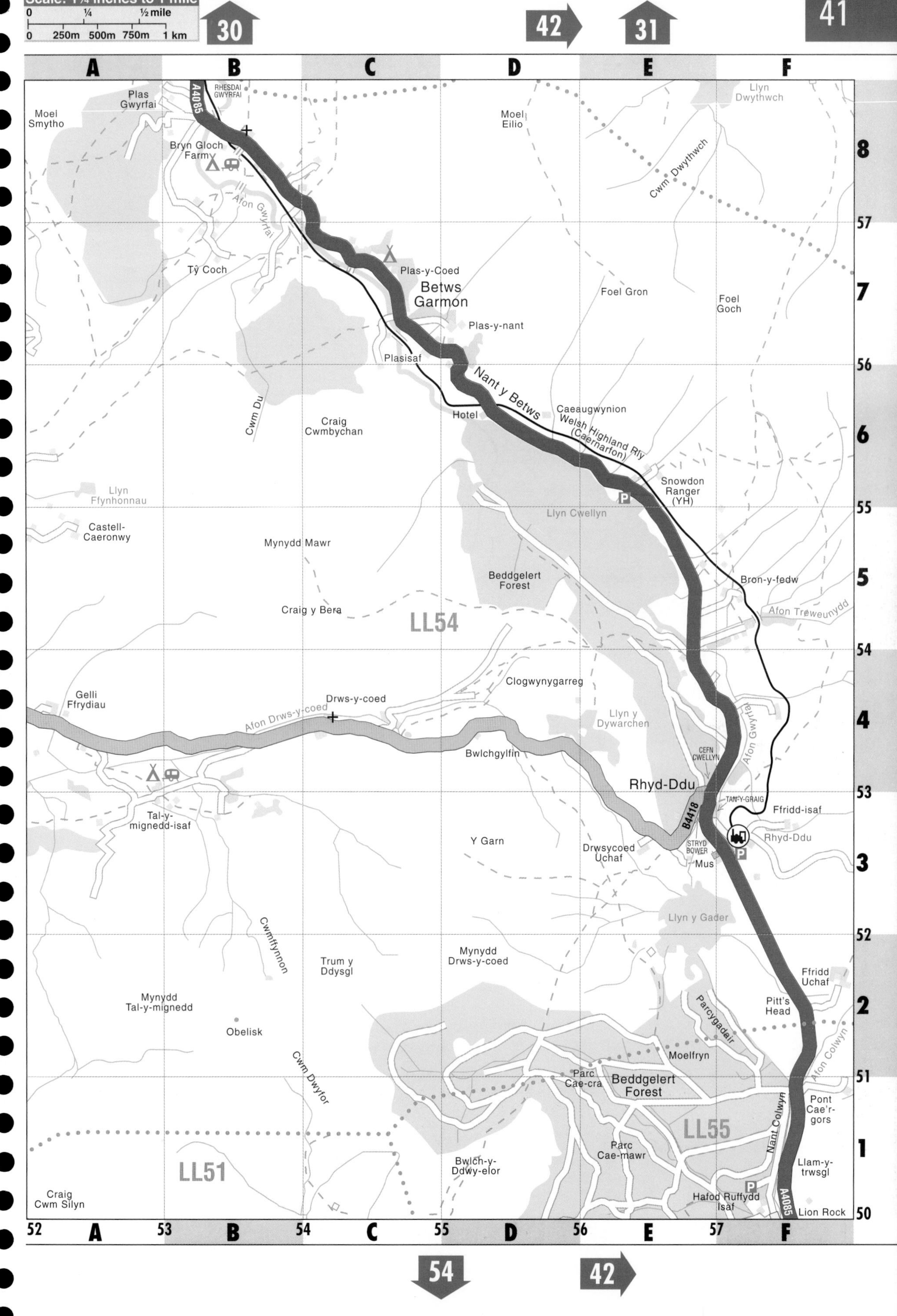

Scale: 1¾ inches to 1 mile
0 ¼ ½ mile
0 250m 500m 750m 1 km
30
42
31
A B C D E F
Moel Smytho
Plas Gwyrfai
RHESDAI GWYRFAI
A4085
Bryn Gloch Farm
Afon Gwyrfai
Moel Eilio
Llyn Dwythwch
Cwm Dwythwch
Tŷ Coch
Plas-y-Coed
Betws Garmon
Plas-y-nant
Foel Gron
Foel Goch
Plasisaf
Nant y Betws
Hotel
Cwm Du
Craig Cwmbychan
Caeaugwynion
Welsh Highland Rly (Caernarfon)
Snowdon Ranger (YH)
Llyn Ffynhonnau
Llyn Cwellyn
Castell-Caeronwy
Mynydd Mawr
Beddgelert Forest
Bron-y-fedw
Afon Treweunydd
Craig y Bera
LL54
Clogwynygarreg
Gelli Ffrydiau
Drws-y-coed
Afon Drws-y-coed
Llyn y Dywarchen
Afon Gwyrfai
CEFN CWELLYN
Bwlchgylfin
Rhyd-Ddu
TAN-Y-GRAIG
Ffridd-isaf
B4418
Tal-y-mignedd-isaf
Y Garn
Drwsycoed Uchaf
STRYD BOWER
Rhyd-Ddu
Mus
Llyn y Gader
Cwmffynnon
Trum y Ddysgl
Mynydd Drws-y-coed
Ffridd Uchaf
Mynydd Tal-y-mignedd
Parcygadair
Pitt's Head
Obelisk
Moelfryn
Afon Colwyn
Cwm Dwyfor
Parc Cae-cra
Beddgelert Forest
Pont Cae'r-gors
LL55
Nant Colwyn
Parc Cae-mawr
Bwlch-y-Ddwy-elor
LL51
Llam-y-trwsgl
Craig Cwm Silyn
Hafod Ruffydd Isaf
A4085
Lion Rock
8 57 7 56 6 55 5 54 4 53 3 52 2 51 1 50
52 53 54 55 56 57
54
42

31 41 32

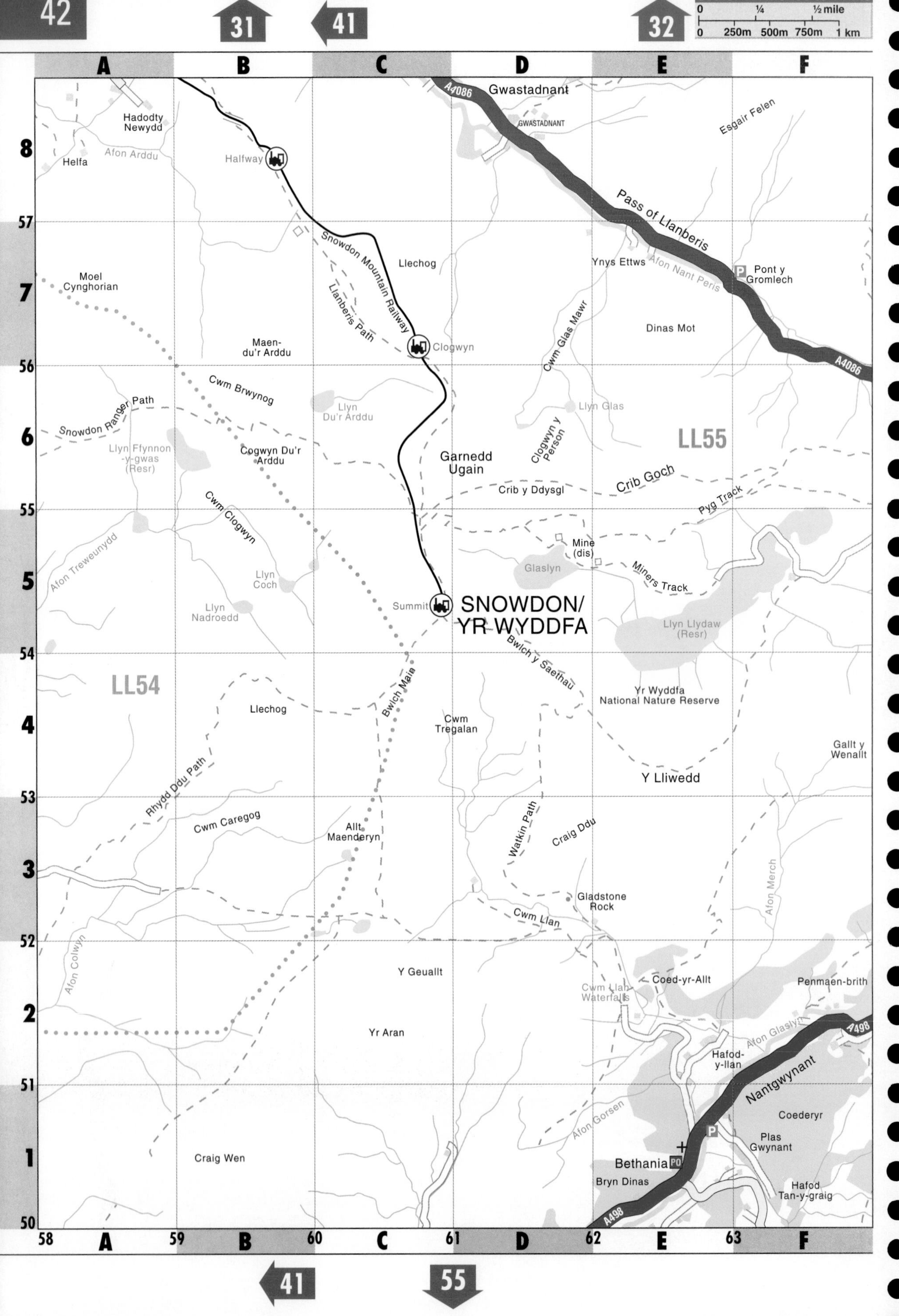

Scale: 1¾ inches to 1 mile
0 ¼ ½ mile
0 250m 500m 750m 1 km
A B C D E F
8 57 7 56 6 55 5 54 4 53 3 52 2 51 1 50
58 59 60 61 62 63
Hadodty Newydd
Helfa
Afon Arddu
Halfway
A4086
Gwastadnant
GWASTADNANT
Esgair Felen
Pass of Llanberis
Snowdon Mountain Railway
Llanberis Path
Llechog
Ynys Ettws
Afon Nant Peris
Pont y Gromlech
Moel Cynghorian
Maen-du'r Arddu
Clogwyn
Cwm Glas Mawr
Dinas Mot
Cwm Brwynog
Snowdon Ranger Path
Llyn Du'r Arddu
Llyn Glas
Llyn Ffynnon -y-gwas (Resr)
Cogwyn Du'r Arddu
Garnedd Ugain
Clogwyn y Person
LL55
Crib Goch
Crib y Ddysgl
Pyg Track
Cwm Clogwyn
Afon Treweunydd
Mine (dis)
Glaslyn
Miners Track
Llyn Coch
Summit
SNOWDON/ YR WYDDFA
Llyn Nadroedd
Llyn Llydaw (Resr)
Bwlch y Saethau
LL54
Bwlch Main
Yr Wyddfa National Nature Reserve
Llechog
Cwm Tregalan
Gallt y Wenallt
Rhydd Ddu Path
Y Lliwedd
Cwm Caregog
Allt Maenderyn
Watkin Path
Craig Ddu
Afon Merch
Gladstone Rock
Cwm Llan
Afon Colwyn
Y Geuallt
Cwm Llan Waterfalls
Coed-yr-Allt
Penmaen-brith
Yr Aran
Afon Glaslyn
A498
Hafod-y-llan
Nantgwynant
Coederyr
Afon Gorsen
Plas Gwynant
Craig Wen
Bethania
PO
Bryn Dinas
Hafod Tan-y-graig

41 55

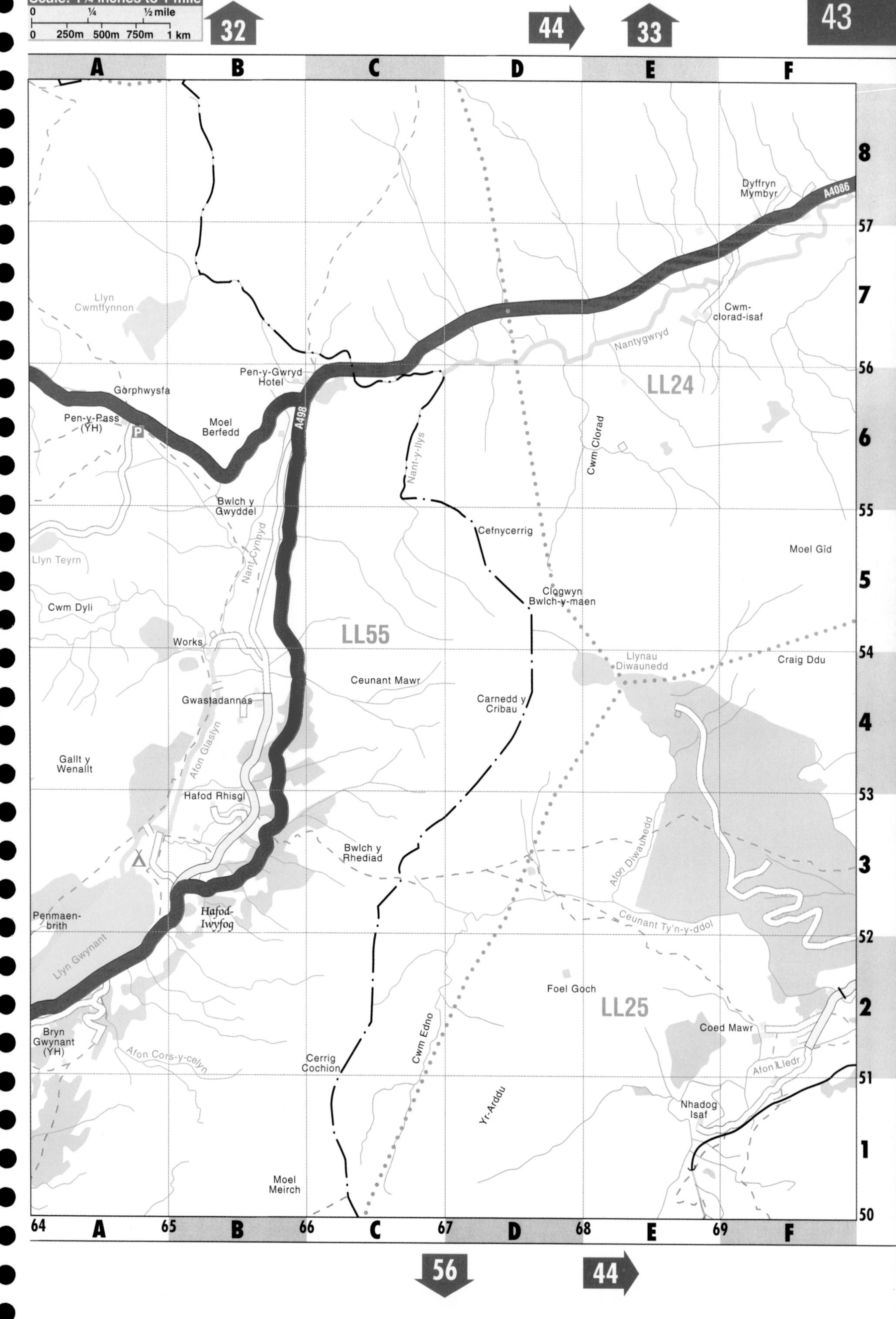
Scale: 1¾ inches to 1 mile
0 ¼ ½ mile
0 250m 500m 750m 1 km
32
44
33
A B C D E F
8
57
7
56
6
55
5
54
4
53
3
52
2
51
1
50
64 65 66 67 68 69
Llyn Cwmffynnon
Gorphwysfa
Pen-y-Pass (YH)
Pen-y-Gwryd Hotel
Moel Berfedd
A498
A4086
Dyffryn Mymbyr
Cwm-clorad-isaf
Nantygwryd
LL24
Cwm Clorad
Nant-y-llys
Bwlch y Gwyddel
Nant Cynnyd
Cefnycerrig
Llyn Teyrn
Moel Gîd
Cwm Dyli
Clogwyn Bwlch-y-maen
LL55
Works
Llynau Diwaunedd
Craig Ddu
Ceunant Mawr
Gwastadannas
Carnedd y Cribau
Gallt y Wenallt
Afon Glaslyn
Hafod Rhisgl
Bwlch y Rhediad
Afon Diwaunedd
Penmaen-brith
Hafod-Iwyfog
Ceunant Ty'n-y-ddol
Llyn Gwynant
Foel Goch
LL25
Coed Mawr
Bryn Gwynant (YH)
Afon Cors-y-celyn
Cwm Edno
Cerrig Cochion
Afon Lledr
Nhadog Isaf
Yr-Arddu
Moel Meirch
56
44

33 43 34

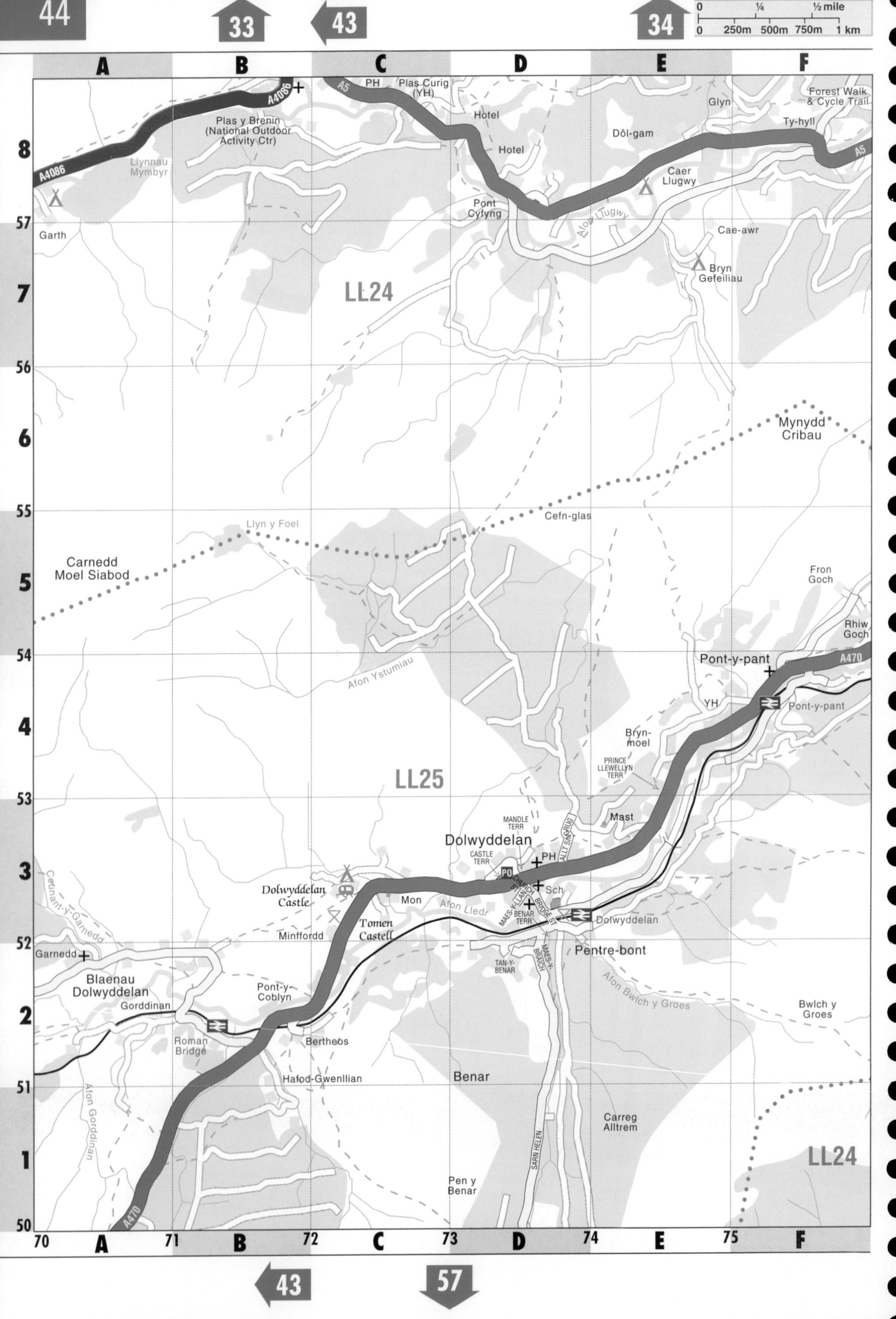

Scale: 1¾ inches to 1 mile
0 ¼ ½ mile
0 250m 500m 750m 1 km
A B C D E F
8
57
7
56
6
55
5
54
4
53
3
52
2
51
1
50
70 71 72 73 74 75
A4086
A5
A470
PH
Plas Curig (YH)
Forest Walk & Cycle Trail
Glyn
Plas y Brenin (National Outdoor Activity Ctr)
Hotel
Dôl-gam
Ty-hyll
Llynnau Mymbyr
Caer Llugwy
Pont Cyfyng
Afon Llugwy
Garth
Cae-awr
Bryn Gefeiliau
LL24
Mynydd Cribau
Cefn-glas
Llyn y Foel
Carnedd Moel Siabod
Fron Goch
Rhiw Goch
Pont-y-pant
Afon Ystumiau
YH
Bryn-moel
PRINCE LLEWELLYN TERR
LL25
Mast
MANDLE TERR
ALLT SIN-Y-GUG
Dolwyddelan
CASTLE TERR
PO
Sch
CHURCH ST
Dolwyddelan Castle
Mon
Afon Lledr
MAES-Y-LLAN
BENAR TERR
BRIDGE ST
Cwm Penamnen
Cerdunant-y-Gamedd
Tomen Castell
Minffordd
Garnedd
Pentre-bont
TAN-Y-BENAR
MAES-Y-BRAICH
Afon Bwlch y Groes
Blaenau Dolwyddelan
Pont-y-Coblyn
Bwlch y Groes
Gorddinan
Roman Bridge
Bertheos
Hafod-Gwenllian
Benar
Afon Gorddinan
Carreg Alltrem
SARN HELEN
Pen y Benar

43 57

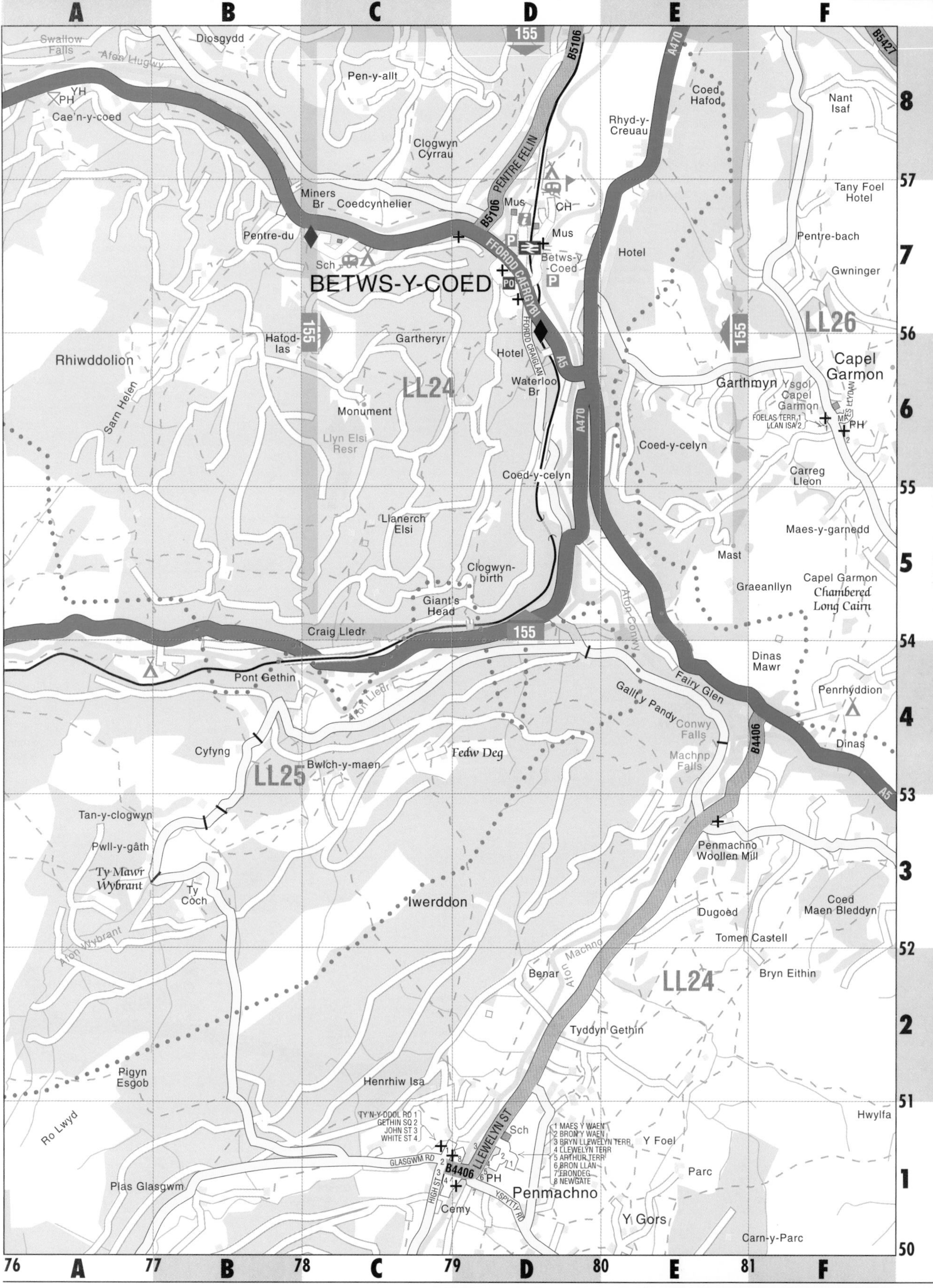

A   B   C   D   E   F

Swallow Falls
Afon Llugwy
YH
PH
Cae'n-y-coed

Diosgydd

Pen-y-allt

Clogwyn Cyrrau

155
B5106
B5106

Coed Hafod

Nant Isaf

8

Rhyd-y-Creuau

Tany Foel Hotel

57

Miners Br   Coedcynhelier

Pentre-du

Pentre-felin

Mus
CH
Mus
Betws-y-Coed
P
PO

Hotel

Pentre-bach

Gwninger

7

Sch

BETWS-Y-COED

Ffordd Caerg Bl

A5

Hotel

LL26

56

Rhiwddolion

155

Hafod-las

Gartheryr

LL24

Ffordd Craiglan

Waterloo Br

Hotel

A470

Garthmyn

Ysgol Capel Garmon

Capel Garmon

LL26

6

Sarn Helen

Monument

FOELAS TERR. 1
LLAN ISA 2
PH

Carreg Lleon

Llyn Elsi Resr

Coed-y-celyn

Coed-y-celyn

Maes-y-garnedd

55

Llanerch Elsi

Mast

Capel Garmon Chambered Long Cairn

5

Clogwyn-birth

Graeanllyn

Giant's Head

Craig Lledr

155

Dinas Mawr

Penrhyddion

54

Afon Lledr

Pont Gethin

Fairy Glen

Gallt y Pandy

Conwy Falls

B4406

Dinas

4

Cyfyng

Bwlch-y-maen

Fedw Deg

Machno Falls

A5

53

Tan-y-clogwyn

LL25

Penmachno Woollen Mill

3

Pwll-y-gâth

Ty Mawr Wybrant

Ty Côch

Iwerddon

Dugoed

Tomen Castell

Coed Maen Bleddyn

52

Afon Wybrant

Afon Machno

Bryn Eithin

LL24

2

Pigyn Esgob

Henrhiw Isa

Tyddyn Gethin

51

Ro Lwyd

TY N-Y-DDOL RD 1
GETHIN SQ 2
JOHN ST 3
WHITE ST 4

Sch

1 MAES Y WAEN
2 BRON Y WAEN
3 BRYN LLEWELYN TERR.
4 LLEWELYN TERR.
5 ARTHUR TERR.
6 BRON LLAN
7 ERONDEG
8 NEWGATE

Y Foel

Hwylfa

GLASGWM RD

LLEWELYN ST

B4406

Plas Glasgwm

HIGH ST

Cemy

PH
YSPYTY RD

Penmachno

Y Gors

Parc

Carn-y-Parc

1

50

76   A   77   B   78   C   79   D   80   E   81   F

58

46

For full street detail of the highlighted area see page 155 .

35 45 36

Scale: 1¾ inches to 1 mile

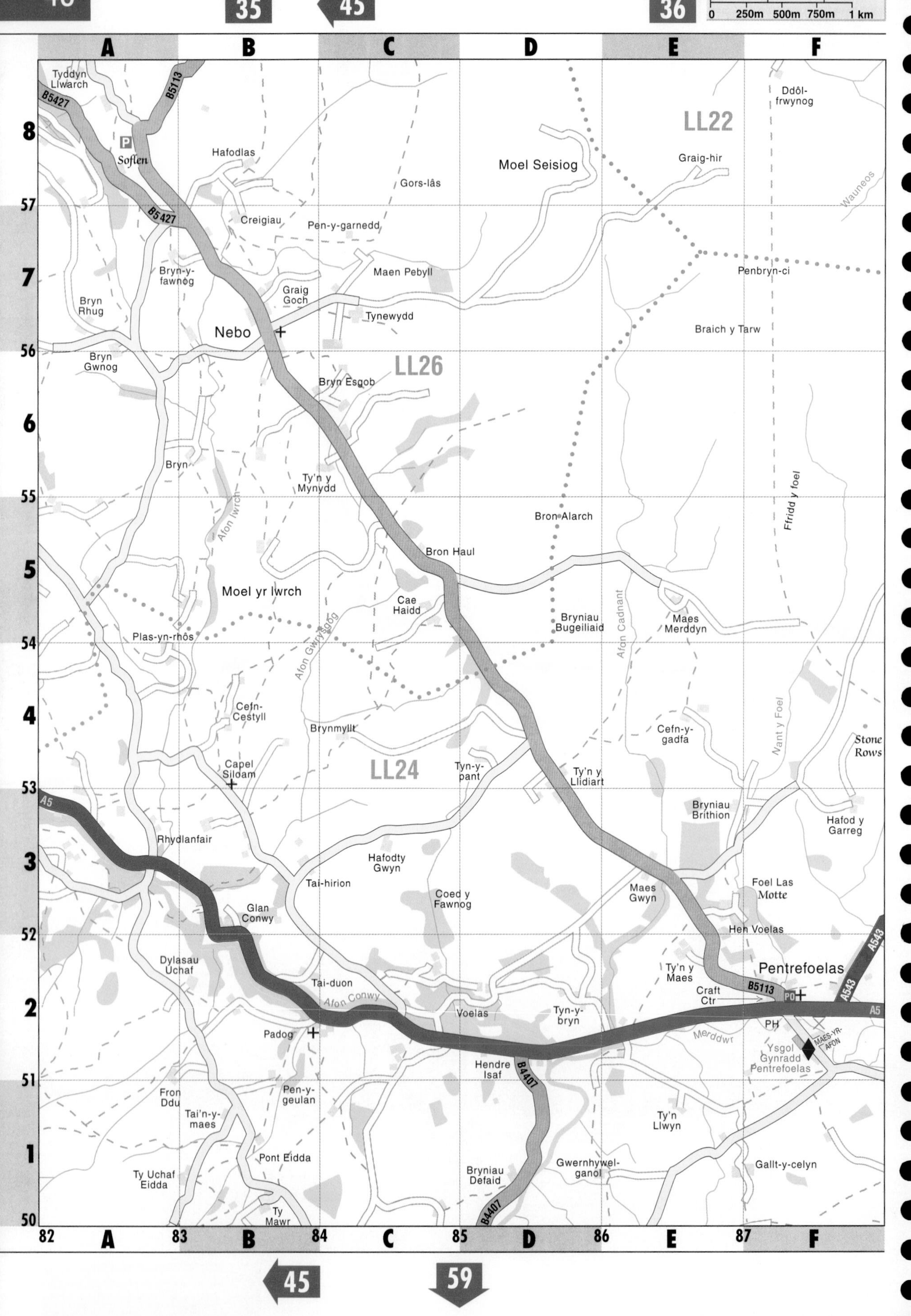
Tyddyn Llwarch
B5427
B5113
Soflen
Hafodlas
Moel Seisiog
Graig-hir
Ddôl-frwynog
LL22
Wauneos
Gors-lâs
Creigiau
Pen-y-garnedd
Maen Pebyll
Penbryn-ci
Bryn-y-fawnog
Bryn Rhug
Graig Goch
Tynewydd
Nebo
Braich y Tarw
Bryn Gwnog
LL26
Bryn Esgob
Bryn
Ty'n y Mynydd
Ffridd y foel
Afon Iwrch
Bron Alarch
Bron Haul
Moel yr Iwrch
Cae Haidd
Afon Cadnant
Maes Merddyn
Bryniau Bugeiliaid
Plas-yn-rhôs
Afon Gwrysgog
Cefn-Castyll
Brynmyllt
Cefn-y-gadfa
Nant y Foel
Stone Rows
Capel Siloam
LL24
Tyn-y-pant
Ty'n y Llidiart
A5
Bryniau Brithion
Hafod y Garreg
Rhydlanfair
Hafodty Gwyn
Tai-hirion
Coed y Fawnog
Maes Gwyn
Foel Las
Motte
Glan Conwy
Hen Voelas
A543
Dylasau Uchaf
Tai-duon
Ty'n y Maes
Pentrefoelas
Craft Ctr
B5113
PO
Afon Conwy
Voelas
Tyn-y-bryn
Padog
PH
Merddwr
MAES-YR-AFON
Ysgol Gynradd Pentrefoelas
Hendre Isaf
B4407
Fron Ddu
Pen-y-geulan
Tai'n-y-maes
Ty'n Llwyn
Pont Eidda
Ty Uchaf Eidda
Bryniau Defaid
Gwernhywel-ganol
Gallt-y-celyn
Ty Mawr

45 59

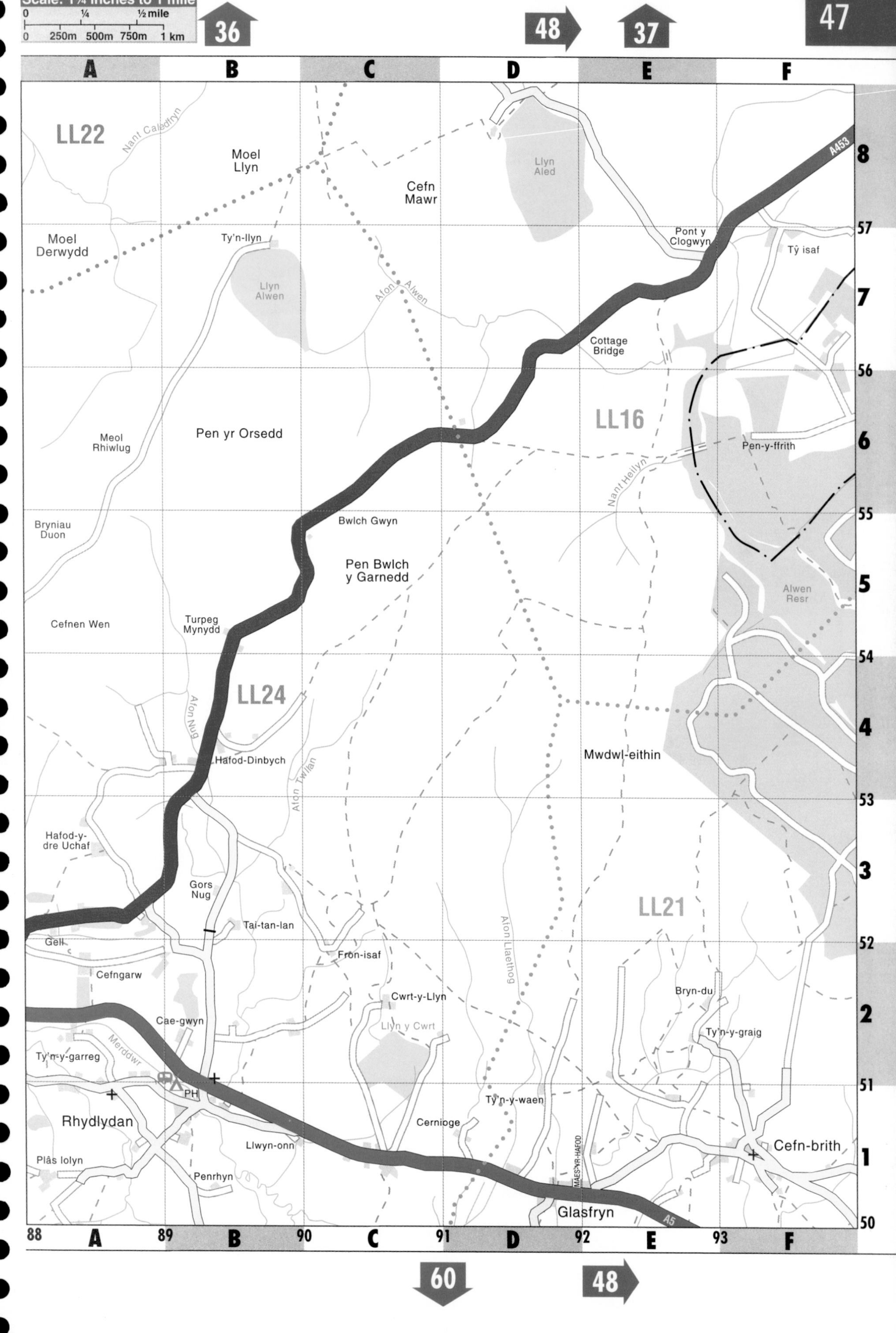

Scale: 1¾ inches to 1 mile
0 ¼ ½ mile
0 250m 500m 750m 1 km
36
48
37
A B C D E F
LL22
Nant Caledfryn
Moel Llyn
Cefn Mawr
Llyn Aled
A453
Moel Derwydd
Ty'n-llyn
Llyn Alwen
Afon Alwen
Pont y Clogwyn
Tŷ isaf
Cottage Bridge
LL16
Meol Rhiwlug
Pen yr Orsedd
Pen-y-ffrith
Nant Heilyn
Bryniau Duon
Bwlch Gwyn
Pen Bwlch y Garnedd
Alwen Resr
Cefnen Wen
Turpeg Mynydd
LL24
Afon Nug
Hafod-Dinbych
Mwdwl-eithin
Afon Twllan
Hafod-y-dre Uchaf
Gors Nug
LL21
Tai-tan-lan
Afon Llaethog
Gell
Fron-isaf
Cefngarw
Cwrt-y-Llyn
Bryn-du
Cae-gwyn
Llyn y Cwrt
Ty'n-y-graig
Merddwr
Ty'n-y-garreg
PH
Rhydlydan
Ty'n-y-waen
Cernioge
Cefn-brith
Llwyn-onn
MAES-YR-HAFOD
Plâs Iolyn
Penrhyn
Glasfryn
A5
8 57 7 56 6 55 5 54 4 53 3 52 2 51 1 50
88 89 90 91 92 93
60
48

37 47 38

Scale: 1¾ inches to 1 mile

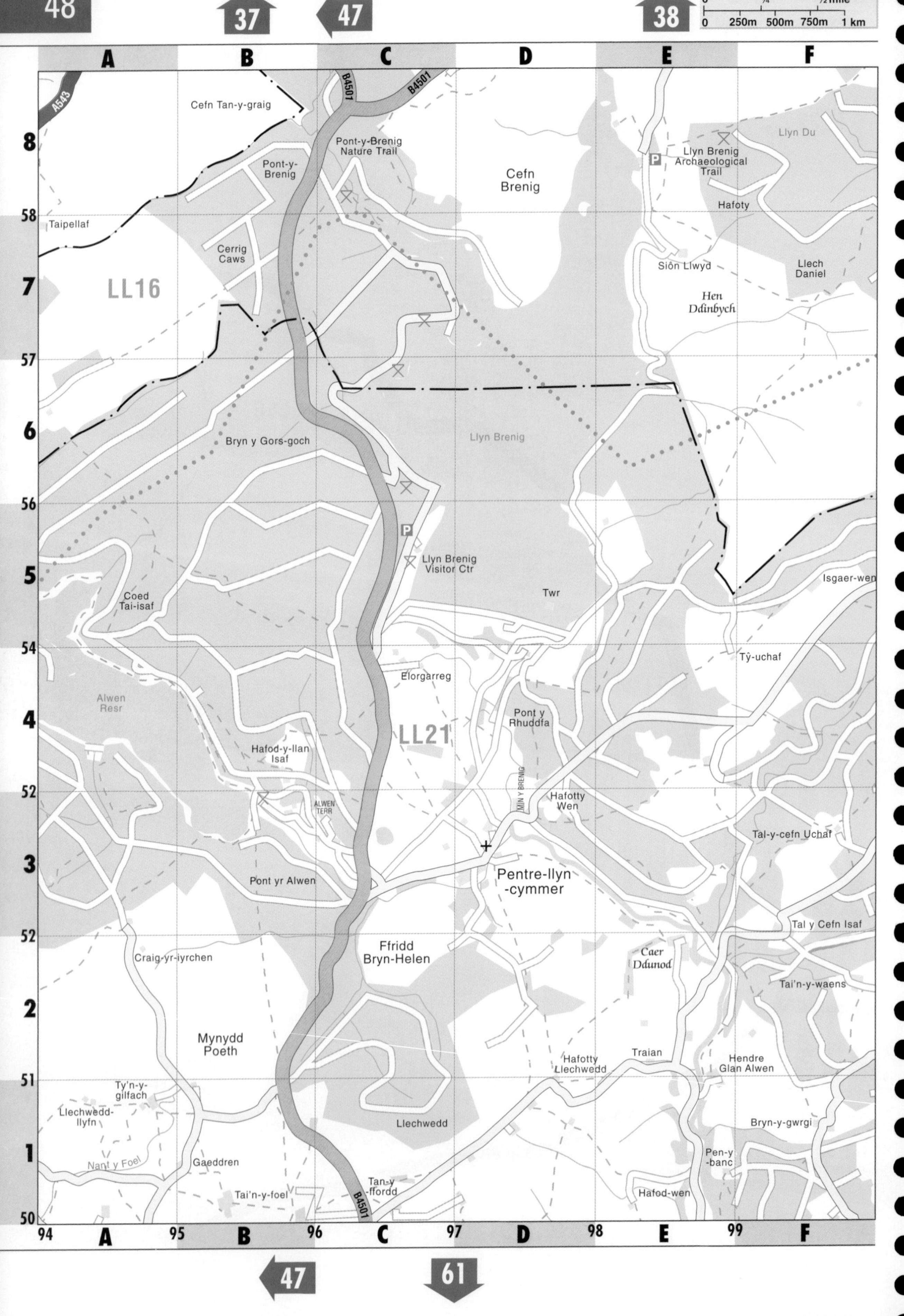

0 ¼ ½ mile
0 250m 500m 750m 1 km
A B C D E F
8 58 7 57 6 56 5 54 4 52 3 52 2 51 1 50
94 95 96 97 98 99
A543
B4507
B4501
Cefn Tan-y-graig
Pont-y-Brenig Nature Trail
Cefn Brenig
Llyn Brenig Archaeological Trail
Llyn Du
Pont-y-Brenig
Hafoty
Taipellaf
Cerrig Caws
Siôn Llwyd
Llech Daniel
LL16
Hen Ddinbych
Llyn Brenig
Bryn y Gors-goch
Llyn Brenig Visitor Ctr
Coed Tai-isaf
Twr
Isgaer-wen
Tŷ-uchaf
Elorgarreg
Alwen Resr
Pont y Rhuddfa
LL21
Hafod-y-llan Isaf
MIN Y BRENIG
Hafotty Wen
ALWEN TERR
Tal-y-cefn Uchaf
Pentre-llyn -cymmer
Pont yr Alwen
Tal y Cefn Isaf
Ffridd Bryn-Helen
Caer Ddunod
Craig-yr-iyrchen
Tai'n-y-waens
Mynydd Poeth
Traian
Hafotty Llechwedd
Hendre Glan Alwen
Ty'n-y-gilfach
Llechwedd-llyfn
Llechwedd
Bryn-y-gwrgi
Nant y Foel
Gaeddren
Pen-y -banc
Tai'n-y-foel
Tan-y -ffordd
Hafod-wen

47 61

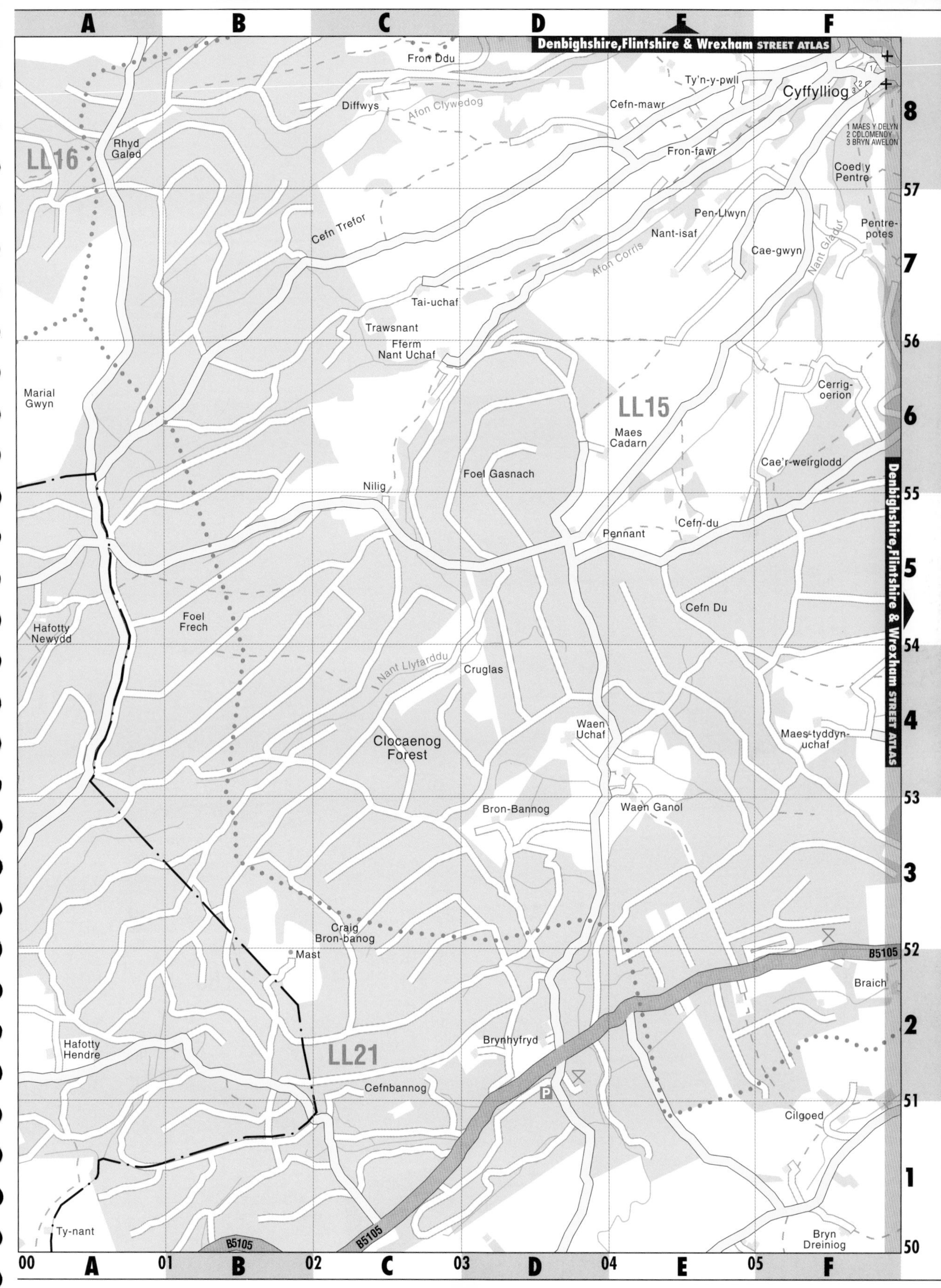

Scale: 1¾ inches to 1 mile

0 ¼ ½ mile
0 250m 500m 750m 1 km

38

Fron Ddu
Ty'n-y-pwll
Cefn-mawr
Cyffylliog
Diffwys
Afon Clywedog
Fron-fawr
1 MAES Y DELYN
2 COLOMENDY
3 BRYN AWELON
LL 16
Rhyd Galed
Coed y Pentre
Pen-Llwyn
Pentre-potes
Cefn Trefor
Nant-isaf
Cae-gwyn
Nant Gladur
Afon Corris
Tai-uchaf
Trawsnant
Fferm Nant Uchaf
LL15
Marial Gwyn
Cerrig-oerion
Maes Cadarn
Cae'r-weirglodd
Foel Gasnach
Nilig
Pennant
Cefn-du
Hafotty Newydd
Foel Frech
Cefn Du
Nant Llyfarddu
Cruglas
Clocaenog Forest
Waen Uchaf
Maes-tyddyn-uchaf
Bron-Bannog
Waen Ganol
Craig Bron-banog
Mast
B5105
Braich
Hafotty Hendre
LL21
Brynhyfryd
Cilgoed
Cefnbannog
Ty-nant
B5105
B5105
Bryn Dreiniog

00 A 01 B 02 C 03 D 04 E 05 F

Denbighshire, Flintshire & Wrexham STREET ATLAS

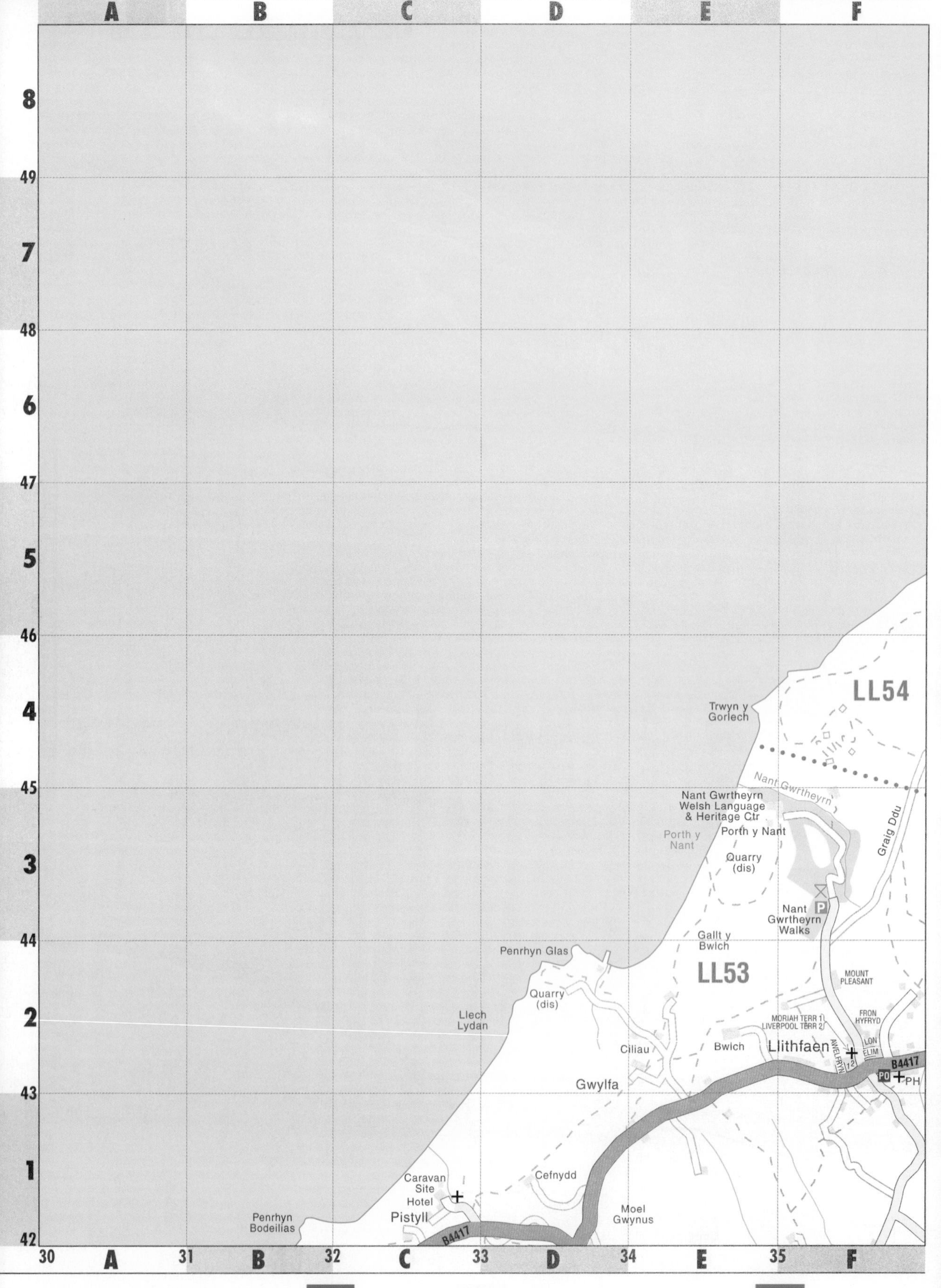

A B C D E F

8

49

7

48

6

47

5

46

4

LL54

Trwyn y
Gorlech

Nant Gwrtheyrn

45

Nant Gwrtheyrn
Welsh Language
& Heritage Ctr

Graig Ddu

Porth y Nant

Porth y
Nant

3

Quarry
(dis)

P

Nant
Gwrtheyrn
Walks

44

Gallt y
Bwlch

Penrhyn Glas

LL53

MOUNT
PLEASANT

Quarry
(dis)

FRON
HYFRYD

2

Llech
Lydan

MORIAH TERR 1
LIVERPOOL TERR 2

LON
ELIM

Ciliau

Bwlch

Llithfaen

B4417

Gwylfa

PO   PH

43

1

Cefnydd

Caravan
Site
Hotel

Moel
Gwynus

Pistyll

Penrhyn
Bodeilias

B4417

42

30   A   31   B   32   C   33   D   34   E   35   F

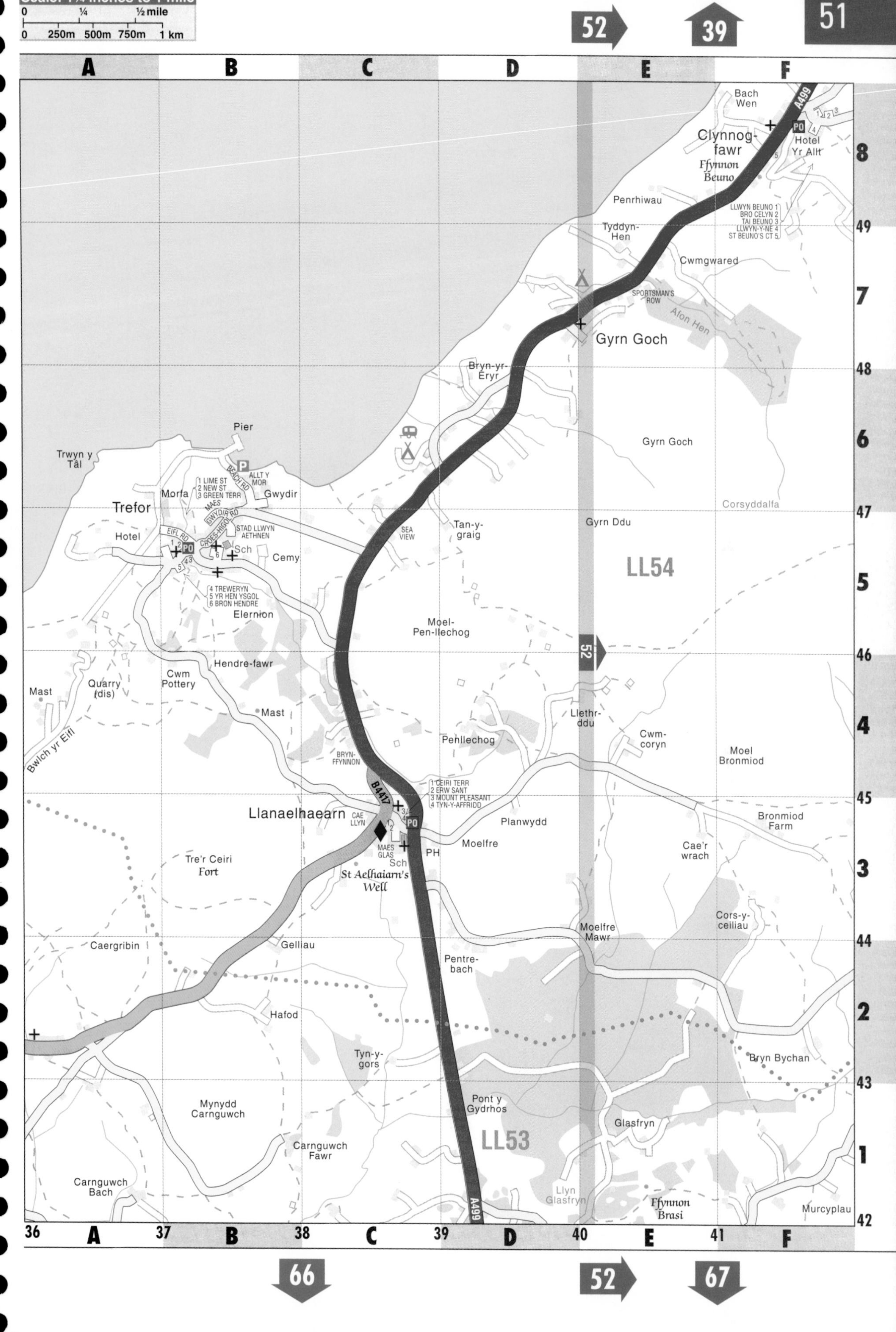
Scale: 1¾ inches to 1 mile
0 ¼ ½ mile
0 250m 500m 750m 1 km
52
39
A B C D E F
Bach Wen
A499
Clynnog-fawr
Ffynnon Beuno
Hotel Yr Allt
Penrhiwau
LLWYN BEUNO 1
BRO CELYN 2
TAI BEUNO 3
LLWYN-Y-NE 4
ST BEUNO'S CT 5
Tyddyn-Hen
Cwmgwared
SPORTSMAN'S ROW
Afon Hen
Gyrn Goch
Bryn-yr-Eryr
Gyrn Goch
Pier
Trwyn y Tâl
ALLT Y MOR
Gwydir
1 LIME ST
2 NEW ST
3 GREEN TERR
Morfa
Trefor
Hotel
STAD LLWYN AETHNEN
Sch
Cemy
4 TREWERYN
5 YR HEN YSGOL
6 BRON HENDRE
Elernion
SEA VIEW
Tan-y-graig
Gyrn Ddu
Corsyddalfa
LL54
Moel-Pen-llechog
Hendre-fawr
Cwm Pottery
Quarry (dis)
Mast
Mast
Bwlch yr Eifl
BRYN-FFYNNON
Penllechog
Llethr-ddu
Cwm-coryn
Moel Bronmiod
B4417
1 CEIRI TERR
2 ERW SANT
3 MOUNT PLEASANT
4 TYN-Y-AFFRIDD
Llanaelhaearn
CAE LLYN
MAES GLAS
Sch
PH
Planwydd
Moelfre
Cae'r wrach
Bronmiod Farm
Tre'r Ceiri Fort
St Aelhaiarn's Well
Cors-y-ceiliau
Moelfre Mawr
Caergribin
Gelliau
Pentre-bach
Hafod
Tyn-y-gors
Bryn Bychan
Mynydd Carnguwch
Pont y Gydrhos
Glasfryn
LL53
Carnguwch Fawr
Carnguwch Bach
Llyn Glasfryn
Ffynnon Brasi
Murcyplau
A499
8 49 7 48 6 47 5 46 4 45 3 44 2 43 1 42
36 37 38 39 40 41
66
52
67

51
39

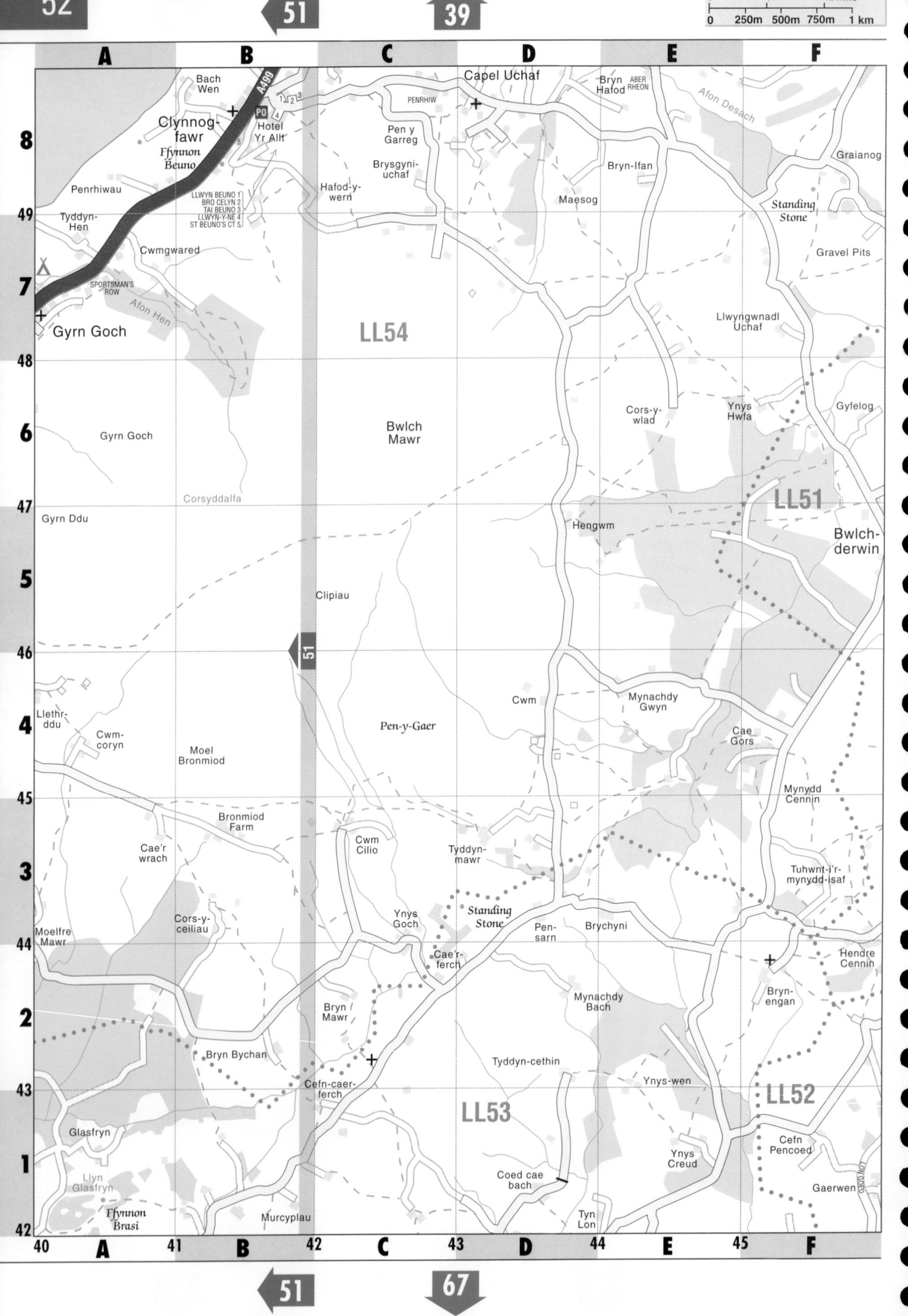
Scale: 1¾ inches to 1 mile
0 ¼ ½ mile
0 250m 500m 750m 1 km
A B C D E F
8 49 7 48 6 47 5 46 4 45 3 44 2 43 1 42
40 41 42 43 44 45
A499
Bach Wen
Clynnog-fawr
Ffynnon Beuno
PO
Hotel Yr Allt
LLWYN BEUNO 1
BRO CELYN 2
TAI BEUNO 3
LLWYN-Y-NE 4
ST BEUNO'S CT 5
Penrhiwau
Tyddyn-Hen
Cwmgwared
SPORTSMAN'S ROW
Afon Hen
Gyrn Goch
PENRHIW
Capel Uchaf
Pen y Garreg
Brysgyni-uchaf
Hafod-y-wern
Bryn Hafod
ABER RHEON
Afon Desach
Bryn-Ifan
Maesog
Graianog
Standing Stone
Gravel Pits
LL54
Llwyngwnadl Uchaf
Cors-y-wlad
Ynys Hwfa
Gyfelog
Bwlch Mawr
LL51
Bwlch-derwin
Corsyddalfa
Gyrn Ddu
Hengwm
Clipiau
51
Cwm
Mynachdy Gwyn
Pen-y-Gaer
Cae Gors
Llethr-ddu
Cwm-coryn
Moel Bronmiod
Mynydd Cennin
Bronmiod Farm
Cwm Cilio
Tyddyn-mawr
Cae'r wrach
Tuhwnt-i'r-mynydd-isaf
Cors-y-ceiliau
Ynys Goch
Standing Stone
Pen-sarn
Brychyni
Moelfre Mawr
Cae'r-ferch
Hendre Cennin
Bryn Mawr
Mynachdy Bach
Bryn-engan
Bryn Bychan
Tyddyn-cethin
Cefn-caer-ferch
Ynys-wen
LL53
LL52
Glasfryn
Cefn Pencoed
Ynys Creud
Llyn Glasfryn
Coed cae bach
Gaerwen
Ffynnon Brasi
Murcyplau
Tyn Lon
B4411

51
67

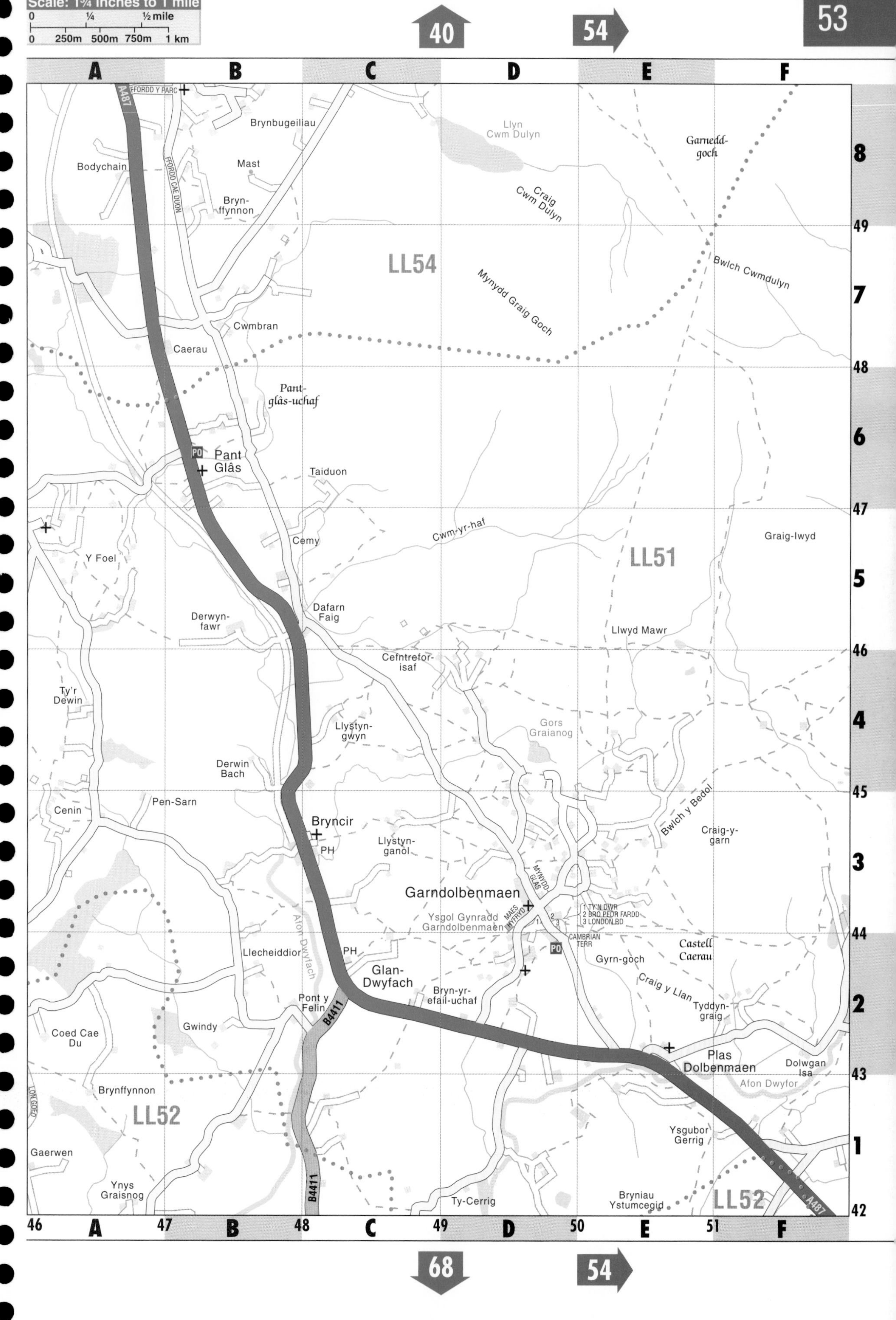
Scale: 1¾ inches to 1 mile
0
¼
½ mile
0
250m
500m
750m
1 km
40
54
A
B
C
D
E
F
A487
FFORDD Y PARC
Brynbugeiliau
Llyn
Cwm Dulyn
Garnedd-
goch
8
Bodychain
FFORDD CAE DUON
Mast
Bryn-
ffynnon
Craig
Cwm Dulyn
49
LL54
Bwlch Cwmdulyn
Mynydd Graig Goch
7
Cwmbran
Caerau
48
Pant-
glâs-uchaf
6
PO
Pant
Glâs
Taiduon
47
Cwm-yr-haf
Cemy
Graig-lwyd
Y Foel
LL51
5
Dafarn
Faig
Derwyn-
fawr
Llwyd Mawr
46
Cefntrefor-
isaf
Ty'r
Dewin
4
Llystyn-
gwyn
Gors
Graianog
Derwin
Bach
45
Pen-Sarn
Cenin
Bryncir
PH
Bwlch y Bedol
Llystyn-
ganol
Craig-y-
garn
3
MYNYDD GLAS
Garndolbenmaen
1 TY'N DWR
2 BRO PEDR FARDD
3 LONDON RD
Ysgol Gynradd
Garndolbenmaen
MAES HYFRYD
CAMBRIAN TERR
PO
44
Castell
Caerau
PH
Llecheiddior
Afon Dwyfach
Gyrn-goch
Glan-
Dwyfach
Craig y Llan
Pont y
Felin
Bryn-yr-
efail-uchaf
Tyddyn-
graig
2
B4411
Coed Cae
Du
Gwindy
Plas
Dolbenmaen
Dolwgan
Isa
43
Afon Dwyfor
Brynffynnon
LON GOED
LL52
Ysgubor
Gerrig
Gaerwen
1
Ynys
Graisnog
B4411
Ty-Cerrig
Bryniau
Ystumcegid
LL52
A487
42
46
A
47
B
48
C
49
D
50
E
51
F
68
54

53
41

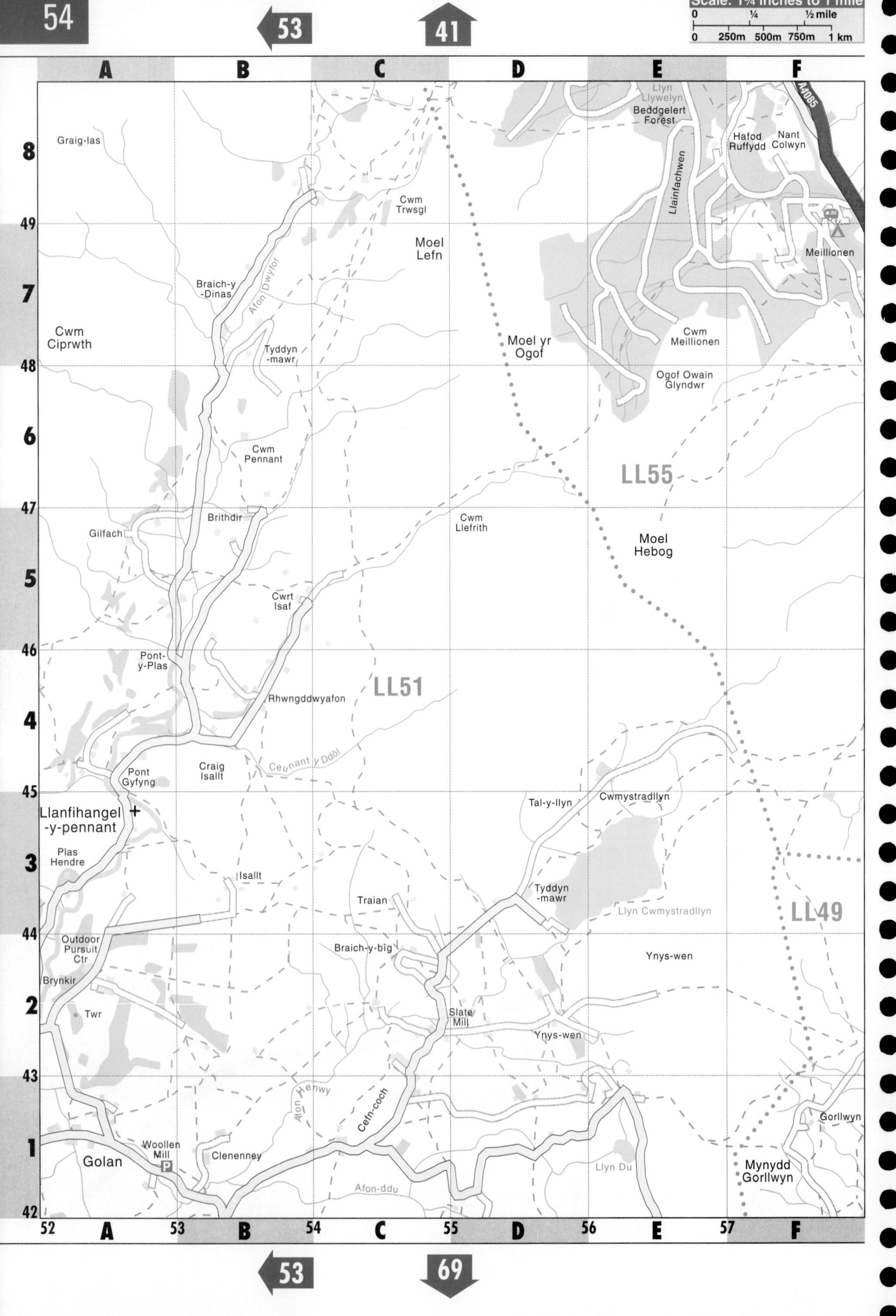
Scale: 1¾ inches to 1 mile
0 ¼ ½ mile
0 250m 500m 750m 1 km
A B C D E F
Llyn Llywelyn
Beddgelert Forest
A4085
Graig-las
Hafod Ruffydd
Nant Colwyn
Llainfachwen
Cwm Trwsgl
Moel Lefn
Meillionen
Braich-y -Dinas
Afon Dwyfor
Cwm Ciprwth
Tyddyn -mawr
Moel yr Ogof
Cwm Meillionen
Ogof Owain Glyndwr
Cwm Pennant
LL55
Brithdir
Cwm Llefrith
Gilfach
Moel Hebog
Cwrt Isaf
Pont- y-Plas
LL51
Rhwngddwyafon
Ceunant y Ddôl
Pont Gyfyng
Craig Isallt
Llanfihangel -y-pennant
Tal-y-llyn
Cwmystradllyn
Plas Hendre
Isallt
Tyddyn -mawr
Traian
Llyn Cwmystradllyn
LL49
Outdoor Pursuit Ctr
Braich-y-bîg
Ynys-wen
Brynkir
Twr
Slate Mill
Ynys-wen
Afon Henwy
Cefn-coch
Gorllwyn
Golan
Woollen Mill
Clenenney
Llyn Du
Mynydd Gorllwyn
Afon-ddu
8 49 7 48 6 47 5 46 4 45 3 44 2 43 1 42
52 53 54 55 56 57

53
69

Scale: 1¾ inches to 1 mile

42
56

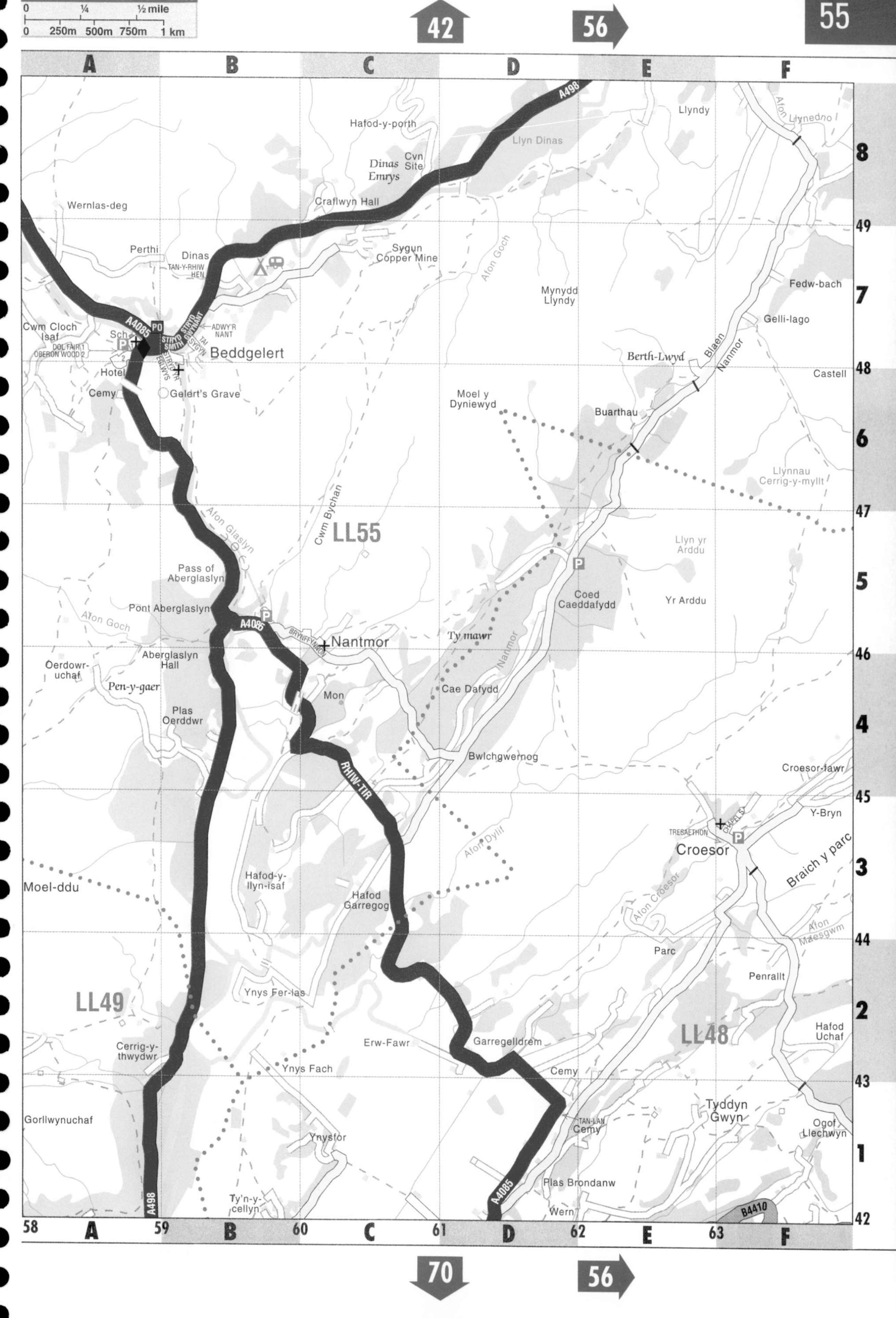

A
B
C
D
E
F
8
49
7
48
6
47
5
46
4
45
3
44
2
43
1
42
58
59
60
61
62
63
A498
A4085
A4086
B4410
RHIW-TIR
Llyndy
Afon Llynedno
Hafod-y-porth
Llyn Dinas
Cvn Site
Dinas Emrys
Craflwyn Hall
Wernlas-deg
Perthi
Dinas
TAN-Y-RHIW HEN
Sygun Copper Mine
Afon Goch
Mynydd Llyndy
Fedw-bach
Gelli-lago
Cwm Cloch Isaf
Sch
PO
DOL FAIR 1
OBERON WOOD 2
ADWY'R NANT
Beddgelert
Berth-Lwyd
Blaen Nanmor
Castell
Hotel
Cemy
Gelert's Grave
Moel y Dyniewyd
Buarthau
Llynnau Cerrig-y-myllt
Afon Glaslyn
Cwm Bychan
LL55
Llyn yr Arddu
Pass of Aberglaslyn
Coed Caeddafydd
Yr Arddu
Pont Aberglaslyn
Afon Goch
BRYNFFYNNON
Nantmor
Ty mawr
Oerdowr-uchaf
Aberglaslyn Hall
Pen-y-gaer
Mon
Cae Dafydd
Nanmor
Plas Oerddwr
Bwlchgwernog
Croesor-fawr
Y-Bryn
TRESAETHON
CAPEL ST
Croesor
Afon Dylif
Braich y parc
Moel-ddu
Hafod-y-llyn-isaf
Hafod Garregog
Afon Croesor
Afon Maesgwm
Parc
Penrallt
LL49
Ynys Fer-las
Hafod Uchaf
Erw-Fawr
Garregelldrem
LL48
Cerrig-y-thwydwr
Ynys Fach
Cemy
Gorllwynuchaf
TAN-LAN
Cemy
Tyddyn Gwyn
Ogof Llechwyn
Ynysfor
Plas Brondanw
Ty'n-y-cellyn
Wern

70
56

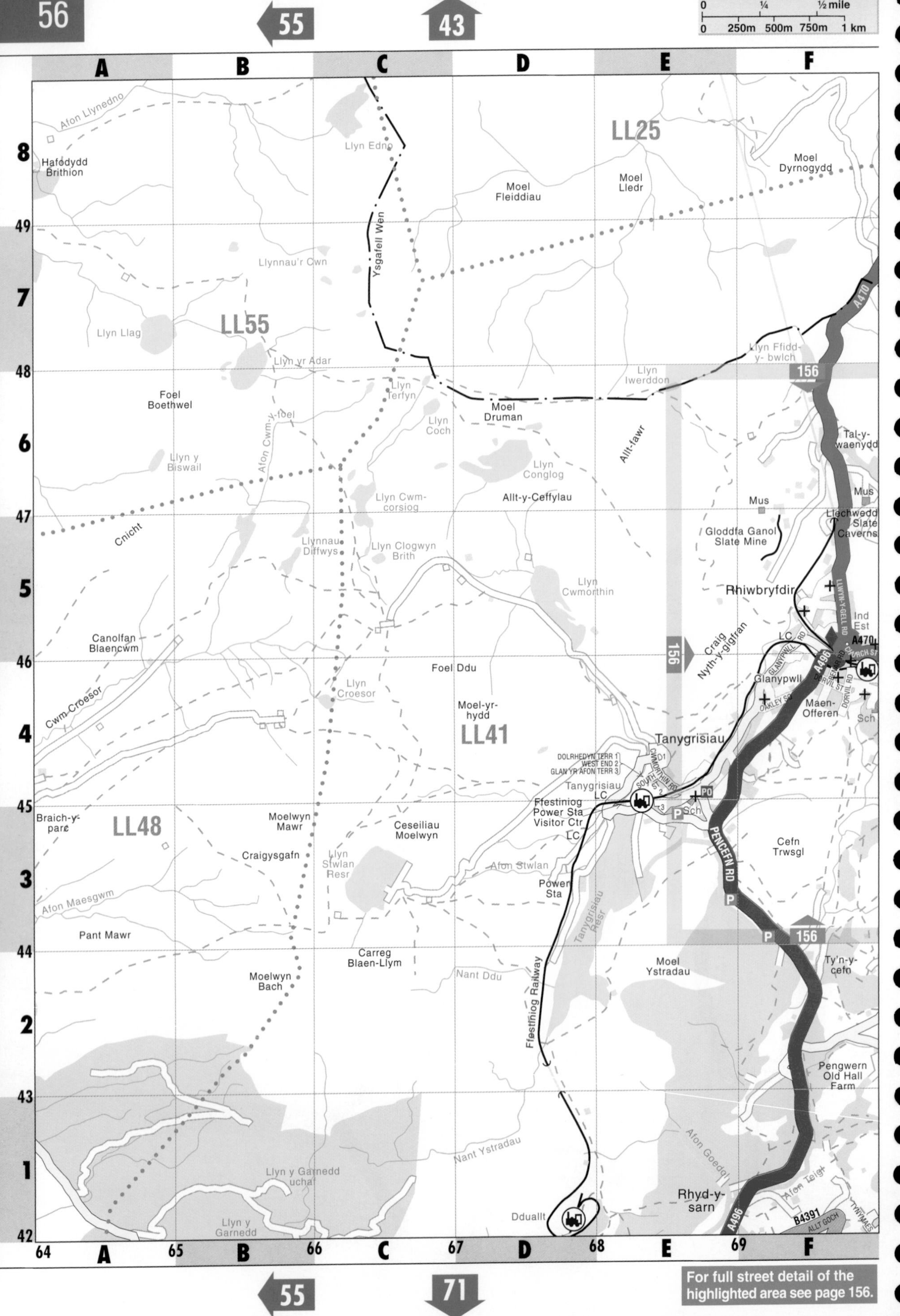

Scale: 1¾ inches to 1 mile

0   ¼   ½ mile

0   250m 500m 750m 1 km

LL25

Moel
Dyrnogydd

Moel
Fleiddiau

Moel
Lledr

A **B** **C** **D** **E** **F**

8

Hafodydd
Brithion

Llyn Edno

49

Llynnau'r Cwn

Ysgafell Wen

Llyn Ffidd-
y- bwlch

156

7

LL55

Llyn Llag

A470

48

Llyn yr Adar

Llyn Terfyn

Moel
Druman

Llyn
Iwerddon

Foel
Boethwel

Afon Cwm-y-foel

Allt-fawr

Tal-y-
waenydd

6

Llyn y
Biswail

Llyn
Coch

Mus

Mus

47

Cnicht

Llyn Cwm-
corsiog

Allt-y-Ceffylau

Gloddfa Ganol
Slate Mine

Llechwedd
Slate
Caverns

Llynnau
Diffwys

Llyn Clogwyn
Brith

Llyn
Conglog

Rhiwbryfdir

5

Llyn
Cwmorthin

LC

LLWYN-Y-GELL RD

Ind
Est

Canolfan
Blaencwm

Craig
Nyth-y-gigfran

A470

156

46

Foel Ddu

Glanypwll

GLANYPWLL RD

PARC RD

DORVIL ST

BYRCH ST

Maen-
Offeren

Sch

Cwm-Croesor

Llyn
Croesor

OAKLEY SQ

Moel-yr-
hydd

Glan yr Afon Terr 3

LL41

Tanygrisiau

Sch

4

Braich-y-
parc

LL48

Moelwyn
Mawr

DOLRHEDYN TERR 1
WEST END 2
GLAN YR AFON TERR 3

SOUTH ST

CWMORTHIN RD

PO

45

Craigysgafn

Tanygrisiau

LC

Ffestiniog
Power Sta
Visitor Ctr

P

Sch

Cefn
Trwsgl

Ceseiliau
Moelwyn

LC

Afon Maesgwm

Llyn
Stwlan
Resr

Afon Stwlan

PENCEFN RD

3

Power
Sta

Tanygrisiau
Resr

P

Pant Mawr

156

44

Carreg
Blaen-Llyn

Nant Ddu

Ffestiniog Railway

P

Moel
Ystradau

156

Ty'n-y-
cefn

Moelwyn
Bach

2

Pengwern
Old Hall
Farm

43

Nant Ystradau

Afon Goedol

1

Llyn y Garnedd
uchaf

Rhyd-y-
sarn

A496

Afon Teigl

THYNMAES

ALLT GOCH

Dduallt

Llyn y
Garnedd

A496

B4391

42

64 A **65** B **66** C **67** D **68** E **69** F

For full street detail of the
highlighted area see page 156.

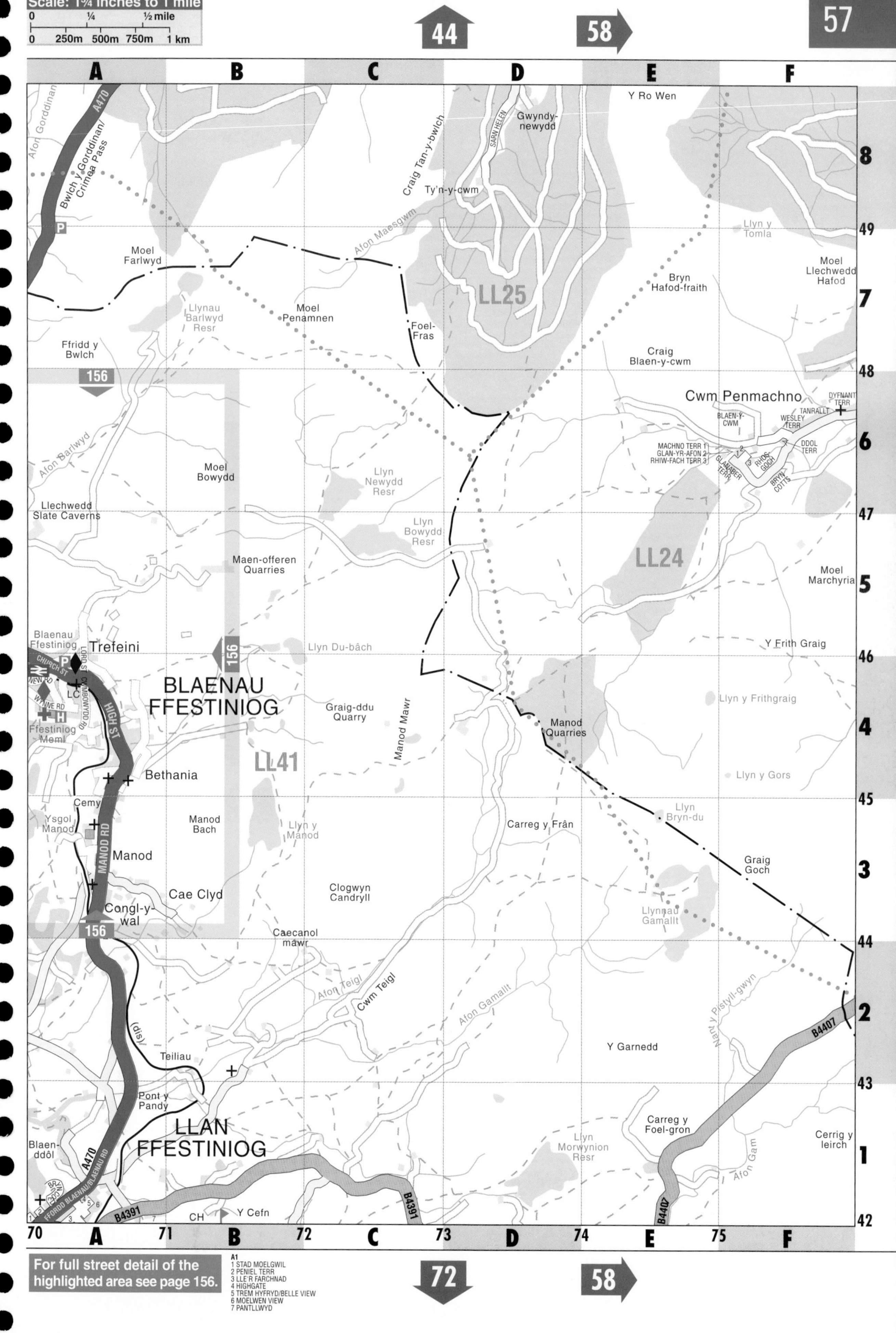

A   B   C   D   E   F

8

Afon Gorddinan
A470
Bwlch y Gorddinan/
Crimea Pass
P
Moel Farlwyd
Ffridd y Bwlch
156
Afon Barlwyd

Craig Tan-y-bwlch
Ty'n-y-cwm
Afon Maesgwm
Foel-Fras
Llynau Barlwyd Resr
Moel Penamnen

Sarn Helen
Gwyndy-newydd
Y Ro Wen
Bryn Hafod-fraith
Craig Blaen-y-cwm

LL25

Llyn y Tomla
Moel Llechwedd Hafod

49

48

7

Cwm Penmachno
DYFNANT TERR
BLAEN-Y-CWM
TANRALLT
WESLEY TERR.
MACHNO TERR 1
GLAN-YR-AFON 2
RHIW-FACH TERR 3
GLANABER TERR.
RHOS GOCH
BRYN COTTS
DDOL TERR.

6

Moel Bowydd
Llechwedd Slate Caverns
Maen-offeren Quarries
Llyn Newydd Resr
Llyn Bowydd Resr

LL24
Moel Marchyria

Y Frith Graig

5

47

Blaenau Ffestiniog
Trefeini
156
CHURCH ST
WEN RD
P
LC
WYNNE RD
H
Ffestiniog Meml

BLAENAU FFESTINIOG

LL41

Llyn Du-bâch
Graig-ddu Quarry
Manod Mawr

Manod Quarries

Llyn y Frithgraig

46

4

Bethania
Cemy
Ysgol Manod
HIGH ST
MANOD RD
Manod
Cae Clyd
Congl-y-wal
156

Manod Bach
Llyn y Manod
Clogwyn Candryll
Caecanol mawr

Carreg y Frân

Llyn y Gors

Llyn Bryn-du
Graig Goch
Llynnau Gamallt

45

3

Afon Teigl
Cwm Teigl
Afon Gamallt

A470
(dis)
Teiliau
Pont y Pandy
LLAN FFESTINIOG
Blaen-ddôl
A470
FFORDD BLAENAU/BLAENAU RD
B4391
CH
Y Cefn

B4391
Y Garnedd
Llyn Morwynion Resr

Nant y Pistyll-gwyn
B4407
Carreg y Foel-gron
Afon Gam
B4407
Cerrig y leirch

2

44

43

1

42

70   A   71   B   72   C   73   D   74   E   75   F

For full street detail of the highlighted area see page 156.

A1
1 STAD MOELGWIL
2 PENIEL TERR
3 LLE'R FARCHNAD
4 HIGHGATE
5 TREM HYFRYD/BELLE VIEW
6 MOELWEN VIEW
7 PANTLLWYD

57
45

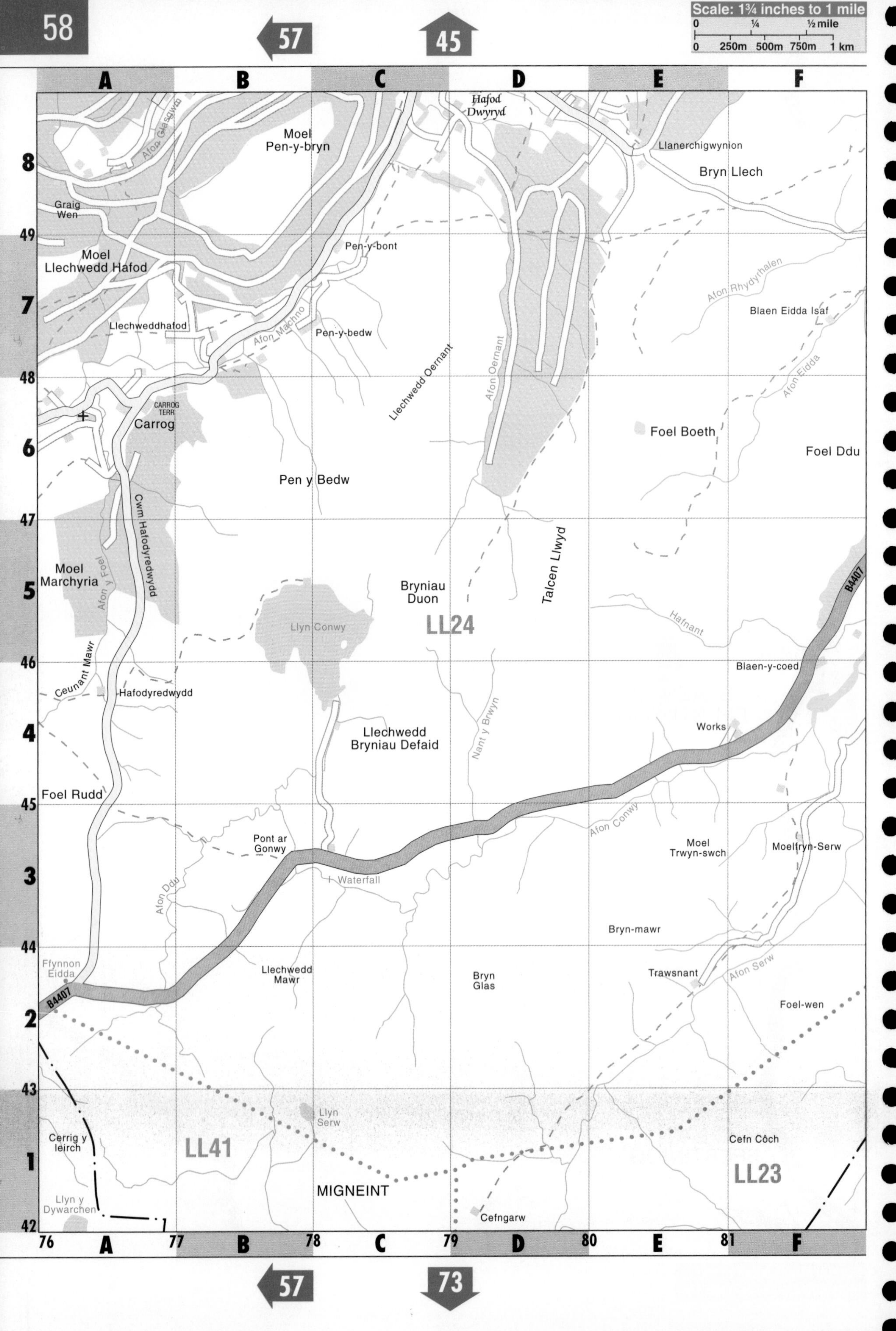
Scale: 1¾ inches to 1 mile
0 ¼ ½ mile
0 250m 500m 750m 1 km
A B C D E F
Hafod Dwyryd
Moel Pen-y-bryn
Llanerchigwynion
Bryn Llech
Graig Wen
Pen-y-bont
Moel Llechwedd Hafod
Afon Rhydyrhalen
Blaen Eidda Isaf
Llechweddhafod
Afon Machno
Pen-y-bedw
Llechwedd Oernant
Afon Oernant
Afon Eidda
CARROG TERR
Carrog
Foel Boeth
Foel Ddu
Pen y Bedw
Cwm Hafodyredwydd
Talcen Llwyd
Moel Marchyria
Afon y Foel
Bryniau Duon
B4407
Llyn Conwy
LL24
Hafnant
Ceunant Mawr
Blaen-y-coed
Hafodyredwydd
Nant y Brwyn
Llechwedd Bryniau Defaid
Works
Foel Rudd
Afon Conwy
Pont ar Gonwy
Moel Trwyn-swch
Moelfryn-Serw
Waterfall
Afon Ddu
Bryn-mawr
Ffynnon Eidda
Llechwedd Mawr
Bryn Glas
Trawsnant
Afon Serw
Foel-wen
Llyn Serw
Cerrig y leirch
LL41
Cefn Côch
MIGNEINT
LL23
Llyn y Dywarchen
Cefngarw
8 49 7 48 6 47 5 46 4 45 3 44 2 43 1 42
76 77 78 79 80 81

57
73

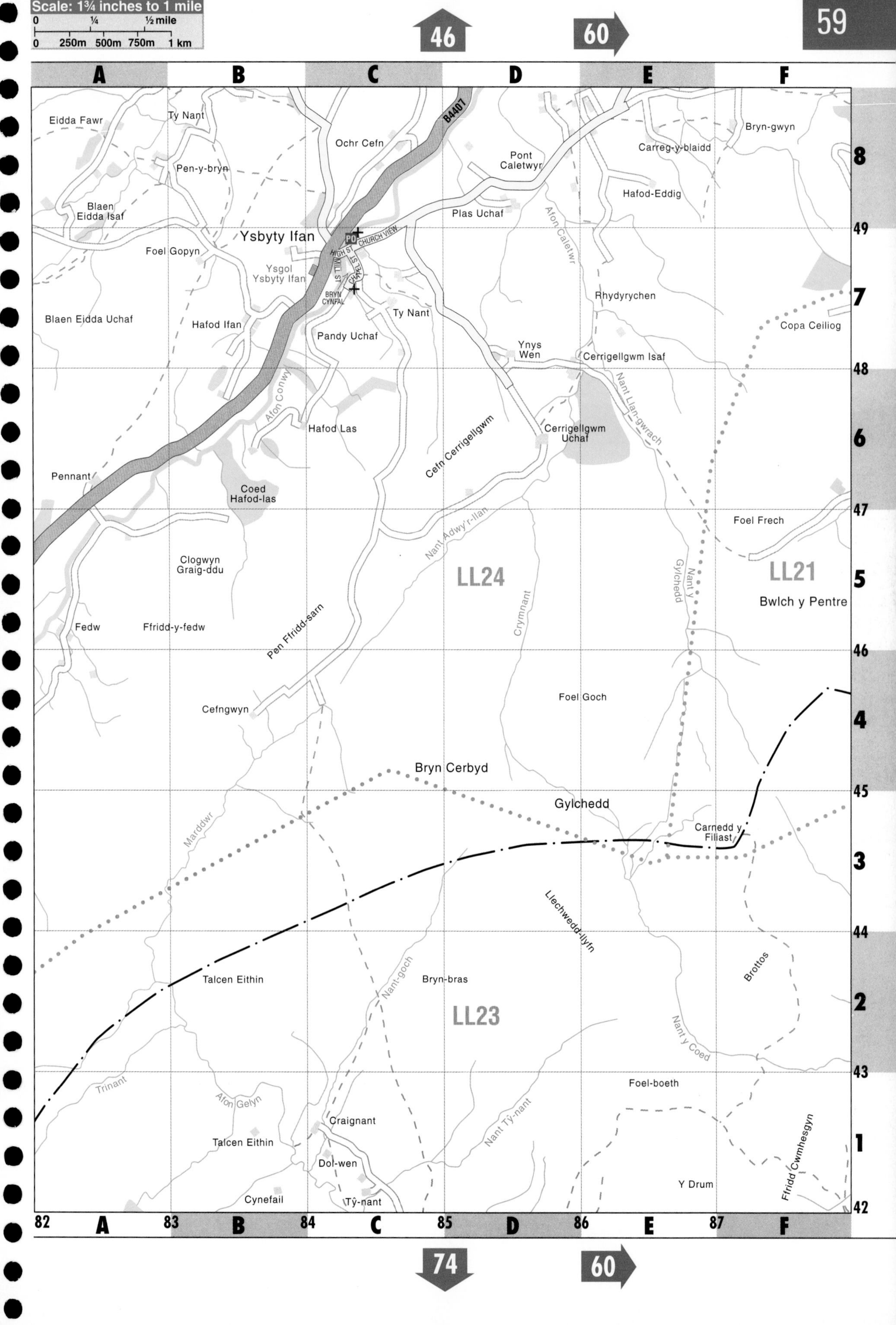
Scale: 1¾ inches to 1 mile
0 ¼ ½ mile
0 250m 500m 750m 1 km
46
60
A B C D E F
B4407
Eidda Fawr
Ty Nant
Pen-y-bryn
Blaen Eidda Isaf
Ochr Cefn
Pont Caletwyr
Carreg-y-blaidd
Bryn-gwyn
Hafod-Eddig
Plas Uchaf
Ysbyty Ifan
PO
HIGH ST
CHURCH VIEW
MILL ST
CHAPEL ST
BRYN CYNFAL
Foel Gopyn
Ysgol Ysbyty Ifan
Afon Caletwr
Rhydyrychen
Blaen Eidda Uchaf
Hafod Ifan
Ty Nant
Pandy Uchaf
Copa Ceiliog
Ynys Wen
Cerrigellgwm Isaf
Afon Conwy
Hafod Las
Nant Llan-gwrach
Cefn Cerrigellgwm
Cerrigellgwm Uchaf
Pennant
Coed Hafod-las
Foel Frech
Nant-Adwy'r-llan
Clogwyn Graig-ddu
LL24
Nant y Gylchedd
LL21
Bwlch y Pentre
Crymnant
Fedw
Ffridd-y-fedw
Pen Ffridd-sarn
Foel Goch
Cefngwyn
Bryn Cerbyd
Gylchedd
Marddwr
Carnedd y Filiast
Llechwedd-llyfn
Brottos
Talcen Eithin
Nant-goch
Bryn-bras
LL23
Nant y Coed
Foel-boeth
Trinant
Afon Gelyn
Craignant
Nant Tŷ-nant
Ffridd Cwmhesgyn
Talcen Eithin
Dol-wen
Y Drum
Cynefail
Tŷ-nant
8 49 7 48 6 47 5 46 4 45 3 44 2 43 1 42
82 83 84 85 86 87
74
60

59 47

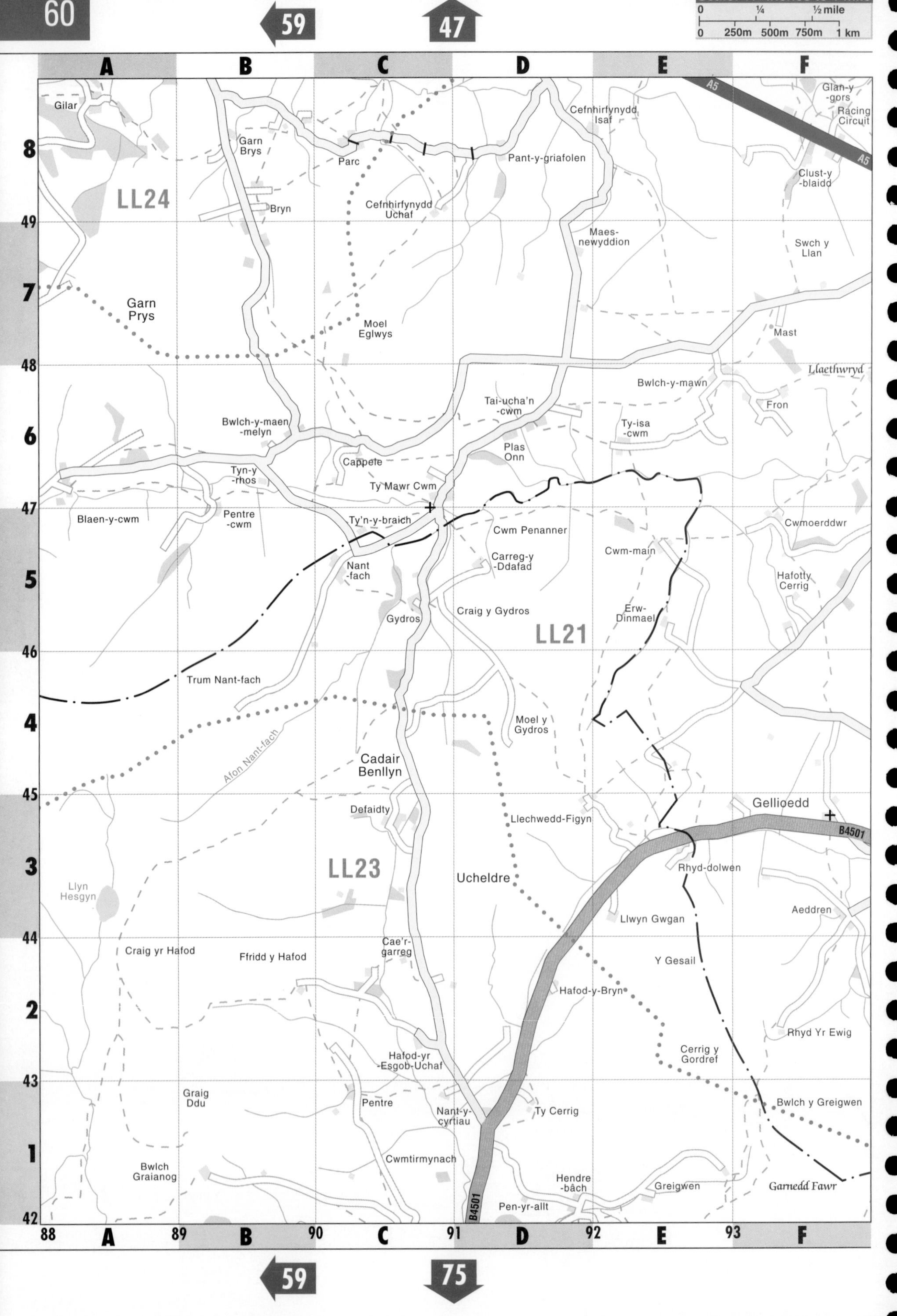
Scale: 1¾ inches to 1 mile
0 ¼ ½ mile
0 250m 500m 750m 1 km
A B C D E F
8 49 7 48 6 47 5 46 4 45 3 44 2 43 1 42
88 89 90 91 92 93
Gilar
Garn Brys
Parc
Pant-y-griafolen
Cefnhirfynydd Isaf
Glan-y-gors
Racing Circuit
A5
Clust-y-blaidd
LL24
Bryn
Cefnhirfynydd Uchaf
Maes-newyddion
Swch y Llan
Garn Prys
Moel Eglwys
Mast
Llaethwryd
Bwlch-y-mawn
Tai-ucha'n-cwm
Fron
Bwlch-y-maen-melyn
Ty-isa-cwm
Plas Onn
Cappele
Tyn-y-rhos
Ty Mawr Cwm
Blaen-y-cwm
Pentre-cwm
Ty'n-y-braich
Cwm Penanner
Cwmoerddwr
Carreg-y-Ddafad
Cwm-main
Nant-fach
Hafotty Cerrig
Erw-Dinmael
Craig y Gydros
Gydros
LL21
Trum Nant-fach
Moel y Gydros
Afon Nant-fach
Cadair Benllyn
Defaidty
Gellioedd
Llechwedd-Figyn
B4501
LL23
Rhyd-dolwen
Llyn Hesgyn
Ucheldre
Aeddren
Llwyn Gwgan
Craig yr Hafod
Ffridd y Hafod
Cae'r-garreg
Y Gesail
Hafod-y-Bryn
Rhyd Yr Ewig
Hafod-yr-Esgob-Uchaf
Cerrig y Gordref
Graig Ddu
Pentre
Nant-y-cyrtiau
Ty Cerrig
Bwlch y Greigwen
Cwmtirmynach
Bwlch Graianog
Hendre-bâch
Greigwen
Garnedd Fawr
Pen-yr-allt

59 75

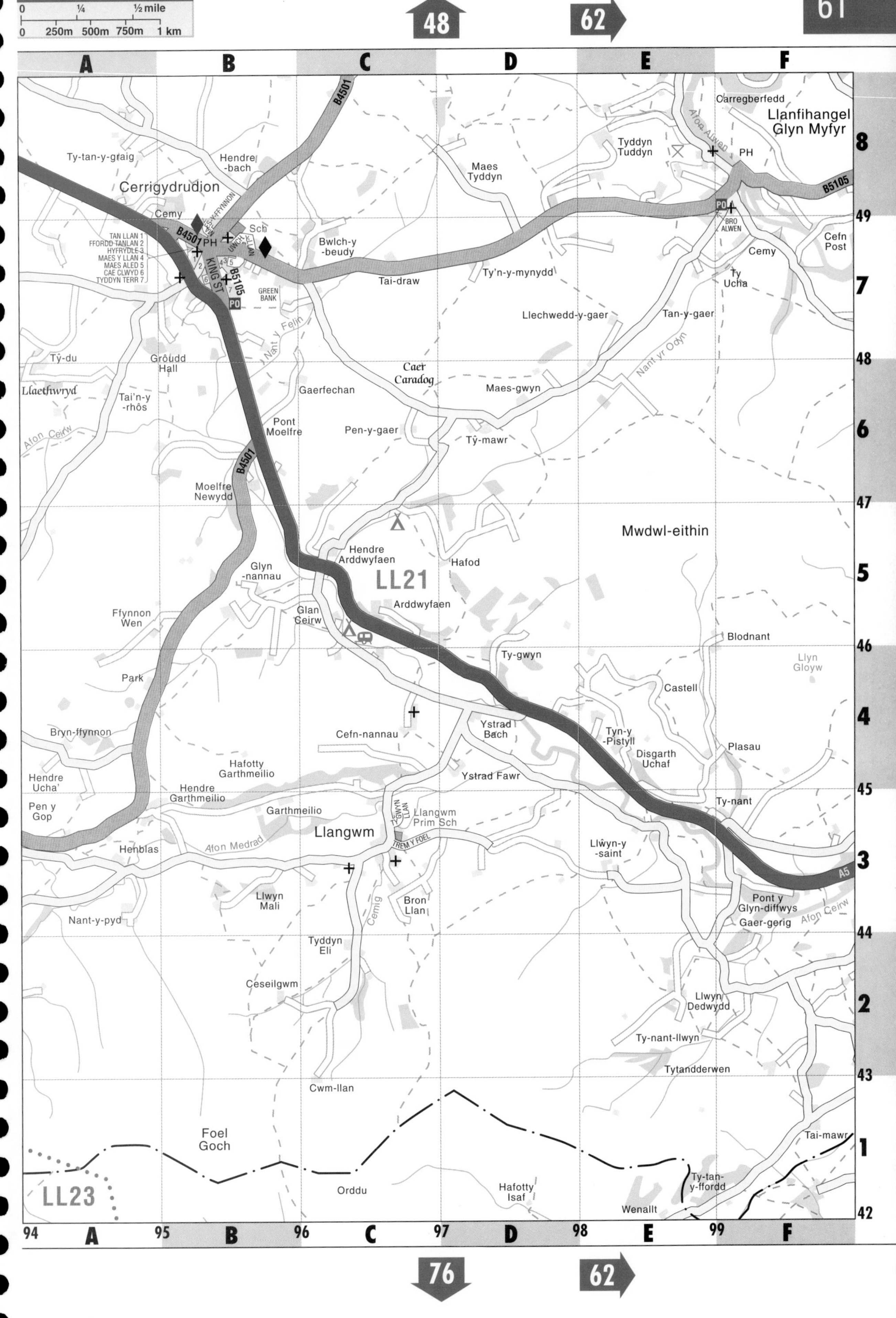
Scale: 1¾ inches to 1 mile
0 ¼ ½ mile
0 250m 500m 750m 1 km
48
62
A B C D E F
Ty-tan-y-graig
Hendre -bach
Cerrigydrudion
Cemy
B4501 PH
Sch
KING ST
B5105
PO
GREEN BANK
TAN LLAN 1
FFORDD TANLAN 2
HYFRYDLE 3
MAES Y LLAN 4
MAES ALED 5
CAE CLWYD 6
TYDDYN TERR 7
B4501
Bwlch-y -beudy
Tai-draw
Maes Tyddyn
Ty'n-y-mynydd
Tyddyn Tuddyn
Carregberfedd
Llanfihangel Glyn Myfyr
Afon Alwen
PH
B5105
PO
BRO ALWEN
Cefn Post
Cemy
Ty Ucha
Tan-y-gaer
Llechwedd-y-gaer
Nant yr Odyn
Tŷ-du
Grôudd Hall
Nant y Felin
Llaethwryd
Tai'n-y -rhôs
Gaerfechan
Caer Caradog
Maes-gwyn
Afon Ceirw
Pont Moelfre
Pen-y-gaer
Tŷ-mawr
B4501
Moelfre Newydd
Hendre Arddwyfaen
Hafod
Mwdwl-eithin
Glyn -nannau
LL21
Arddwyfaen
Ffynnon Wen
Glan Ceirw
Ty-gwyn
Blodnant
Llyn Gloyw
Park
Castell
Ystrad Bach
Cefn-nannau
Tyn-y -Pistyll
Disgarth Uchaf
Plasau
Bryn-ffynnon
Hafotty Garthmeilio
Ystrad Fawr
Hendre Ucha'
Hendre Garthmeilio
Pen y Gop
Garthmeilio
Llangwm
Llangwm Prim Sch
TREM Y FOEL
Ty-nant
Henblas
Afon Medrad
Llŵyn-y -saint
A5
Llwyn Mali
Bron Llan
Pont y Glyn-diffwys
Gaer-gerig
Afon Ceirw
Nant-y-pyd
Cemig
Tyddyn Eli
Ceseilgwm
Llwyn Dedwydd
Ty-nant-llwyn
Tytandderwen
Cwm-llan
Foel Goch
Tai-mawr
LL23
Orddu
Hafotty Isaf
Ty-tan- y-ffordd
Wenallt
94 95 96 97 98 99
8 49 7 48 6 47 5 46 4 45 3 44 2 43 1 42
76
62

61
49

Scale: 1¾ inches to 1 mile
0 ¼ ½ mile
0 250m 500m 750m 1 km

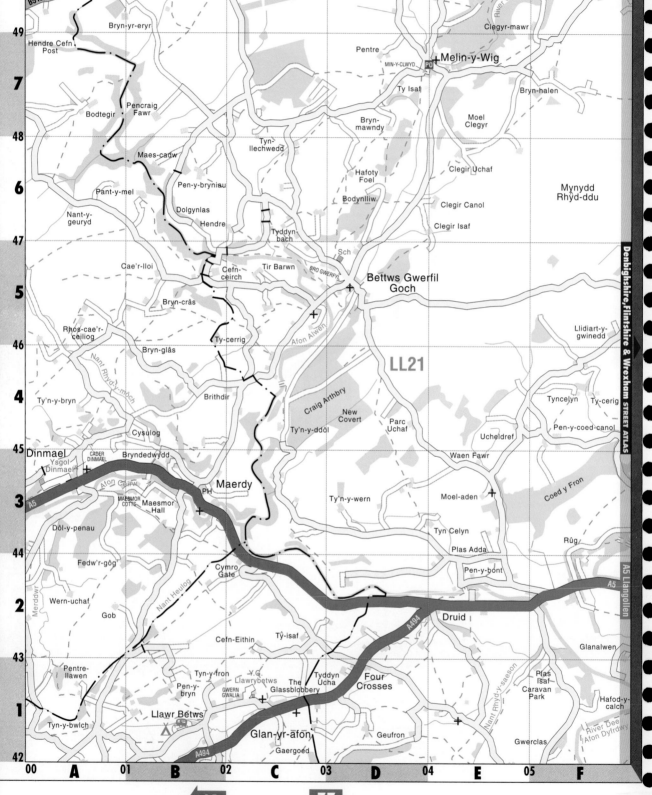

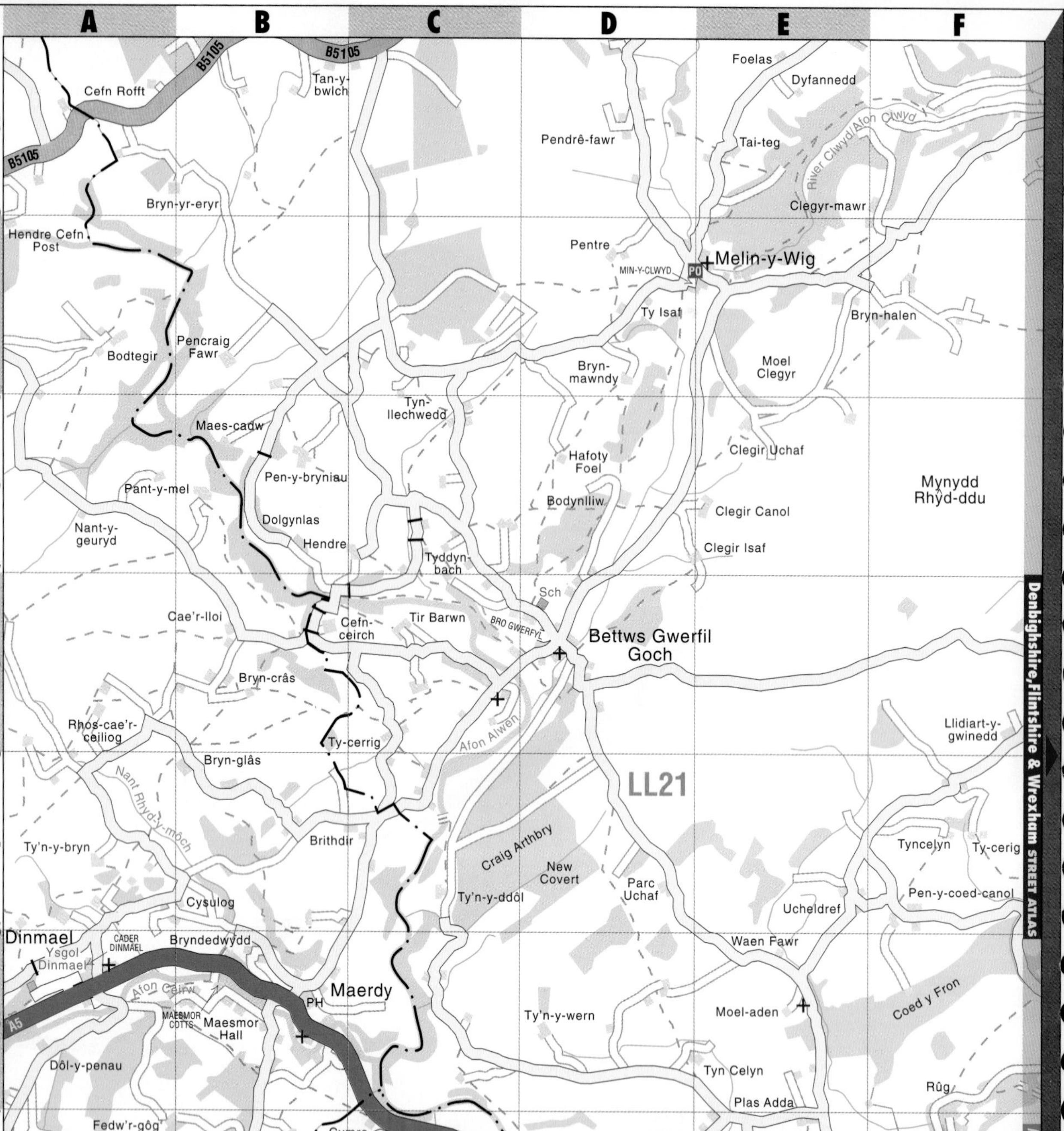
A
B
C
D
E
F
8
49
7
48
6
47
5
46
4
45
3
44
2
43
1
42
00
01
02
03
04
05
B5105
Cefn Rofft
Tan-y-bwlch
Foelas
Dyfannedd
Pendrê-fawr
Tai-teg
River Clwyd/Afon Clwyd
Bryn-yr-eryr
Clegyr-mawr
Hendre Cefn Post
Pentre
MIN-Y-CLWYD
PO
Melin-y-Wig
Ty Isaf
Bryn-halen
Bodtegir
Pencraig Fawr
Moel Clegyr
Bryn-mawndy
Tyn-llechwedd
Maes-cadw
Clegir Uchaf
Hafoty Foel
Pen-y-bryniau
Mynydd Rhyd-ddu
Pant-y-mel
Bodynlliw
Dolgynlas
Clegir Canol
Nant-y-geuryd
Hendre
Tyddyn-bach
Clegir Isaf
Sch
Cae'r-lloi
Cefn-ceirch
Tir Barwn
BRO GWERFYL
Bettws Gwerfil Goch
Bryn-crâs
Rhos-cae'r-ceiliog
Ty-cerrig
Afon Alwen
Llidiart-y-gwinedd
Bryn-glâs
LL21
Nant Rhyd-y-môch
Brithdir
Craig Arthbry
New Covert
Ty'n-y-bryn
Tyncelyn
Ty-cerig
Parc Uchaf
Ty'n-y-ddôl
Pen-y-coed-canol
Cysulog
Ucheldref
Dinmael
CADER DINMAEL
Bryndedwydd
Ysgol Dinmael
Waen Fawr
Afon Ceirw
Maerdy
PH
A5
MAESMOR COTTS
Maesmor Hall
Ty'n-y-wern
Moel-aden
Coed y Fron
Dôl-y-penau
Tyn Celyn
Rûg
Plas Adda
Fedw'r-gôg
Cymro Gate
Pen-y-bont
Merddwr
Wern-uchaf
Nant Heulog
Druid
A5 Llangollen
Gob
A494
Cefn-Eithin
Tŷ-isaf
Glanalwen
Pentre-llawen
Tyn-y-fron
Y.G. Llawrybetws
The Glassblobbery
Tyddyn Ucha
Four Crosses
Nant Rhyd-y-saeson
Plas Isaf
Caravan Park
Pen-y-bryn
GWERN GWALIA
Hafod-y-calch
Llawr Betws
River Dee/Afon Dyfrdwy
Tyn-y-bwlch
Glan-yr-afon
Geufron
Gwerclas
Gaergoed
Denbighshire, Flintshire & Wrexham STREET ATLAS

61
77

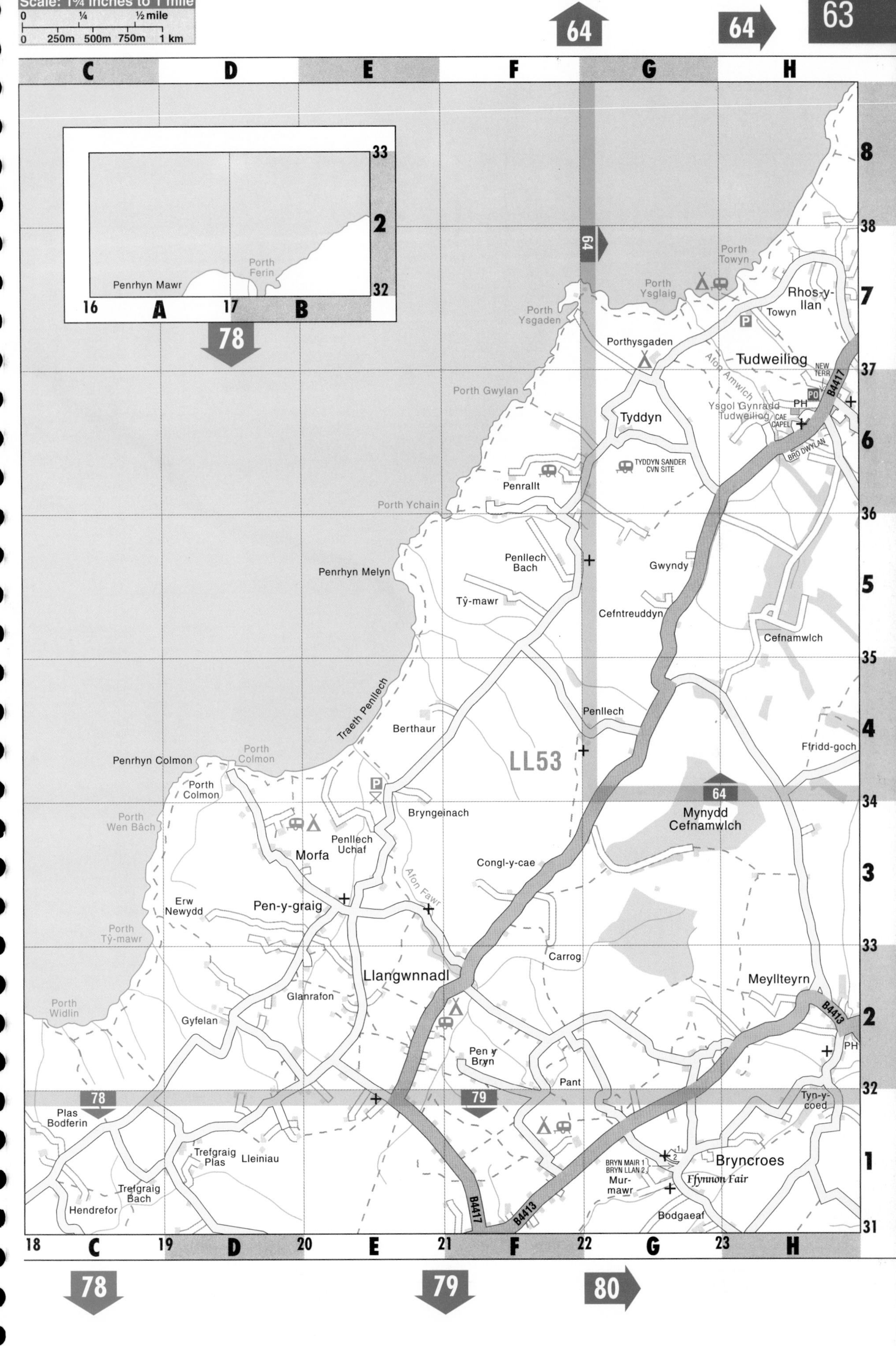

Scale: 1¾ inches to 1 mile

0   ¼   ½ mile
0   250m 500m 750m 1 km

Penrhyn Mawr

Porth
Ferin

A   B

Penrhyn Colmon

Porth
Colmon

Porth
Colmon

Porth
Wen Bâch

Erw
Newydd

Porth
Tŷ-mawr

Porth
Widlin

Plas
Bodferin

Hendrefor

Trefgraig
Bach

Trefgraig
Plas

Lleiniau

Gyfelan

Glanrafon

Morfa

Penllech
Uchaf

Pen-y-graig

Llangwnnadl

Traeth Penllech

Penrhyn Melyn

Berthaur

Bryngeinach

Congl-y-cae

Carrog

Pen y
Bryn

Pant

Afon Fawr

Tŷ-mawr

Penllech
Bach

Porth Ychain

Penrhyn Melyn

Penrallt

Porth Gwylan

Porth Ysgaden

Porth
Ysglaig

Porth Towyn

Porthysgaden

Tyddyn

TYDDYN SANDER
CVN SITE

Gwyndy

Cefntreuddyn

Penllech

LL53

Mynydd
Cefnamwlch

Cefnamwlch

Ffridd-goch

Rhos-y-
llan

Towyn

Tudweiliog

Ysgol Gynradd
Tudweiliog

CAE
CAPEL

NEW
TERR

PH

PO

Afon Amlwch

BRO DWYLAN

B4417

Meyllteyrn

B4413

PH

Tyn-y-
coed

Bryncroes

BRYN MAIR 1
BRYN LLAN 2

Mur-
mawr

Ffynnon Fair

Bodgaeaf

B4417

B4413

Plas
Bodferin

78

79

80

78

79

64

64

64

64

64

C   D   E   F   G   H

18   19   20   21   22   23

8   38   7   37   6   36   5   35   4   34   3   33   2   32   1   31

33   2   32   16   17

Scale: 1¾ inches to 1 mile

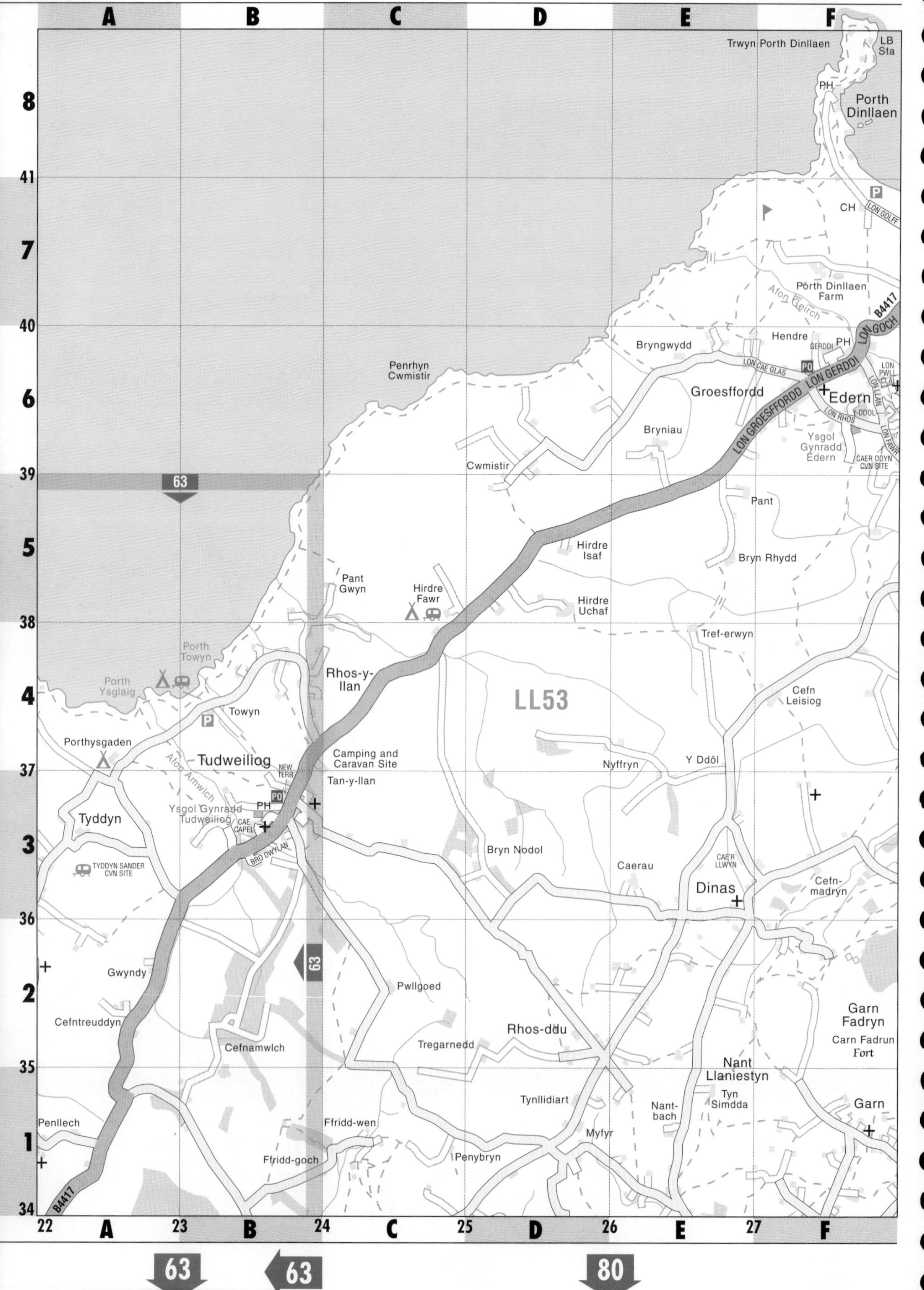
A
B
C
D
E
F
8
41
7
40
6
39
5
38
4
37
3
36
2
35
1
34
22
23
24
25
26
27
Trwyn Porth Dinllaen
LB Sta
PH
Porth Dinllaen
P
CH
LON GOLFF
Porth Dinllaen Farm
Afon Geirch
B4417
LON GOCH
Hendre
PH
GERDDI
Bryngwydd
LON CAE GLAS
PO
LON GERDDI
Penrhyn Cwmistir
Groesffordd
Edern
LON GROESFFORDD
LON RHOS
Y-DDOL
Bryniau
Ysgol Gynradd Edern
CAER ODYN CVN SITE
Cwmistir
63
Pant
Hirdre Isaf
Bryn Rhydd
Pant Gwyn
Hirdre Fawr
Hirdre Uchaf
Tref-erwyn
Porth Towyn
Porth Ysglaig
Rhos-y-llan
LL53
Cefn Leisiog
Towyn
P
Porthysgaden
Tudweiliog
Afon Amwlch
NEW TERR
Camping and Caravan Site
Tan-y-llan
Nyffryn
Y Ddôl
PO
PH
Ysgol Gynradd Tudweiliog
CAE CAPEL
Tyddyn
BRO DWYLAN
Bryn Nodol
Caerau
CAE'R LLWYN
TYDDYN SANDER CVN SITE
Dinas
Cefn-madryn
63
Gwyndy
Pwllgoed
Garn Fadryn
Carn Fadrun Fort
Cefntreuddyn
Rhos-ddu
Tregarnedd
Cefnamwlch
Nant Llaniestyn
Tyn Simdda
Nant-bach
Tynllidiart
Garn
Penllech
Ffridd-wen
Myfyr
Penybryn
Ffridd-goch
B4417

63 63 80

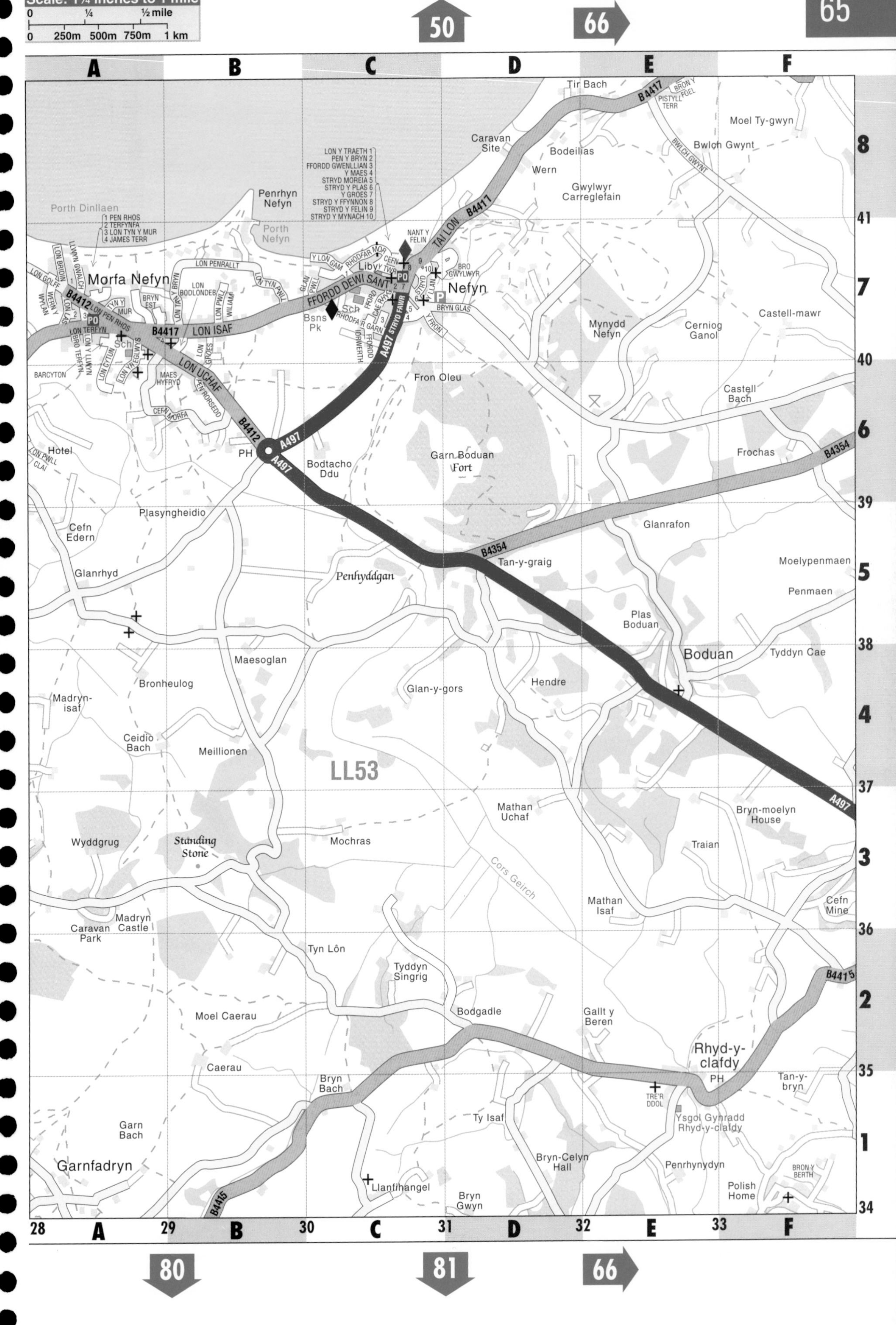

Scale: 1¾ inches to 1 mile
0 ¼ ½ mile
0 250m 500m 750m 1 km
50
66
A
B
C
D
E
F
Tir Bach
Caravan Site
Bodeilias
Wern
Gwylwyr Carreglefain
Moel Ty-gwyn
Bwlch Gwynt
Porth Dinllaen
Penrhyn Nefyn
Porth Nefyn
1 PEN RHOS
2 TERFYNFA
3 LON TYN Y MUR
4 JAMES TERR
LON Y TRAETH 1
PEN Y BRYN 2
FFORDD GWENLLIAN 3
Y MAES 4
STRYD MOREIA 5
STRYD Y PLAS 6
Y GROES 7
STRYD Y FFYNNON 8
STRYD Y FELIN 9
STRYD Y MYNACH 10
NANT Y FELIN
Morfa Nefyn
Nefyn
LON PENRALLT
LON ISAF
LON UCHAF
FFORDD DEWI SANT
TAI LON
BRYN GLAS
Bsns Pk
Sch
Liby
PO
B4412
B4417
A497
B4354
B4415
Mynydd Nefyn
Cerniog Ganol
Castell-mawr
Fron Oleu
Castell Bach
BARCYTON
Hotel
PH
Bodtacho Ddu
Garn Boduan Fort
Frochas
Plasyngheidio
Cefn Edern
Glanrhyd
Glanrafon
Tan-y-graig
Penhyddgan
Moelypenmaen
Penmaen
Plas Boduan
Boduan
Tyddyn Cae
Maesoglan
Bronheulog
Glan-y-gors
Hendre
Madryn-isaf
Ceidio Bach
Meillionen
LL53
Mathan Uchaf
Bryn-moelyn House
Wyddgrug
Standing Stone
Mochras
Traian
Cors Geirch
Mathan Isaf
Cefn Mine
Caravan Park
Madryn Castle
Tyn Lôn
Tyddyn Singrig
Moel Caerau
Bodgadle
Gallt y Beren
Rhyd-y-clafdy
Caerau
Bryn Bach
Tan-y-bryn
TRE'R DDOL
Ty Isaf
Ysgol Gynradd Rhyd-y-clafdy
Garn Bach
Garnfadryn
Bryn-Celyn Hall
Penrhynydyn
Llanfihangel
Bryn Gwyn
Polish Home
BRON Y BERTH
8
41
7
40
6
39
5
38
4
37
3
36
2
35
1
34
28
29
30
31
32
33
80
81
66

50 65 51
Scale: 1¾ inches to 1 mile

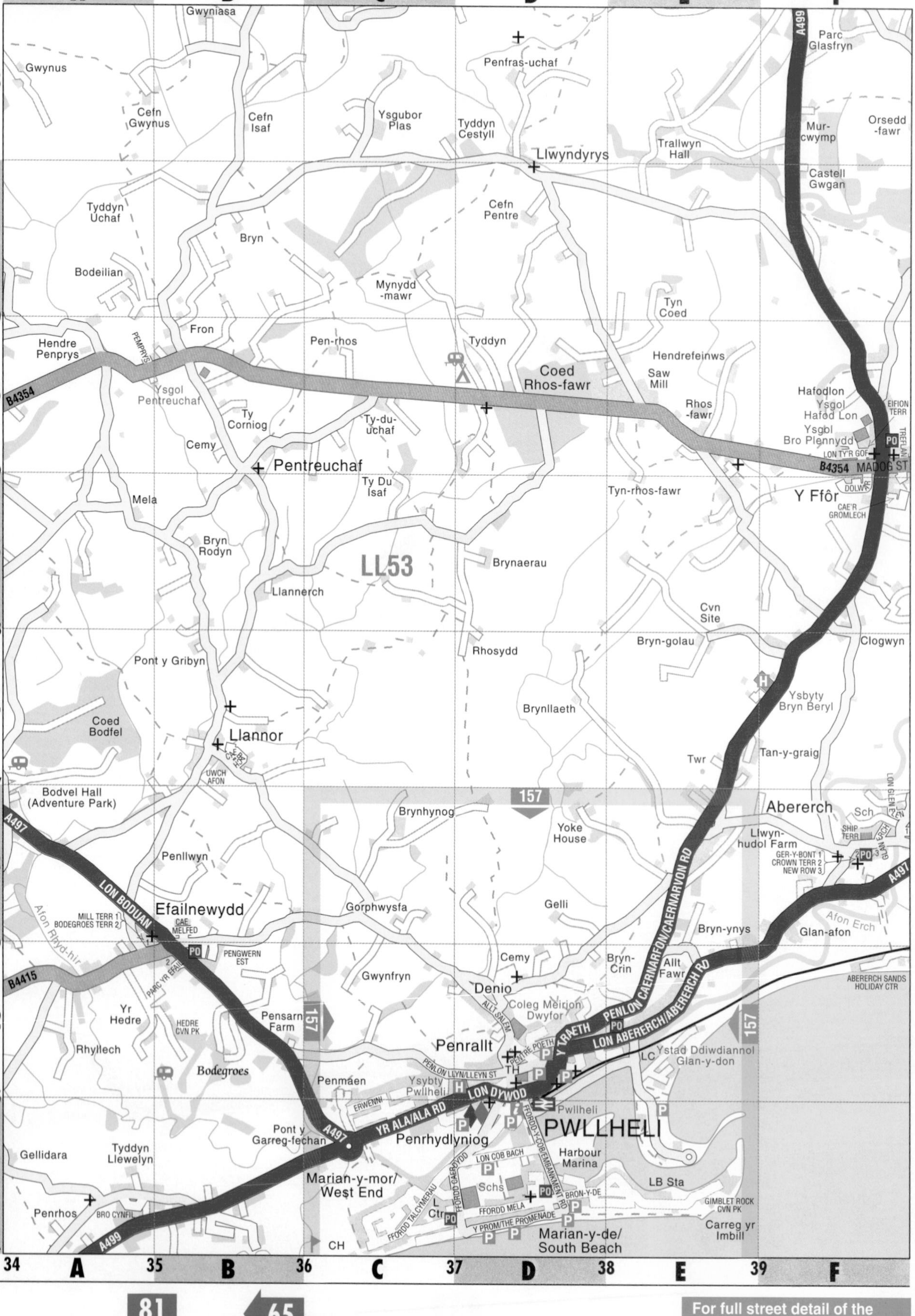
A B C D E F
8 7 6 5 4 3 2 1
41 40 39 38 37 36 35 34
Gwyniasa
Gwynus
Cefn Gwynus
Cefn Isaf
Ysgubor Plas
Tyddyn Cestyll
Penfras-uchaf
Llwyndyrys
Trallwyn Hall
Parc Glasfryn
Mur-cwymp
Orsedd -fawr
Castell Gwgan
A499
Tyddyn Uchaf
Cefn Pentre
Bryn
Bodeilian
Mynydd -mawr
Tyn Coed
Fron
Hendre Penprys
PENPRYS
Pen-rhos
Tyddyn
Hendrefeinws
Coed Rhos-fawr
Saw Mill
B4354
Ysgol Pentreuchaf
Ty Corniog
Ty-du-uchaf
Rhos -fawr
Hafodlon
Ysgol Hafod Lon
Ysgol Bro Plennydd
EIFION TERR
TREFLAN
LON TY'R GOF
PO
MADOG ST
Cemy
Pentreuchaf
Ty Du Isaf
Mela
Tyn-rhos-fawr
Y Ffôr
DOLWAR
CAE'R GROMLECH
Bryn Rodyn
LL53
Brynaerau
Llannerch
Cvn Site
Bryn-golau
Clogwyn
Rhosydd
Pont y Gribyn
Coed Bodfel
Brynllaeth
Ysbyty Bryn Beryl
Llannor
CAE'R PANT
Tan-y-graig
Twr
UWCH AFON
Bodvel Hall (Adventure Park)
157
Brynhynog
Yoke House
Abererch
LON GLAN Y
Sch
SHIP TERR
Llwyn-hudol Farm
GER-Y-BONT 1
CROWN TERR 2
NEW ROW 3
A497
Penllwyn
LON BODUAN
Efailnewydd
Gorphwysfa
Gelli
PENLON CAERNARFON/CAERNARVON RD
MILL TERR 1
BODEGROES TERR 2
CAE MELFED
Afon Rhyd-hir
Bryn-ynys
Glan-afon
Afon Erch
PENGWERN EST
B4415
PARC YR EFAIL
Cemy
Bryn-Crin
Allt Fawr
LON ABERERCH/ABERERCH RD
ABERERCH SANDS HOLIDAY CTR
Gwynfryn
Denio
Yr Hedre
HEDRE CVN PK
Pensarn Farm
ALLT SALEM
Coleg Meirion Dwyfor
Penrallt
PENTRE POETH
Y TRAETH
Rhyllech
Bodegroes
LC
Ystad Ddiwdiannol Glan-y-don
PENLON LLYN/LLEYN ST
TH
Penmaen
Ysbyty Pwllheli
LON DYWOD
ERWENNI
YR ALA/ALA RD
FFORDD-Y-COB/EMBANKMENT RD
Pwllheli
PWLLHELI
Pont y Garreg-fechan
Penrhydlyniog
Gellidara
Tyddyn Llewelyn
Harbour Marina
LON COB BACH
FFORDD CAERDYDD
Marian-y-mor/ West End
Schs
LB Sta
BRON-Y-DE
FFORDD MELA
GIMBLET ROCK CVN PK
Penrhos
BRO CYNFIL
FFORDD TALCYMERAU
L Ctr
Y PROM/THE PROMENADE
Carreg yr Imbill
Marian-y-de/ South Beach
CH
A499

81 65

For full street detail of the highlighted area see page 157.

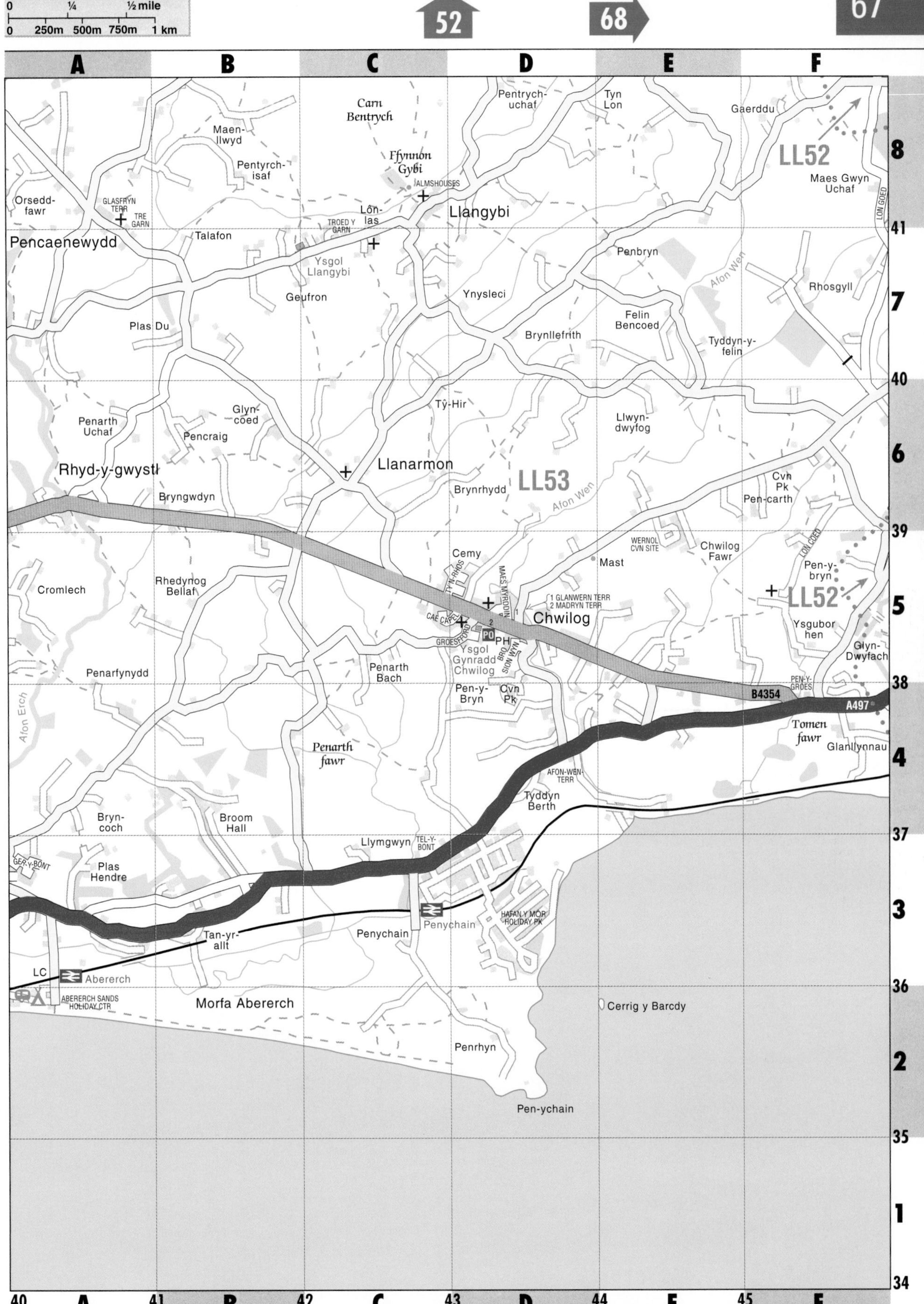
Scale: 1¾ inches to 1 mile
0 ¼ ½ mile
0 250m 500m 750m 1 km
52
68
A B C D E F
Carn Bentrych
Pentrych-uchaf
Tyn Lon
Gaerdduu
LL52
Maes Gwyn Uchaf
Maen-llwyd
Pentyrch-isaf
Ffynnon Gybi
ALMSHOUSES
Orsedd-fawr
GLASFRYN TERR
TRE GARN
Lôn-las
Llangybi
Pencaenewydd
Talafon
TROED Y GARN
Ysgol Llangybi
Penbryn
Geufron
Ynysleci
Rhosgyll
Plas Du
Felin Bencoed
Brynllefrith
Tyddyn-y-felin
Tŷ-Hir
Penarth Uchaf
Glyn-coed
Pencraig
Llwyn-dwyfog
Rhyd-y-gwystl
Llanarmon
LL53
Brynrhydd
Afon Wen
Cvn Pk
Pen-carth
Bryngwdyn
WERNOL CVN SITE
Chwilog Fawr
Cemy
Mast
Cromlech
Rhedynog Bellaf
Pen-y-bryn
LL52
1 GLANWERN TERR
2 MADRYN TERR
Chwilog
CAE CAPEL
GROESFFORDD
PO
PH
Ysgol Gynradd Chwilog
Ysgubor hen
Glyn-Dwyfach
Penarfynydd
Penarth Bach
Pen-y-Bryn
Cvn Pk
PEN-Y-GROES
B4354
A497
Afon Erch
Penarth fawr
Tomen fawr
Glanllynnau
AFON-WEN-TERR
Tyddyn Berth
Bryn-coch
Broom Hall
Llymgwyn
TEL-Y-BONT
GER-Y-BONT
Plas Hendre
Penychain
HAFAN Y MOR HOLIDAY PK
Tan-yr-allt
Penychain
LC
Abererch
ABERERCH SANDS HOLIDAY CTR
Morfa Abererch
Cerrig y Barcdy
Penrhyn
Pen-ychain
8 41 7 40 6 39 5 38 4 37 3 36 2 35 1 34
40 41 42 43 44 45

68

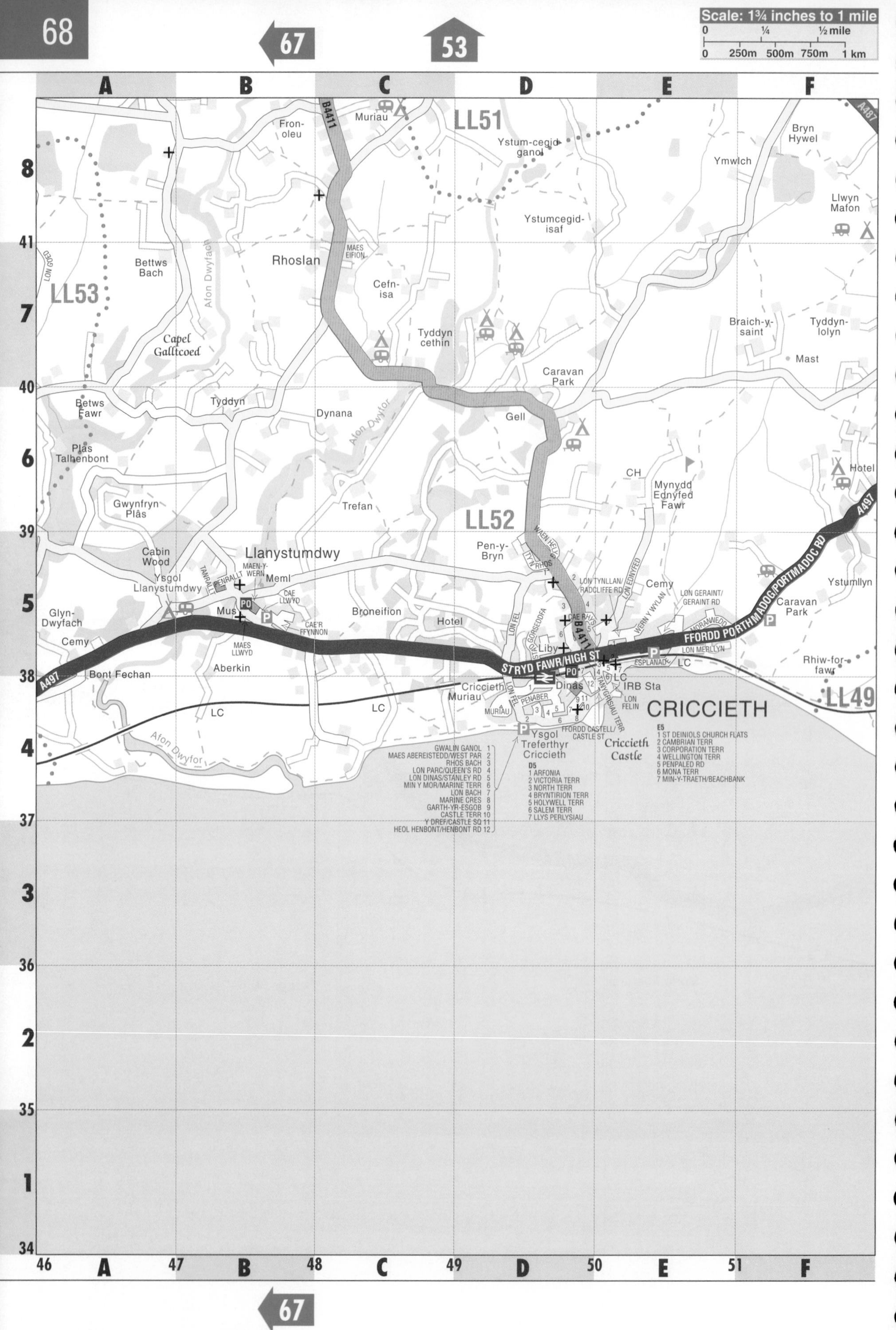

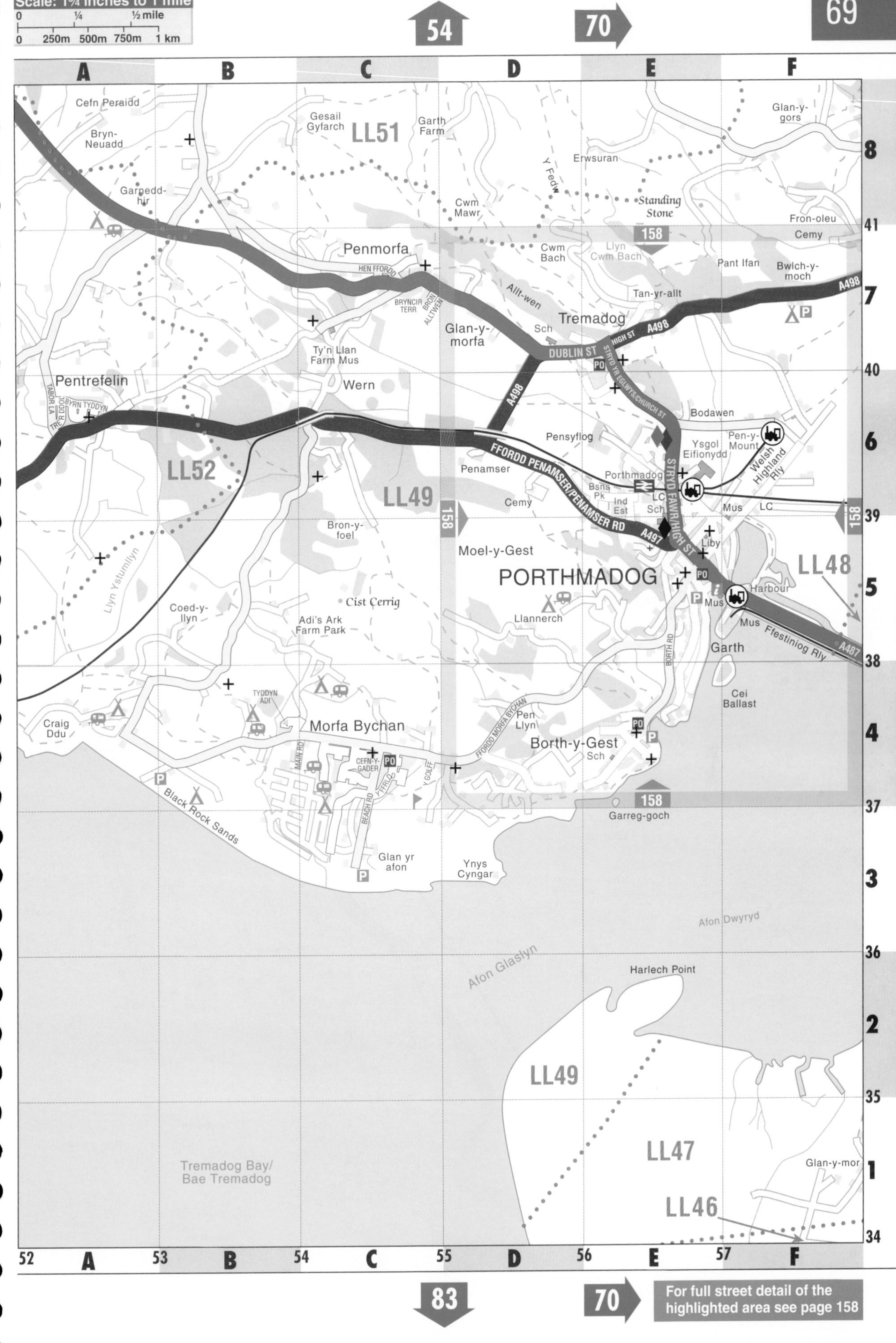

69
55

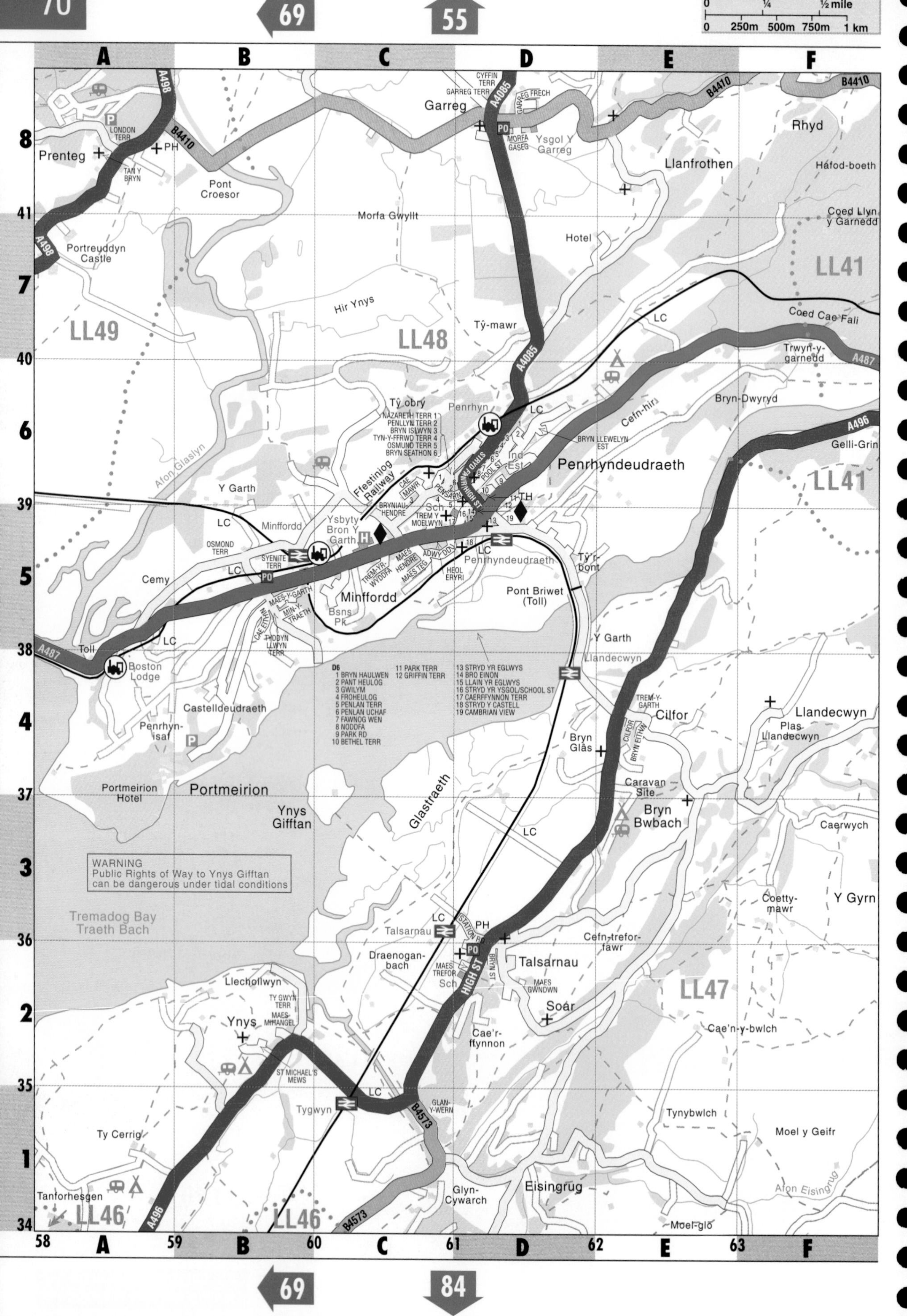
Scale: 1¾ inches to 1 mile
0 ¼ ½ mile
0 250m 500m 750m 1 km
A B C D E F
8 41 7 40 6 39 5 38 4 37 3 36 2 35 1 34
58 59 60 61 62 63
A498
B4410
A4085
A487
A496
B4573
Prenteg
LONDON TERR
TAN Y BRYN
PH
Pont Croesor
Portreuddyn Castle
LL49
Garreg
CYFFIN TERR
GARREG TERR
GARREG FRECH
PO
MORFA GASEG
Ysgol Y Garreg
Rhyd
Llanfrothen
Hafod-boeth
Coed Llyn y Garnedd
Morfa Gwyllt
Hotel
LL41
Hir Ynys
LL48
Tŷ-mawr
LC
Coed Cae Fali
Trwyn-y-garnedd
Bryn-Dwyryd
Tŷ obry
NAZARETH TERR 1
PENLLYN TERR 2
BRYN ISLWYN 3
TYN-Y-FFRWD TERR 4
OSMUND TERR 5
BRYN SEATHON 6
Penrhyn
Cefn-hir
BRYN LLEWELYN EST
Gelli-Grin
Afon Glaslyn
Ffestiniog Railway
POOL ST
Ind Est
Penrhyndeudraeth
Y Garth
TH
Ysbyty Bron Y Garth
H
BRYNIAU HENDRE
TREM Y MOELWYN
Sch
Minffordd
OSMOND TERR
SYENITE TERR
TREM-YR-WYDDFA
MAES HENDRE
MAES TEG
ADWY DDU
HEOL ERYRI
Penrhyndeudraeth
Tŷ'r-bont
Cemy
MAES-Y-GARTH
MIN-Y-TRAETH
TYDDYN LLWYN TERR
Minffordd
Bsns Pk
Pont Briwet (Toll)
Toll
Boston Lodge
Y Garth
Llandecwyn
D6
1 BRYN HAULWEN
2 PANT HEULOG
3 GWILYM
4 FROHEULOG
5 PENLAN TERR
6 PENLAN UCHAF
7 FAWNOG WEN
8 NODDFA
9 PARK RD
10 BETHEL TERR
11 PARK TERR
12 GRIFFIN TERR
13 STRYD YR EGLWYS
14 BRO EINON
15 LLAIN YR EGLWYS
16 STRYD YR YSGOL/SCHOOL ST
17 CAERFFYNNON TERR
18 STRYD Y CASTELL
19 CAMBRIAN VIEW
Castelldeudraeth
Penrhyn-isaf
P
TREM-Y-GARTH
Cilfor
Llandecwyn
Plas Llandecwyn
Bryn Glâs
Portmeirion Hotel
Portmeirion
Caravan Site
Bryn Bwbach
Ynys Gifftan
Glastraeth
Caerwrych
WARNING
Public Rights of Way to Ynys Gifftan
can be dangerous under tidal conditions
Coetty-mawr
Y Gyrn
Tremadog Bay
Traeth Bach
Talsarnau
STATION RD
Cefn-trefor-fawr
Draenogan-bach
MAES TREFOR
HIGH ST
BRYN ST
Talsarnau
MAES GWNDWN
LL47
Llechollwyn
TY GWYN TERR
MAES MIHANGEL
Soar
Ynys
Cae'r-ffynnon
Cae'n-y-bwlch
ST MICHAEL'S MEWS
Tygwyn
GLAN-Y-WERN
Tynybwlch
Ty Cerrig
Moel y Geifr
Glyn-Cywarch
Eisingrug
Afon Eisingrug
Tanforhesgen
LL46
Moel-glo

69
84

Scale: 1¾ inches to 1 mile

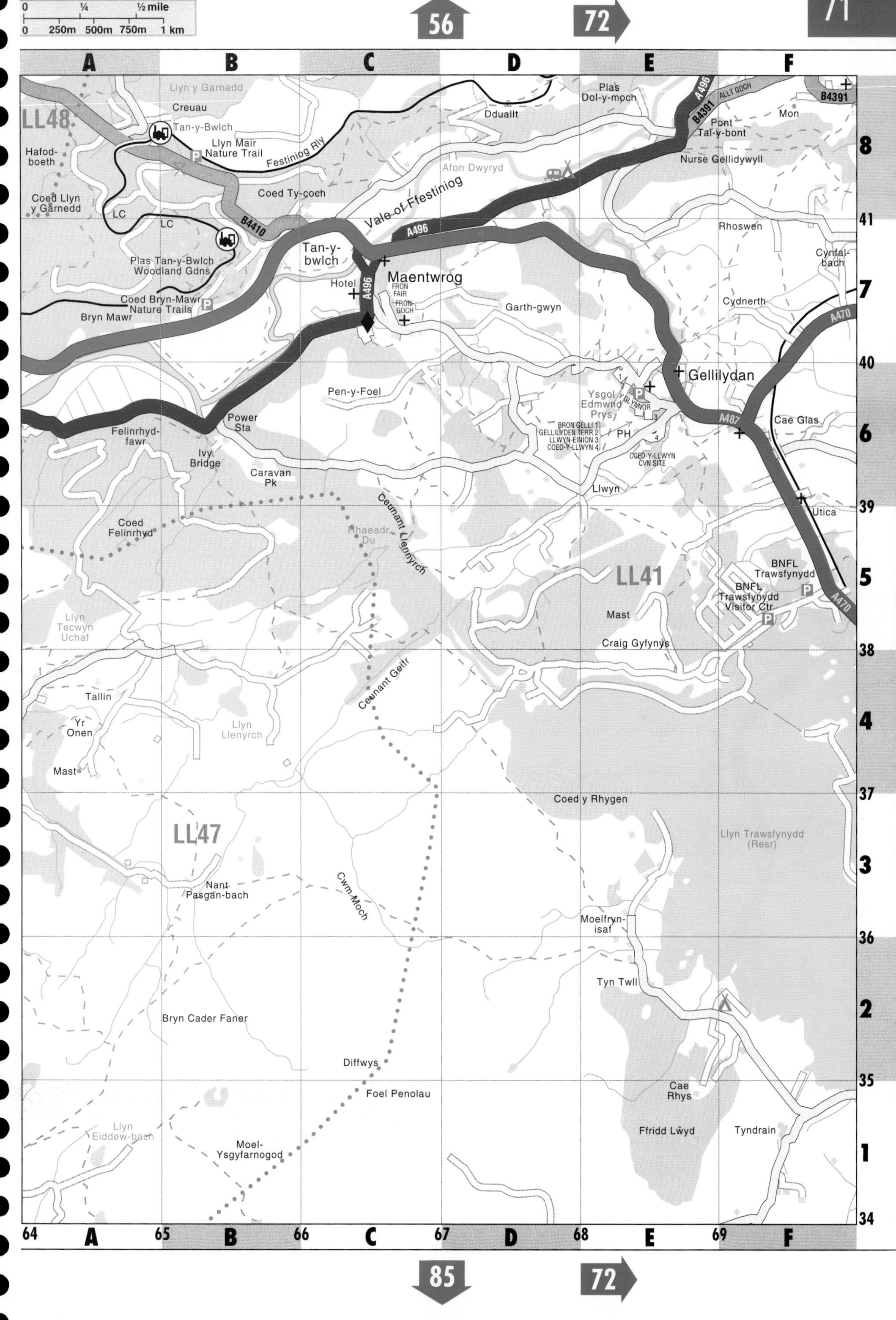

0 ¼ ½ mile
0 250m 500m 750m 1 km
56
72
A B C D E F
Llyn y Garnedd
Creuau
Tan-y-Bwlch
Llyn Mair Nature Trail
Festiniog Rly
Dduallt
Plas Dol-y-moch
A496
B4391
ALLT GOCH
B4391
Mon
Pont Tal-y-bont
Nurse Gellidywyll
LL48
Hafod-boeth
Coed Llyn y Garnedd
LC
LC
Coed Ty-coch
Afon Dwyryd
Vale of Ffestiniog
B4410
A496
Rhoswen
Cynfal-bach
Plas Tan-y-Bwlch Woodland Gdns
Tan-y-bwlch
Maentwrog
Hotel
A496
FRON FAIR
FRON-GOCH
Garth-gwyn
Cydnerth
Coed Bryn-Mawr Nature Trails
Bryn Mawr
A470
Gellilydan
Pen-y-Foel
Ysgol Edmwnd Prys
GLYNNOR
BRON GELLI 1
GELLILYDEN TERR 2
LLWYN-EINION 3
COED-Y-LLWYN 4
PH
COED-Y-LLWYN CVN SITE
A487
Cae Glas
Power Sta
Felinrhyd-fawr
Ivy Bridge
Caravan Pk
Llwyn
Utica
Coed Felinrhyd
Rhaeadr Du
Ceunant Llennyrch
LL41
BNFL Trawsfynydd
BNFL Trawsfynydd Visitor Ctr
A470
Mast
Llyn Tecwyn Uchaf
Craig Gyfynys
Ceunant Geifr
Tallin
Yr Onen
Llyn Llenyrch
Mast
Coed y Rhygen
LL47
Llyn Trawsfynydd (Resr)
Nant Pasgan-bach
Cwm Moch
Moelfryn-isaf
Tyn Twll
Bryn Cader Faner
Diffwys
Foel Penolau
Cae Rhys
Llyn Eiddew-bach
Ffridd Lŵyd
Tyndrain
Moel-Ysgyfarnogod
8 41 7 40 6 39 5 38 4 37 3 36 2 35 1 34
64 65 66 67 68 69
85
72

71
57

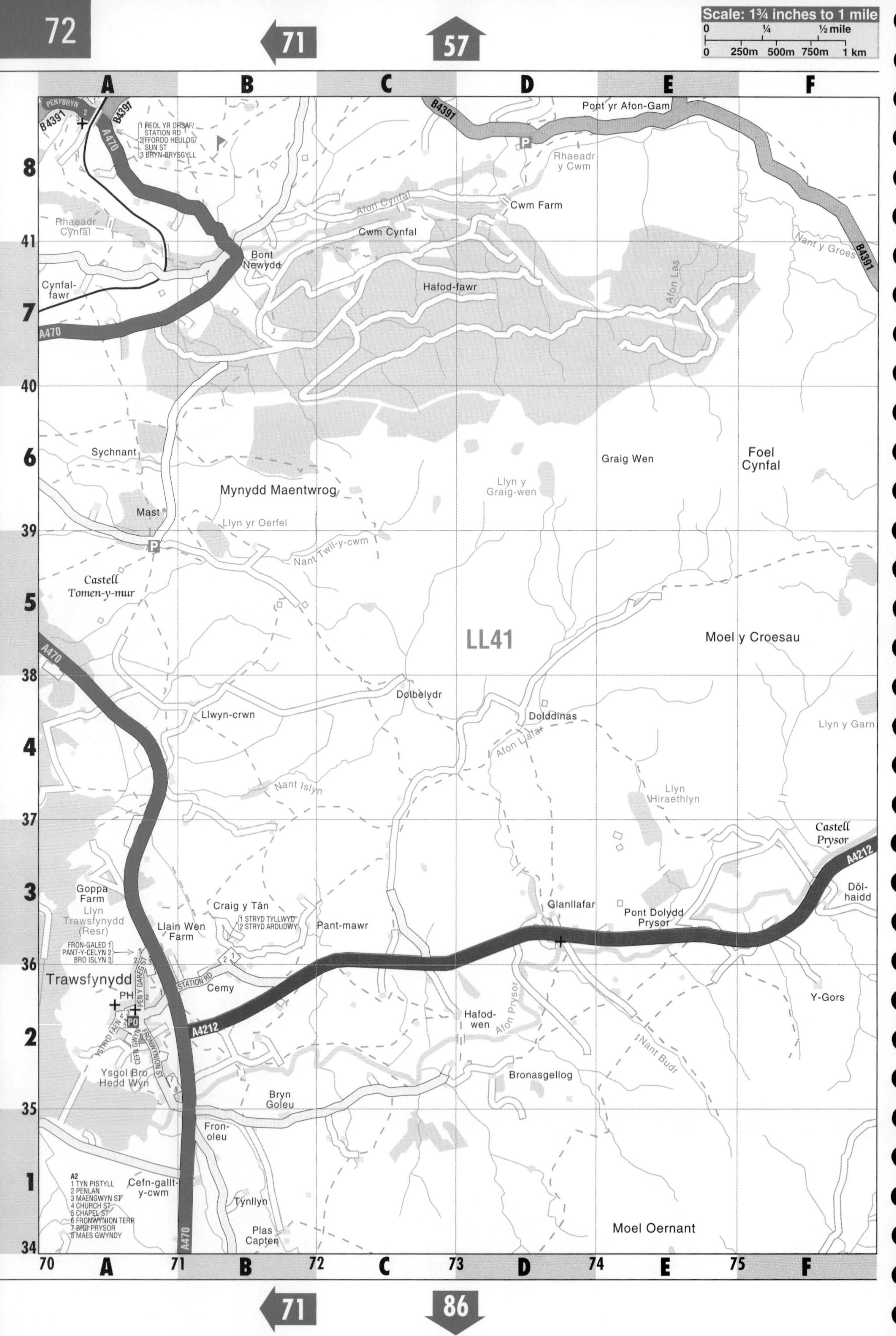

Scale: 1¾ inches to 1 mile

0   ¼   ½ mile

0   250m 500m 750m 1 km

A **B** **C** **D** **E** **F**

PENYBRYN

B4391

B4391

A470

1 HEOL YR ORSAF/
STATION RD
2 FFORDD HEULOG/
SUN ST
3 BRYN-BRYSGYLL

Pont yr Afon-Gam

P

Rhaeadr
y Cwm

Afon Cynfal

Cwm Cynfal

Cwm Farm

Afon Las

Nant y Groes

B4391

8

41

Rhaeadr
Cynfal

Bont
Newydd

Hafod-fawr

Cynfal-
fawr

7

A470

40

Sychnant

Graig Wen

Foel
Cynfal

6

Mynydd Maentwrog

Llyn y
Graig-wen

Mast

Llyn yr Oerfel

Nant Twll-y-cwm

39

P

Castell
Tomen-y-mur

5

LL41

Moel y Croesau

A470

38

Llwyn-crwn

Dolbelydr

Dolddinas

Llyn y Garn

4

Afon Llafar

Nant Islyn

Llyn
Hiraethlyn

37

Castell
Prysor

A4212

Goppa
Farm

Craig y Tân

1 STRYD TYLLWYD
2 STRYD ARDUDWY

Pant-mawr

Glanllafar

Pont Dolydd
Prysor

Dôl-
haidd

3

Llyn
Trawsfynydd
(Resr)

FRON-GALED 1
PANT-Y-CELYN 2
BRO ISLYN 3

Llain Wen
Farm

2
1

STATION RD

A4212

Cemy

Afon Prysor

Nant Budr

Y-Gors

36

Trawsfynydd

PH

PO

CEFN FAWR

FFRONWNION ST

PEN Y GAREG ST

Hafod-
wen

2

Ysgol Bro
Hedd Wyn

Bryn
Goleu

Bronasgellog

35

Fron-
oleu

A2
1 TYN PISTYLL
2 PENLAN
3 MAENGWYN ST
4 CHURCH ST
5 CHAPEL ST
6 FFRONWNION TERR
7 BRO PRYSOR
8 MAES GWYNDY

Cefn-gallt-
y-cwm

Tynllyn

Plas
Capten

Moel Oernant

A470

34

1

70 **A** **71** **B** **72** **C** **73** **D** **74** **E** **75** **F**

71
86

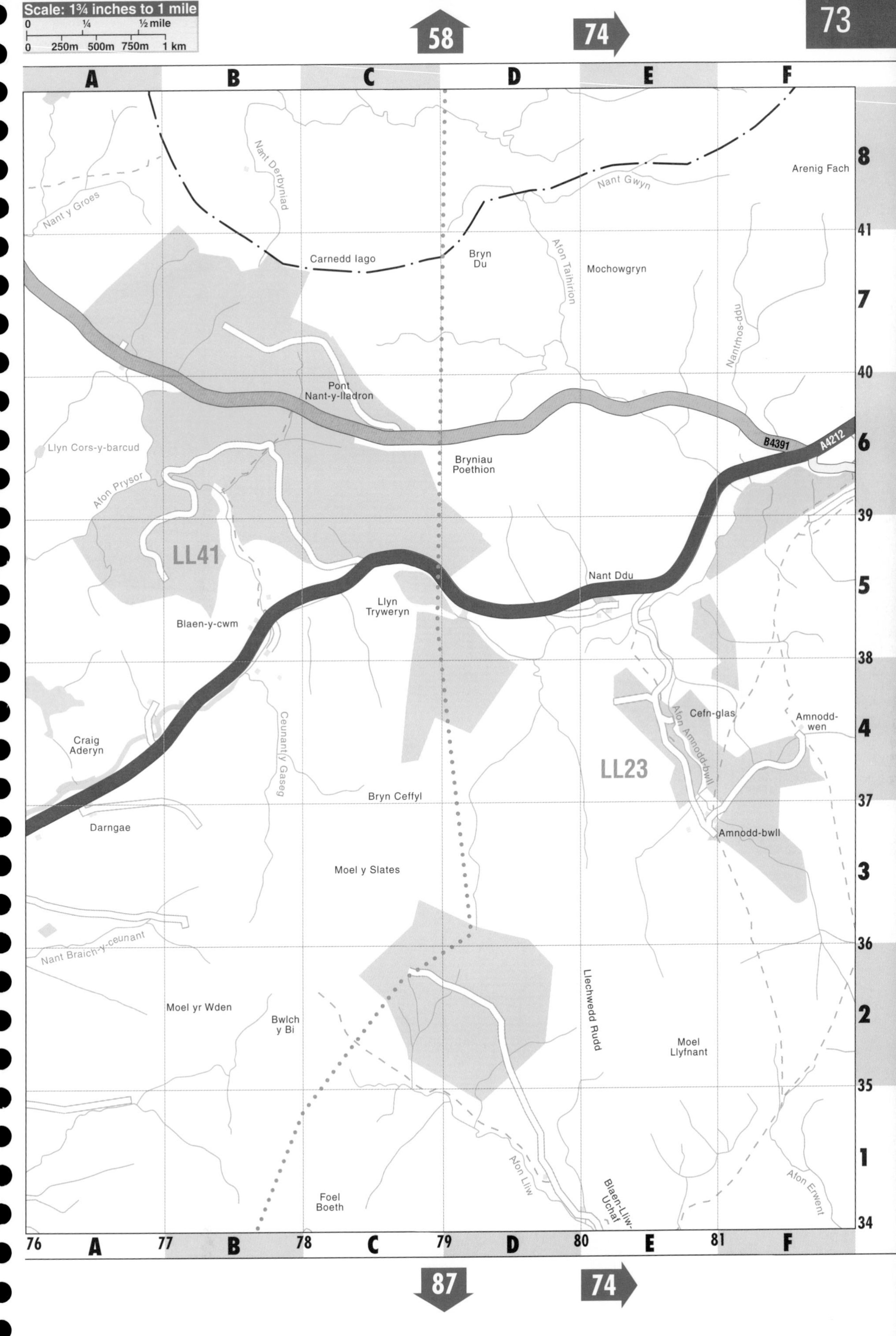
Scale: 1¾ inches to 1 mile
0 ¼ ½ mile
0 250m 500m 750m 1 km
58
74
A B C D E F
Nant Derbyniad
Nant y Groes
Nant Gwyn
Arenig Fach
Carnedd Iago
Bryn Du
Afon Tairhirion
Mochowgryn
Nantrhos-ddu
Pont Nant-y-lladron
Llyn Cors-y-barcud
Afon Prysor
B4391
A4212
Bryniau Poethion
LL41
Nant Ddu
Llyn Tryweryn
Blaen-y-cwm
Ceunant y Gaseg
Cefn-glas
Amnodd-wen
Afon Amnodd-bwll
Craig Aderyn
LL23
Bryn Ceffyl
Darngae
Amnodd-bwll
Moel y Slates
Nant Braich-y-ceunant
Moel yr Wden
Bwlch y Bi
Llechwedd Rudd
Moel Llyfnant
Afon Lliw
Blaen-Lliw-Uchaf
Afon Erwent
Foel Boeth
8 41 7 40 6 39 5 38 4 37 3 36 2 35 1 34
76 77 78 79 80 81
87
74

Scale: 1¾ inches to 1 mile

0   ¼   ½ mile
0   250m   500m   750m   1 km

A   B   C   D   E   F

8

Arenig Fach

Llyn
Arenig Fach

Hafod-wen

Yr Oerfa

41

Bryn Du

Weirglodd-ddu

Moel Phylip

7

Y Foel

Graig-las

Maes-y-
-tail

Llyn Celyn

Meml

A4212

Pentllwyni

40

A4212

Uwch-Mynydd

Afon Tryweryn

Boch y
Rhaeadr

Twr

P

Ty'n-cerrig

6

Pont
Rhyd-y-fen

Bryn-Ifan

Mynydd
Nodol

39

Ffridd y Coed

Tan-y-mynydd

5

Gelli Deg

Nant Aberderfel

Ffridd y
Fawnog

Llidiardau

LL23

Ty-nant

38

Craig y
Hyrddod

Llyn
Aremig Fawr

Hafod y garreg

Drain-llwyn

4

Y Castell

Arenig
Fawr

37

Nant-hir

Cloddiau

Pistyll Gwyn

Gwernbiseg

3

Cefn-y-maes

Carreg y
Diocyn

Tyn-y-rhos

36

Cynythog-isaf

Blaen-y-
cwm-isaf

2

Banc y Merddwr

Maestron

Tyddyn-
du

Meinihirion

Craig y
Bychau

Tal-y-bont

35

Fron

Llechwedd Erwent

Moel
Ymenyn

Gwaundylo

Afon Llafar

Ty Cerrig
Isaf

1

Cwm-Tylo

Foel Boeth

34

82   A   83   B   84   C   85   D   86   E   87   F

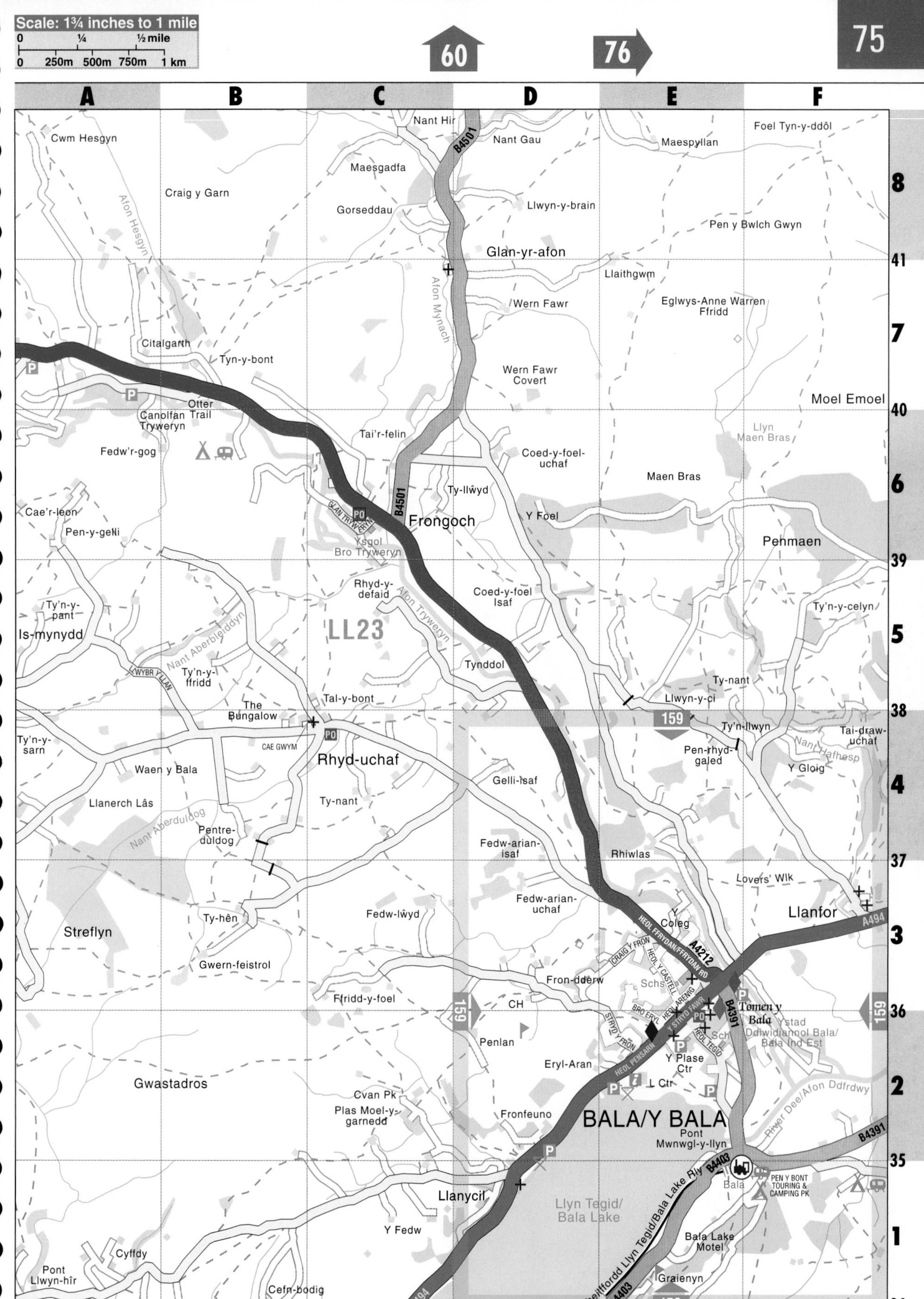

Scale: 1¾ inches to 1 mile

0	¼	½ mile
0	250m	500m 750m	1 km

60
76

A **B** **C** **D** **E** **F**

Cwm Hesgyn

Nant Hir

Nant Gau

Maespyllan

Foel Tyn-y-ddôl

B4501

Craig y Garn

Maesgadfa

Llwyn-y-brain

Pen y Bwlch Gwyn

8

Gorseddau

Glan-yr-afon

Llaithgwm

41

Afon Hessyn

Aфon Mynach

Eglwys-Anne Warren Ffridd

7

Citalgarth

Wern Fawr

Moel Emoel

P

Tyn-y-bont

Wern Fawr Covert

40

Otter Trail

Canolfan Tryweryn

Tai'r-felin

Coed-y-foel-uchaf

Maen Bras

Llyn Maen Bras

6

Fedw'r-gog

B4501

Ty-llwyd

Y Foel

Penmaen

Cae'r-leon

Frongoch

Pen-y-gelli

Ysgol Bro Tryweryn

39

Glan Tryweryn

Coed-y-foel Isaf

Ty'n-y-celyn

Ty'n-y-pant

Rhyd-y-defaid

Afon Tryweryn

5

Is-mynydd

LL23

Tynddol

Ty-nant

Nant Aberbigiddyn

Llwyn-y-ci

38

Ty'n-y-ffridd

Tal-y-bont

159

Ty'n-llwyn

Tai-draw-uchaf

The Bungalow

Pen-rhyd-galed

Y Gloig

Nant Hafhesp

WYBR PELLAN

CAE GWYM

PO

4

Ty'n-y-sarn

Rhyd-uchaf

Gelli-isaf

Waen y Bala

Llanerch Lâs

Ty-nant

Nant Aberdulog

Fedw-arian-isaf

Rhiwlas

37

Pentre-duldog

Fedw-arian-uchaf

Lovers' Wlk

A494

Streflyn

Ty-hên

Fedw-lwyd

Y Coleg

Llanfor

Gwern-feistrol

CRAIG Y FRON

HEDL Y CASTELL

A4212

HEOL FFRYDANIFFRYON RD

3

Ffridd-y-foel

159

CH

Fron-dderw

BRO ERYL

HEOL ARENIG

Schs

Tomen y Bala

B4391

159

Penlan

Y STRYD FAWR

PO

Ystad Ddiwidianbol Bala/ Bala Ind Est

36

Gwastadros

STRYD Y FRON

HEOL TEGID

Sch

Eryl-Aran

Y Plase Ctr

River Dee/Afon Ddfrdwy

2

Cvan Pk

HEOL PENSARN

Fronfeuno

P

i

L Ctr

P

Plas Moel-y-garnedd

BALA/Y BALA

Pont Mwnwgl-y-llyn

B4391

P

B4403

PEN Y BONT TOURING & CAMPING PK

35

Llanycil

Llyn Tegid/ Bala Lake

Bala

Rheilffordd Llyn Tegid/Bala Lake Rly

1

Y Fedw

Cyffdy

Bala Lake Motel

Pont Llwyn-hîr

A494

B4403

Graienyn

Cefn-bodig

159

Wenallt

34

88 **A** **89** **B** **90** **C** **91** **D** **92** **E** **93** **F**

89
76

For full street detail of the highlighted area see page 159.

75
61
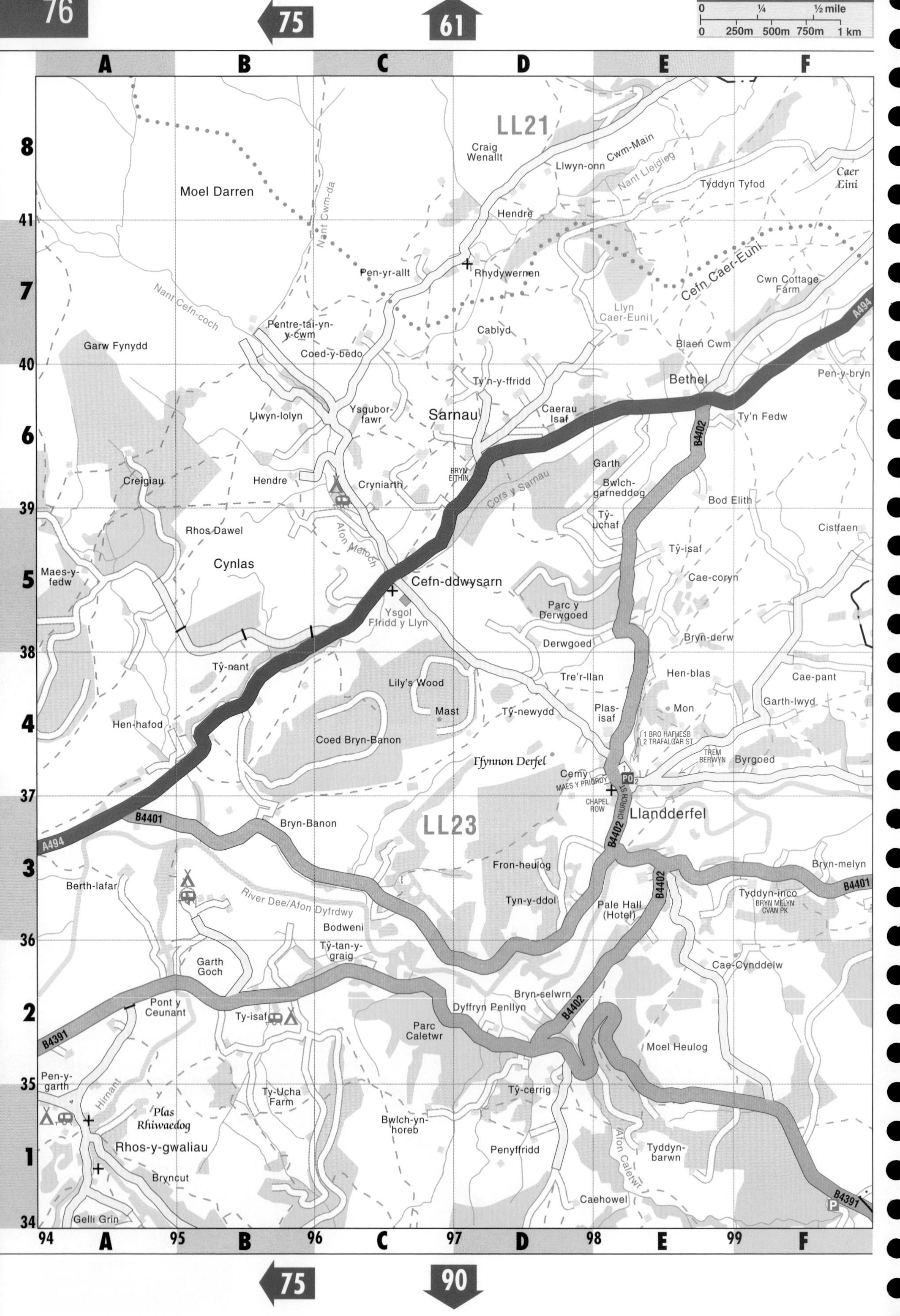
Scale: 1¾ inches to 1 mile
LL21
Craig Wenallt
Cwm-Main
Llwyn-onn
Nant Lleidiog
Tyddyn Tyfod
Caer Eini
Moel Darren
Nant Cwm-da
Hendre
Pen-yr-allt
Rhydywernen
Cefn Caer-Euni
Cwn Cottage Farm
Nant Cefn-coch
Llyn Caer-Euni
Pentre-tai-yn-y-cwm
Cablyd
Blaen Cwm
Garw Fynydd
Coed-y-bedo
Ty'n-y-ffridd
Bethel
Pen-y-bryn
A494
Llwyn-lolyn
Ysgubor-fawr
Sarnau
Caerau Isaf
Ty'n Fedw
B4402
Garth
Creigiau
Hendre
Cryniarth
BRYN EITHIN
Cors y Sarnau
Bwlch-garneddog
Bod Elith
Tŷ-uchaf
Rhos Dawel
Afon Meloch
Cistfaen
Tŷ-isaf
Cynlas
Maes-y-fedw
Cefn-ddwysarn
Cae-coryn
Ysgol Ffridd y Llyn
Parc y Derwgoed
Bryn-derw
Derwgoed
Tŷ-nant
Lily's Wood
Tre'r-llan
Hen-blas
Cae-pant
Mast
Tŷ-newydd
Plas-isaf
Mon
Garth-lwyd
Hen-hafod
Coed Bryn-Banon
1 BRO HAFHESB
2 TRAFALGAR ST
TREM BERWYN
Byrgoed
Ffynnon Derfel
Cerny
MAES Y PRIORDY
PO
CHURCH ST
CHAPEL ROW
Llandderfel
B4401
Bryn-Banon
LL23
Fron-heulog
Bryn-melyn
Berth-lafar
Tyn-y-ddol
Pale Hall (Hotel)
Tyddyn-inco
BRYN MELYN CVAN PK
River Dee/Afon Dyfrdwy
Bodweni
Tŷ-tan-y-graig
Garth Goch
Cae-Cynddelw
Bryn-selwrn
Pont y Ceunant
Dyffryn Penllyn
B4391
Ty-isaf
Parc Caletwr
Moel Heulog
Pen-y-garth
Tŷ-cerrig
Hirnant
Ty-Ucha Farm
Plas Rhiwaedog
Bwlch-yn-horeb
Rhos-y-gwaliau
Penyffridd
Afon Calettwr
Tyddyn-barwn
Bryncut
Caehowel
Gelli Grin
P
75
90

Scale: 1¾ inches to 1 mile
0 ¼ ½ mile
0 250m 500m 750m 1 km

62

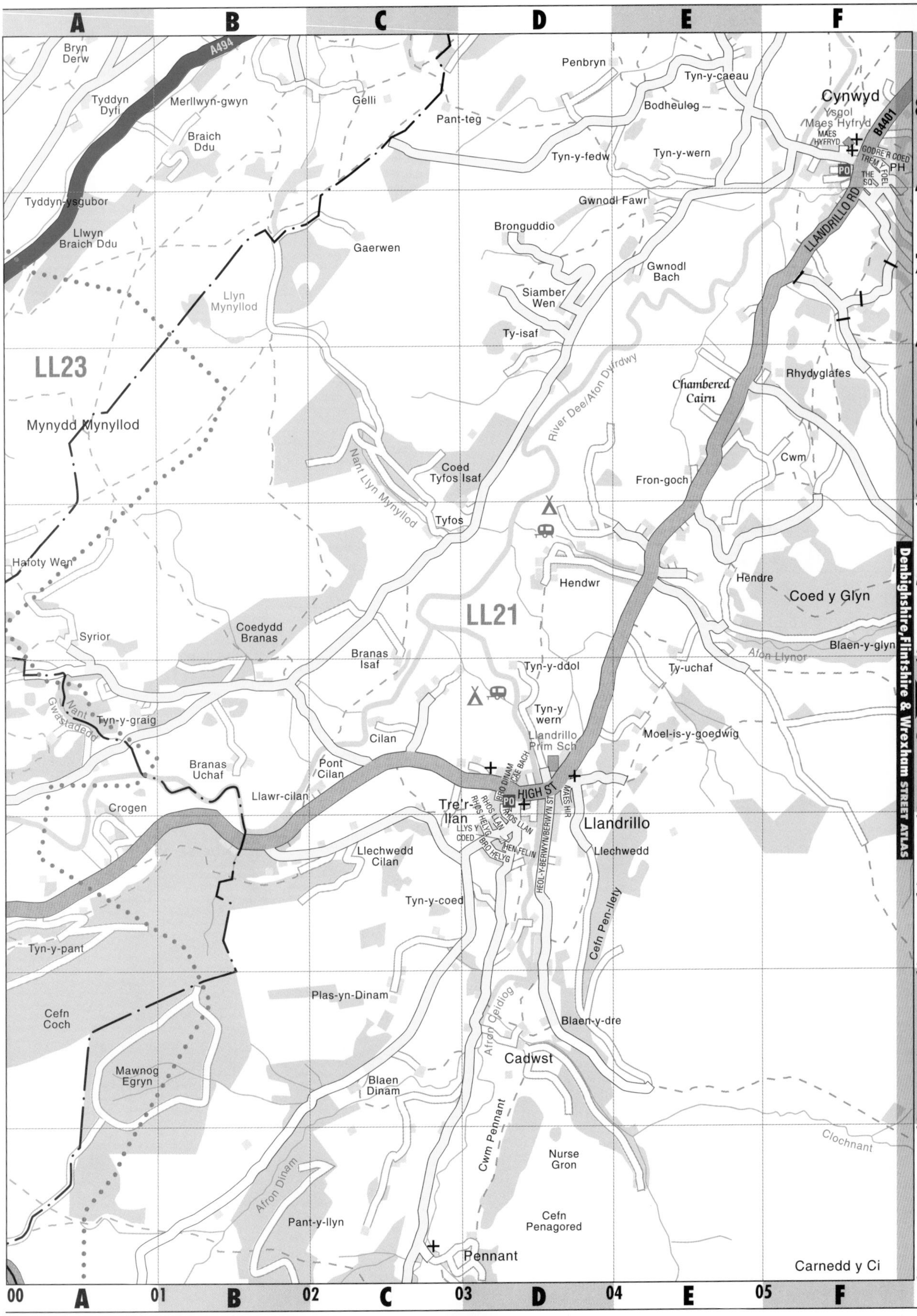

91

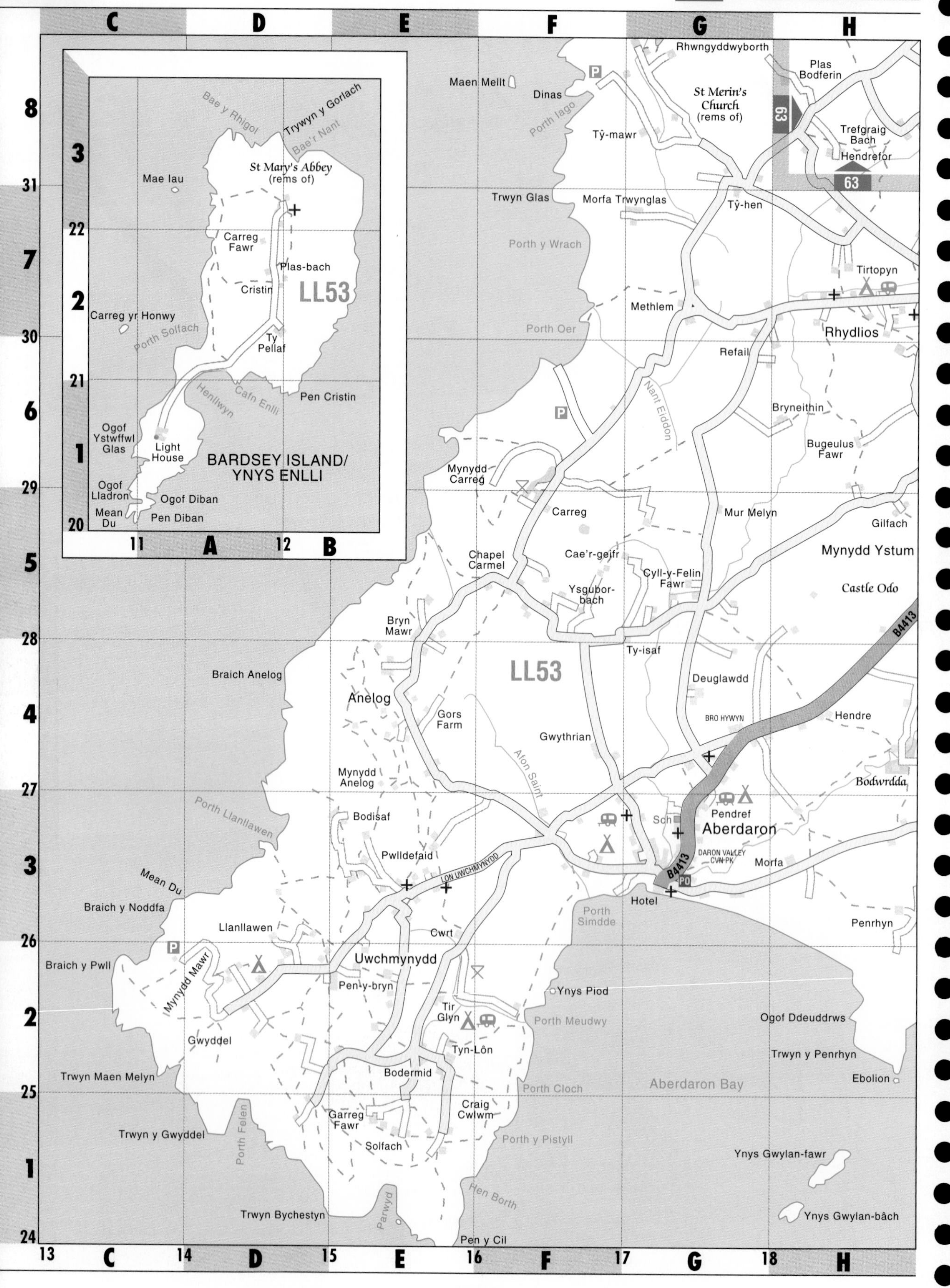

C   D   E   F   G   H

8

3

31

22

7

2

30

21

6

1

29

20

Bae y Rhigol
Trywyn y Gorlach
Bae'r Nant
St Mary's Abbey (rems of)
Mae Iau
Carreg Fawr
Plas-bach
Cristin
LL53
Carreg yr Honwy
Porth Solfach
Ty Pellaf
Henllwyn
Cafn Enlli
Pen Cristin
Ogof Ystwffwl Glas
Light House
BARDSEY ISLAND/ YNYS ENLLI
Ogof Lladron
Ogof Diban
Mean Du
Pen Diban

11   A   12   B

Rhwngyddwyborth
Plas Bodferin
Maen Mellt
Dinas
St Merin's Church (rems of)
Trefgraig Bach
Hendrefor
63
Porth Iago
Tŷ-mawr
Trwyn Glas
Morfa Trwynglas
Tŷ-hen
Porth y Wrach
Tirtopyn
Methlem
Rhydlios
Porth Oer
Refail
Bryneithin
Bugeulus Fawr
Mynydd Carreg
Nant Eirddon
Carreg
Mur Melyn
Gilfach
Chapel Carmel
Cae'r-geifr
Mynydd Ystum
Cyll-y-Felin Fawr
Castle Odo
Ysgubor-bach
B4413
Bryn Mawr
Ty-isaf
Deuglawdd
Braich Anelog
LL53
BRO HYWYN
Hendre
Anelog
Gors Farm
Gwythrian
Bodwrdda
Mynydd Anelog
Afon Saint
Porth Llanllawen
Bodisaf
Sch
Pendref
Aberdaron
Pwlldefaid
LON UWCHMYNYDD
DARON VALLEY CVN PK
Morfa
Mean Du
Hotel
Penrhyn
Braich y Noddfa
Llanllawen
Cwrt
Porth Simdde
Braich y Pwll
Mynydd Mawr
Uwchmynydd
Ynys Piod
Ogof Ddeuddrws
Pen-y-bryn
Trwyn y Penrhyn
Gwyddel
Tir Glyn
Porth Meudwy
Tyn-Lôn
Ebolion
Trwyn Maen Melyn
Bodermid
Aberdaron Bay
Ynys Gwylan-fawr
Garreg Fawr
Craig Cwlwm
Porth Cloch
Trwyn y Gwyddel
Solfach
Porth y Pistyll
Porth Felen
Parwyd
Ynys Gwylan-bâch
Trwyn Bychestyn
Hen Borth
Pen y Cil

13   C   14   D   15   E   16   F   17   G   18   H

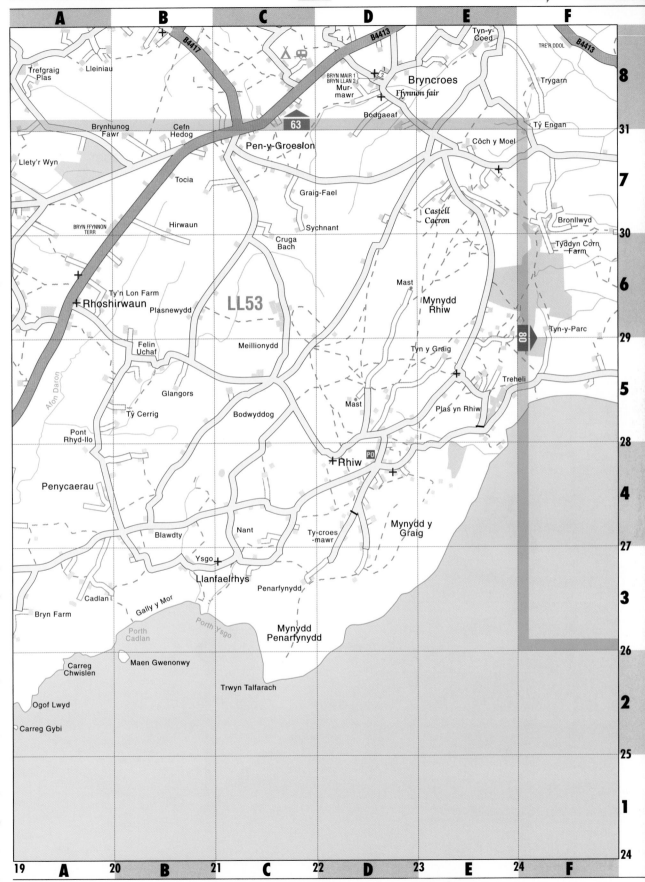

A   B   C   D   E   F

Trefgraig Plas
Lleiniau
B4417
Tyn-y-Coed
TRE'R DDOL
B4413
Trygarn
8

BRYN MAIR 1
BRYN LLAN 2
Mur-mawr
Bryncroes
Ffynnon fair
Bodgaeaf

Brynhunog Fawr
Cefn Hedog
63
Pen-y-Groeslon
Côch y Moel
Tŷ Engan
31

Llety'r Wyn
Tocia
Graig-Fael
Castell Caeron
Bronllwyd
7

Hirwaun
Sychnant
Cruga Bach
30

BRYN FFYNNON TERR
Ty'n Lon Farm
Plasnewydd
Mast
Mynydd Rhiw
Tyddyn Corn Farm
6

Rhoshirwaun
LL53
Afon Daron
Felin Uchaf
Meillionydd
Tyn y Graig
Tyn-y-Parc
80
29

Glangors
Tŷ Cerrig
Bodwyddog
Mast
Plas yn Rhiw
Treheli
5

Pont Rhyd-llo
Penycaerau
Rhiw
PO
28

Blawdty
Nant
Ty-croes-mawr
Mynydd y Graig
4

Ysgo
Llanfaelrhys
Penarfynydd
27

Cadlan
Gally y Mor
Porth Ysgo
Mynydd Penarfynydd
3

Bryn Farm
Porth Cadlan
26

Carreg Chwislen
Maen Gwenonwy
Trwyn Talfarach
2

Ogof Lwyd
25

Carreg Gybi
1

24

19   A   20   B   21   C   22   D   23   E   24   F

63

Scale: 1¾ inches to 1 mile

0 ¼ ½ mile
0 250m 500m 750m 1 km

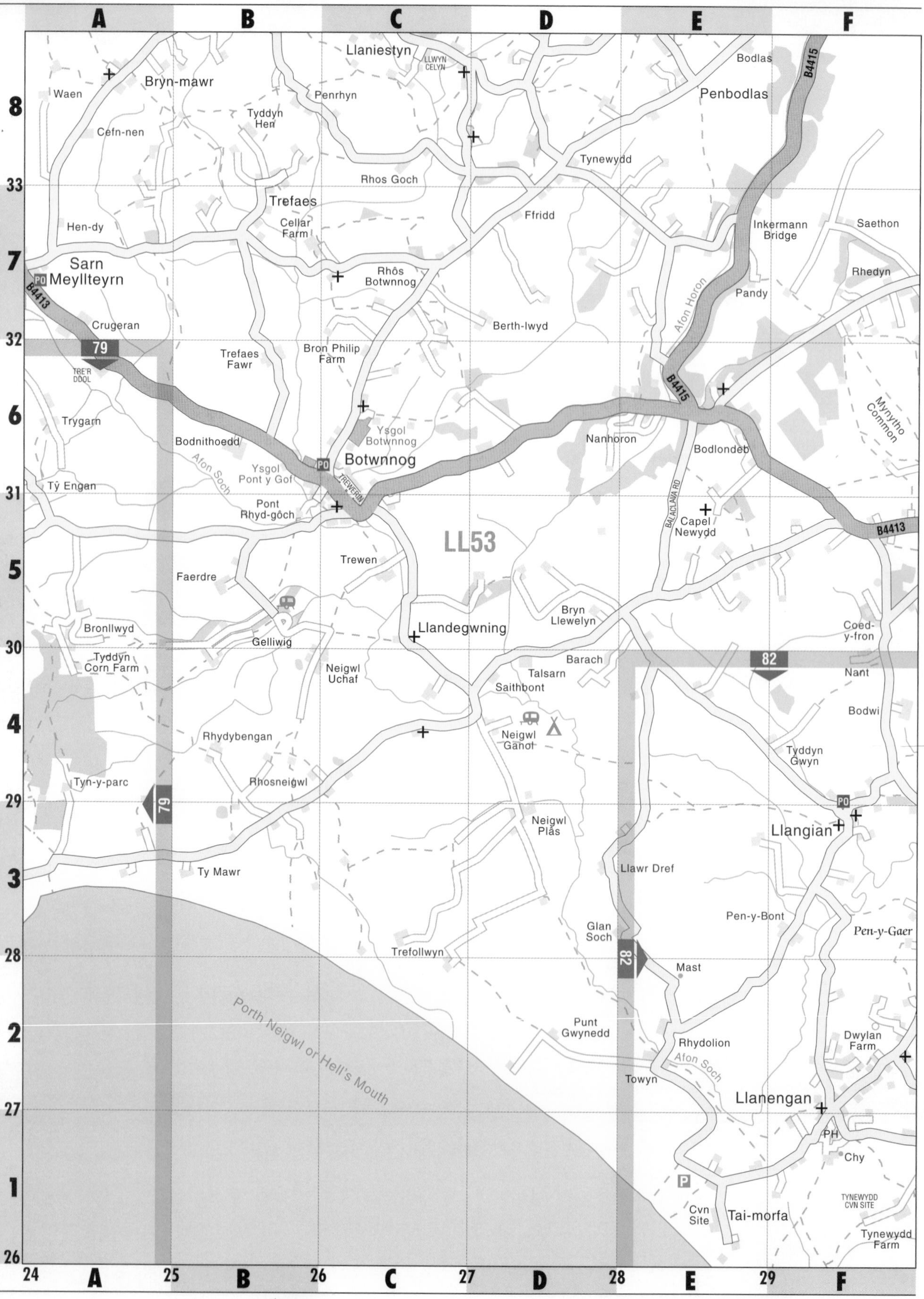

A B C D E F

8
Waen
Bryn-mawr
Cefn-nen
Llaniestyn
LLWYN CELYN
Penrhyn
Tyddyn Hen
Bodlas
Penbodlas
B4415

33
Rhos Goch
Tynewydd
Trefaes
Ffridd
Hen-dy
Cellar Farm
Inkermann Bridge
Saethon

7
Sarn Meyllteyrn
B4413
Rhôs Botwnnog
Berth-lwyd
Pandy
Rhedyn
Afon Horon

32
Crugeran
79
Trefaes Fawr
Bron Philip Farm
B4415
TRE'R DDOL

6
Trygarn
Bodnithoedd
Ysgol Botwnnog
Botwnnog
Nanhoron
Bodlondeb
Mynytho Common

31
Tŷ Engan
Afon Soch
Ysgol Pont y Gof
Pont Rhyd-gôch
TREWERN
Balaclava Rd
Capel Newydd
B4413

5
Bronllwyd
Faerdre
Trewen
LL53
Coed-y-fron

30
Tyddyn Corn Farm
Gelliwig
Llandegwning
Bryn Llewelyn
Barach
82
Nant

4
Rhydybengan
Neigwl Uchaf
Talsarn
Saithbont
Neigwl Ganol
Bodwi
Tyddyn Gwyn

29
Tyn-y-parc
79
Rhosneigwl
Neigwl Plâs
Llangian
PO

3
Ty Mawr
Llawr Dref
Pen-y-Bont
Pen-y-Gaer
Trefollwyn

28
Porth Neigwl or Hell's Mouth
Glan Soch
82
Mast

2
Punt Gwynedd
Rhydolion
Afon Soch
Dwylan Farm

27
Towyn
Llanengan
PH
Chy

1
P
Cvn Site
Tai-morfa
TYNEWYDD CVN SITE

26
Tynewydd Farm

24 A 25 B 26 C 27 D 28 E 29 F

79
82

Scale: 1¾ inches to 1 mile

65
66

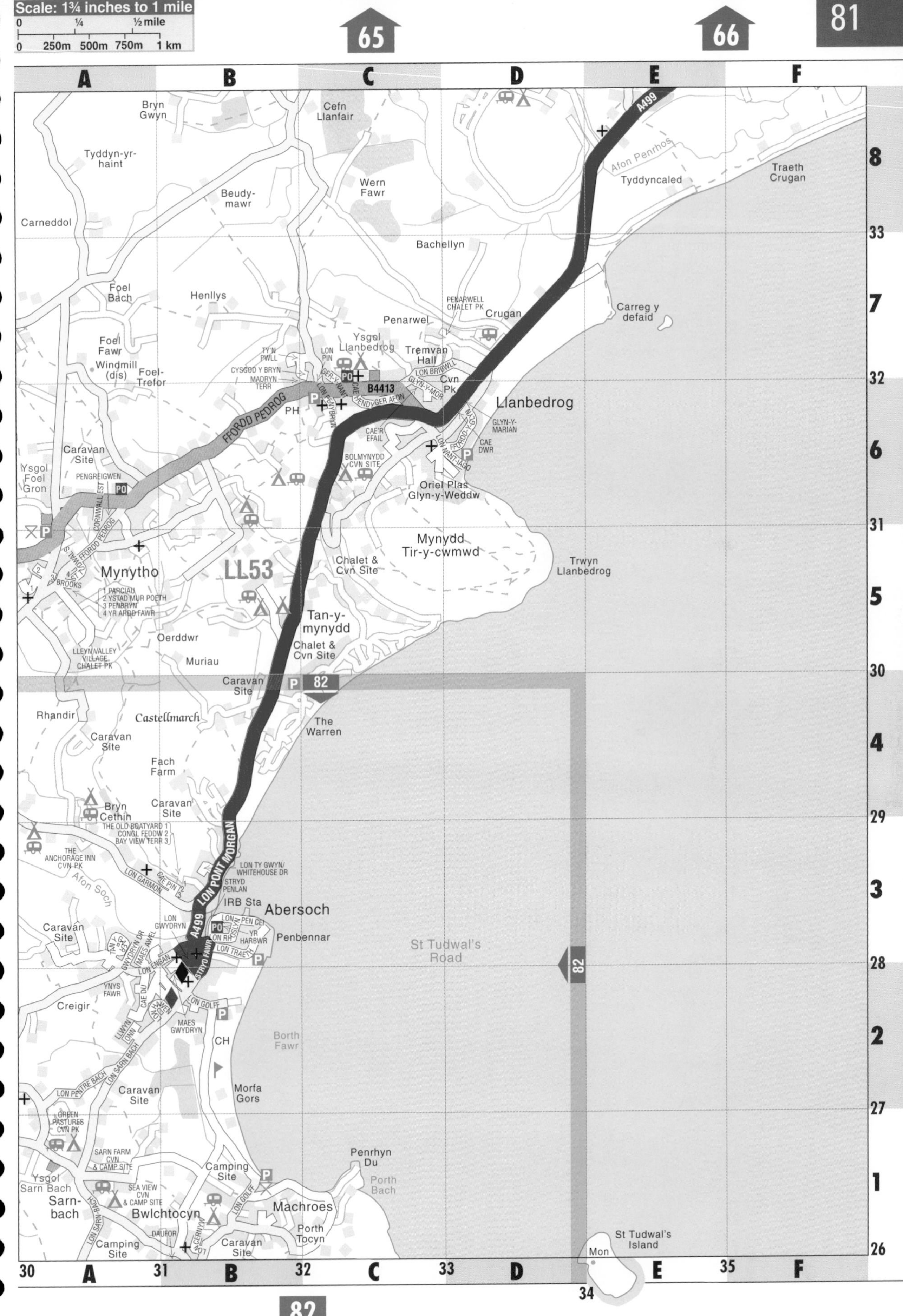
0 ¼ ½ mile
0 250m 500m 750m 1 km
A
B
C
D
E
F
8
33
7
32
6
31
5
30
4
29
3
28
2
27
1
26
30
31
32
33
34
35
Bryn Gwyn
Cefn Llanfair
A499
Tyddyn-yr-haint
Afon Penrhos
Tyddyncaled
Traeth Crugan
Wern Fawr
Beudy-mawr
Carneddol
Bachellyn
Foel Bach
Henllys
PENARWELL CHALET PK
Crugan
Carreg y defaid
Penarwel
Foel Fawr
Ysgol Llanbedrog
Tremvan Hall
Windmill (dis)
Foel-Trefor
TY'N PWLL
CYSGOD Y BRYN
MADRYN TERR
LON PIN
LON BRIBWLL
B4413
Cvn Pk
GLYN-Y-MOR
Llanbedrog
FFORDD PEDROG
PH
GLYN-Y-MARIAN
CAE'R EFAIL
CAE DWR
Caravan Site
Ysgol Foel Gron
PENGREIGWEN
PO
BOLMYNYDD CVN SITE
Oriel Plas Glyn-y-Weddw
CORNWALL EST
Mynydd Tir-y-cwmwd
Trwyn Llanbedrog
Chalet & Cvn Site
Mynytho
LL53
1 PARCIAU
2 YSTAD MUR POETH
3 PENBRYN
4 YR ARDD FAWR
Tan-y-mynydd
Oerddwr
Chalet & Cvn Site
Muriau
LLEYN VALLEY VILLAGE CHALET PK
Caravan Site
82
Rhandir
Castellmarch
The Warren
Caravan Site
Fach Farm
Bryn Cethin
Caravan Site
THE OLD BOATYARD 1
CONGL FEDDW 2
BAY VIEW TERR 3
THE ANCHORAGE INN CVN PK
LON PONT MORGAN
LON TY GWYN/ WHITEHOUSE DR
Afon Soch
LON GARMON
STRYD PENLAN
IRB Sta
Abersoch
LON GWYDRYN
LON PEN CEI
YR HARBWR
Penbennar
Caravan Site
St Tudwal's Road
STRYD FAWR
LON TRAETH
LON ENGAN
YNYS FAWR
CAE DU
LON GOLFF
Creigir
MAES GWYDRYN
CH
Borth Fawr
LON PENTRE BACH
LON SARN BACH
Caravan Site
Morfa Gors
GREEN PASTURES CVN PK
SARN FARM CVN & CAMP SITE
Penrhyn Du
Camping Site
Porth Bach
Ysgol Sarn Bach
SEA VIEW CVN & CAMP SITE
Sarn-bach
Bwlchtocyn
Machroes
LON SARN-BACH
DAUFOR
Porth Tocyn
St Tudwal's Island
Camping Site
Caravan Site
Mon

82

Scale: 1¾ inches to 1 mile
0   ¼   ½ mile
0   250m   500m   750m   1 km

A   B   C   D   E   F

8
Nant
Bodwi
Rhándir
Castellmarch
Caravan Site
The Warren
Caravan Site
Tyddyn Gwyn
29
Fach Farm
P0
Bryn Cethin
Caravan Site
Llangian
THE OLD BOATYARD 1
CONGL FEDDW 2
BAY VIEW TERR 3
7
Llawr Dref
THE ANCHORAGE INN CVN PK
LON GARMON
CAE PIN
STRYD PENLAN
Pen-y-Bont
Pen-y-Gaer
Caravan Site
GWYDRYN DR
MAES AWEL
IRB Sta
STRYD PENLAN
Abersoch
28
Mast
P0
LON CEI
PEN CEI
YR HARBWR
Penbennar
CAE DU
STRYD FAWR
LON TRAETH
6
Rhydolion
Creigir
YNYS FAWR
LON PIN
CH
Borth Fawr
Afon Soch
Dwylan Farm
Bwlch Farm
MAES GWYDRYN
Towyn
LLAWN
LON SARN BACH
Morfa Gors
27
Llanengan
LON PENTS BACH
Caravan Site
PH
GREEN PASTURES CVN PK
Camping Site
Penrhyn Du
Chy
Porth Bach
5
P
Cvn Site
Ysgol Sarn Bach
TYNEWYDD CVN SITE
SARN FARM CVN & CAMP SITE
SEA VIEW CVN & CAMP SITE
Machroes
Porth Tocyn
Tai-morfa
Sarnbach
Sarn-bach
LON SARN BACH
Bwlchtocyn
Caravan Site
LON GOLFF
26
80
Tynewydd Farm
Camping Site
Caravan Site
81
4
Nant Farm
Corn Farm
Cim
St Tudwal's Island West
Bryn Celyn Isaf
Crowrach
LL53
Pant Farm
Lighthouse
Bachwared
Cvn Site
Cvn Site
25
Trwyn y Ffosle
Nant-y-big
Pared-mawr
3
Pistyll Cim
Porth Ceiriad
Trwyn Carreg-y-tir
Mynydd Cilan
Trwyn yr Wylfa
24
Trwyn y Fulfran
Fronheulog Farm
Cilan Uchaf
2
Trwyn Llech-y-doll
23
Trwyn Cilan
1
22
28   A   29   B   30   C   31   D   32   E   33   F

A499
LON PONT MORGAN
St Tudwal's Rd

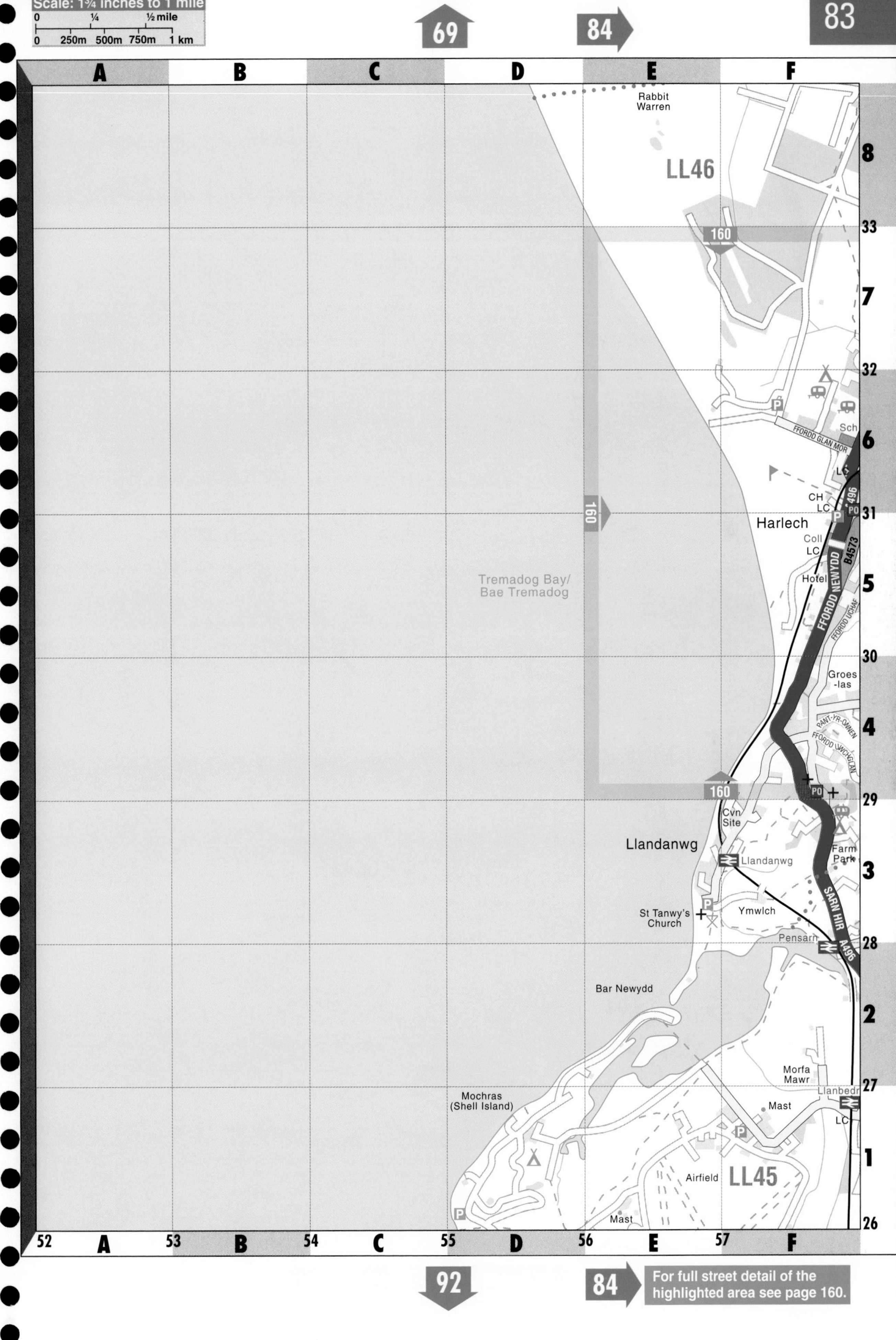
Scale: 1¾ inches to 1 mile
0
¼
½ mile
0
250m
500m
750m
1 km
69
84
Rabbit Warren
LL46
160
Tremadog Bay/
Bae Tremadog
FFORDD GLAN MOR
Sch
LC
CH
LC
PO
A496
Harlech
Coll
LC
B4573
Hotel
FFORDD NEWYDD
FFORDD UCHAF
Groes
-las
PANT-YR-ONNEN
FFORDD LLWYNGLAN
PO
Cvn
Site
Llandanwg
Llandanwg
Farm
Park
St Tanwy's
Church
Ymwlch
SARN HIR
Pensarn
A496
Bar Newydd
Morfa
Mawr
Llanbedr
Mochras
(Shell Island)
Mast
LC
Airfield
LL45
Mast
A B C D E F
8 33 7 32 6 31 5 30 4 29 3 28 2 27 1 26
52 53 54 55 56 57
92
84
For full street detail of the highlighted area see page 160.

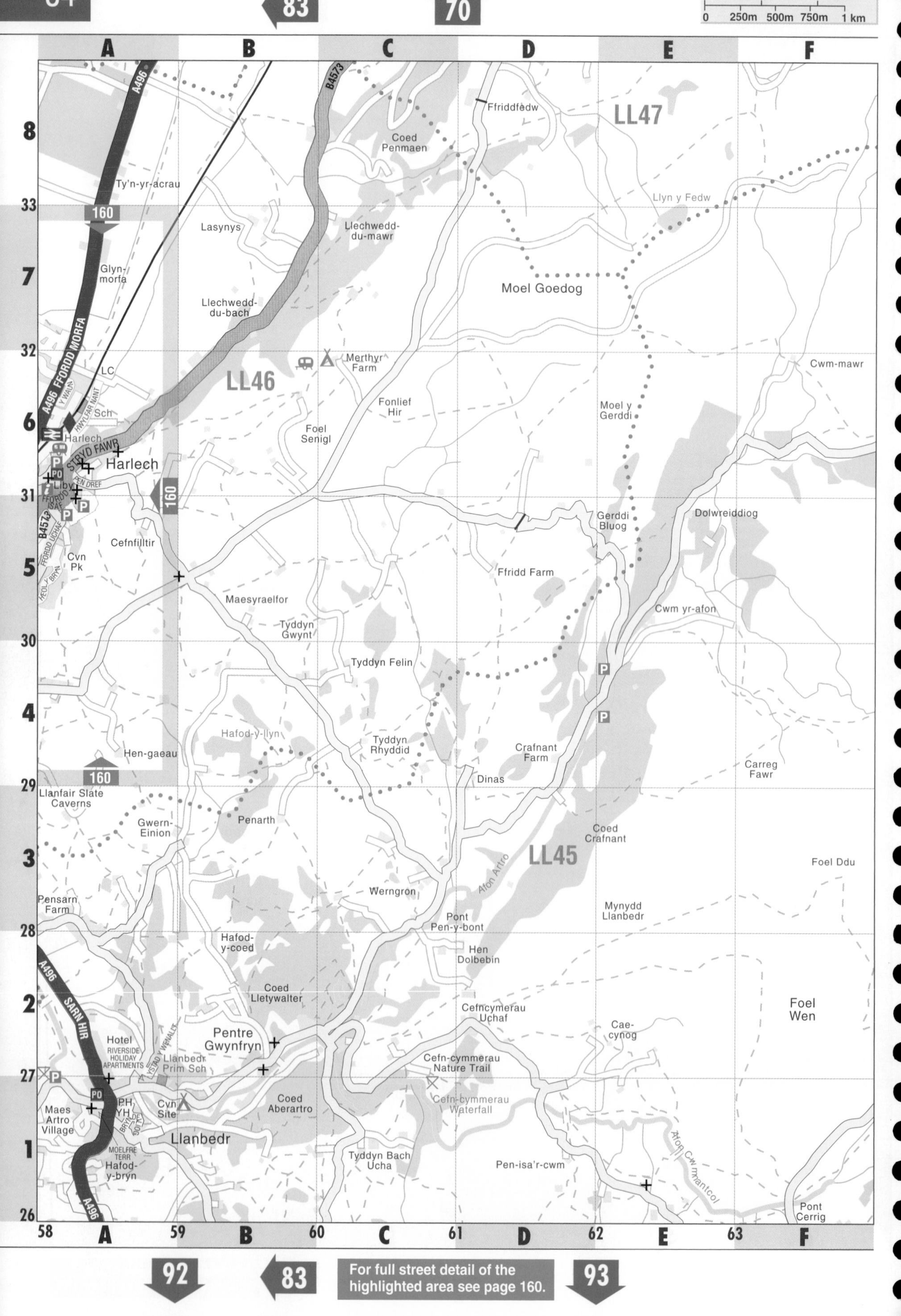

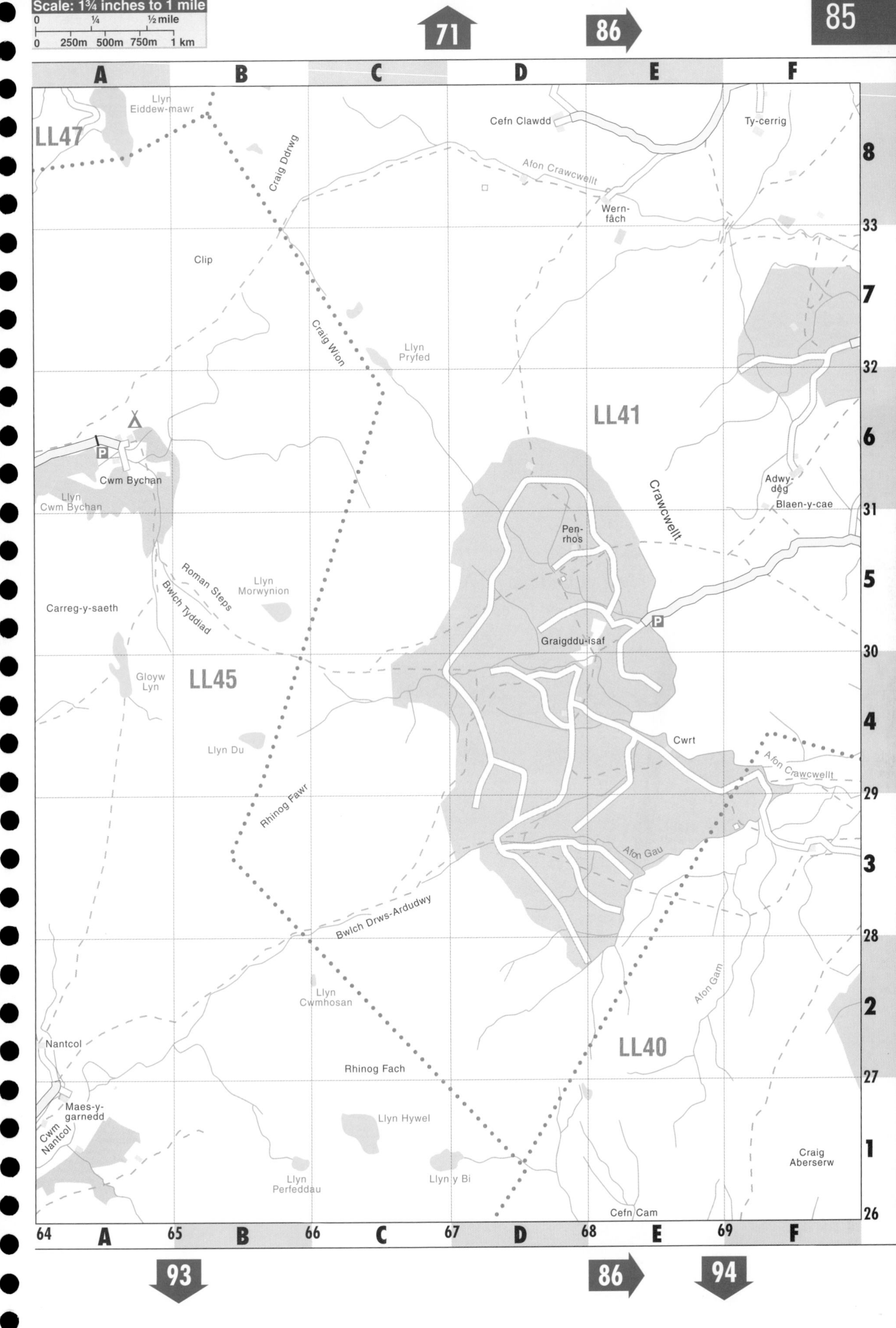

A   B   C   D   E   F

LL47

Llyn Eiddew-mawr

Craig Ddrwg

Clip

Craig Wion

Llyn Pryfed

Cefn Clawdd

Afon Crawcwellt

Wern-fâch

Ty-cerrig

LL41

Crawcwellt

Adwy-dêg

Blaen-y-cae

Penrhos

Cwm Bychan

Llyn Cwm Bychan

Carreg-y-saeth

Roman Steps

Bwlch Tyddiad

Llyn Morwynion

Gloyw Lyn

LL45

Llyn Du

Graigddu-isaf

Rhinog Fawr

Cwrt

Afon Crawcwellt

Afon Gau

Bwlch Drws-Ardudwy

Llyn Cwmhosan

Afon Gam

LL40

Nantcol

Rhinog Fach

Maes-y-garnedd

Cwm Nantcol

Llyn Hywel

Llyn y Bi

Craig Aberserw

Llyn Perfeddau

Cefn Cam

8

33

7

32

6

31

5

30

4

29

3

28

2

27

1

26

64   A   65   B   66   C   67   D   68   E   69   F

85
72

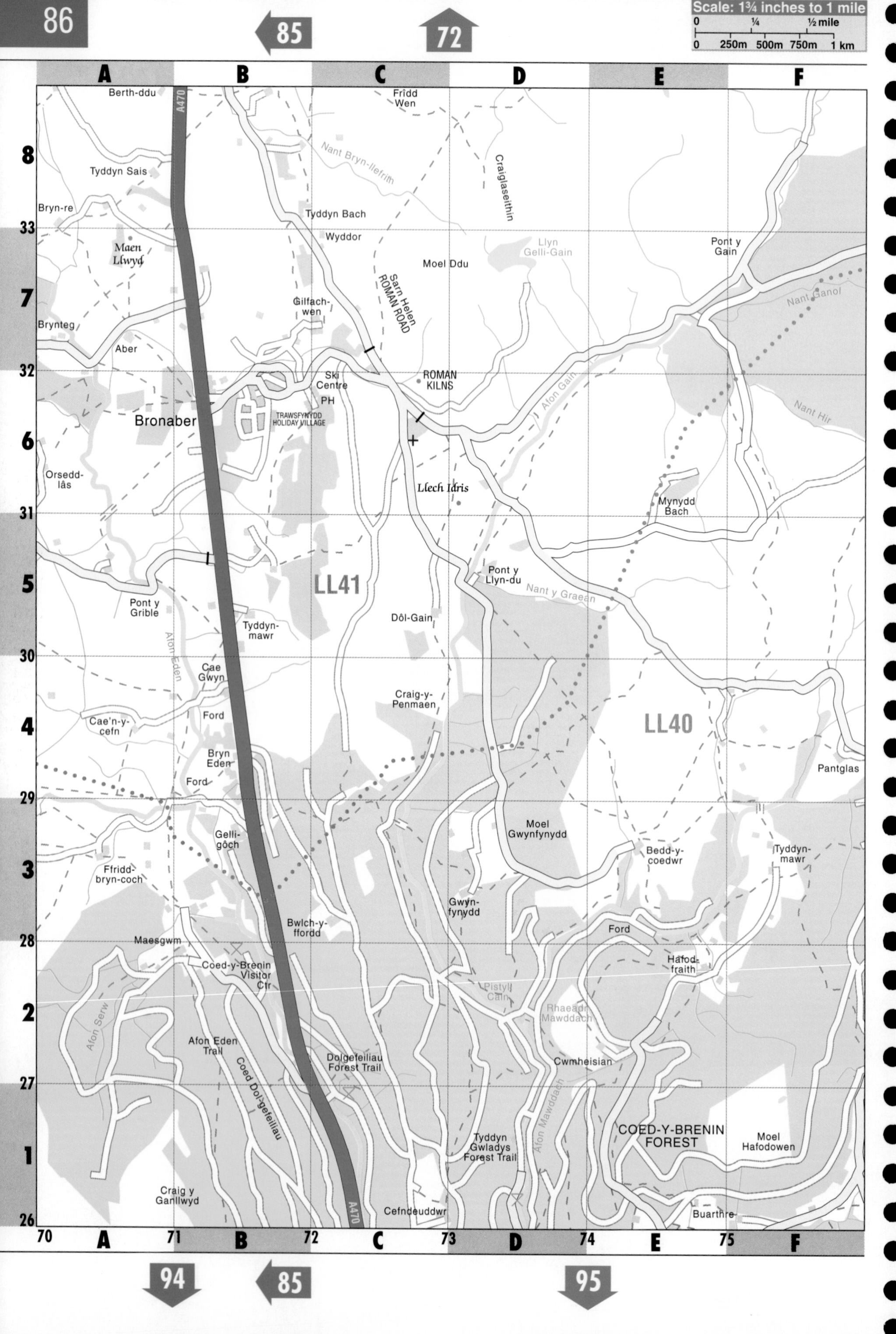
Scale: 1¾ inches to 1 mile
0 ¼ ½ mile
0 250m 500m 750m 1 km
A B C D E F
Berth-ddu
A470
Frîdd Wen
Nant Bryn-llefrith
Craiglaseithin
Tyddyn Sais
Bryn-re
Tyddyn Bach
Wyddor
Maen Llwyd
Llyn Gelli-Gain
Pont y Gain
Moel Ddu
Sarn Helen ROMAN ROAD
Gilfach-wen
Nant Ganol
Brynteg
Aber
Ski Centre
PH
ROMAN KILNS
Afon Gain
TRAWSFYNYDD HOLIDAY VILLAGE
Bronaber
Nant Hir
Orsedd-lâs
Llech Idris
Mynydd Bach
Pont y Llyn-du
LL41
Nant y Graean
Pont y Grible
Dôl-Gain
Tyddyn-mawr
Afon Eden
Cae Gwyn
Craig-y-Penmaen
Ford
Cae'n-y-cefn
LL40
Bryn Eden
Pantglas
Ford
Moel Gwynfynydd
Gelli-gôch
Bedd-y-coedwr
Tyddyn-mawr
Ffridd-bryn-coch
Gwyn-fynydd
Bwlch-y-ffordd
Ford
Maesgwm
Coed-y-Brenin Visitor Ctr
Hafod-fraith
Pistyll Cain
Rhaeadr Mawddach
Afon Serw
Afon Eden Trail
Coed Dol-gefeiliau
Dolgefeiliau Forest Trail
Cwmheisian
Afon Mawddach
COED-Y-BRENIN FOREST
Moel Hafodowen
Tyddyn Gwladys Forest Trail
Craig y Ganllwyd
Cefndeuddwr
Buarthre
A470
8
33
7
32
6
31
5
30
4
29
3
28
2
27
1
26
70 71 72 73 74 75

94
85
95

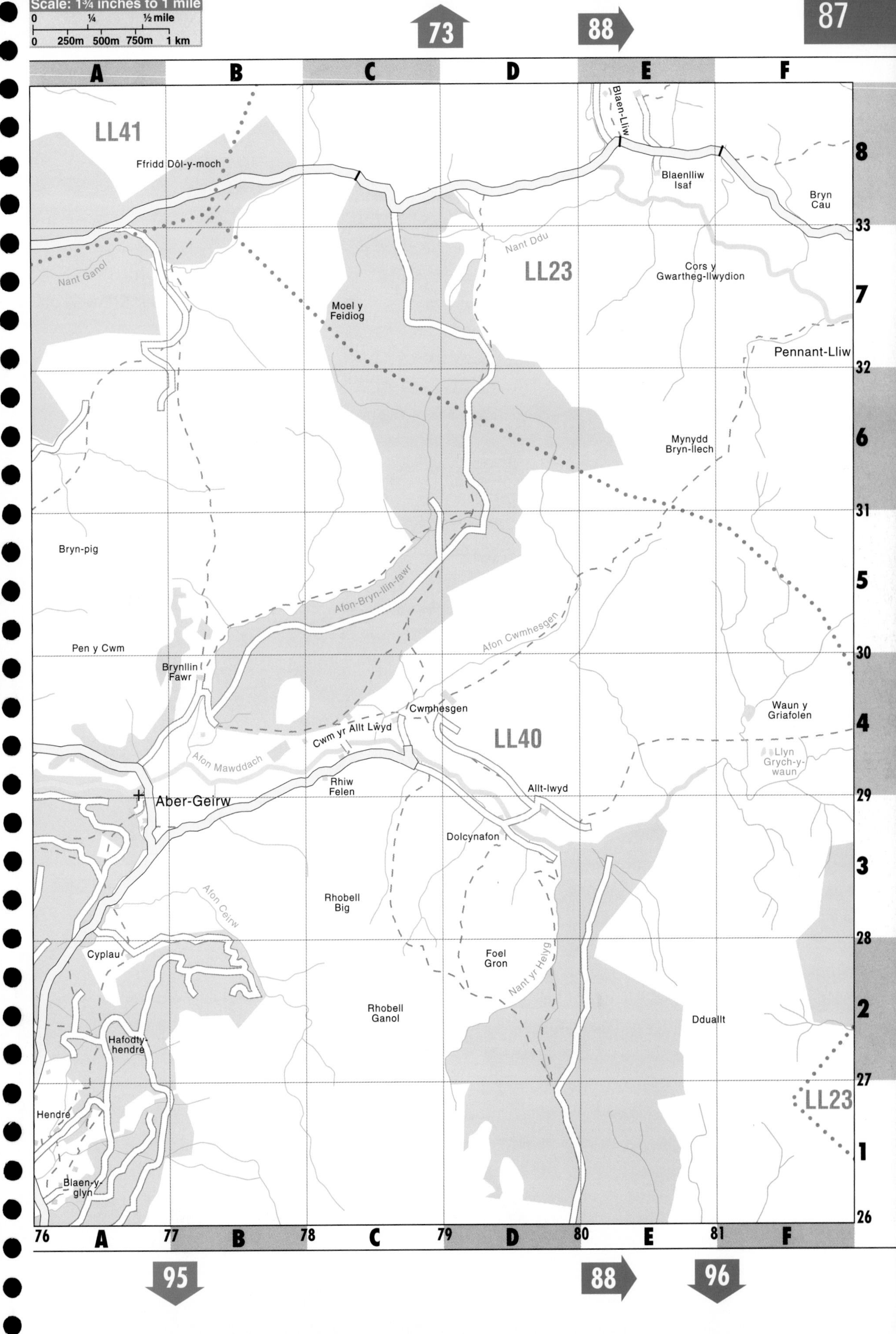
Scale: 1¾ inches to 1 mile
0 ¼ ½ mile
0 250m 500m 750m 1 km
73
88
A B C D E F
LL41
Ffridd Dôl-y-moch
Blaen-Lliw
Blaenlliw Isaf
Bryn Cau
Nant Ddu
Nant Ganol
LL23
Cors y Gwartheg-llwydion
Moel y Feidiog
Pennant-Lliw
Mynydd Bryn-llech
Bryn-pig
Afon-Bryn-llin-fawr
Afon Cwmhesgen
Pen y Cwm
Brynllin Fawr
Cwmhesgen
Waun y Griafolen
Cwm yr Allt Lŵyd
LL40
Afon Mawddach
Llyn Grych-y-waun
Rhiw Felen
Allt-lwyd
Aber-Geirw
Dolcynafon
Afon Ceirw
Rhobell Big
Cyplau
Foel Gron
Nant yr Helyg
Rhobell Ganol
Dduallt
Hafodty-hendre
LL23
Hendre
Blaen-y-glyn
8 33 7 32 6 31 5 30 4 29 3 28 2 27 1 26
76 77 78 79 80 81
95
88
96

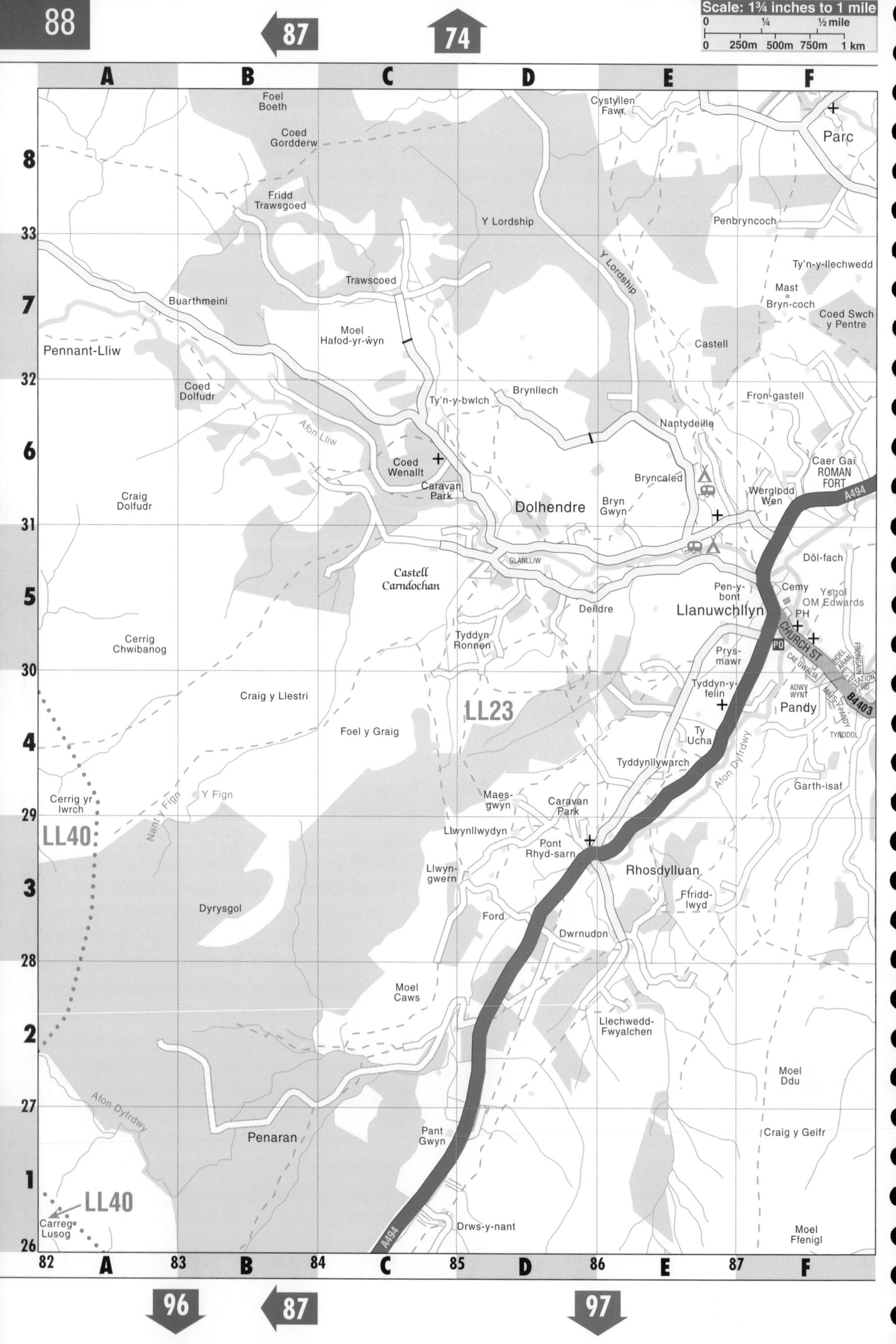

Scale: 1¾ inches to 1 mile

0   ¼   ½ mile
0 250m 500m 750m 1 km

A   B   C   D   E   F

8

Foel Boeth

Coed Gordderw

Parc

Cystyllen Fawr

33

Fridd Trawsgoed

Y Lordship

Penbryncoch

7

Buarthmeini

Trawscoed

Y Lordship

Ty'n-y-llechwedd

Mast

Bryn-coch

Coed Swch y Pentre

Pennant-Lliw

Moel Hafod-yr-wyn

Castell

32

Coed Dolfudr

Ty'n-y-bwlch

Brynllech

Fron-gastell

Afon Lliw

Nantydeille

6

Coed Wenallt

Dolhendre

Bryncaled

Caer Gai ROMAN FORT

Caravan Park

Bryn Gwyn

Werglodd Wen

A494

Craig Dolfudr

Dôl-fach

31

GLANLLIW

Deildre

Cemy

Ysgol OM Edwards

5

Castell Carndochan

Pen-y-bont

PH

Llanuwchllyn

CHURCH ST

Cerrig Chwibanog

Tyddyn Ronnen

PO

MOEL EMBAN FRONGOCH STATION RD

Prys-mawr

CAE GWALIA

30

Craig y Llestri

Tyddyn-y-felin

ADWY WYNT

Pandy

MAES PANDY

B4403

TYNDDOL

Foel y Graig

LL23

Ty Ucha

4

Tyddynllywarch

Garth-isaf

Cerrig yr Iwrch

Maes-gwyn

Caravan Park

Afon Dyfrdwy

29

LL40

Nant y Fign

Y Fign

Llwynllwydyn

Pont Rhyd-sarn

Rhosdylluan

Ffridd-lwyd

3

Llwyn-gwern

Dyrysgol

Ford

Dwrnudon

28

Moel Caws

Llechwedd-Fwyalchen

Moel Ddu

2

Afon Dyfrdwy

Penaran

Pant Gwyn

Craig y Geifr

27

1

LL40

Carreg Lusog

Drws-y-nant

Moel Ffenigl

26

82   A   83   B   84   C   85   D   86   E   87   F

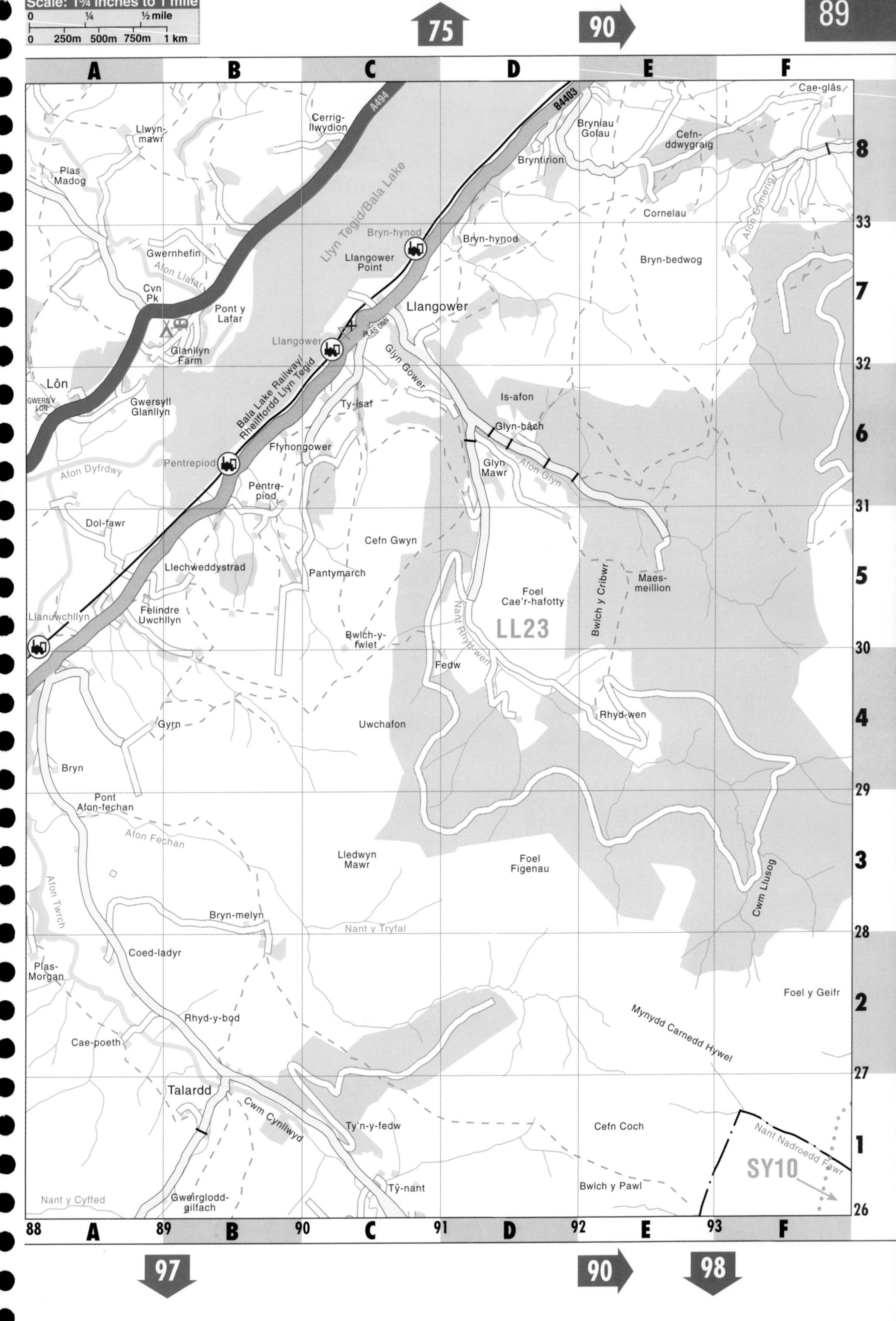
Scale: 1¾ inches to 1 mile
0 ¼ ½ mile
0 250m 500m 750m 1 km
75
90
A B C D E F
A494
B4403
Cerrig-
llwydion
Llwyn-
mawr
Plas
Madog
Bryniau
Golau
Cefn-
ddwygraig
Bryntirion
Llyn Tegid/Bala Lake
Cornelau
Afon Cymerig
Cae-glâs
Bryn-hynod
Bryn-hynod
Gwernhefin
Afon Llafar
Llangower
Point
Bryn-bedwog
Cvn
Pk
Pont y
Lafar
Llangower
Llangower
PLAS ONN
Glanllyn
Farm
Glyn Gower
Lôn
GWERN Y
LON
Gwersyll
Glanllyn
Bala Lake Railway/
Rheilffordd Llyn Tegid
Ty-isaf
Is-afon
Glyn-bâch
Ffyhongower
Pentrepiod
Afon Dyfrdwy
Glyn
Mawr
Afon Glyn
Pentre-
piod
Dol-fawr
Cefn Gwyn
Llechweddystrad
Pantymarch
Bwlch y Cribwr
Maes-
meillion
Foel
Cae'r-hafotty
Felindre
Uwchllyn
Llanuwchllyn
LL23
Nant Rhyd-wen
Bwlch-y-
fwlet
Fedw
Gyrn
Uwchafon
Rhyd-wen
Bryn
Pont
Afon-fechan
Afon Fechan
Lledwyn
Mawr
Foel
Figenau
Cwm Llusog
Afon Twrch
Bryn-melyn
Nant y Tryfal
Coed-ladyr
Plas-
Morgan
Foel y Geifr
Rhyd-y-bod
Mynydd Carnedd Hywel
Cae-poeth
Talardd
Cwm Cynllwyd
Ty'n-y-fedw
Cefn Coch
Nant Nadroedd Fawr
SY10
Tŷ-nant
Bwlch y Pawl
Nant y Cyffed
Gweirglodd-
gilfach
8
33
7
32
6
31
5
30
4
29
3
28
2
27
1
26
88 89 90 91 92 93
97
90
98

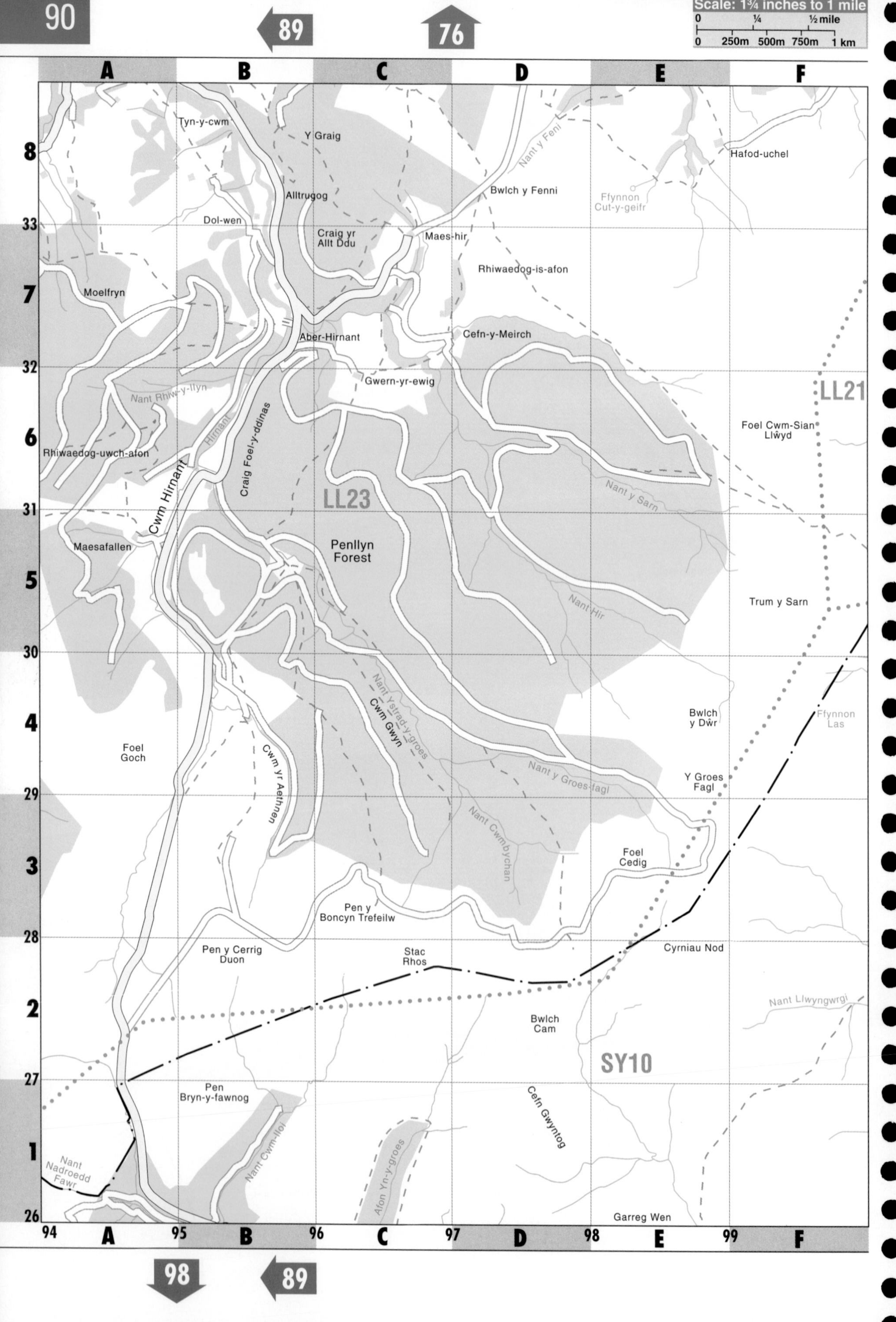

89
76

Scale: 1¾ inches to 1 mile

0   ¼   ½ mile
0   250m 500m 750m 1 km

A   B   C   D   E   F

8

Tyn-y-cwm

Y Graig

Nant y Feni

Hafod-uchel

33

Alltrugog

Bwlch y Fenni

Ffynnon
Cut-y-geifr

Dol-wen

Craig yr
Allt Ddu

Maes-hir

7

Moelfryn

Rhiwaedog-is-afon

LL21

Aber-Hirnant

Cefn-y-Meirch

32

Gwern-yr-ewig

Foel Cwm-Sian
Llwyd

Nant Rhiw-y-llyn

6

Rhiwaedog-uwch-afon

Craig Foel-y-ddinas

Cwm Hirnant

Hirnant

Nant y Sarn

LL23

31

Penllyn
Forest

Nant Hir

Maesafallen

Trum y Sarn

5

30

Nant y strad-y-groes

Cwm Gwyn

Bwlch
y Dŵr

Ffynnon
Las

4

Foel
Goch

Cwm yr Aethnen

Nant y Groes-fagl

29

Nant y Groes-fagl

Y Groes
Fagl

Nant Cwm bychan

3

Foel
Cedig

Pen y
Boncyn Trefeilw

Cyrniau Nod

Pen y Cerrig
Duon

Stac
Rhos

28

Nant Llwyngwrgi

2

Bwlch
Cam

SY10

27

Pen
Bryn-y-fawnog

Cefn Gwyntog

Nant Cwm-ffoi

1

Nant
Nadroedd
Fawr

Afon Yn-y-groes

26

Garreg Wen

94   A   95   B   96   C   97   D   98   E   99   F

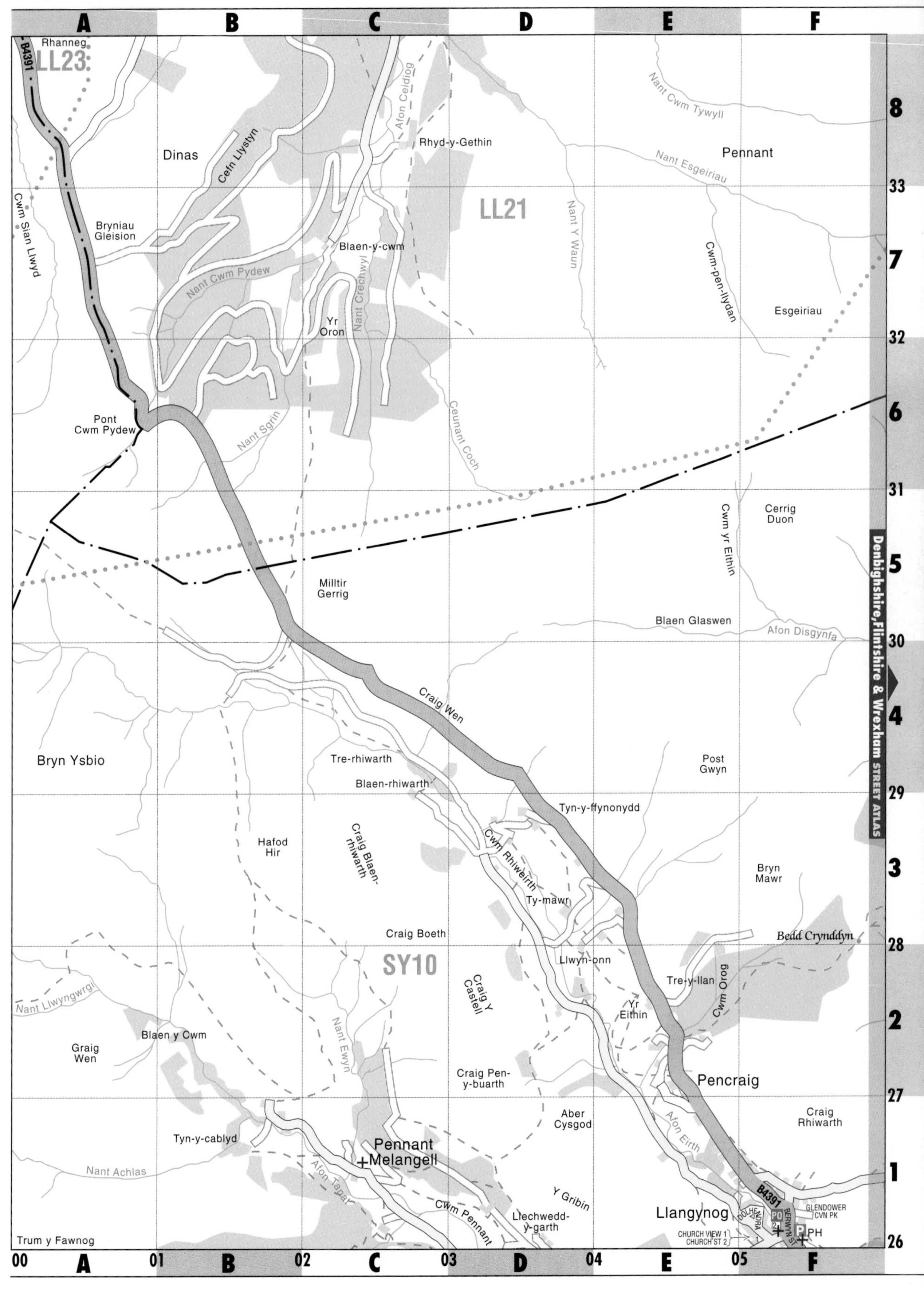

Rhanneg
LL23
B4391
Cwm Sian Llwyd
Dinas
Cefn Llystyn
Bryniau Gleision
Nant Cwm Pydew
Blaen-y-cwm
Yr Oron
Nant Crechwyl
Pont Cwm Pydew
Nant Sgrin

Afon Ceidiog
Rhyd-y-Gethin
LL21
Nant Y Waun
Ceunant Coch

Nant Cwm Tywyll
Pennant
Nant Esgeiriau
Cwm-pen-llydan
Esgeiriau

Milltir Gerrig

Cwm yr Eithin
Cerrig Duon
Blaen Glaswen
Afon Disgynfa

Craig Wen

Bryn Ysbio

Tre-rhiwarth
Blaen-rhiwarth
Hafod Hir
Craig Blaen-rhiwarth
Craig Boeth
SY10

Cwm Rhiwarth
Tyn-y-ffynonydd
Ty-mawr

Post Gwyn

Bryn Mawr
Bedd Crynddyn

Llwyn-onn
Tre-y-llan
Cwm Orog

Graig Wen
Blaen y Cwm
Nant Ewyn
Craig Y Castell
Yr Eithin

Pencraig

Nant Llwyngwrgi
Tyn-y-cablyd
Craig Pen-y-buarth
Aber Cysgod
Afon Eirth
Craig Rhiwarth

Nant Achlas
Afon Tanat
Pennant Melangell
Y Gribin
Llechwedd-y-garth
Cwm Pennant
Llangynog
GLENDOWER CVN PK
B4391
CHURCH VIEW 1
CHURCH ST 2
PH

Trum y Fawnog

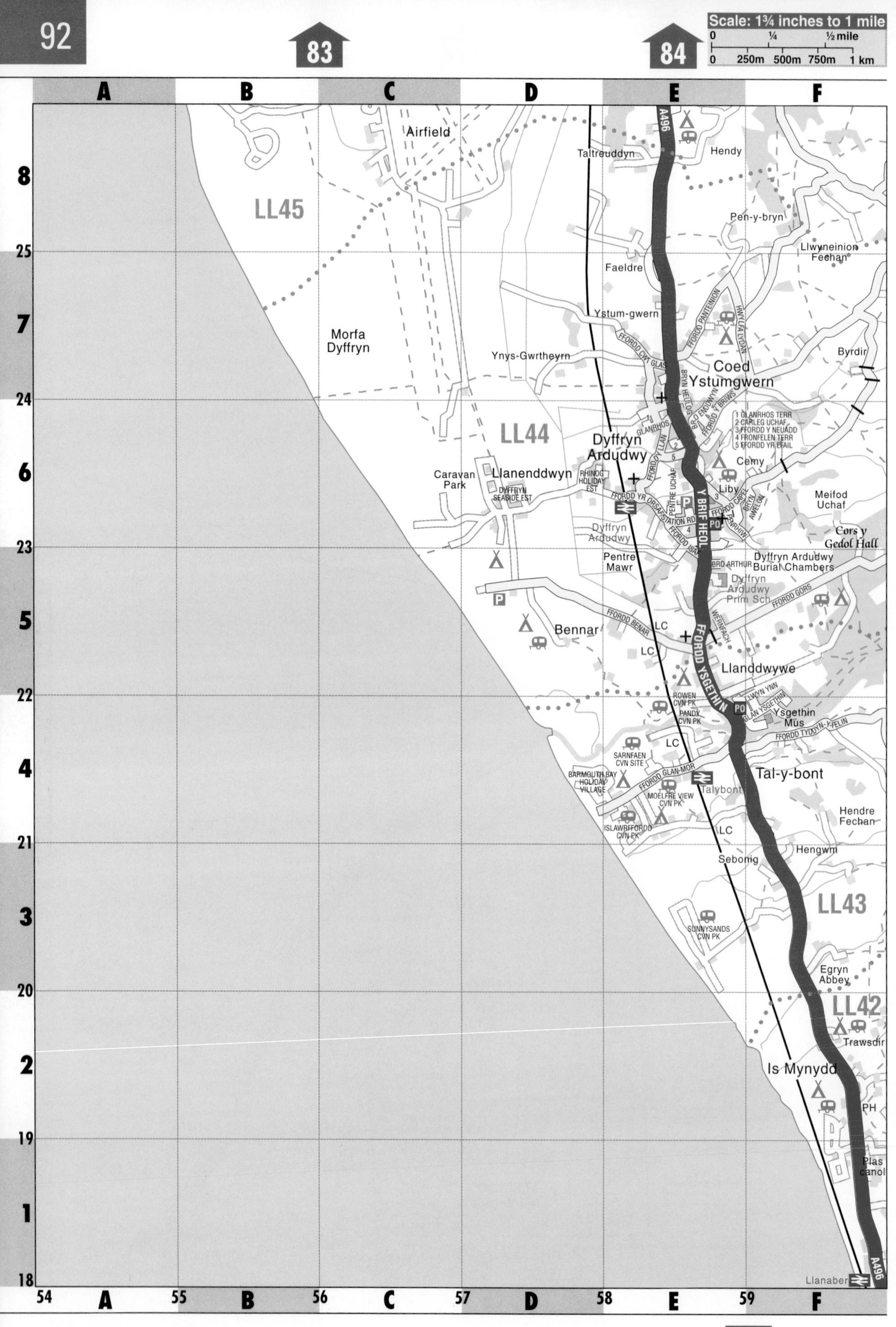

Scale: 1¾ inches to 1 mile

| 0 | ¼ | ½ mile |

| 0 | 250m | 500m | 750m | 1 km |

A   B   C   D   E   F

Airfield

Taltreuddyn

Hendy

LL45

Pen-y-bryn

Llwyneinion
Fechan

Faeldre

Ystum-gwern

Byrdir

Morfa
Dyffryn

Ynys-Gwrtheyrn

Coed
Ystumgwern

1 GLANRHOS TERR
2 CARLEG UCHAF
3 FFORDD Y NEUADD
4 FRONFELEN TERR
5 FFORDD YR EIFL

Glanrhos

Dyffryn
Ardudwy

LL44

Cemy

Caravan
Park

Llanenddwyn

Liby

Meifod
Uchaf

DYFFRYN
SEASIDE EST

Cors y
Gedol Hall

Dyffryn
Ardudwy

Dyffryn Ardudwy
Burial Chambers

Pentre
Mawr

Dyffryn
Ardudwy
Prim Sch

Bennar

Llanddwywe

ROWEN
CVN PK

Ysgethin
Mus

PANDY
CVN PK

SARNFAEN
CVN SITE

Talybont

Tal-y-bont

Hendre
Fechan

BARMOUTH BAY
HOLIDAY
VILLAGE

MOELFRE VIEW
CVN PK

Hengwm

ISLAWRFFORDD
CVN PK

Sebonig

LL43

SUNNYSANDS
CVN PK

Egryn
Abbey

LL42

Trawsdir

Is Mynydd

PH

Plas
canol

Llanaber

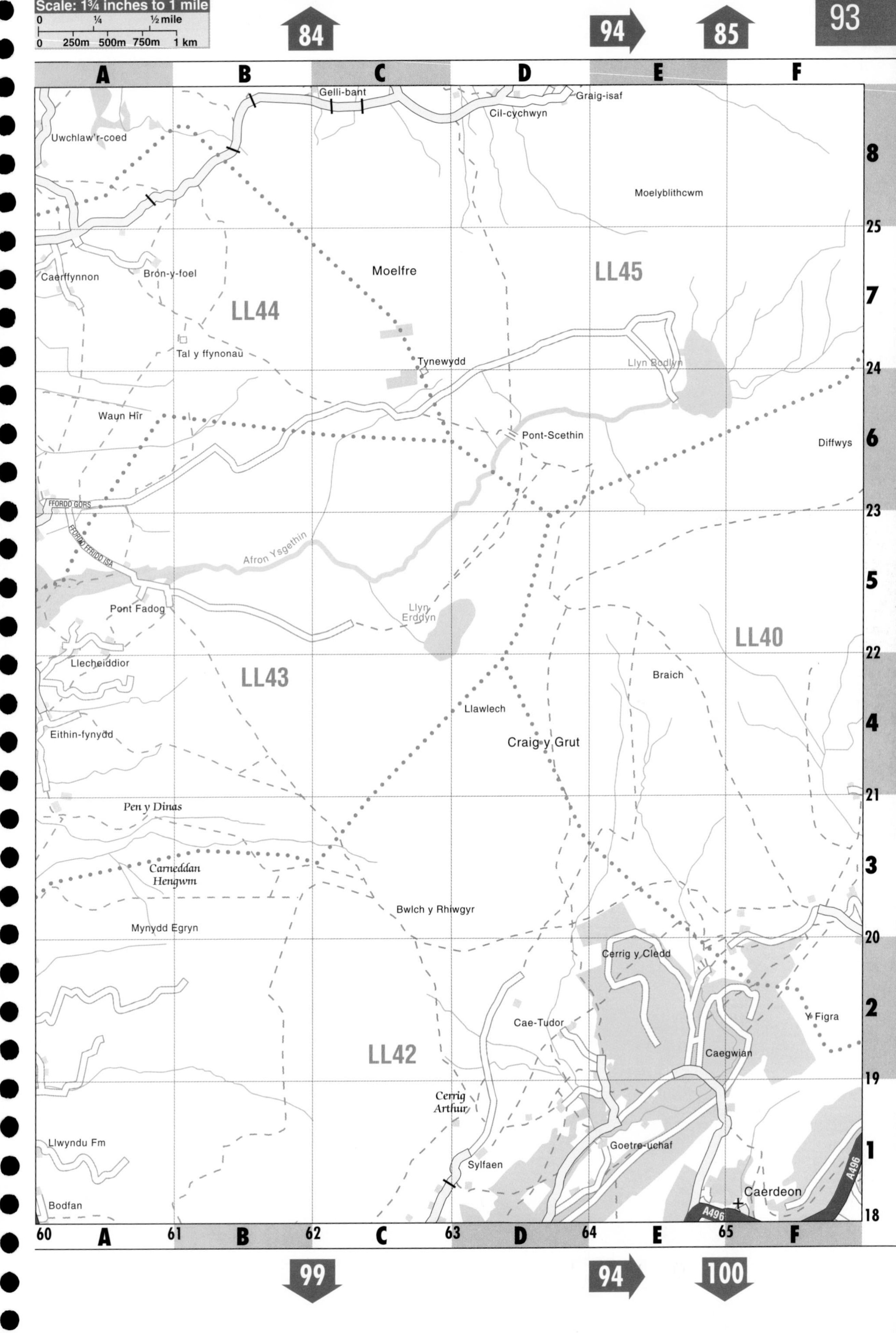

Scale: 1¾ inches to 1 mile

0   ¼   ½ mile
0   250m 500m 750m 1 km

A   B   C   D   E   F

Gelli-bant
Graig-isaf
Cil-cychwyn
Uwchlaw'r-coed
Moelyblithcwm

8

25

Caerffynnon
Brôn-y-foel
Moelfre
LL45
7

LL44

Tal y ffynonau
Tynewydd
Llyn Bodlyn
24

Waun Hîr
6

Pont-Scethin
Diffwys

FFORDD GORS
23

FFORDD FFRIDD ISA
Afron Ysgethin

Pont Fadog
5

Llyn Erddyn
LL40
22

Llecheiddior
LL43
Braich

Eithin-fynydd
Llawlech
4

Craig y Grut
21

Pen y Dinas
3

Carneddan Hengwm
20

Mynydd Egryn
Bwlch y Rhiwgyr

Cerrig y Cledd
2

Cae-Tudor
Y Figra

LL42
Caegwian
19

Cerrig Arthur
1

Llwyndu Fm
Goetre-uchaf
A496

Bodfan
Sylfaen
Caerdeon
18

A496

60   A   61   B   62   C   63   D   64   E   65   F

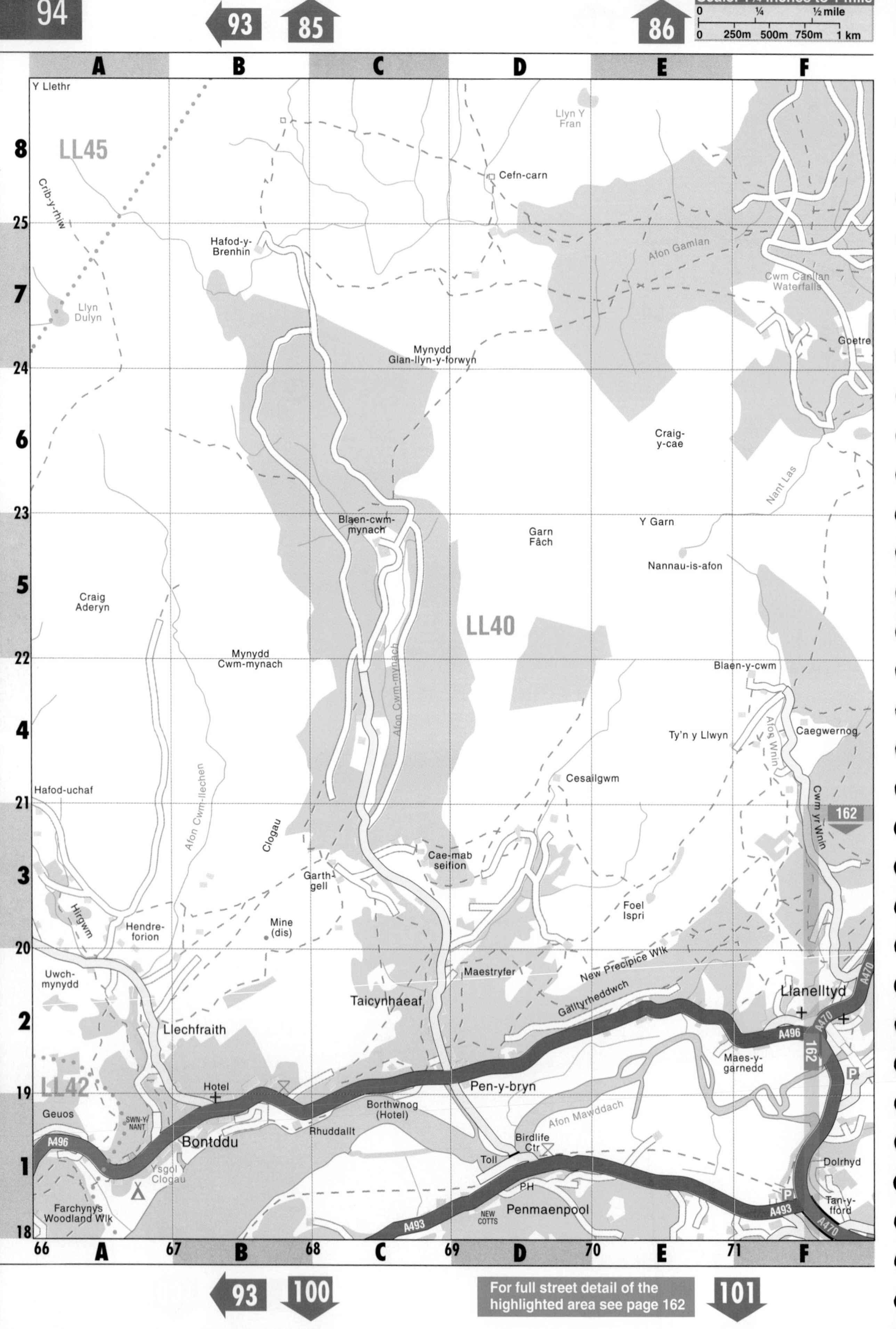

93
85
86

Scale: 1¾ inches to 1 mile
0 ¼ ½ mile
0 250m 500m 750m 1 km

A B C D E F

Y Llethr

LL45

8

Crib-y-rhiw

Llyn Y Fran

Cefn-carn

25

Hafod-y-Brenhin

7

Llyn Dulyn

Afon Gamlan

Cwm Canllan Waterfalls

Goetre

24

Mynydd Glan-llyn-y-forwyn

6

Craig-y-cae

Nant Las

23

Blaen-cwm-mynach

Garn Fâch

Y Garn

Nannau-is-afon

5

Craig Aderyn

LL40

Blaen-y-cwm

22

Mynydd Cwm-mynach

Afon Cwm-mynach

Caegwernog

Ty'n y Llwyn

162

4

Afon Wnin

Cwm yr Wnin

Hafod-uchaf

21

Afon Cwm-llechen

Cesailgwm

Clogau

3

Garth-gell

Cae-mab seifion

Foel Ispri

Hirgwm

Mine (dis)

New Precipice Wlk

20

Hendre-forion

Maestryfer

Llanelltyd

162

A470

Uwch-mynydd

Gallt yrheddwch

A496

2

Taicynhaeaf

Maes-y-garnedd

Llechfraith

162

Pen-y-bryn

LL42

19

Hotel

P

Geuos

SWN-Y-NANT

Borthwnog (Hotel)

Afon Mawddach

A496

Rhuddallt

Bontddu

Birdlife Ctr

Dolrhyd

1

Toll

Tan-y-ffordd

Ysgol Y Clogau

PH

Penmaenpool

P

A493

A470

Farchynys Woodland Wlk

NEW COTTS

A493

18

66 A 67 B 68 C 69 D 70 E 71 F

93
100
101

For full street detail of the highlighted area see page 162

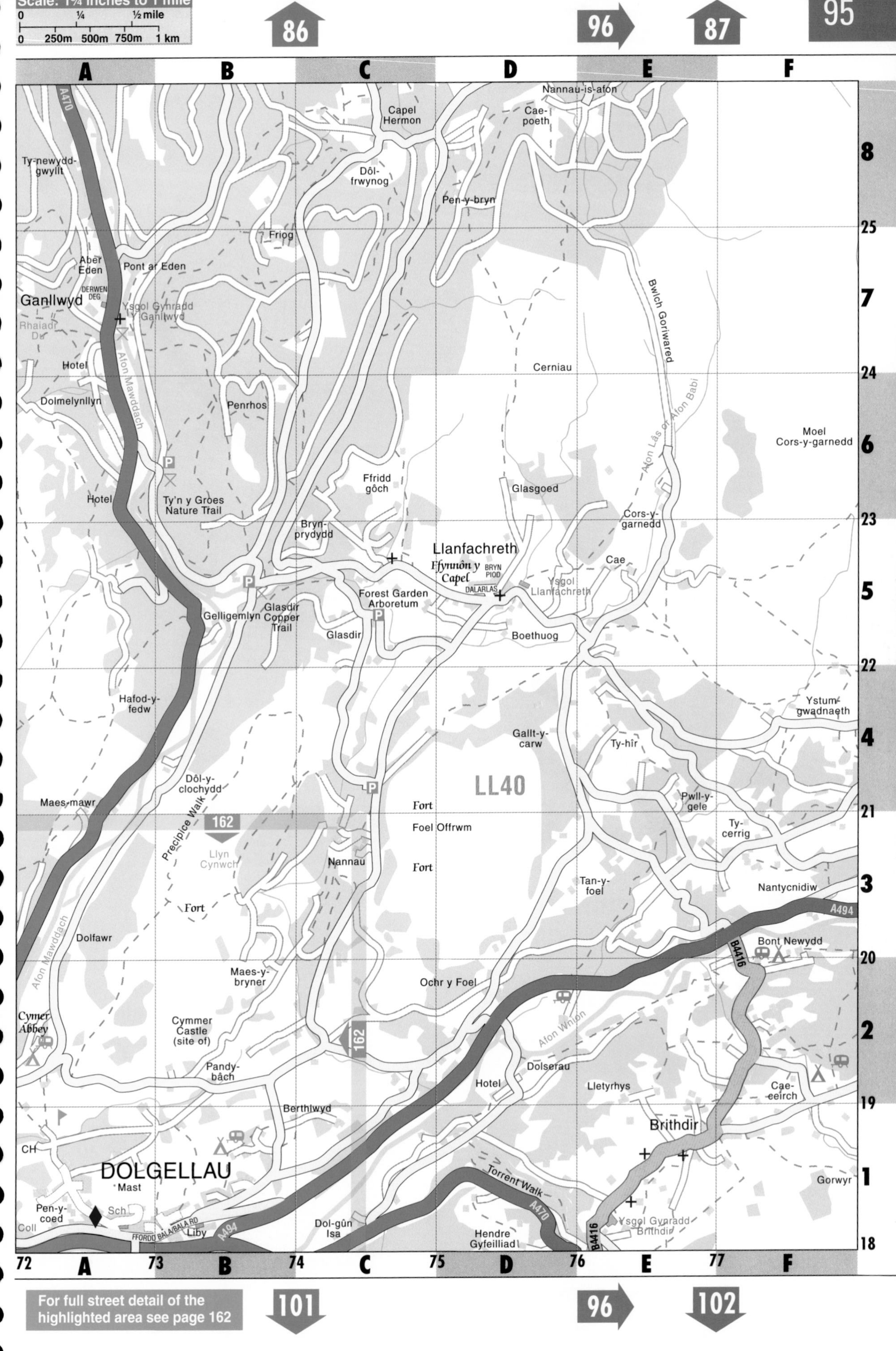

95
Scale: 1¾ inches to 1 mile
0 ¼ ½ mile
0 250m 500m 750m 1 km
86
96
87
A
B
C
D
E
F
8
25
7
24
6
23
5
22
4
21
3
20
2
19
1
18
72
73
74
75
76
77
A470
Capel Hermon
Nannau-is-afon
Cae-poeth
Ty-newydd-gwyllt
Dôl-frwynog
Pen-y-bryn
Friog
Aber Eden
Pont ar Eden
Ganllwyd
DERWEN DEG
Ysgol Gynradd Ganllwyd
Rhaiadr Du
Bwlch Goriwared
Hotel
Afon Mawddach
Cerniau
Dolmelynllyn
Penrhos
Afon Lâs or Afon Babi
Moel Cors-y-garnedd
Ffridd gôch
Glasgoed
Hotel
Ty'n y Groes Nature Trail
Cors-y-garnedd
Bryn-prydydd
Llanfachreth
Ffynnon y Capel
BRYN PIOD
DALARLAS
Cae
Ysgol Llanfachreth
Forest Garden Arboretum
Gelligemlyn
Glasdir Copper Trail
Glasdir
Boethuog
Hafod-y-fedw
Gallt-y-carw
Ty-hîr
Ystum-gwadnaeth
Dôl-y-clochydd
LL40
Pwll-y-gele
Maes-mawr
Fort
Foel Offrwm
Ty-cerrig
Precipice Walk
162
Llyn Cynwch
Nannau
Fort
Tan-y-foel
Nantycnidiw
Fort
A494
Dolfawr
Bont Newydd
B4416
Maes-y-bryner
Ochr y Foel
Cymer Abbey
Cymmer Castle (site of)
Afon Wnion
Pandy-bâch
Hotel
Dolserau
Lletyrhys
Cae-ceirch
Berthlwyd
Brithdir
CH
DOLGELLAU
Mast
Torrent Walk
Gorwyr
Pen-y-coed
Sch
A470
Coll
FFORDD BALA/BALA RD
Liby
A494
Dol-gûn Isa
Hendre Gyfeilliad
Ysgol Gynradd Brithdir
B4416
For full street detail of the highlighted area see page 162
101
96
102

Scale: 1¾ inches to 1 mile

0   ¼   ½ mile
0 250m 500m 750m 1 km

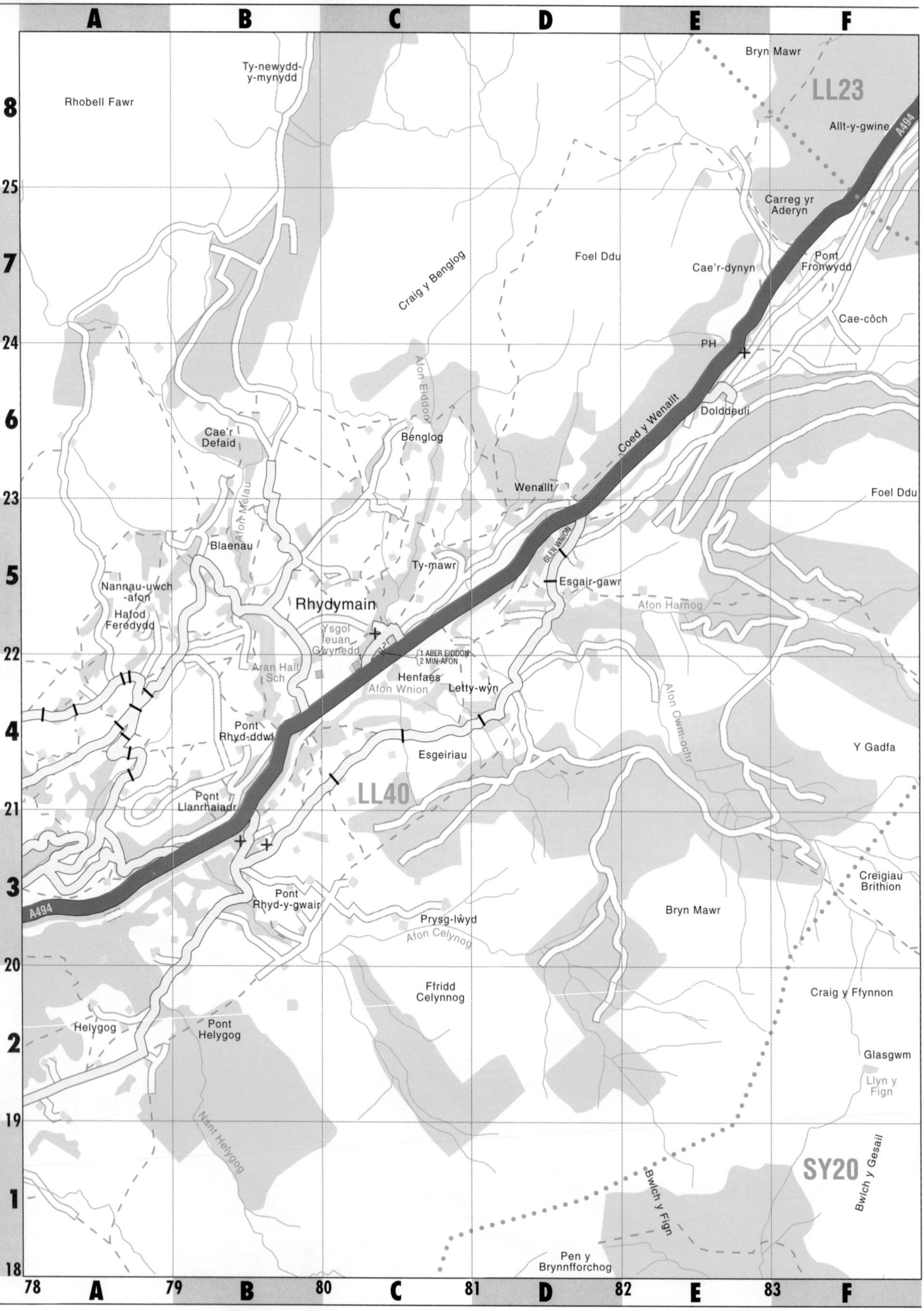

A   B   C   D   E   F

8

Rhobell Fawr

Ty-newydd-y-mynydd

Bryn Mawr

LL23

Allt-y-gwine

25

Carreg yr Aderyn

7

Craig y Benglog

Foel Ddu

Cae'r-dynyn

Pont Fronwydd

Afon Eiddon

Cae-côch

24

PH

Coed y Wenallt

Dolddeuli

6

Cae'r Defaid

Benglog

Afon Meilau

Wenallt

Foel Ddu

23

Blaenau

Ty-mawr

GLEN WNION

Esgair-gawr

Afon Harnog

5

Nannau-uwch-afon

Rhydymain

Hafod Feredydd

Ysgol Ieuan Gwynedd

1 ABER EIDDON
2 MIN-AFON

22

Aran Hall Sch

Henfaes

Afon Wnion

Letty-wŷn

Afon Cwmnochy

4

Pont Rhyd-ddw

Esgeiriau

Y Gadfa

LL40

Pont Llanrhaiadr

21

Creigiau Brithion

3

Pont Rhyd-y-gwair

Prysg-lŵyd

Bryn Mawr

A494

Afon Celynog

20

Ffridd Celynnog

Craig y Ffynnon

Helygog

Pont Helygog

Glasgwm

2

Llyn y Fign

Nant Helygog

19

SY20

Bwlch y Gesail

1

Bwlch y Fign

Pen y Brynnfforchog

18

78   A   79   B   80   C   81   D   82   E   83   F

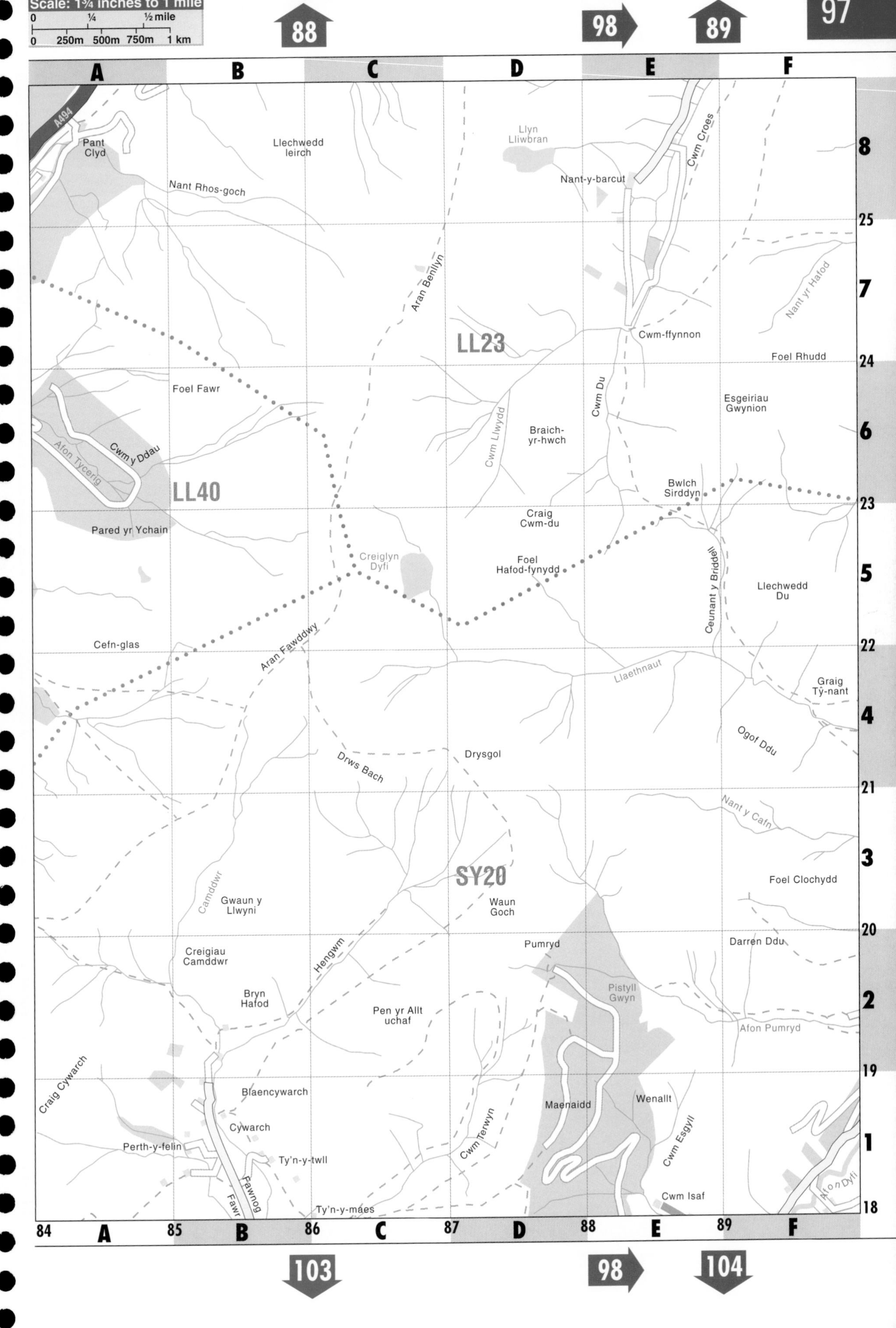

A494

Pant Clyd

Nant Rhos-goch

Llechwedd leirch

Llyn Lliwbran

Cwm Croes

Nant-y-barcut

Aran Benllyn

Cwm-ffynnon

Nant yr Hafod

LL23

Foel Rhudd

Foel Fawr

Cwm Du

Esgeiriau Gwynion

Afon Tycerig

Cwm y Ddau

Cwm Llwydd

Braich-yr-hwch

LL40

Pared yr Ychain

Bwlch Sirddyn

Craig Cwm-du

Ceunant y Briddell

Llechwedd Du

Creiglyn Dyfi

Foel Hafod-fynydd

Cefn-glas

Aran Fawddwy

Llaethnaut

Graig Tŷ-nant

Drws Bach

Drysgol

Ogof Ddu

Nant y Cafn

SY20

Foel Clochydd

Camddwr

Gwaun y Llwyni

Waun Goch

Darren Ddu

Creigiau Camddwr

Hengwm

Pumryd

Pistyll Gwyn

Bryn Hafod

Pen yr Allt uchaf

Afon Pumryd

Craig Cywarch

Blaencywarch

Maenaidd

Wenallt

Cywarch

Cwm Esgyl

Perth-y-felin

Ty'n-y-twll

Fawnog

Cwm Terwyn

Cwm Isaf

Afon Dyfi

Ty'n-y-maes

97 89

90

Scale: 1¾ inches to 1 mile

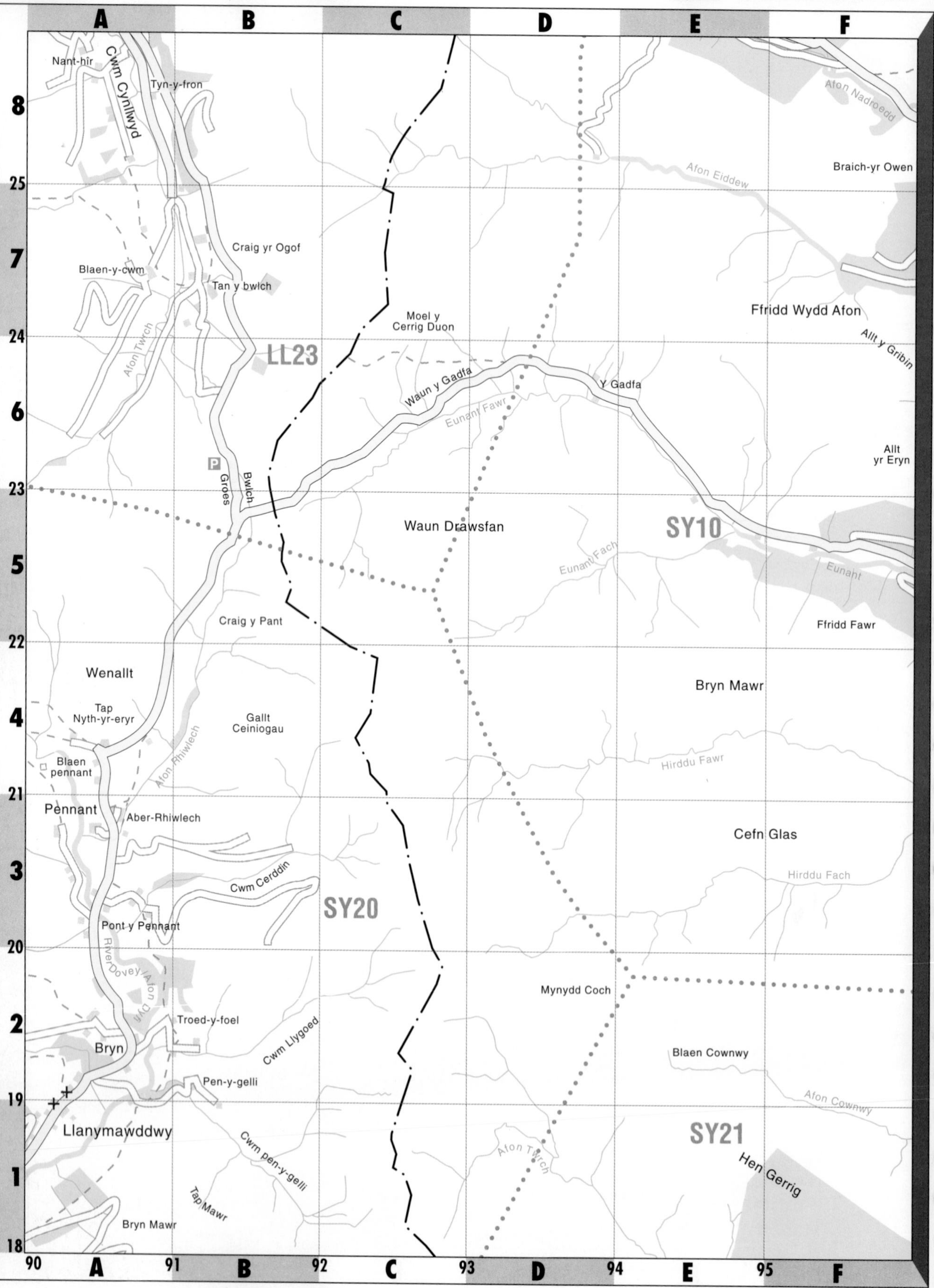

| 0 | | ¼ | | ½ mile |
| 0 | 250m | 500m | 750m | 1 km |

A   **B**   **C**   **D**   **E**   **F**

Nant-hîr
Cwm Cynllwyd
Tyn-y-fron

8

Afon Nadroedd

25

Afon Eiddew

Braich-yr Owen

Craig yr Ogof

7

Blaen-y-cwm

Tan y bwlch

Ffridd Wydd Afon

24

Moel y
Cerrig Duon

Afon Twrch

LL23

Allt y Gribin

Waun y Gadfa

Y Gadfa

6

Eunant Fawr

Allt
yr Eryn

P
Groes
Bwlch

23

Waun Drawsfan

SY10

Eunant

5

Eunant Fach

Eunant

Craig y Pant

22

Ffridd Fawr

Wenallt

Tap
Nyth-yr-eryr

Gallt
Ceiniogau

Bryn Mawr

4

Afon Rhiwlech

Hirddu Fawr

Blaen
pennant

21

Pennant

Aber-Rhiwlech

Cefn Glas

3

Cwm Cerddin

Hirddu Fach

SY20

Pont y Pennant

River Dovey Afon

20

Mynydd Coch

2

Troed-y-foel

Cwm Llygoed

Bryn

Blaen Cownwy

Pen-y-gelli

Afon Cownwy

19

Llanymawddwy

Cwm pen-y-gelli

SY21

1

Afon Twrch

Hen Gerrig

Tap Mawr

18

Bryn Mawr

| 90 | **A** | 91 | **B** | 92 | **C** | 93 | **D** | 94 | **E** | 95 | **F** |

97 104

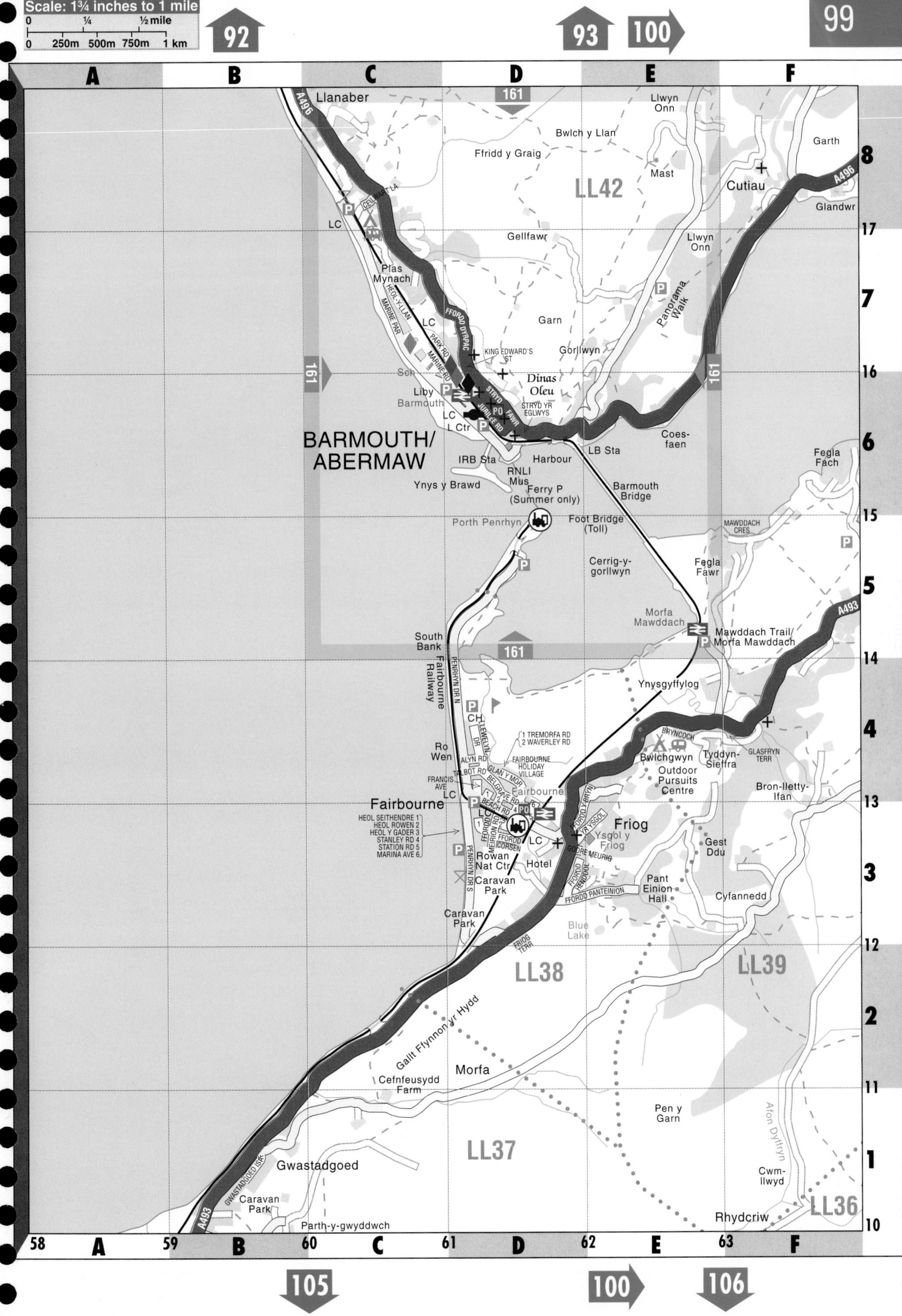
Scale: 1¾ inches to 1 mile
0 ¼ ½ mile
0 250m 500m 750m 1 km
92
93
100
161
Llanaber
Llwyn Onn
Bwlch y Llan
Ffridd y Graig
LL42
Mast
Garth
Cutiau
Glandwr
A496
LC
Gellfawr
Llwyn Onn
Plas Mynach
HEOL-Y-LLAN
MARINE PAR
FFORDD DYRPAC
PARK RD
MARINE RD
Panorama Walk
Garn
KING EDWARD'S ST
Gorllwyn
Sch
Dinas Oleu
Liby
Barmouth
STRYD FAWR
STRYD YR EGLWYS
PO
L Ctr
BARMOUTH/ ABERMAW
IRB Sta
Harbour
LB Sta
Coes-faen
Fegla Fach
RNLI Mus
Ynys y Brawd
Ferry P (Summer only)
Barmouth Bridge
Porth Penrhyn
Foot Bridge (Toll)
MAWDDACH CRES
Cerrig-y-gorllwyn
Fegla Fawr
Morfa Mawddach
Mawddach Trail/ Morfa Mawddach
A493
South Bank
Fairbourne Railway
PENRHYN DR N
Ynysgyffylog
CH
LLEWELYN DR
1 TREMORFA RD
2 WAVERLEY RD
BRYNCOCH
Bwlchgwyn
Tyddyn-Sieffra
GLASFRYN TERR
Ro Wen
ALYN RD
FAIRBOURNE HOLIDAY VILLAGE
TALBOT RD
GLAN Y MOR
BELGRAVE RD
FRANCIS AVE
Outdoor Pursuits Centre
Bron-lletty-Ifan
Fairbourne
BEACH RD
FFORDD Y BRYN
Fairbourne
HEOL SEITHENDRE 1
HEOL ROWEN 2
HEOL Y GADER 3
STANLEY RD 4
STATION RD 5
MARINA AVE 6
Friog
YR YSGOL
Ysgol y Friog
FFORDD CORSEN
FFORDD MEIRION
Gest Ddu
GODRE MEURIG
Rowan Nat Ctr
Hotel
PENRHYN DR S
Caravan Park
FFORDD PENDDOL
FFORDD PANTEINION
Pant Einion Hall
Cyfannedd
Caravan Park
Blue Lake
FRIOG TERR
LL38
LL39
Gallt Ffynnon yr Hydd
Morfa
Cefnfeusydd Farm
Pen y Garn
Afon Dyffryn
LL37
Gwastadgoed
GWASTADGOED ISR
Cwm-llwyd
Caravan Park
LL36
Rhydcriw
Parth-y-gwyddwch
A B C D E F
58 59 60 61 62 63
8 17 7 16 6 15 5 14 4 13 3 12 2 11 1 10
105
100
106

93 99 94

Scale: 1¾ inches to 1 mile

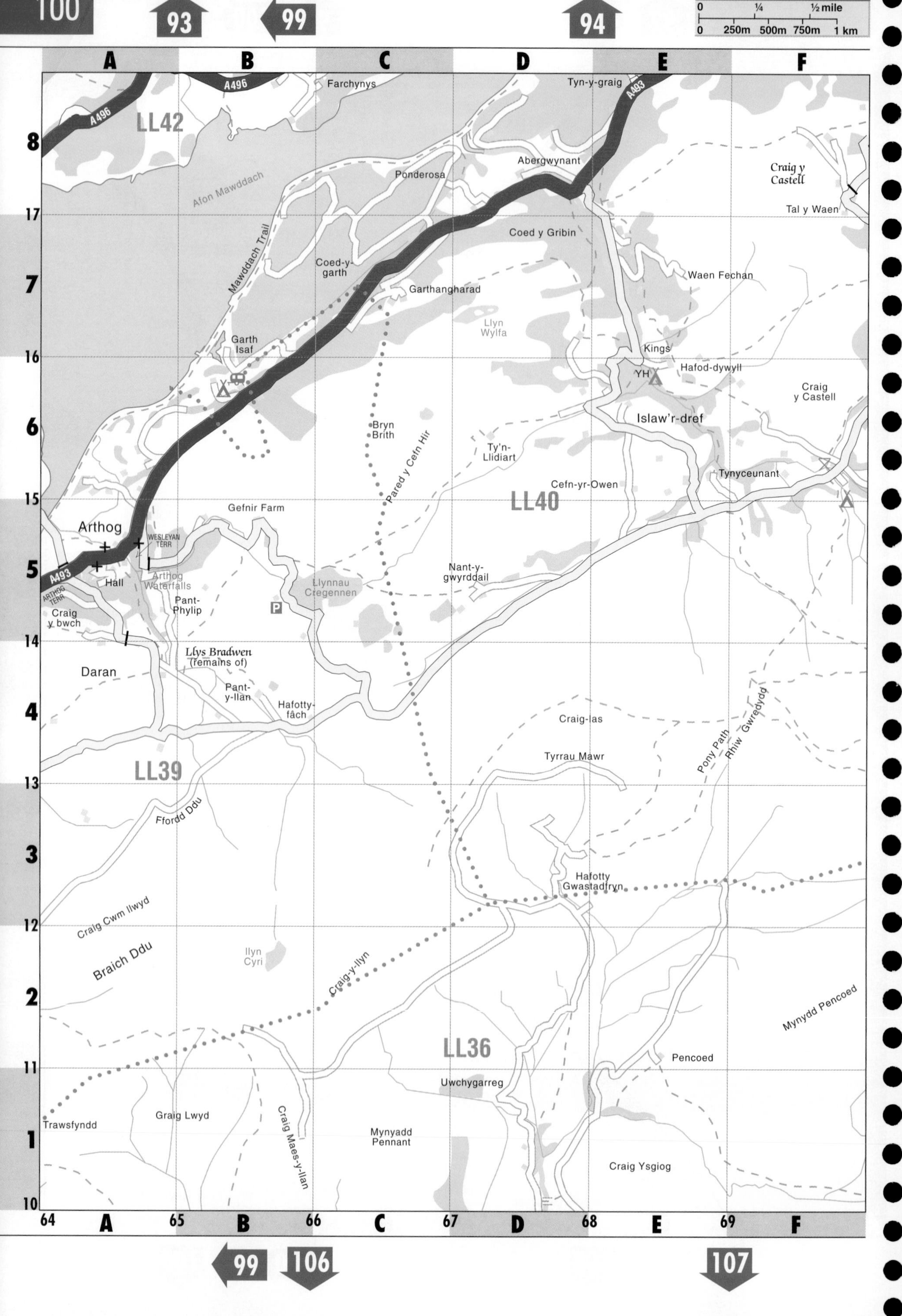

0 ¼ ½ mile
0 250m 500m 750m 1 km
A B C D E F
8 17 7 16 6 15 5 14 4 13 3 12 2 11 1 10
64 65 66 67 68 69
A496
A493
LL42
Farchynys
Tyn-y-graig
Abergwynant
Ponderosa
Afon Mawddach
Craig y Castell
Tal y Waen
Coed y Gribin
Mawddach Trail
Coed-y-garth
Garthangharad
Waen Fechan
Llyn Wylfa
Garth Isaf
Kings
YH
Hafod-dywyll
Craig y Castell
Islaw'r-dref
Bryn Brith
Pared y Cefn Hir
Ty'n-Llidiart
Cefn-yr-Owen
Tynyceunant
LL40
Gefnir Farm
Arthog
WESLEYAN TERR
Nant-y-gwyrddail
Llynnau Cregennen
Hall
Arthog Waterfalls
ARTHOG TERR
Pant-Phylip
Craig y bwch
Llys Bradwen (remains of)
Daran
Pant-y-llan
Hafotty-fâch
Craig-las
Rhiw Gwredydd
Pony Path
Tyrrau Mawr
LL39
Ffordd Ddu
Hafotty Gwastadfryn
Craig Cwm llwyd
Braich Ddu
llyn Cyri
Craig-y-llyn
Mynydd Pencoed
LL36
Pencoed
Uwchygarreg
Trawsfyndd
Graig Lwyd
Craig Maes-y-llan
Mynyadd Pennant
Craig Ysgiog

99 106 107

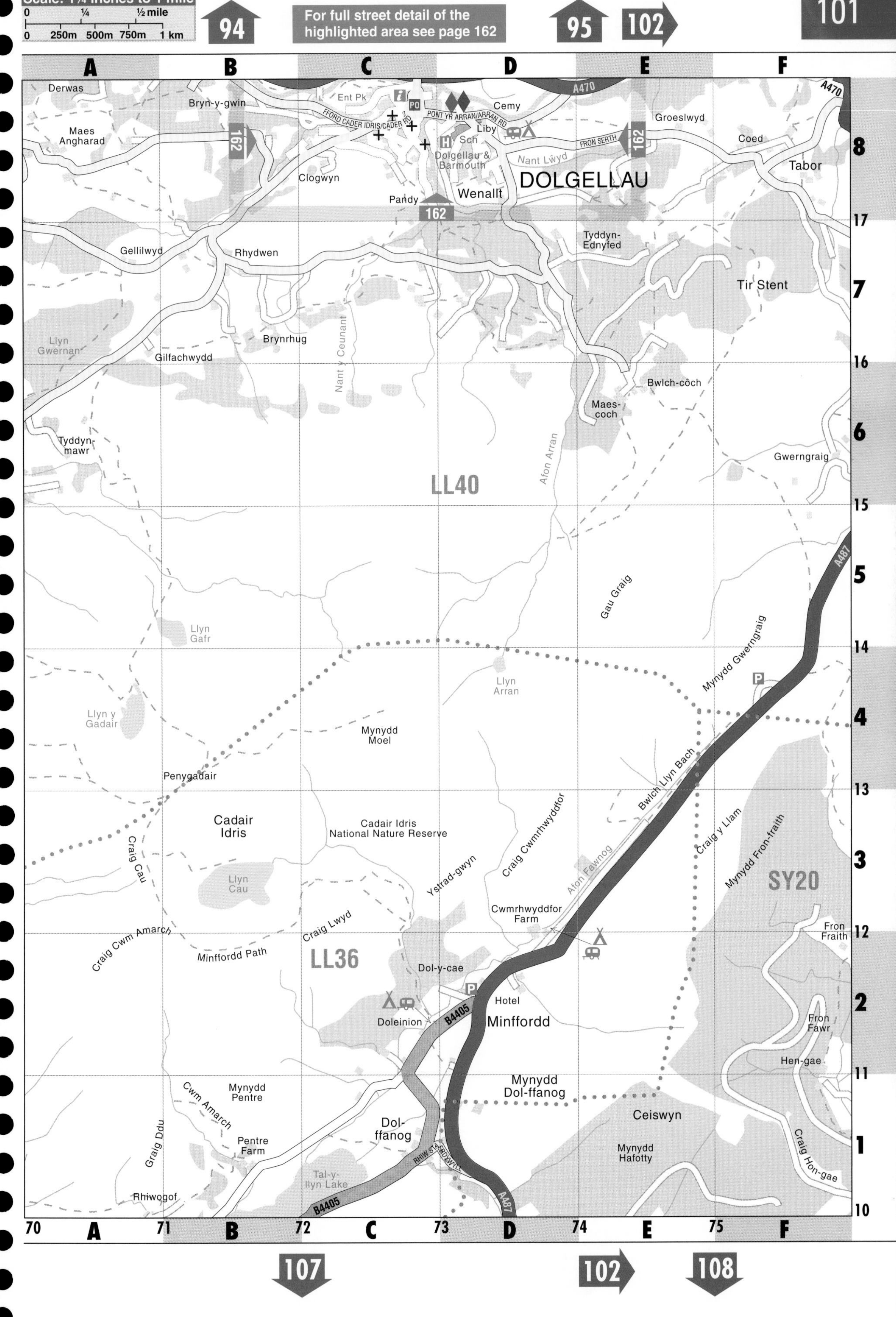

95 101 96

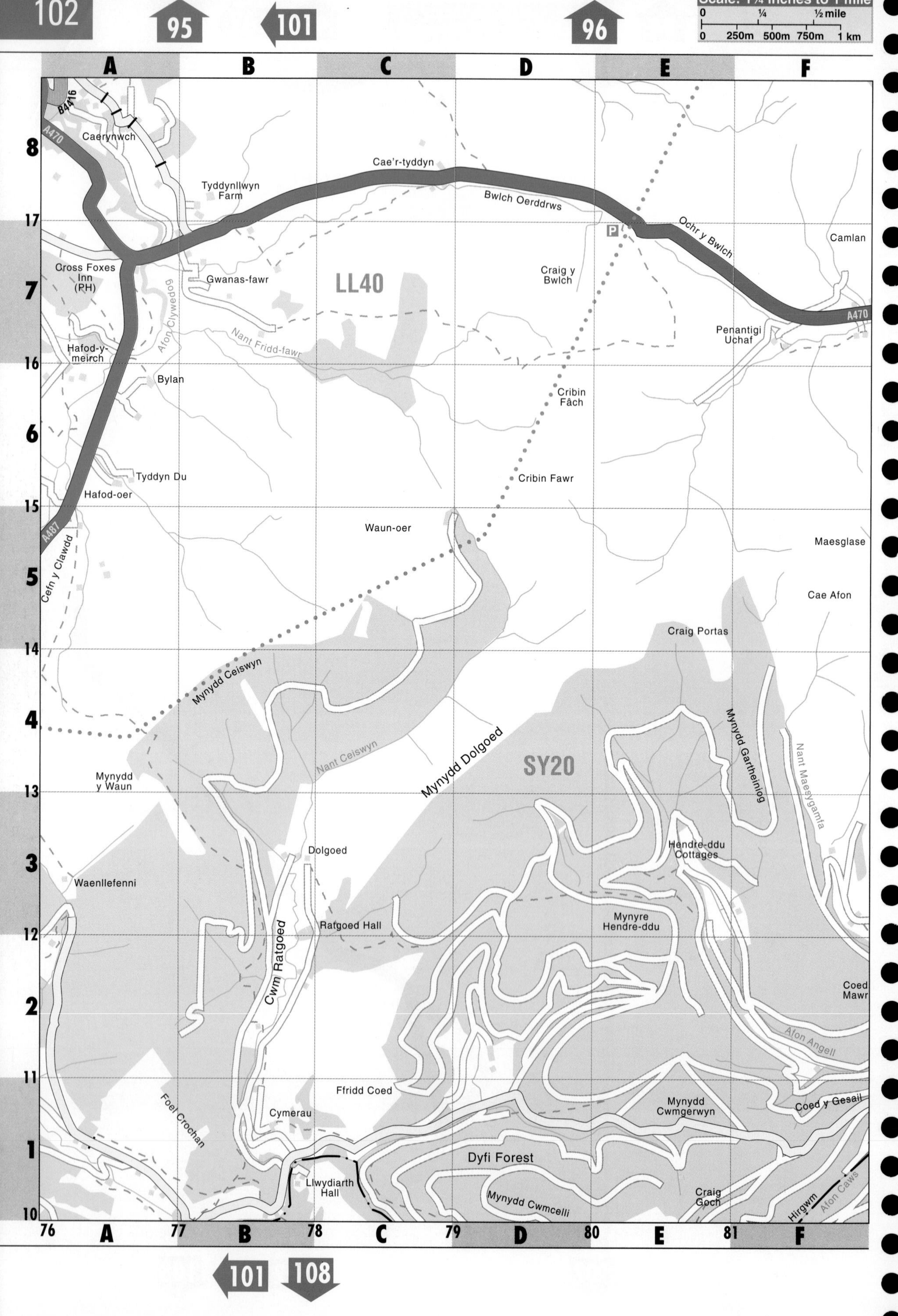

Scale: 1¾ inches to 1 mile
0 ¼ ½ mile
0 250m 500m 750m 1 km
A B C D E F
B4416
A470
Caerynwch
Cae'r-tyddyn
Tyddynllwyn Farm
Bwlch Oerddrws
Ochr y Bwlch
Camlan
Cross Foxes Inn (PH)
Gwanas-fawr
LL40
Craig y Bwlch
Afon Clywedog
Nant Fridd-fawr
Penantigi Uchaf
Hafod-y-meirch
Bylan
Cribin Fâch
Tyddyn Du
Hafod-oer
Cribin Fawr
A487
Waun-oer
Maesglase
Cefn y Clawdd
Cae Afon
Craig Portas
Mynydd Ceiswyn
Mynydd Dolgoed
Nant Ceiswyn
SY20
Mynydd Gartheiniog
Nant Maesygamfa
Mynydd y Waun
Dolgoed
Hendre-ddu Cottages
Waenllefenni
Ratgoed Hall
Mynyre Hendre-ddu
Cwm Ratgoed
Coed Mawr
Afon Angell
Ffridd Coed
Foel Crochan
Cymerau
Mynydd Cwmgerwyn
Coed y Gesail
Dyfi Forest
Llwydiarth Hall
Mynydd Cwmcelli
Craig Goch
Hirgwm
Afon Caws
8 17 7 16 6 15 5 14 4 13 3 12 2 11 1 10
76 77 78 79 80 81

101 108

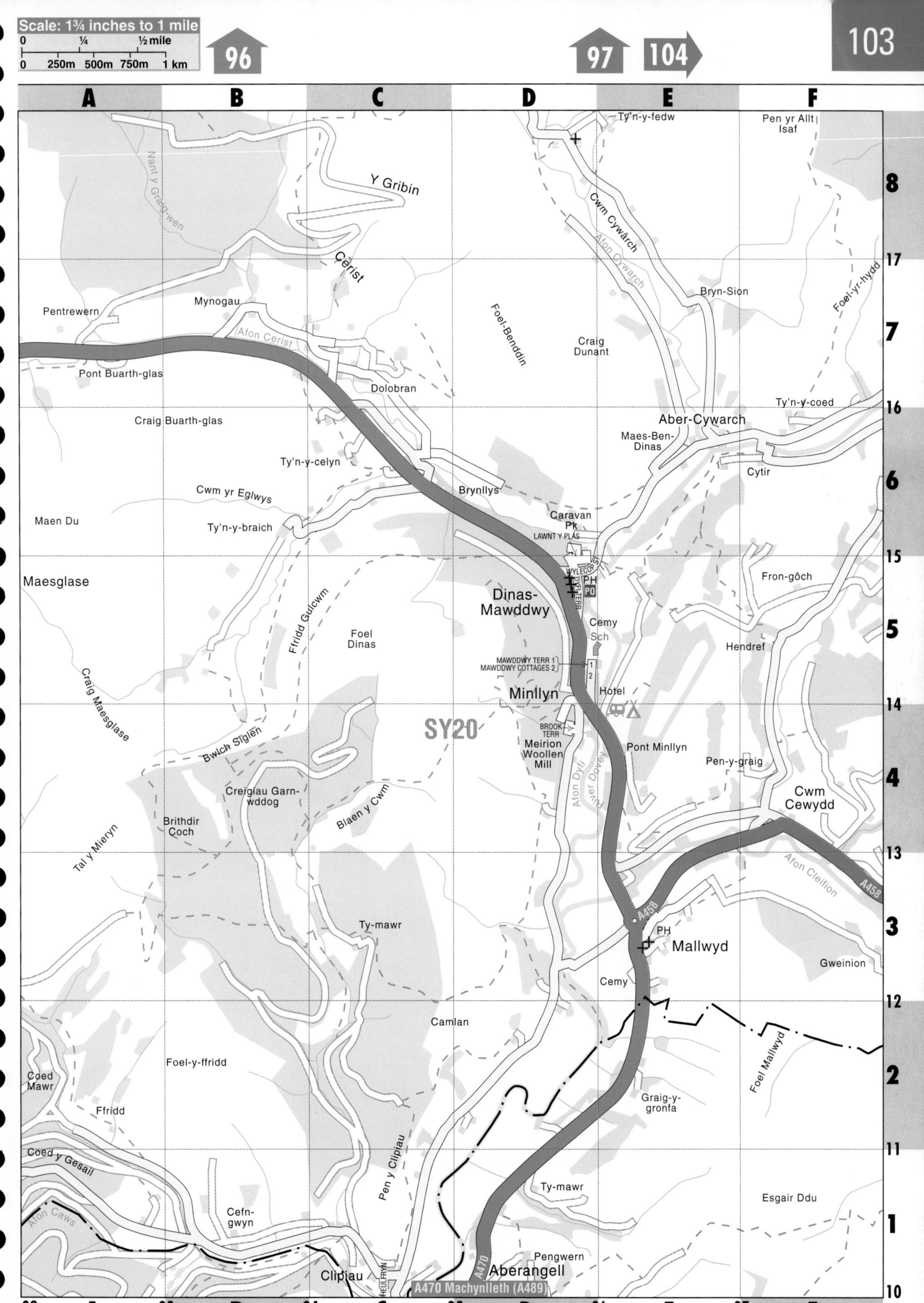

A B C D E F

Ty'n-y-fedw

Pen yr Allt Isaf

Y Gribin

Cwm Cywarch

Afon Cywarch

8

Cerist

17

Foel-Benddin

Bryn-Sion

Foel-yr-hydd

7

Pentrewern

Mynogau

Craig Dunant

Afon Cerist

Ty'n-y-coed

16

Pont Buarth-glas

Dolobran

Aber-Cywarch

Craig Buarth-glas

Maes-Ben-Dinas

Cytir

6

Ty'n-y-celyn

Brynllys

Cwm yr Eglwys

Caravan Pk

Maen Du

Ty'n-y-braich

LAWNT Y PLAS

Fron-gôch

15

WYLFA

PH
PO

Ffridd Gulcwm

Dinas-Mawddwy

Maesglase

Foel Dinas

Cemy Sch

Hendref

5

Craig Maesglase

MAWDDWY TERR 1
MAWDDWY COTTAGES 2

Hotel

14

Minllyn

BROOK TERR

SY20

Meirion Woollen Mill

Pont Minllyn

Pen-y-graig

Bwlch Sigien

Cwm Cewydd

4

Creigiau Garn-wddog

Tal y Mieryn

Brithdir Coch

Blaen y Cwm

Afon Cleifion

A458

13

Ty-mawr

A458

PH

Mallwyd

Gweinion

3

Foel-y-ffridd

Cemy

12

Coed Mawr

Camlan

Foel Mallwyd

2

Ffridd

Graig-y-gronfa

Coed y Gesail

Pen y Clipiau

Ty-mawr

Esgair Ddu

11

Afon Caws

Cefn-gwyn

1

Clipiau

Pengwern

Aberangell

A470

A470 Machynlleth (A489)

10

82 A 83 B 84 C 85 D 86 E 87 F

97
103
98

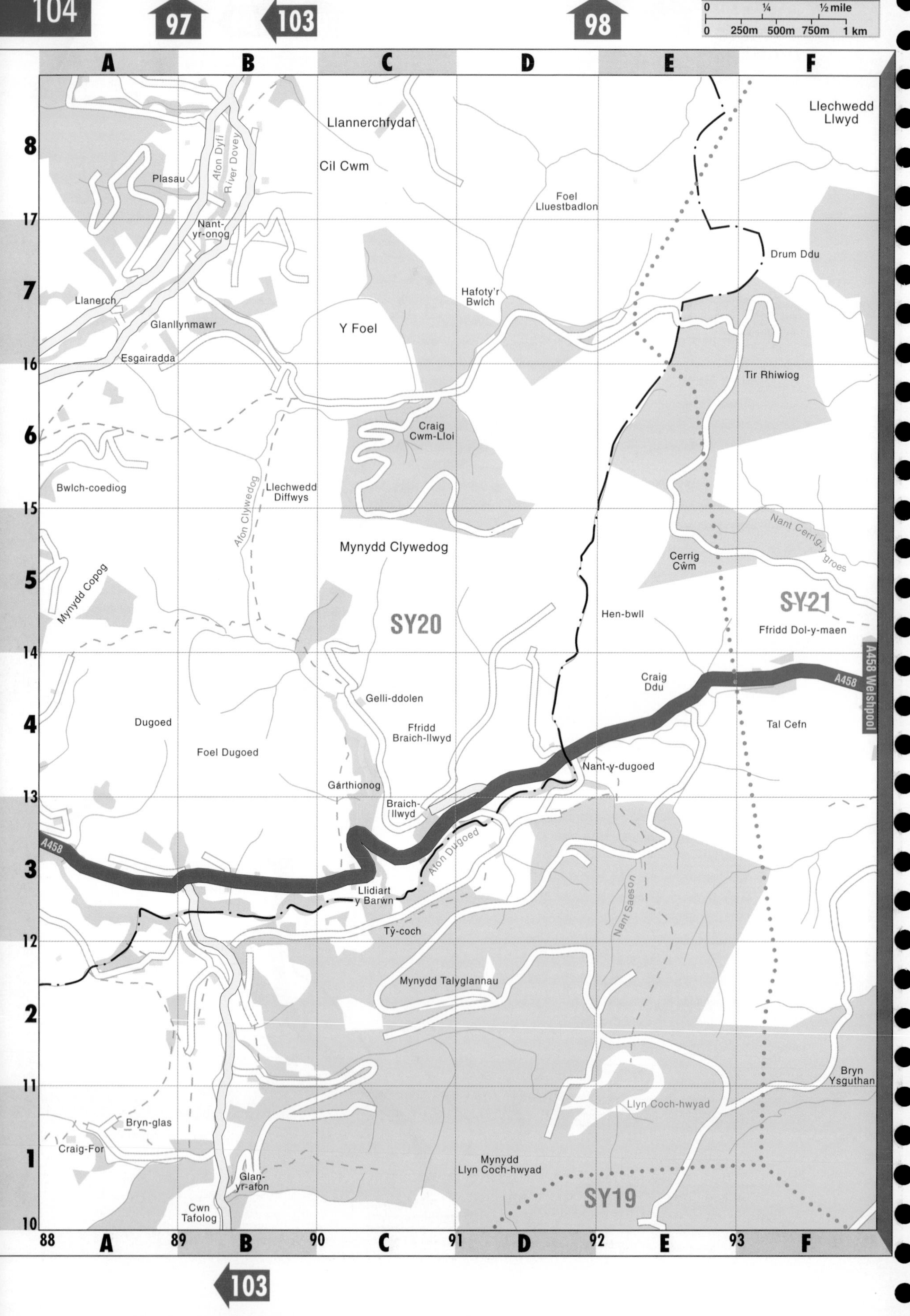
Scale: 1¾ inches to 1 mile
0 ¼ ½ mile
0 250m 500m 750m 1 km
A B C D E F
8 17 7 16 6 15 5 14 4 13 3 12 2 11 1 10
88 89 90 91 92 93
Llannerchfydaf
Cil Cwm
Llechwedd Llwyd
Plasau
Afon Dyfi
River Dovey
Foel Lluestbadlon
Nant-yr-onog
Drum Ddu
Llanerch
Hafoty'r Bwlch
Glanllynmawr
Y Foel
Esgairadda
Tir Rhiwiog
Craig Cwm-Lloi
Bwlch-coediog
Llechwedd Diffwys
Afon Clywedog
Nant Cerrig-y-groes
Mynydd Clywedog
Cerrig Cŵm
Mynydd Copog
SY21
Hen-bwll
SY20
Ffridd Dol-y-maen
A458 Welshpool
Craig Ddu
A458
Gelli-ddolen
Dugoed
Ffridd Braich-llwyd
Tal Cefn
Foel Dugoed
Nant-y-dugoed
Garthiongog
Braich-llwyd
Afon Dugoed
Llidiart y Barwn
Nant Saeson
Tŷ-coch
Mynydd Talyglannau
Bryn Ysguthan
Llyn Coch-hwyad
Bryn-glas
Craig-For
Mynydd Llyn Coch-hwyad
Glan-yr-afon
SY19
Cwn Tafolog

103

99 106

A B C D E F

Pen-y-crug
Hendre Hall
Borthwen Farm
Llwyngwril
LC
PH
PO
FFORDD Y COLEG
TY GOLAU
Mynydd Bach
Ysgol Gynradd Llwyngwril
1 FFORDD CELYNIN/CELYNIN RD
2 FFORDD Y FELIN
3 MEIRION TERR
4 GODRE'R GAER
Cemy
Cvn Pk
Castell y Gaer
Afon Gwril
Bodwylan
LL37
LC
Rhiwgaeron
Coed-mawr
Nant-geseiliog
Y Rhos
Fign Oer
Prysgau
Cae'rmynach
Allt-lwyd
Llangelynnin
Pant-gwyn
Byrhedyn-fawr
Rhiw-felen
Perllan
Cefn Bod-Gadfan
Craig-faden
Waun
Fron
Ffridd Bryn-coch
Bryn-y-mor
Llabwst Farm
Bryn-gwyn
Cemmaes
Cae-du
Rhyd-y-rhiw
Ty-Mawr
Ysgol Gynradd Llanegryn
Rhoslefain
LL36
Cvn Pk
Bwlch
Bod-Owen
MAESEGRYN
Trychiad
Peniarth
Llanegryn
Llanfendigaid
Waenfach
Glanymorfa -mawr
Castell -mawr
Celmi
Dyffryn Dysynni
Bron-clydwr
Clos-bach
Nantycynog
Gwydd-fryniau
Tonfanau
Talybont
Gwyddelfynydd
Cefncamberth
Domen Ddreiniog
WOODLANDS HOLIDAY PK
Ysgol Gynradd Bryncrug
PH
Quarry
Tal y gareg
Pen-y-wern
Y Pant
Afon Dysynni
FFORDD-Y-FELIN 1
TREMFATHEW 2
Cvn & Camp Site
LLWYN-TEG CVN PK
MAES-Y-GRUG
B4405
Bryn Farm
PARC GWYRDD
Penowern
Bryncrug
Crynllwyn
Broad Water
YSGUBORIAU CVN PK
YNYSMAENGWYN CVN PK
Talyllyn Rlwy
Morfa Gwyllt
A493
Ysguboriau
Rhydyronen

8 09 7 08 6 07 5 06 4 05 3 04 2 03 1 02

56 A 57 B 58 C 59 D 60 E 61 F

109 106

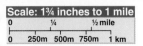

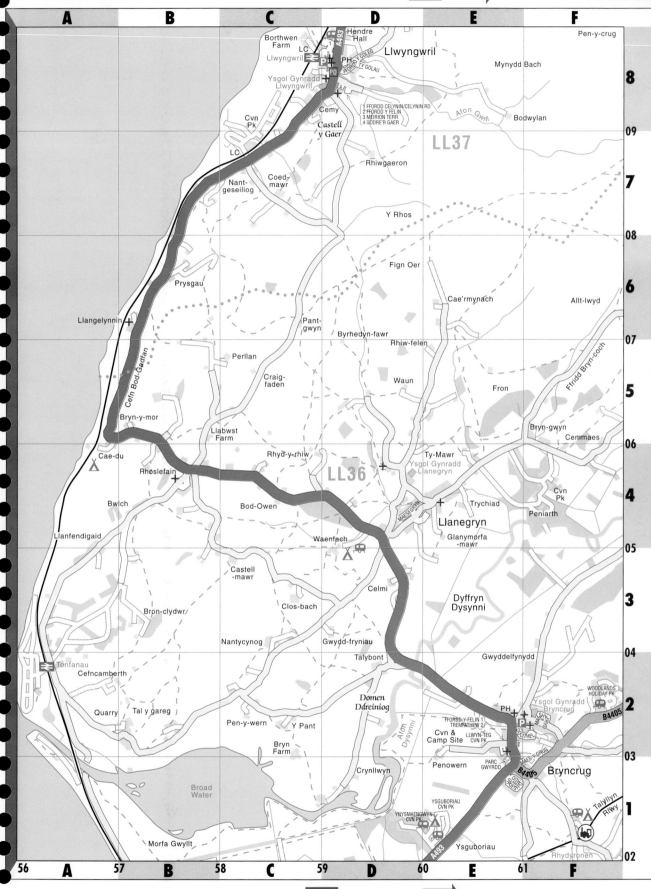

99 105 100

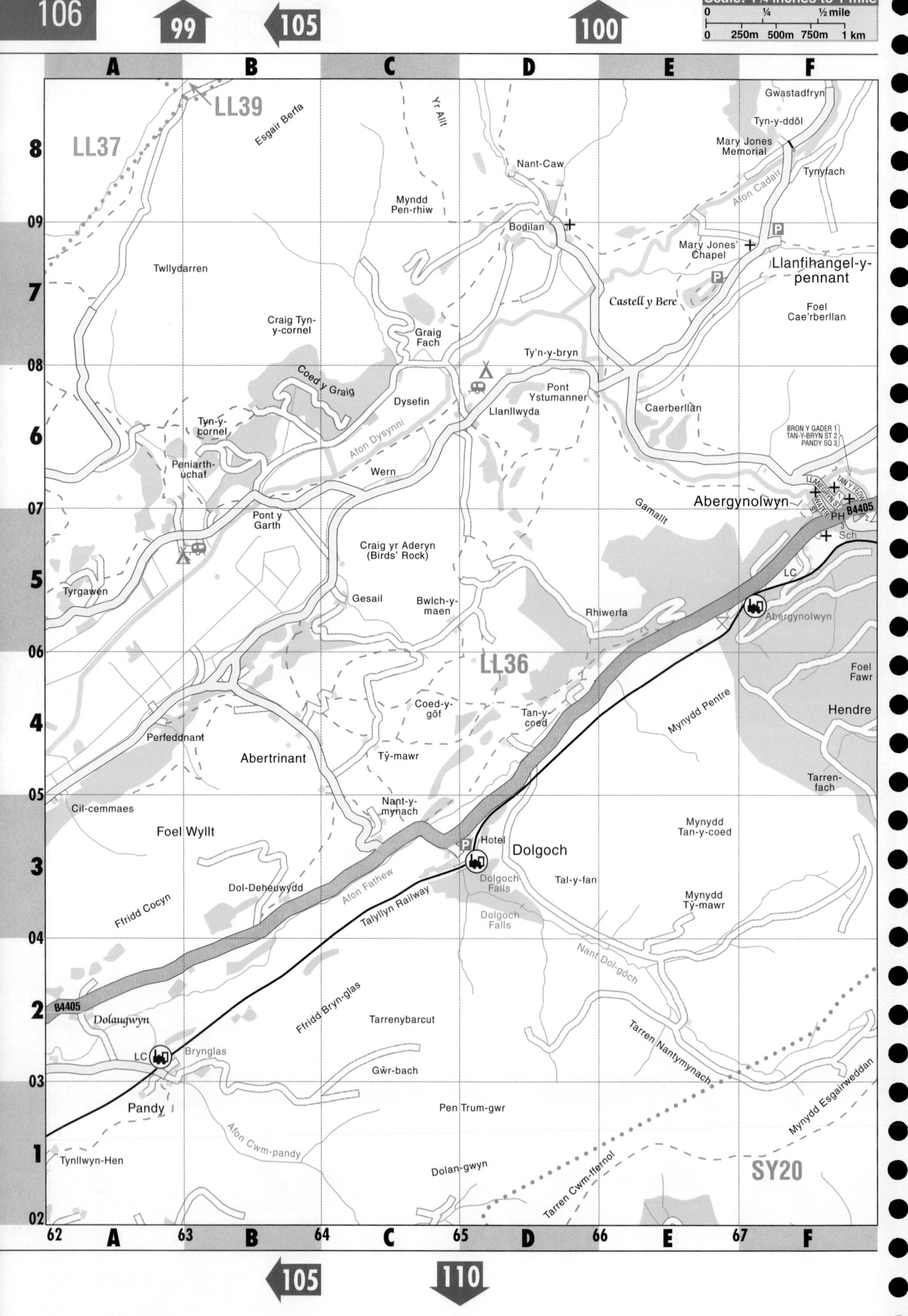
Scale: 1¾ inches to 1 mile
LL39
LL37
Esgair Berfa
Yr Allt
Gwastadfryn
Tyn-y-ddôl
Mary Jones Memorial
Tynyfach
Afon Cadair
Nant-Caw
Myndd Pen-rhiw
Bodilan
Mary Jones' Chapel
Llanfihangel-y-pennant
Twllydarren
Castell y Bere
Foel Cae'rberllan
Craig Tyn-y-cornel
Graig Fach
Ty'n-y-bryn
Coed y Graig
Pont Ystumanner
Dysefin
Llanllwyda
Caerberllan
Tyn-y-cornel
Afon Dysynni
Peniarth-uchaf
Wern
Abergynolwyn
Gamallt
Pont y Garth
Craig yr Aderyn (Birds' Rock)
B4405
Tyrgawen
Gesail
Bwlch-y-maen
Rhiwerfa
LL36
Foel Fawr
Coed-y-gôf
Tan-y-coed
Mynydd Pentre
Hendre
Perfeddnant
Abertrinant
Tŷ-mawr
Tarren-fach
Cil-cemmaes
Nant-y-mynach
Foel Wyllt
Mynydd Tan-y-coed
Hotel
Dolgoch
Dol-Deheuwydd
Afon Fathew
Talyllyn Railway
Dolgoch Falls
Tal-y-fan
Mynydd Tŷ-mawr
Ffridd Cocyn
Nant Dol-gôch
Dolaugwyn
Ffridd Bryn-glas
Tarrenybarcut
Tarren Nantymynach
LC
Bryngias
Gŵr-bach
Pandy
Pen Trum-gwr
Mynydd Esgairweddan
Afon Cwm-pandy
Tynllwyn-Hen
Dolan-gwyn
Tarren Cwm-ffernol
SY20
62 63 64 65 66 67
A B C D E F
8 09 7 08 6 07 5 06 4 05 3 04 2 03 1 02

105 110

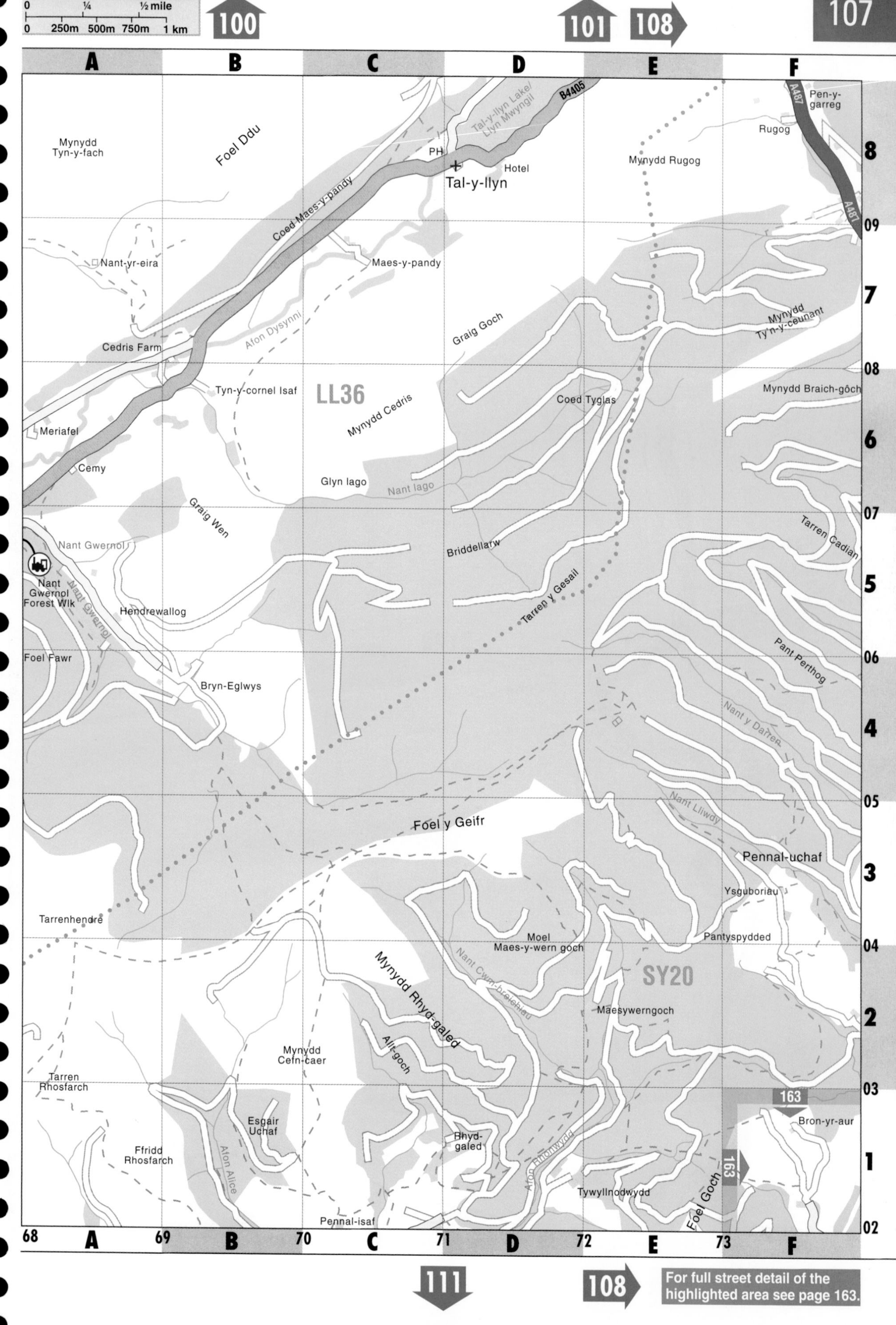

Scale: 1¾ inches to 1 mile
0   ¼   ½ mile
0 250m 500m 750m 1 km
100
101 **108**
107

8
09
7
08
6
07
5
06
4
05
3
04
2
03
1
02

A   B   C   D   E   F

Mynydd
Tyn-y-fach

Foel Ddu

Tal-y-llyn Lake/
Llyn Mwyngil

B4405

A487

Pen-y-
garreg

Rugog

PH
Tal-y-llyn

Hotel

Mynydd Rugog

Coed Maes-y-pandy

Nant-yr-eira

Maes-y-pandy

Graig Goch

Mynydd
Tyn-y-ceunant

Afon Dysynni

Cedris Farm

Tyn-y-cornel Isaf

LL36

Mynydd Cedris

Coed Tyglas

Mynydd Braich-gôch

Meriafel

Glyn Iago

Nant Iago

Cemy

Graig Wen

Briddellarw

Tarren Cadian

Nant Gwernol

Tarren y Gesail

Pant Perthog

Nant
Gwernol
Forest Wlk

Hendrewallog

Nant y Darren

Foel Fawr

Bryn-Eglwys

Nant Lliwdy

Foel y Geifr

Pennal-uchaf

Ysguboriau

SY20

Pantyspydded

Tarrenhendre

Moel
Maes-y-wern goch

Mynydd Rhyd-galed

Maesywerngoch

Mynydd
Cefn-caer

Allt-goch

Nant Cwm-braichau

163

Bron-yr-aur

Tarren
Rhosfarch

Esgair
Uchaf

Rhyd-
galed

Afon Rhonwydd

163

Ffridd
Rhosfarch

Afon Alice

Foel Goch

Tywyllnodwydd

Pennal-isaf

68   A   69   B   70   C   71   D   72   E   73   F

For full street detail of the
highlighted area see page 163.

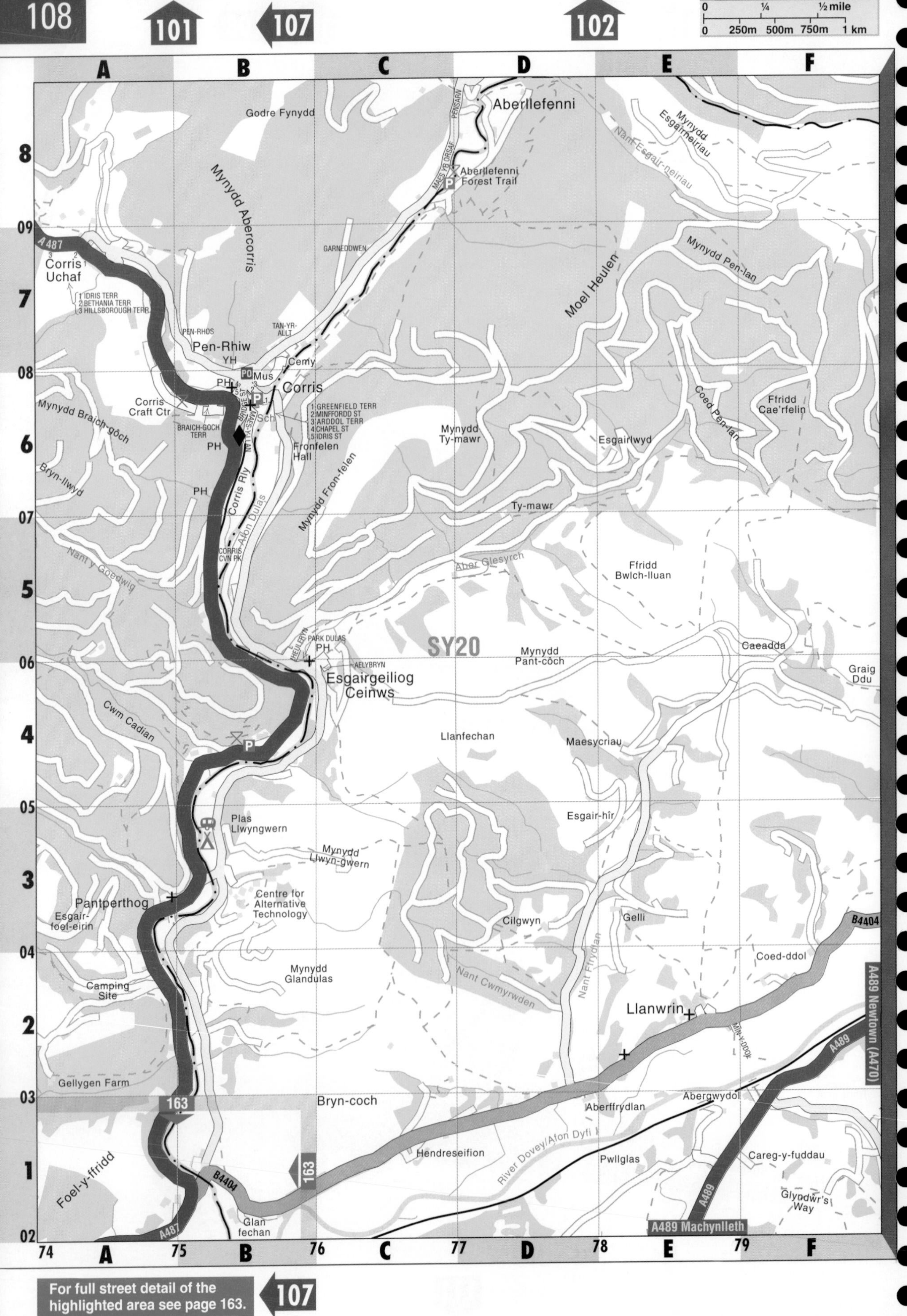

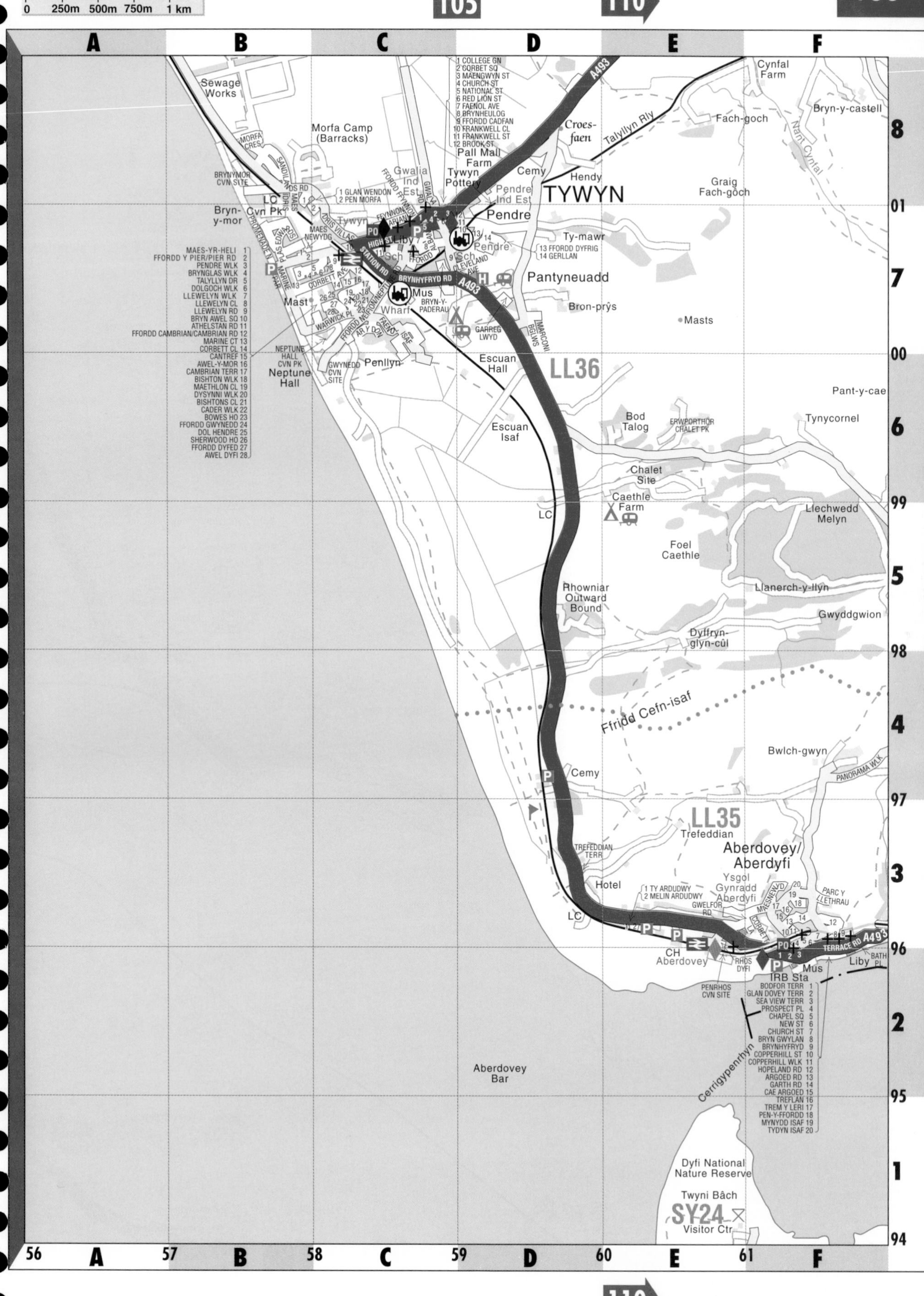

Scale: 1¾ inches to 1 mile
0   ¼   ½ mile
0 250m 500m 750m 1 km

105
110

A B C D E F

Sewage
Works

MORFA
CRES

Morfa Camp
(Barracks)

BRYNYMOR
CVN SITE

Bryn-
y-mor

Cvn Pk

LC

1 COLLEGE GN
2 CORBET SQ
3 MAENGWYN ST
4 CHURCH ST
5 NATIONAL ST
6 RED LION ST
7 FAENOL AVE
8 BRYNHEULOG
9 FFORDD CADFAN
10 FRANKWELL CL
11 FRANKWELL ST
12 BROOK ST

Pall Mall
Farm

Gwalia
Ind Est

Tywyn
Pottery

Cefn

Croes-
faen

Cynfal
Farm

Fach-goch

Bryn-y-castell

Nant Cynfal

1 GLAN WENDON
2 PEN MORFA

Hendy

TYWYN

Graig
Fach-goch

Pendre
Ind Est

Pendre

Ty-mawr

13 FFORDD DYFRIG
14 GERLLAN

MAES-YR-HELI 1
FFORDD Y PIER/PIER RD 2
PENDRE WLK 3
BRYNGLAS WLK 4
TALYLLYN DR 5
DOLGOCH WLK 6
LLEWELYN WLK 7
LLEWELYN CL 8
LLEWELYN RD 9
BRYN AWEL SQ 10
ATHELSTAN RD 11
FFORDD CAMBRIAN/CAMBRIAN RD 12
MARINE CT 13
CORBETT CL 14
CANTREF 15
AWEL-Y-MOR 16
CAMBRIAN TERR 17
BISHTON WLK 18
MAETHLON CL 19
DYSYNNI WLK 20
BISHTONS CL 21
CADER WLK 22
BOWES HO 23
FFORDD GWYNEDD 24
DOL HENDRE 25
SHERWOOD HO 26
FFORDD DYFED 27
AWEL DYFI 28

Mast

Wharf

Pantyneuadd

BRYN-Y-
PADERAU

Bron-prys

Masts

GARREG
LWYD

NEPTUNE
HALL
CVN PK

GWYNEDD
CVN
SITE

Penllyn

Neptune
Hall

Escuan
Hall

LL36

Escuan
Isaf

Bod
Talog

ERWPORTHOR
CHALET PK

Pant-y-cae

Tynycornel

Chalet
Site

Caethle
Farm

LC

Foel
Caethle

Llechwedd
Melyn

Rhowniar
Outward
Bound

Llanerch-y-llyn

Gwyddgwion

Dyffryn-
glyn-cul

Ffridd Cefn-isaf

Bwlch-gwyn

PANORAMA WLK

Cemy

P

LL35

Trefeddian

Aberdovey/
Aberdyfi

Ysgol
Gynradd
Aberdyfi

PARC Y
LLETHRAU

TREFEDDIAN
TERR

Hotel

1 TY ARDUDWY
2 MELIN ARDUDWY

GWELFOR
RD

LC

P
CH
Aberdovey

P

IRB Sta

Mus

Liby

BATH
PL

PENRHOS
CVN SITE

RHOS
DYFI

BODFOR TERR 1
GLAN DOVEY TERR 2
SEA VIEW TERR 3
PROSPECT PL 4
CHAPEL SQ 5
NEW ST 6
CHURCH ST 7
BRYN GWYLAN 8
BRYNHYFRYD 9
COPPERHILL ST 10
COPPERHILL WLK 11
HOPELAND RD 12
ARGOED RD 13
GARTH RD 14
CAE ARGOED 15
TREFLAN 16
TREM Y DYFI 17
PEN-Y-FFORDD 18
MYNYDD ISAF 19
TYDYN ISAF 20

Cerrigypenrhyn

Aberdovey
Bar

Dyfi National
Nature Reserve

Twyni Bâch

SY24

Visitor Ctr.

56 A 57 B 58 C 59 D 60 E 61 F

8
01
7
00
6
99
5
98
4
97
3
96
2
95
1
94

110

109
106

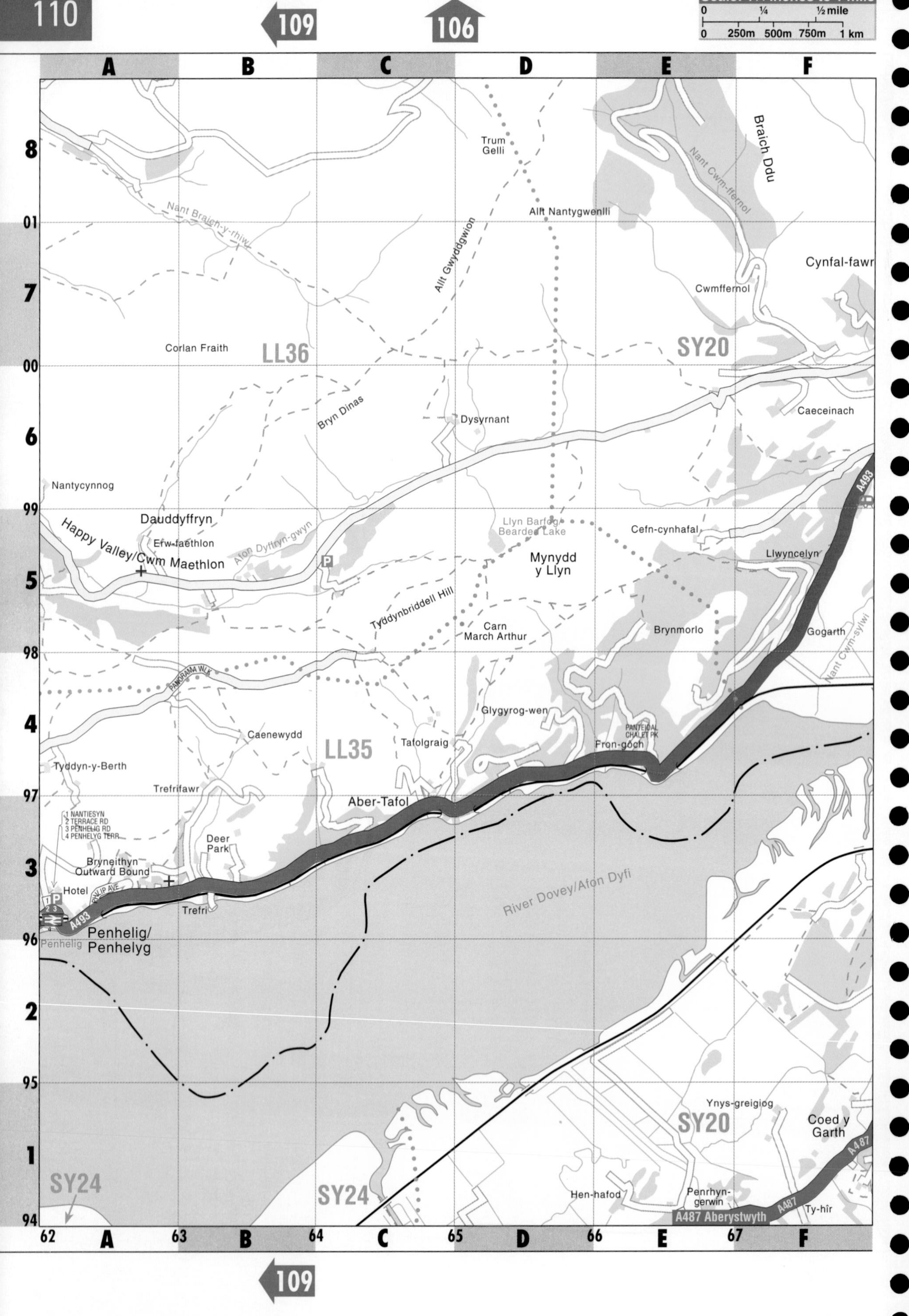
Scale: 1¾ inches to 1 mile
0 ¼ ½ mile
0 250m 500m 750m 1 km
A B C D E F
8
01
7
00
6
99
5
98
4
97
3
96
2
95
1
94
62 63 64 65 66 67
Trum Gelli
Braich Ddu
Nant Cwm-ffernol
Nant Braich-y-rhiw
Allt Nantygwenlli
Allt Gwyddgwion
Cynfal-fawr
Cwmffernol
Corlan Fraith
LL36
SY20
Bryn Dinas
Dysyrnant
Caeceinach
Nantycynnog
A493
Dauddyffryn
Happy Valley/Cwm Maethlon
Efw-faethlon
Afon Dyffryn-gwyn
Llyn Barfog/ Bearded Lake
Cefn-cynhafal
Mynydd y Llyn
Llwyncelyn
Tyddynbriddell Hill
Carn March Arthur
Brynmorlo
Gogarth
Nant Cwm-sylwi
PANORAMA WLK
Glygyrog-wen
Caenewydd
LL35
Tafolgraig
PANTEIDAL CHALET PK
Fron-goch
Tyddyn-y-Berth
Trefrifawr
Aber-Tafol
1 NANTIESYN
2 TERRACE RD
3 PENHELIG RD
4 PENHELYG TERR
Deer Park
Bryneithyn Outward Bound
Hotel
PHILIP AVE
Trefri
River Dovey/Afon Dyfi
Penhelig
Penhelig/ Penhelyg
Ynys-greigiog
SY20
Coed y Garth
SY24
SY24
A487
Hen-hafod
Penrhyn-gerwin
A487 Aberystwyth
Ty-hîr

109

Scale: 1¾ inches to 1 mile

0   ¼   ½ mile
0   250m 500m 750m 1 km

107

For full street detail of the
highlighted area see page 163.

111

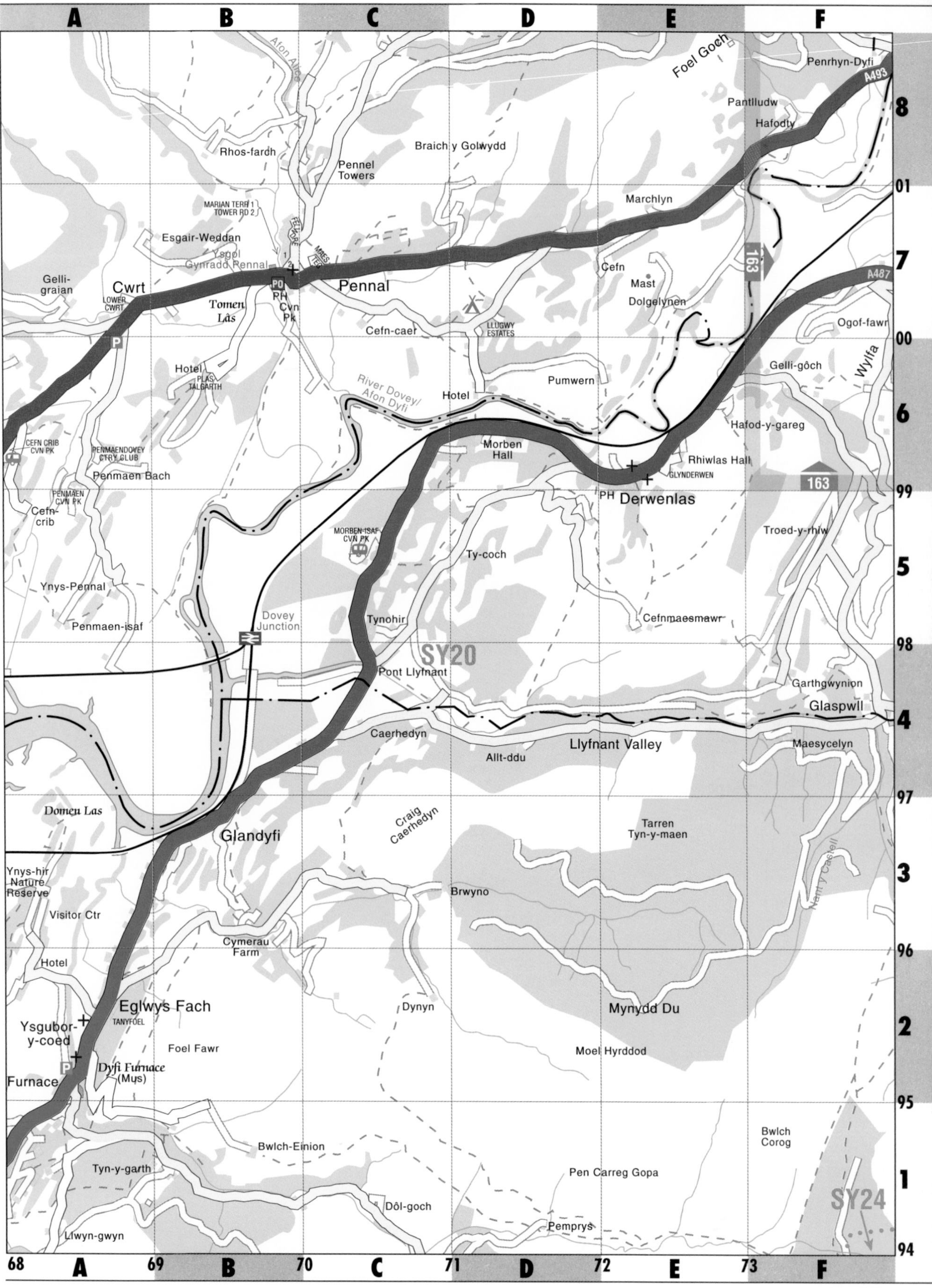

A   B   C   D   E   F

Foel Goch

Penrhyn-Dyfi

A493

Pantlludw

Hafodty

8

01

Rhos-fardh

Braich y Golwydd

Pennel
Towers

Marchlyn

7

163

A487

MARIAN TERR 1
TOWER RD 2

Esgair-Weddan

Cefn

Ysgol
Gynradd Rennal

Pennal

Mast
Dolgelynen

Ogof-fawr

Gelli-
graian

Cwrt

PO
RH
Cvn
Pk

Cefn-caer

Llugwy
Estates

Gelli-gôch

Wylfa

00

LOWER
CWRT

Tomen
Las

P

6

Hotel
PLAS
TALGARTH

River Dovey/
Afon Dyfi

Hotel

Pumwern

Hafod-y-gareg

CEFN CRIB
CVN PK

PENMAENDOVEY
CTRY CLUB

Morben
Hall

Rhiwlas Hall

GLYNDERWEN

163

Penmaen Bach

PENMAEN
CVN PK

PH
Derwenlas

99

Cefn-
crib

MORBEN-ISAF
CVN PK

Ty-coch

Troed-y-rhiw

Ynys-Pennal

Dovey
Junction

Tynohir

Cefnmaesmawr

5

98

Penmaen-isaf

SY20

Pont Llyfnant

Garthgwynion

Glaspwll

4

Caerhedyn

Llyfnant Valley

Maesycelyn

Allt-ddu

Domen Las

97

Craig
Caerhedyn

Tarren
Tyn-y-maen

3

Ynys-hir
Nature
Reserve

Brwyno

Visitor Ctr

96

Hotel

Cymerau
Farm

Dynyn

Mynydd Du

2

Eglwys Fach

TANYFOEL

Moel Hyrddod

Ysgubor-
y-coed

Foel Fawr

P

Dyfi Furnace
(Mus)

95

Furnace

Bwlch
Corog

Tyn-y-garth

Bwlch-Einion

Pen Carreg Gopa

1

SY24

Llwyn-gwyn

Dôl-goch

Pemprys

94

68   A   69   B   70   C   71   D   72   E   73   F

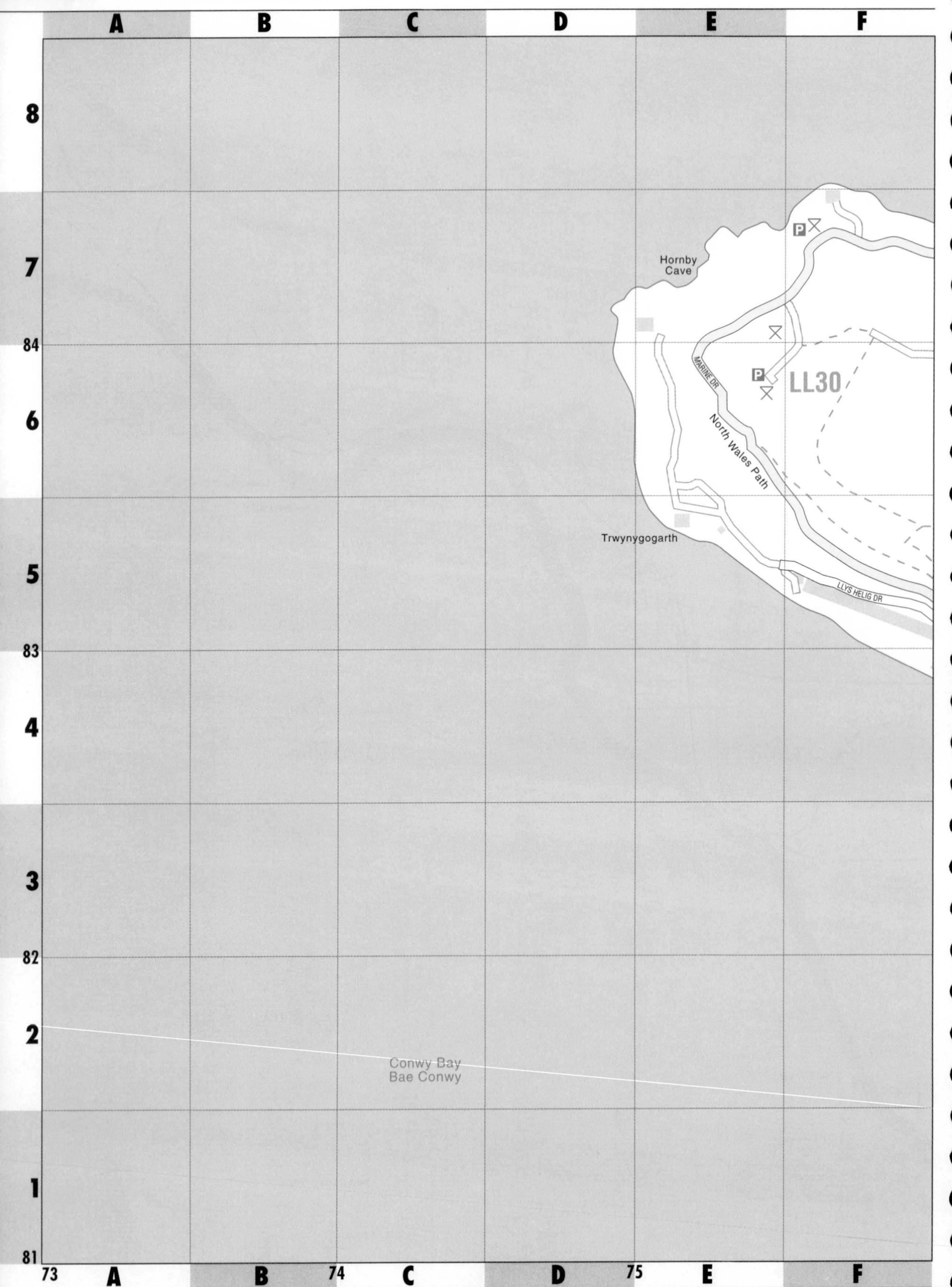

Hornby
Cave

MARINE DR

LL30

North Wales Path

Trwynygogarth

LLYS HELIG DR

Conwy Bay
Bae Conwy

A   B   C   D   E   F

73   74   75

81   82   83   84

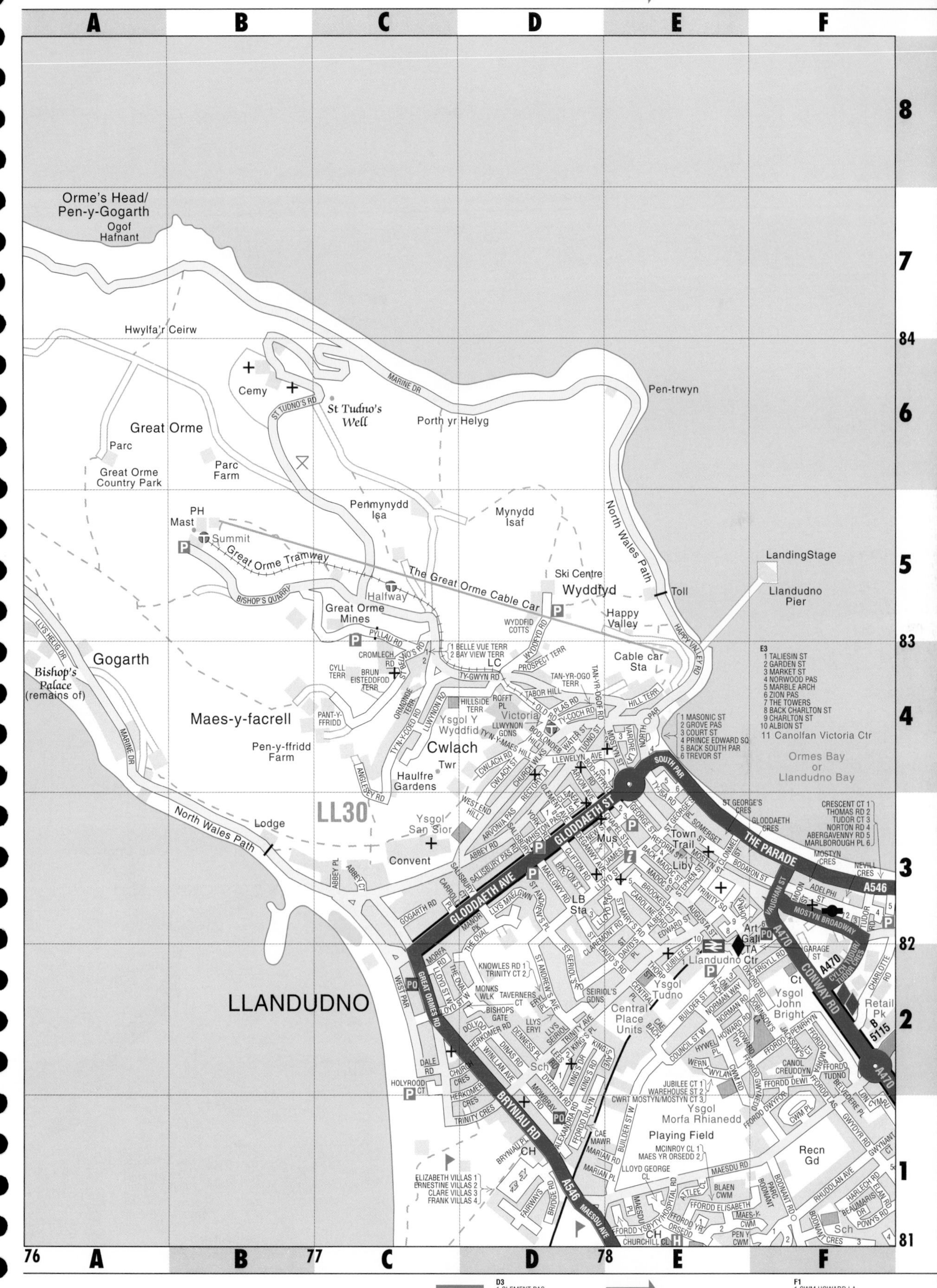

117 ◀

114 ▶

D3
1 CLEMENT PAS
2 BACK HOLLAND TERR
3 RATHBONE PAS

F1
1 CWM HOWARD LA
2 EWLOE DR
3 CRICCIETH CL
4 MENAN RD
5 PENNANT CT

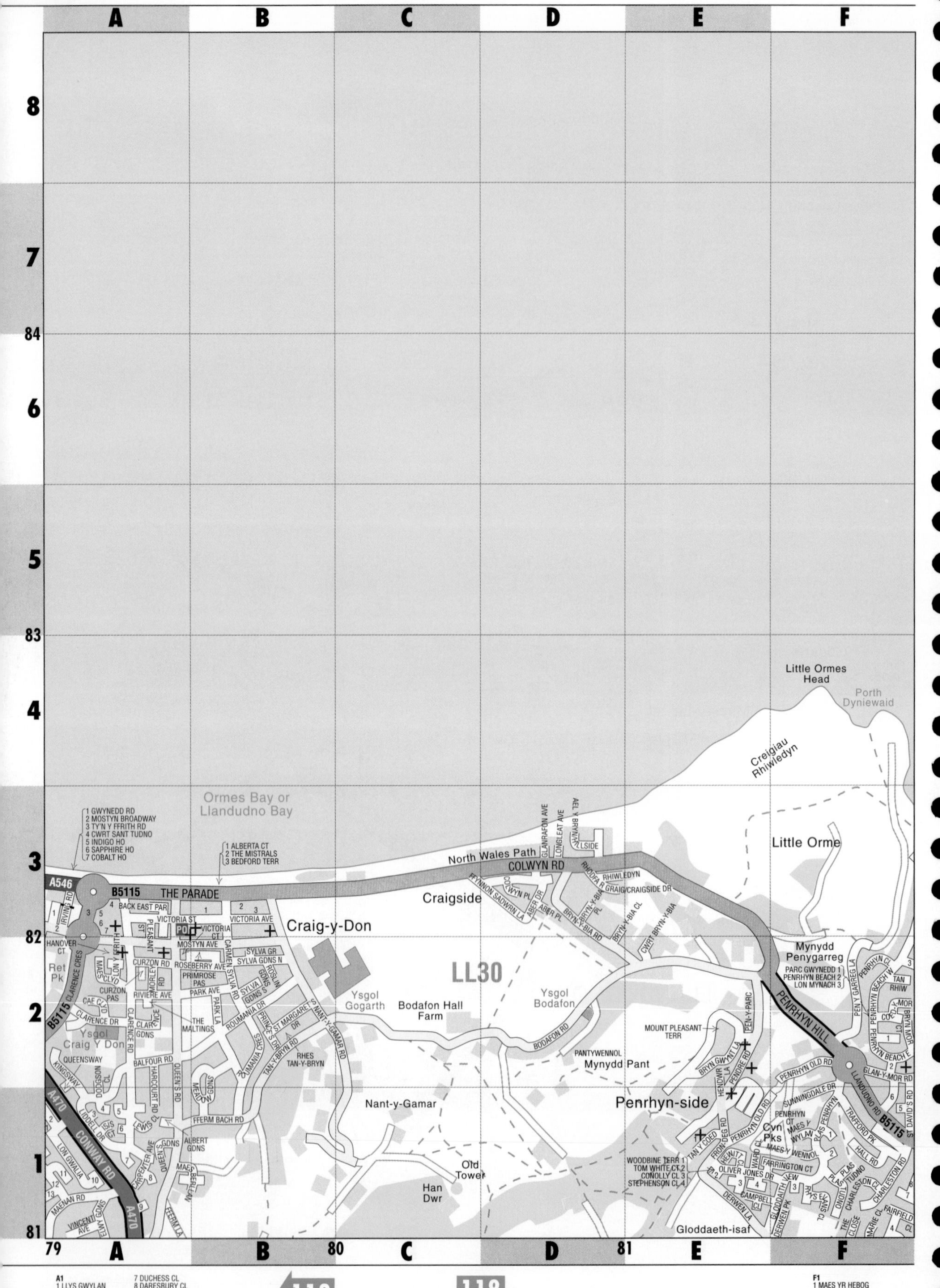

A1
1 LLYS GWYLAN
2 LÔN CYMRU
3 CUFFNELL CL
4 EMERY DOWN
5 ALICE GDNS
6 LORINA GR

7 DUCHESS CL
8 DARESBURY CL
9 LLYS BRIERLEY
10 CWRT W M HUGHES
11 GWYDYR GDNS
12 GWYDYR RD
13 POWYS RD

F1
1 MAES YR HEBOG
2 MAES Y GWENITH
3 MORRIS CL
4 PENRHYN MADOC
5 ST DAVID'S CL
6 SHAFTESBURY AVE
7 HARTSVILLE AVE
8 MOSSLEY MOUNT

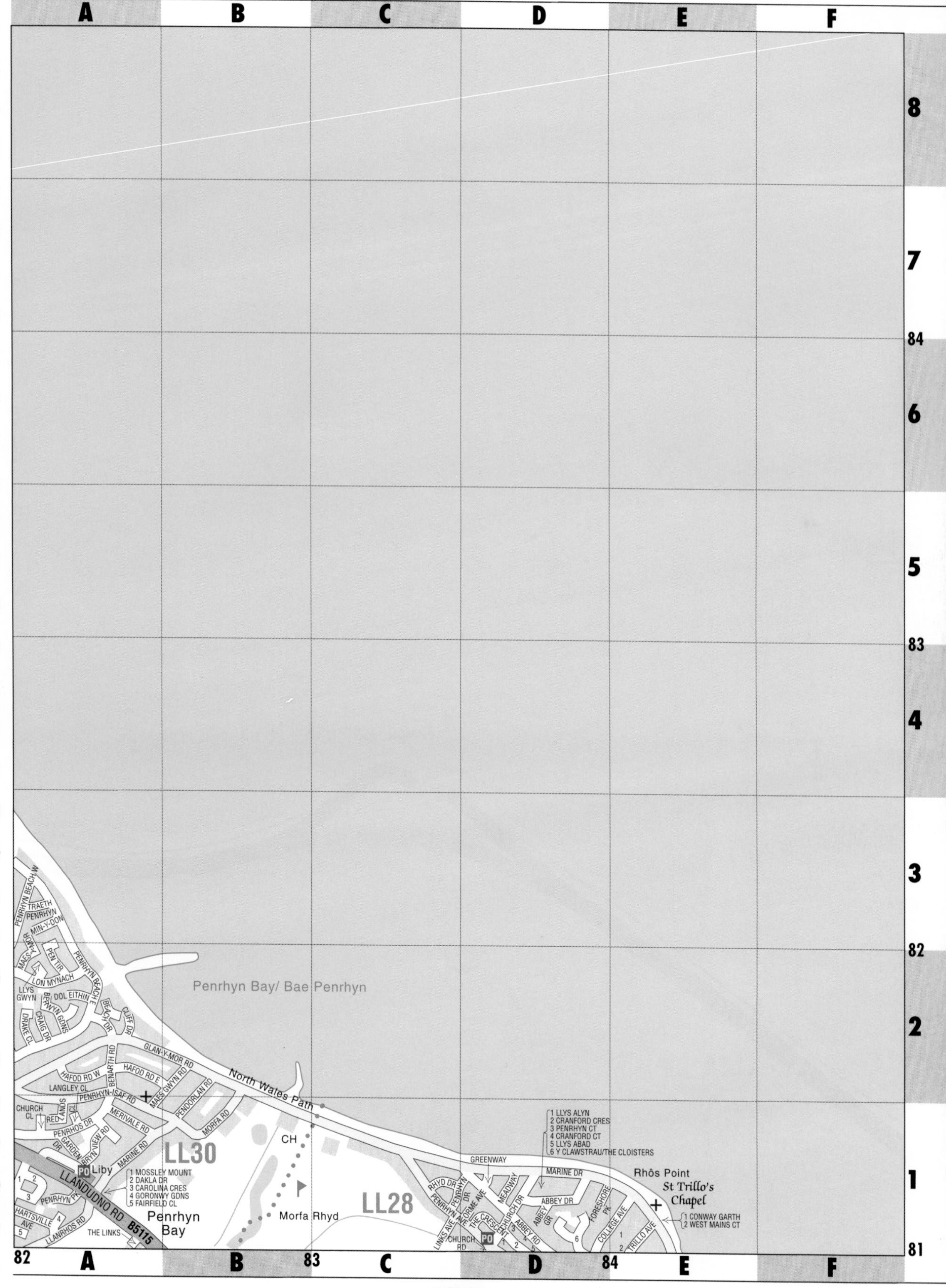
A
B
C
D
E
F
8
7
84
6
5
83
4
3
82
2
1
81
82
83
84
Penrhyn Bay/ Bae Penrhyn
PENRHYN BEACH W
TRAETH PENRHYN
MIN-Y-DON
MAES-Y-MOR
PEN TIR
PENRHYN BEACH E
LON MYNACH
LLYS GWYN
DOL EITHIN
BERWYN GDNS
CRAIG DR
DRAKE CL
BEACH DR
CLIFF DR
GLAN-Y-MOR RD
HAFOD RD W
HAFOD RD E
BENARTH RD
MAES GWYN RD
PENDORLAN RD
LANGLEY CL
PENRHYN-ISAF RD
CHURCH CL
REDLANDS CL
MERIVALE RD
MORFA RD
PENRHOS DR
GARDEN DR
BRYN VIEW RD
MARINE RD
LL30
Liby
1 MOSSLEY MOUNT
2 DAKLA DR
3 CAROLINA CRES
4 GORONWY GDNS
5 FAIRFIELD CL
LLANDUDNO RD
B5115
PENRHYN PK
HARTSVILLE AVE
LLANRHOS RD
THE LINKS
Penrhyn Bay
North Wales Path
CH
Morfa Rhyd
LL28
GREENWAY
1 LLYS ALYN
2 CRANFORD CRES
3 PENRHYN CT
4 CRANFORD CT
5 LLYS ABAD
6 Y CLAWSTRAU/THE CLOISTERS
MARINE DR
RHYD DR
PENRHYN DR
PENRHYN AVE
ORME AVE
MEADWAY
CHURCH DR
ABBEY DR
ABBEY GR
THE CRESCENT
ABBEY RD
LINKS AVE
CHURCH RD
FORESHORE PK
COLLEGE AVE
TRILLO AVE
Rhôs Point
St Trillo's Chapel
1 CONWAY GARTH
2 WEST MAINS CT

119

112

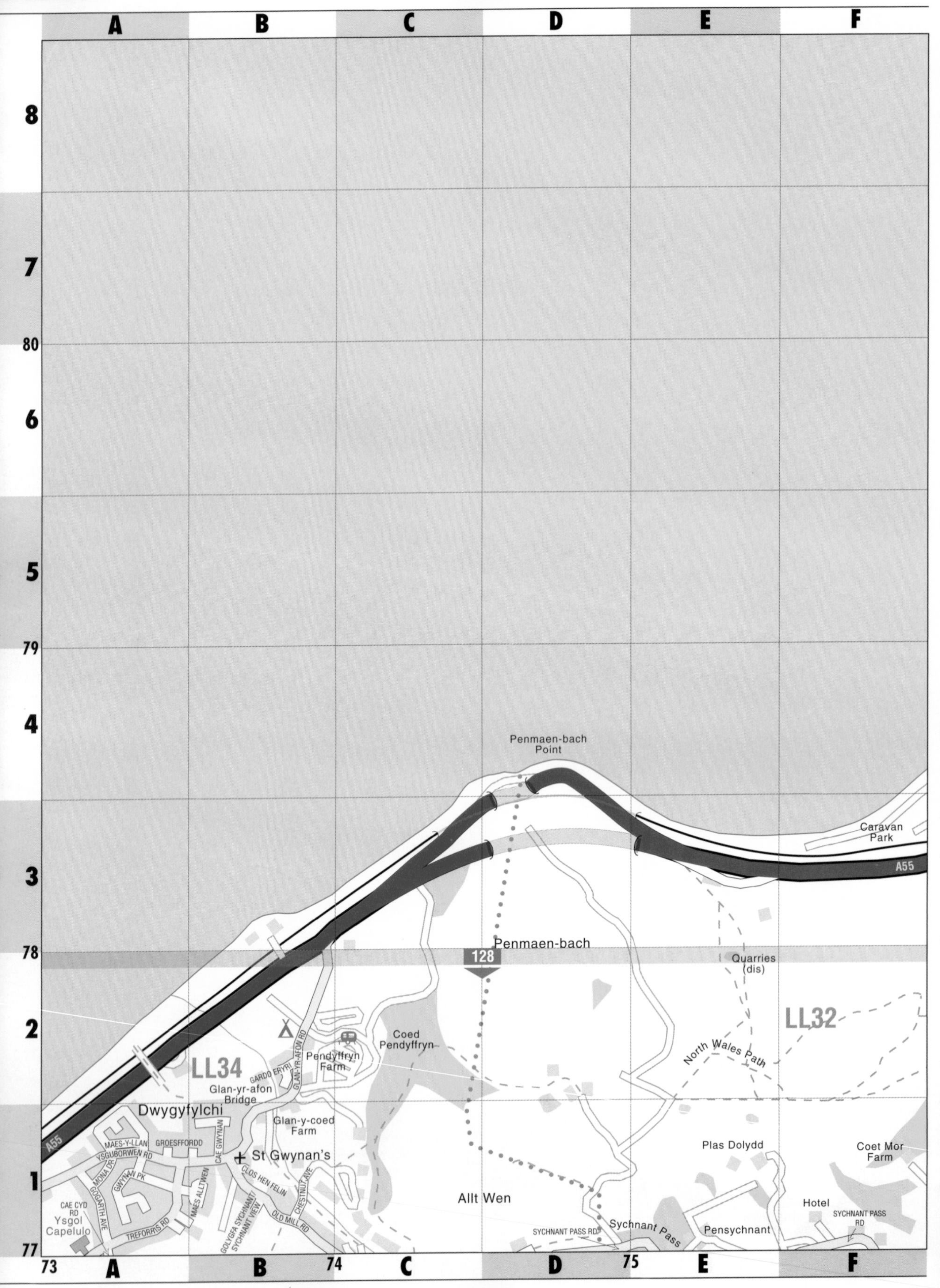
A
B
C
D
E
F
8
7
80
6
5
79
4
3
78
2
1
77
73
74
75
Penmaen-bach
Point
Caravan
Park
A55
Penmaen-bach
128
Quarries
(dis)
LL32
North Wales Path
Coed
Pendyffryn
Pendyffryn
Farm
LL34
GARDD ERYRI
GLAN-YR-AFON RD
Glan-yr-afon
Bridge
Dwygyfylchi
Glan-y-coed
Farm
MAES-Y-LLAN
GROESFFORDD
CAE GWYNAN
YSGUBORWEN RD
MONA DR
GWYNAN PK
St Gwynan's
CLOS HEN FELIN
CHESTNUT AVE
MAES ALLTWEN
TREFORRS RD
GOGARTH AVE
CAE CYD
RD
Ysgol
Capelulo
GOLYGFA SYCHNANT
SYCHNANT VIEW
OLD MILL RD
Allt Wen
SYCHNANT PASS RD
Sychnant Pass
Plas Dolydd
Pensychnant
Coet Mor
Farm
Hotel
SYCHNANT PASS
RD

127
128

113
118

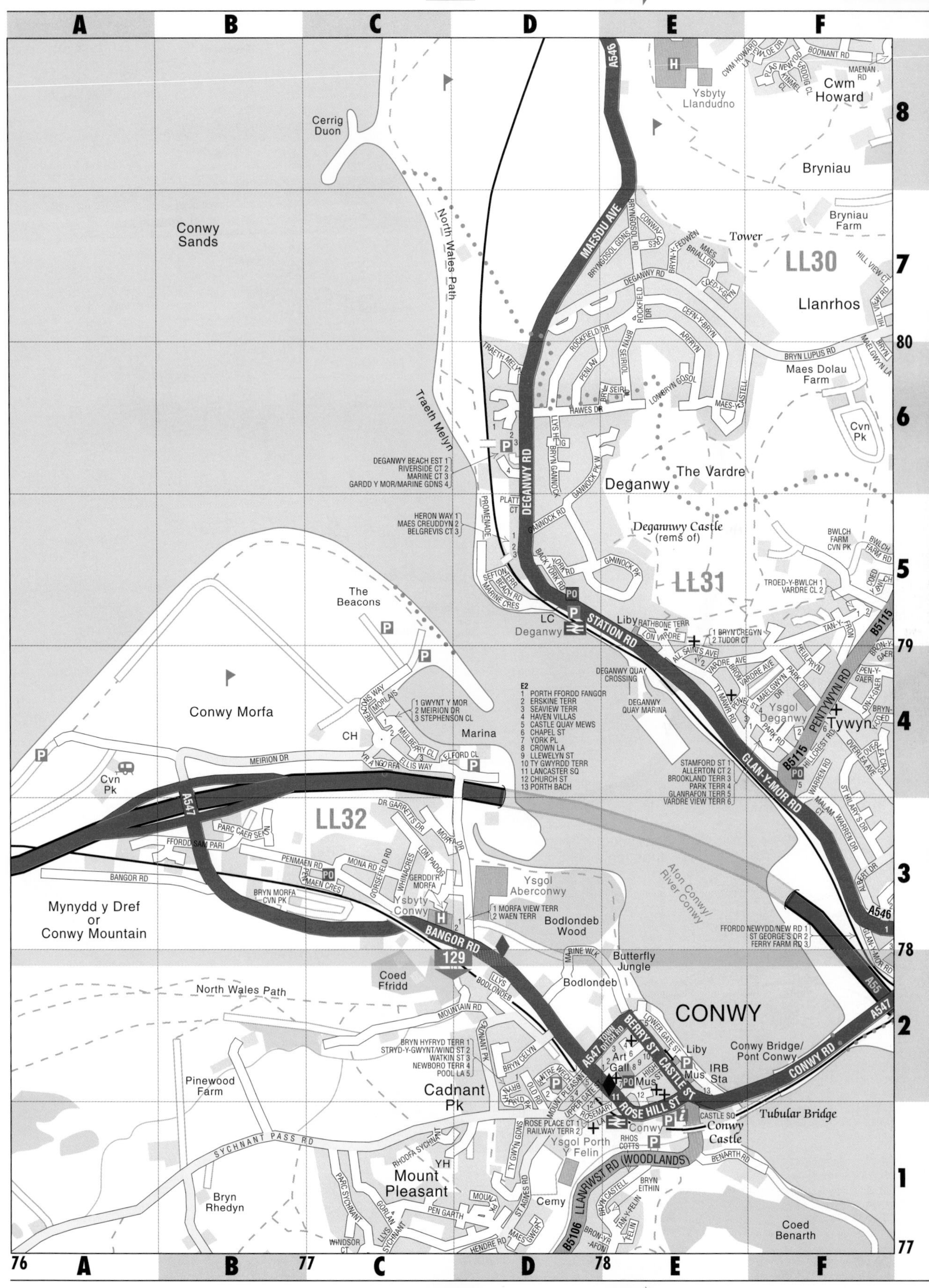
A
B
C
D
E
F
8
7
80
6
5
79
4
3
78
2
1
77
76
77
78
Cerrig
Duon
Conwy
Sands
North Wales Path
Traeth Melyn
Ysbyty
Llandudno
Cwm
Howard
Bryniau
Bryniau
Farm
Tower
LL30
Llanrhos
MAESDU AVE
A546
BRYN LUPUS RD
Maes Dolau
Farm
Cvn
Pk
DEGANWY BEACH EST 1
RIVERSIDE CT 2
MARINE CT 3
GARDD Y MOR/MARINE GDNS 4
DEGANWY RD
Deganwy
The Vardre
Deganwy Castle
(rems of)
HERON WAY 1
MAES CREUDDYN 2
BELGREVIS CT 3
PROMENADE
LL31
BWLCH
FARM
CVN PK
TROED-Y-BWLCH 1
VARDRE CL 2
The
Beacons
LC
Deganwy
STATION RD
Liby
1 BRYN CREGYN
2 TUDOR CT
B5115
DEGANWY QUAY
CROSSING
DEGANWY
QUAY MARINA
Ysgol
Deganwy
Tywyn
PENTYWYN RD
Conwy Morfa
1 GWYNT Y MOR
2 MEIRION DR
3 STEPHENSON CL
CH
Marina
E2
1 PORTH FFORDD FANGOR
2 ERSKINE TERR
3 SEAVIEW TERR
4 HAVEN VILLAS
5 CASTLE QUAY MEWS
6 CHAPEL ST
7 YORK PL
8 CROWN LA
9 LLEWELYN ST
10 TY GWYRDD TERR
11 LANCASTER SQ
12 CHURCH ST
13 PORTH BACH
STAMFORD ST 1
ALLERTON CT 2
BROOKLAND TERR 3
PARK TERR 4
GLANRAFON TERR 5
VARDRE VIEW TERR 6
GLAN-Y-MOR RD
Cvn
Pk
MEIRION DR
A547
LL32
BANGOR RD
Mynydd y Dref
or
Conwy Mountain
BRYN MORFA
CVN PK
Ysbyty
Conwy
Ysgol
Aberconwy
1 MORFA VIEW TERR
2 WAEN TERR
Bodlondeb
Wood
Afon Conwy/
River Conwy
FFORDD NEWYDD/NEW RD 1
ST GEORGE'S DR 2
FERRY FARM RD 3
A546
A55
129
Coed
Ffridd
North Wales Path
Butterfly
Jungle
Bodlondeb
CONWY
Pinewood
Farm
BRYN HYFRYD TERR 1
STRYD-Y-GWYNT/WIND ST 2
WATKIN ST 3
NEWBORO TERR 4
POOL LA 5
Cadnant
Pk
Art
Gall
Mus
Liby
Mus
IRB
Sta
Conwy Bridge/
Pont Conwy
CONWY RD
ROSE HILL ST
BERRY ST
CASTLE ST
Tubular Bridge
Conwy
Castle
ROSE PLACE CT 1
RAILWAY TERR 2
Conwy
Ysgol Porth
Y Felin
RHOS
COTTS
SYCHNANT PASS RD
YH
Mount
Pleasant
Bryn
Rhedyn
Cemy
LLANRWST RD (WOODLANDS)
B5106
Coed
Benarth

129
118

117
114

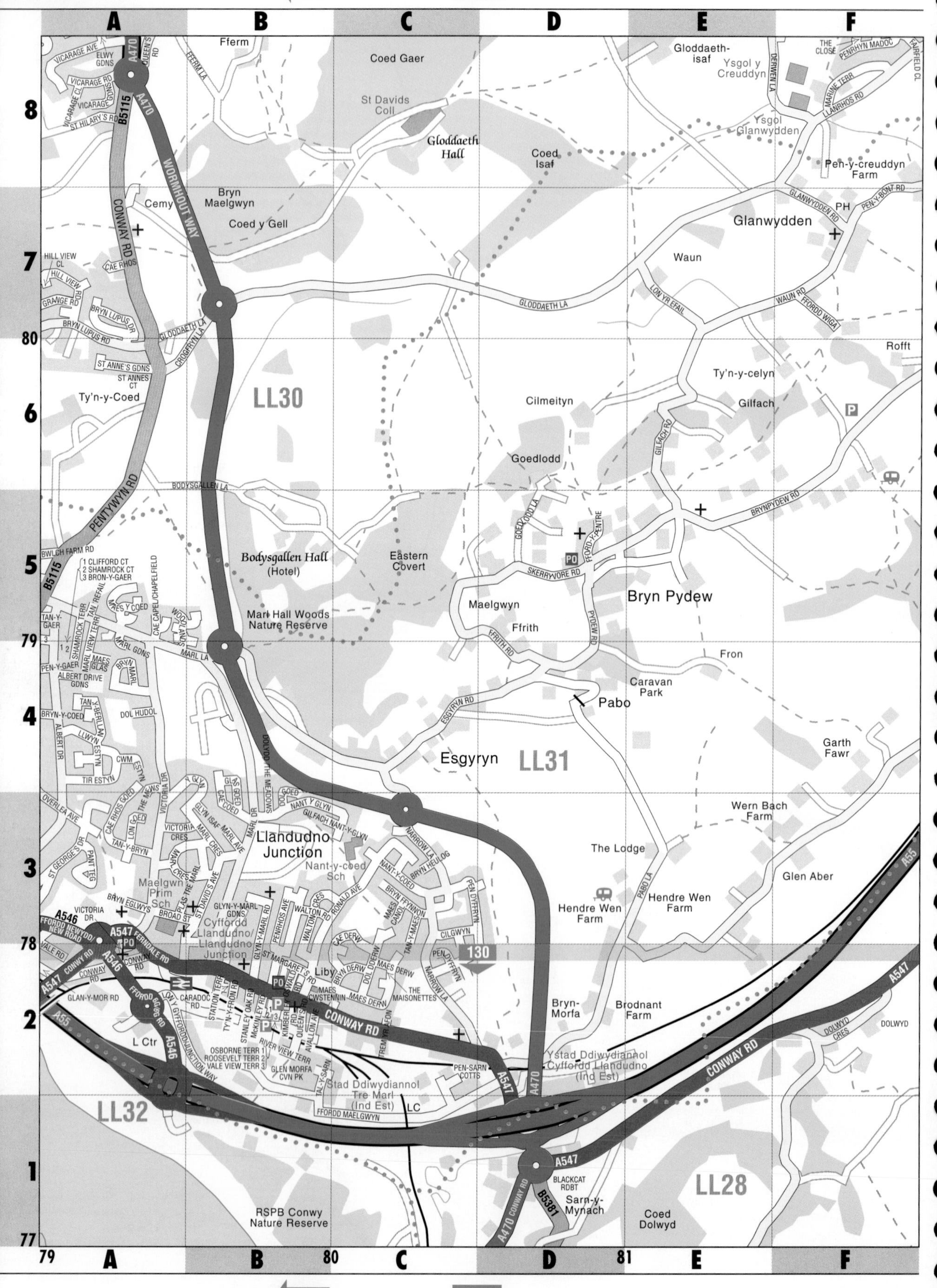
A
B
C
D
E
F
8
7
80
6
5
79
4
3
78
2
1
77
Fferm
Coed Gaer
St Davids Coll
Gloddaeth Hall
Coed Isaf
Gloddaeth-isaf
Ysgol y Creuddyn
Ysgol Glanwydden
Peh-y-creuddyn Farm
Glanwydden
PH
Waun
Bryn Maelgwyn
Cemy
Coed y Gell
WORMHOUT WAY
CONWAY RD
GLODDAETH LA
Rofft
Ty'n-y-celyn
Gilfach
Ty'n-y-Coed
LL30
Cilmeityn
Goedlodd
PENTYWYN RD
BODYSGALLEN LA
BRYNPYDEW RD
Bodysgallen Hall
(Hotel)
Eastern Covert
SKERRYVORE RD
Maelgwyn
Bryn Pydew
Ffrith
Marl Hall Woods Nature Reserve
MARL LA
Fron
Caravan Park
Pabo
ESGYRYN RD
Esgyryn
LL31
Garth Fawr
Wern Bach Farm
Llandudno Junction
Nant-y-coed Sch
The Lodge
Glen Aber
Maelgwn Prim Sch
Cyffordd Llandudno/ Llandudno Junction
Hendre Wen Farm
Hendre Wen Farm
Liby
CONWAY RD
Bryn-Morfa
Brodnant Farm
L Ctr
Ystad Ddiwydiannol Cyffordd Llandudno (Ind Est)
Stad Ddiwydiannol Tre Marl (Ind Est)
LC
LL32
FFORDD MAELGWYN
A547
BLACKCAT RDBT
Sarn-y-Mynach
LL28
RSPB Conwy Nature Reserve
Coed Dolwyd
A470
A546
A55
B5115
B5381
130
79
80
81

117
130

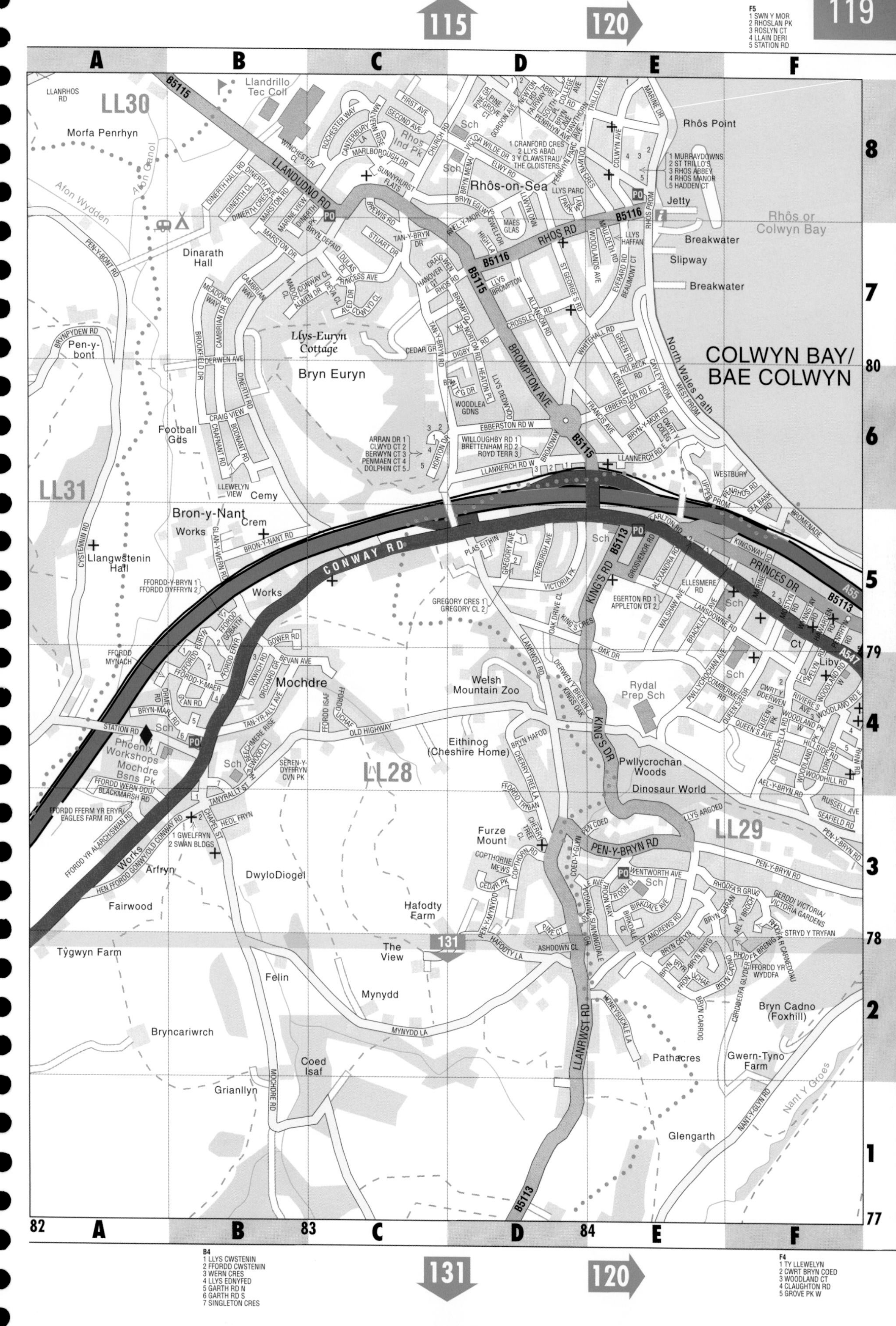

115
120
F5
1 SWN Y MOR
2 RHOSLAN PK
3 ROSLYN CT
4 LLAIN DERI
5 STATION RD
A
B
C
D
E
F
8
7
80
6
5
79
4
3
78
2
1
77
LL30
LL31
LL28
LL29
Llandrillo Tec Coll
Morfa Penrhyn
LLANRHOS RD
Afon Wydden
Afon Ganol
B5115
LLANDUDNO RD
Rhos Ind Pk
Rhôs-on-Sea
1 CRANFORD CRES
2 LLYS ABAD
3 Y CLAWSTRAU/ THE CLOISTERS
1 MURRAYDOWNS
2 ST TRILLO'S
3 RHOS ABBEY
4 RHOS MANOR
5 HADDEN CT
Rhôs Point
Jetty
Rhôs or Colwyn Bay
Breakwater
Slipway
Breakwater
B5116
RHOS RD
Dinarath Hall
PEN-Y-BONT RD
Llys-Euryn Cottage
Bryn Euryn
COLWYN BAY/ BAE COLWYN
North Wales Path
BROMPTON AVE
Pen-y-bont
BRYNPYDEW RD
Football Gds
ARRAN DR 1
CLWYD CT 2
BERWYN CT 3
PENMAEN CT 4
DOLPHIN CT 5
WILLOUGHBY RD 1
BRETTENHAM RD 2
ROYD TERR 3
EBBERSTON RD W
LLANNERCH RD W
LLANNERCH RD E
Cemy
Bron-y-Nant
Works
Crem
Llangwstenin Hall
CYSTENNIN RD
CONWAY RD
Works
FFORDD-Y-BRYN 1
FFORDD DYFFRYN 2
GREGORY CRES 1
GREGORY CL 2
EGERTON RD 1
APPLETON CT 2
PRINCES DR
A55
B5113
A547
KING'S RD
KING'S DR
Mochdre
Welsh Mountain Zoo
Rydal Prep Sch
STATION RD
Phoenix Workshops
Mochdre Bsns Pk
OLD HIGHWAY
Eithinog (Cheshire Home)
Pwllycrochan Woods
Dinosaur World
FFORDD FFERM YR ERYR/ EAGLES FARM RD
1 GWELFRYN
2 SWAN BLDGS
Works
Arfryn
Fairwood
DwyloDiogel
Furze Mount
PEN-Y-BRYN RD
Hafodty Farm
GERDDI VICTORIA/ VICTORIA GARDENS
STRYD Y TRYFAN
Tŷgwyn Farm
The View
131
Felin
Mynydd
MYNYDD LA
Bryncariwrch
Coed Isaf
Grianllyn
MOCHDRE RD
LLANRWST RD
Pathacres
Bryn Cadno (Foxhill)
Gwern-Tyno Farm
Nant Y Groes
Glengarth
82
83
84
B4
1 LLYS CWSTENIN
2 FFORDD CWSTENIN
3 WERN CRES
4 LLYS EDNYFED
5 GARTH RD N
6 GARTH RD S
7 SINGLETON CRES
131
120
F4
1 TY LLEWELYN
2 CWRT BRYN COED
3 WOODLAND CT
4 CLAUGHTON RD
5 GROVE PK W

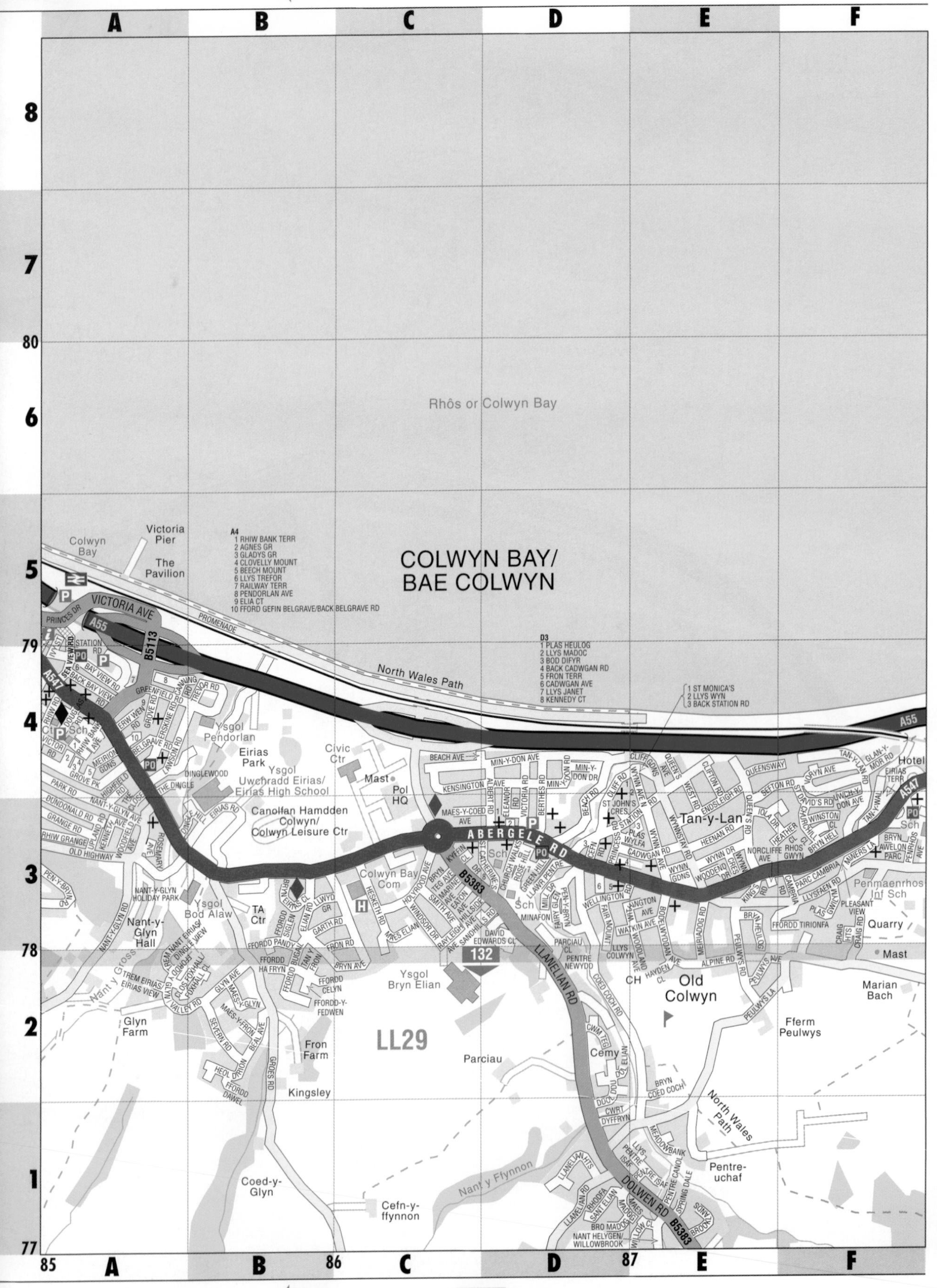

A B C D E F

8

7

80

6

Rhôs or Colwyn Bay

Colwyn Bay
Victoria Pier
The Pavilion

**COLWYN BAY/
BAE COLWYN**

A4
1 RHIW BANK TERR
2 AGNES GR
3 GLADYS GR
4 CLOVELLY MOUNT
5 BEECH MOUNT
6 LLYS TREFOR
7 RAILWAY TERR
8 PENDORLAN AVE
9 ELIA CT
10 FFORD GEFIN BELGRAVE/BACK BELGRAVE RD

5

VICTORIA AVE
A55 PROMENADE
North Wales Path

D3
1 PLAS HEULOG
2 LLYS MADOC
3 BOD DIFYR
4 BACK CADWGAN RD
5 FRON TERR
6 CADWGAN AVE
7 LLYS JANET
8 KENNEDY CT

1 ST MONICA'S
2 LLYS WYN
3 BACK STATION RD

79

A55

4

Ysgol
Pendorlan
Eirias
Park
Ysgol
Uwchradd Eirias/
Eirias High School
Civic
Ctr
Mast
Pol HQ

Beach Ave
MIN-Y-DON AVE
MIN-Y-DON DR
CLIFFORDS
QUEEN'S
Queensway
TAN-Y Hotel
EIRIAS TERR

Tan-y-Lan

Canolfan Hamdden
Colwyn/
Colwyn Leisure Ctr

MAES-Y-COED AVE
ABERGELE RD

3

Nant-y-Glyn
Holiday Park
Ysgol
Bod Alaw
TA
Ctr
Colwyn Bay
Com
H

Penmaenrhos
Inf Sch

Quarry

Nant-y-
Glyn Hall

78

Ysgol
Bryn Elian

132

LLANELIAN RD

Old
Colwyn

Mast

Marian
Bach

2

Glyn
Farm

Fron
Farm

LL29

Parciau

Cefni

Fferm
Peulwys

Kingsley

Bryn
Coed Coch

North Wales
Path

1

Coed-y-
Glyn

Cefn-y-
ffynnon

Nant y Ffynnon

DOLWEN RD
B5383

Pentre-
uchaf

77

85 A 86 B C 87 D E F

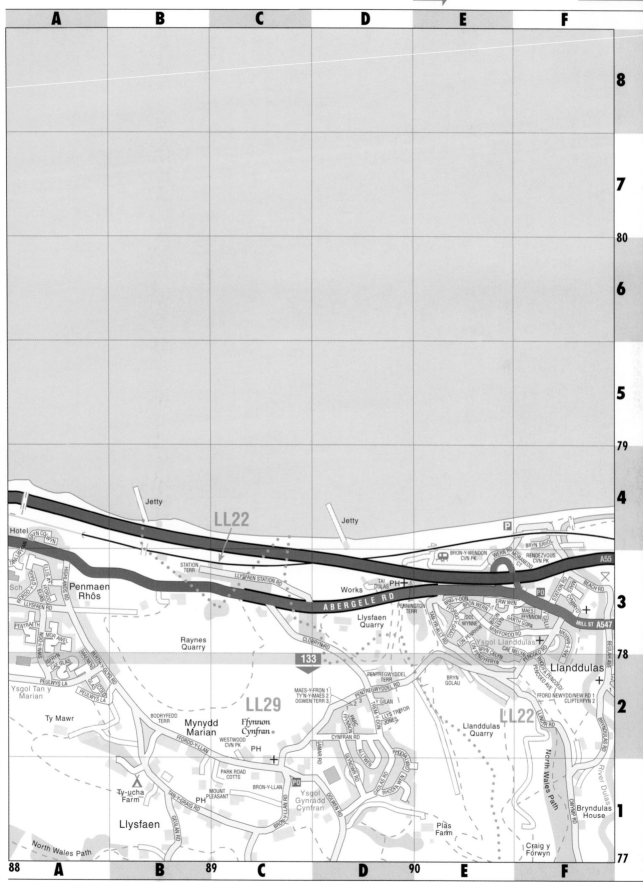
122

A B C D E F

8
7
80
6
5
79
4
3
78
2
1
77

Jetty
Jetty
LL22
Hotel
BRYN COLWYN
TAN LLWYFAN
FFORDD-Y-GRAIG
ELLIS AVE
FFORDD ELIAS
HIGHLANDS RD
Sch
Penmaen Rhôs
LLYSFAEN RD
PENTRAETH
MOR AWEL
SWN-Y-DON
ISFRYN
CAE GLAS
MAENEN
BERTH-Y-GLYD RD
GLAS COED
PEULWYS LA
PEULWYS LA
Ysgol Tan y Marian
Ty Mawr
STATION TERR
LLYSFAEN STATION RD
ABERGELE RD
Raynes Quarry
Works
TAI DULAS
PH
Llysfaen Quarry
PENNINGTON TERR
CLOBRYN RD
BRON-Y-WENDON CVN PK
WERN RD
MORANEDD CT
BRYN S/RIOL
RENDEZVOUS CVN PK
A55
P
PO
BRIG-Y-DON
BRON WERN
ERW WEN
FFORDD-Y-GRAIG
TAN-YR-ALLT RD
DOL WYNNE
BRON LLYN
GARTH GOPA
MAES FFYNNON
GELLI
MINFFORDD RD
LON PENRHIW
LON PENDYFFRYN
BRYN CELYN
CAE MELYN
PENCOED RD
Ysgol Llanddulas
STATION RD
MAES CYNBRYD
BEACH RD
TAN-Y-WHAN
MILL ST A547
Llanddulas
BEULAH AVE
RHODFA PENCOED
PENCOED AVE
FFORD NEWYDD/NEW RD 1
CLIPTERFYN 2
BRYN GOLAU
PENTREGWYDDEL TERR
PENTREGWYDDEL RD
MAES-Y-FRON 1
TY'N-Y-MAES 2
OGWEN TERR 3
Y GILAN
TREM-Y-DON
LLYS TREFOR JONES
PARC FFYNNON
LL29
LL22
BODRYFEDD TERR
Mynydd Marian
Ffynnon Cynfran
WESTWOOD CVN PK
PH
FFORDD-Y-LLAN
CYNFRAN RD
GAMAR RD
GLYNDWR RD
ALLTWEN
RHODFA'R WIG
GADLAS RD
RHODFA WEN
Llanddulas Quarry
LLINDIR RD
North Wales Path
BRYNDULAS RD
River Dulas
PARK ROAD COTTS
BRON-Y-LLAN
MOUNT PLEASANT
PO
BRON-Y-LLAN RD
Ysgol Gynradd Cynfran
DOLWEN RD
Ty-ucha Farm
TAN-Y-GRAIG RD
PH
Llysfaen
GEULAN RD
North Wales Path
Plas Farm
Craig y Forwyn
CWYMP RD
Bryndulas House

88 A B 89 C D 90 E F

133

133

122

121

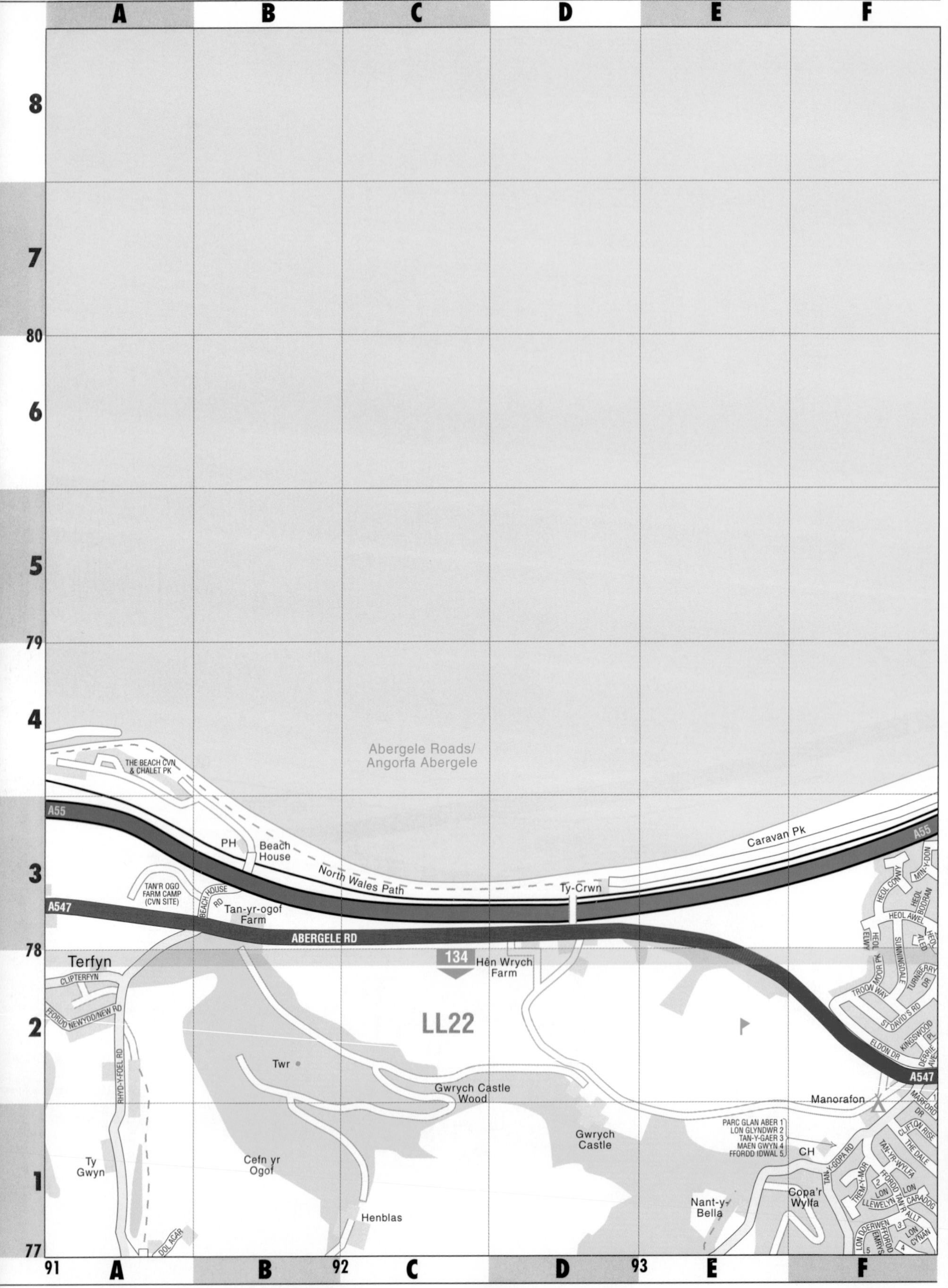

Abergele Roads/
Angorfa Abergele

A55

PH Beach
House
North Wales Path

Caravan Pk
A55

TAN'R OGO
FARM CAMP
(CVN SITE)

Tan-yr-ogof
Farm

Ty-Crwn

A547

ABERGELE RD

Terfyn

CLIPTERFYN

FFORDD NEWYDD/NEW RD

78

RHYD-Y-FOEL RD

BEACH HOUSE RD

134 Hên Wrych
Farm

LL22

Twr

Gwrych Castle
Wood

Gwrych
Castle

PARC GLAN ABER 1
LON GLYNDWR 2
TAN-Y-GAER 3
MAEN GWYN 4
FFORDD IDWAL 5

Manorafon

A547

HEOL CONWY
HEOL ALED
HEOL AWEL
HEOL BUDDUG
MIN-Y-DON

HEOL
ELWY

SUNNINGDALE

TROON WAY
ST DAVID'S RD
KINGSWOOD
DERWE PL
ELDON DR

MARGRED
DR
CLIFTON RISE
THE DALE

CH

Ty
Gwyn

Cefn yr
Ogof

Henblas

DOL ACAR

Nant-y-
Bella

Copa'r
Wylfa

TAN-Y-GOPA RD

TRE-LY-MUR
LON LLEWELYN
FFORDD TAN-Y-ALLT
LON CARADOG
LON CYNAN

LON DERWEN
FFORDD
BARNS

PANT-Y-WYLFA

91 A B 92 C D 93 E F

124

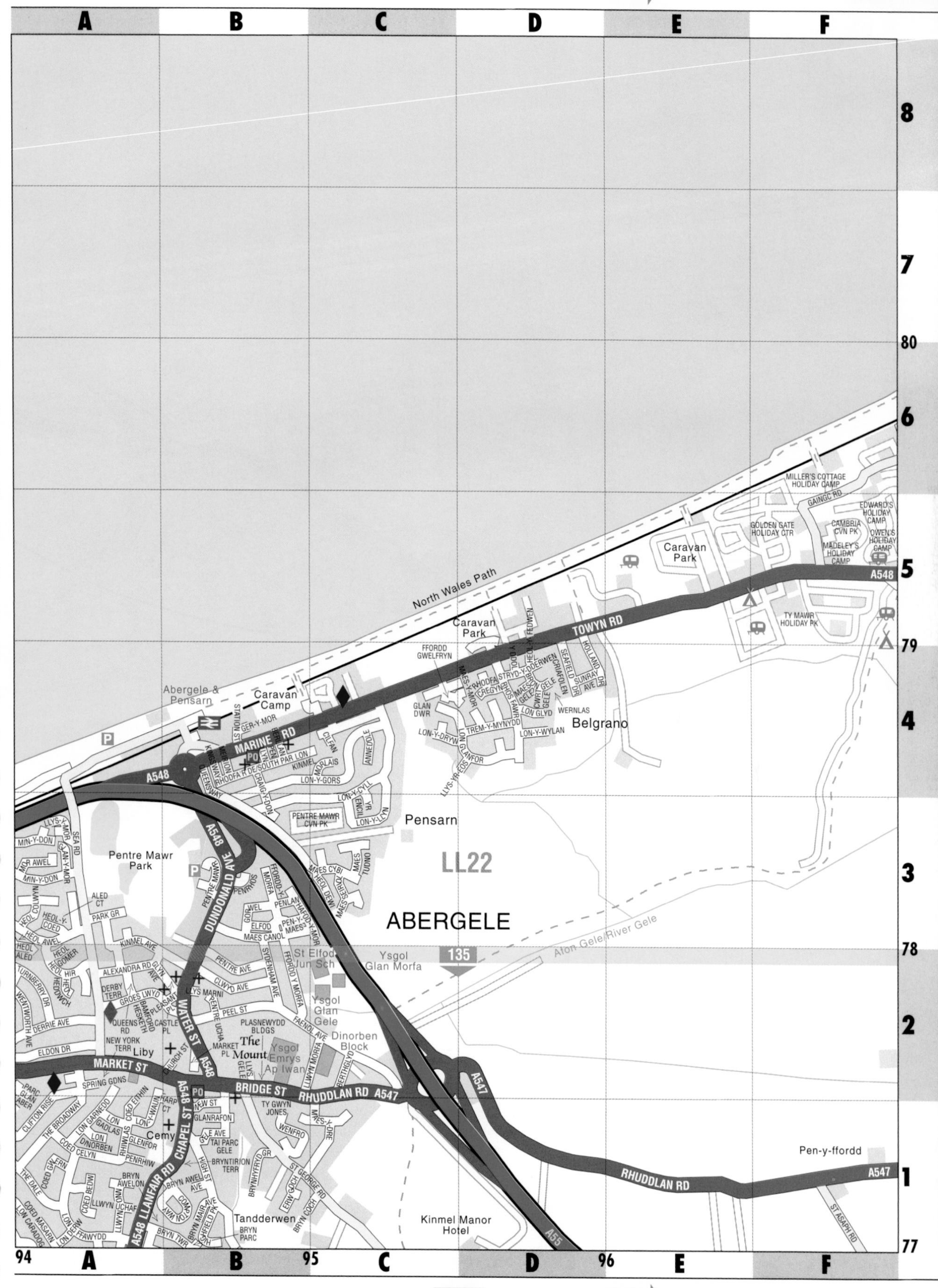

A B C D E F
8
7
80
6
5
79
4
3
78
2
1
77
94 95 96
North Wales Path
MILLER'S COTTAGE HOLIDAY CAMP
GAINGC RD
EDWARD'S HOLIDAY CAMP
CAMBRIA CVN PK
GOLDEN GATE HOLIDAY CTR
OWEN'S HOLIDAY CAMP
MADELEY'S HOLIDAY CAMP
Caravan Park
A548
TY MAWR HOLIDAY PK
TOWYN RD
Caravan Park
FFORDD GWELFRYN
Caravan Camp
Abergele & Pensarn
MARINE RD
GER-Y-MOR
STATION ST
KIMMEL
LON-Y-GORS
CILFAN
ANNWEDDLE
GLAN DWR
LON-Y-DRYW
LON GLANFOR
TREM-Y-MYNYDD
LON GLYD
LON-Y-WYLAN
WERNLAS
Belgrano
SEAFIELD DR
SUNRAY AVE
HOLLAND DR
LLYS-YR-EOS
PENTRE MAWR CVN PK
Pensarn
LL22
ABERGELE
Pentre Mawr Park
DUNDONALD AVE
MAES CANOL
ELFOD
St Elfod Jun Sch
Ysgol Glan Morfa
Afon Gele/River Gele
135
Ysgol Glan Gele
PLASNEWYDD BLDGS
Dinorben Block
The Mount
Ysgol Emrys Ap Iwan
KINMEL AVE
ALEXANDRA RD
PENTRE AVE
CLWYD AVE
LLYS MARNI
PEEL ST
SYDENHAM AVE
FFORDD Y MORFA
FAENOL AVE
PARK GR
ALED CT
DERBY TERR
GROES LWYD
QUEENS RD
CASTLE PL
NEW YORK TERR
Liby
MARKET PL
MARKET ST
WATER ST
BRIDGE ST
RHUDDLAN RD
A547
EldON DR
DERRIE AVE
WENTWORTH AVE
TURNBERRY DR
SPRING GDNS
CLIFTON RISE
THE BROADWAY
LON GARNEDD
GADLAS
DINORBEN
COED CELYN
GLENFOR
PENRHIW
Cemy
NEW ST
GLANRAFON
TAI PARC GELE
BRYNTIRION TERR
TY GWYN JONES
WENFRO
MAES-Y-DRE
ST GEORGE RD
BRYNHYFRYD GR
BRYN AWELON
CHAPEL ST
LLANFAIR RD
A548
Tandderwen
BRYN PARC
Kinmel Manor Hotel
A55
Pen-y-ffordd
RHUDDLAN RD
ST ASAPH RD
THE DALE
COED MASARN
LON CARADOG
LON DERW
FFAWYDD
MIN-Y-DON
SEA RD

135
136

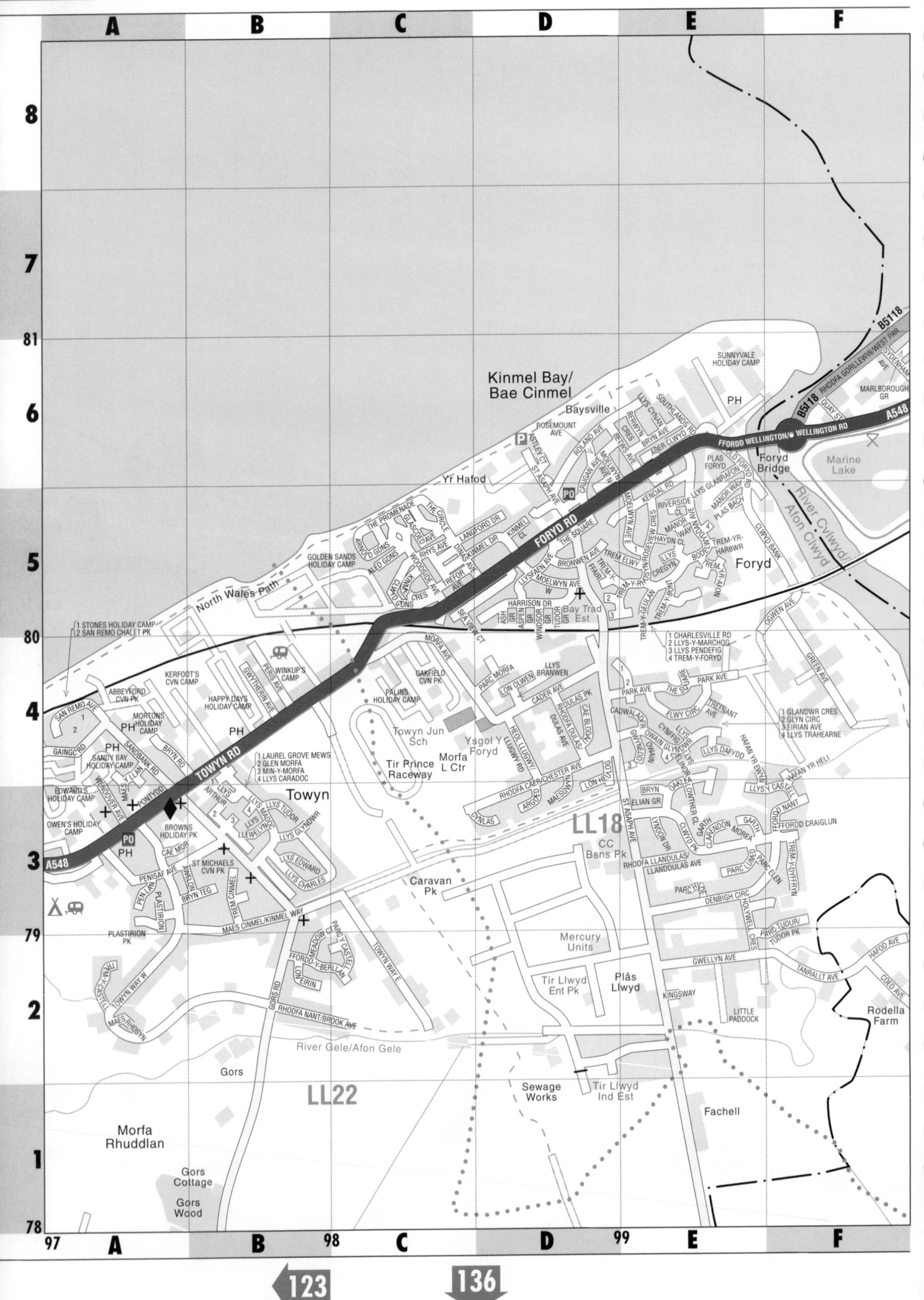
A B C D E F
8
7
81
6
5
80
4
3
79
2
1
78
97
98
99
Kinmel Bay/
Bae Cinmel
Baysville
Foryd Bridge
Foryd
Marine Lake
River Clwyd/
Afon Clwyd
FORYD RD
TOWYN RD
A548
B5118
FFORDD WELLINGTON/WELLINGTON RD
Yr Hafod
North Wales Path
GOLDEN SANDS HOLIDAY CAMP
SUNNYVALE HOLIDAY CAMP
Towyn
Towyn Jun Sch
Ysgol Y Foryd
Morfa L Ctr
Tir Prince Raceway
Bay Trad Est
LL18
CC Bsns Pk
Caravan Pk
Mercury Units
Tir Llwyd Ent Pk
Plâs Llwyd
River Gele/Afon Gele
Gors
LL22
Sewage Works
Tir Llwyd Ind Est
Fachell
Morfa Rhuddlan
Gors Cottage
Gors Wood
Rodella Farm
LITTLE PADDOCK
MAES CINMEL/KINMEL WAY
GORS RD
RHODFA NANT/BROOK AVE
KINGSWAY
GWELLYN AVE
1 STONES HOLIDAY CAMP
2 SAN REMO CHALET PK
1 LAUREL GROVE MEWS
2 GLEN MORFA
3 MIN-Y-MORFA
4 LLYS CARADOC
1 CHARLESVILLE RD
2 LLYS-Y-MARCHOG
3 LLYS PENDEFIG
4 TREM-Y-FORYD
1 GLANDWR CRES
2 GLYN CIRC
3 EIRIAN AVE
4 LLYS TRAHEARNE

123
136

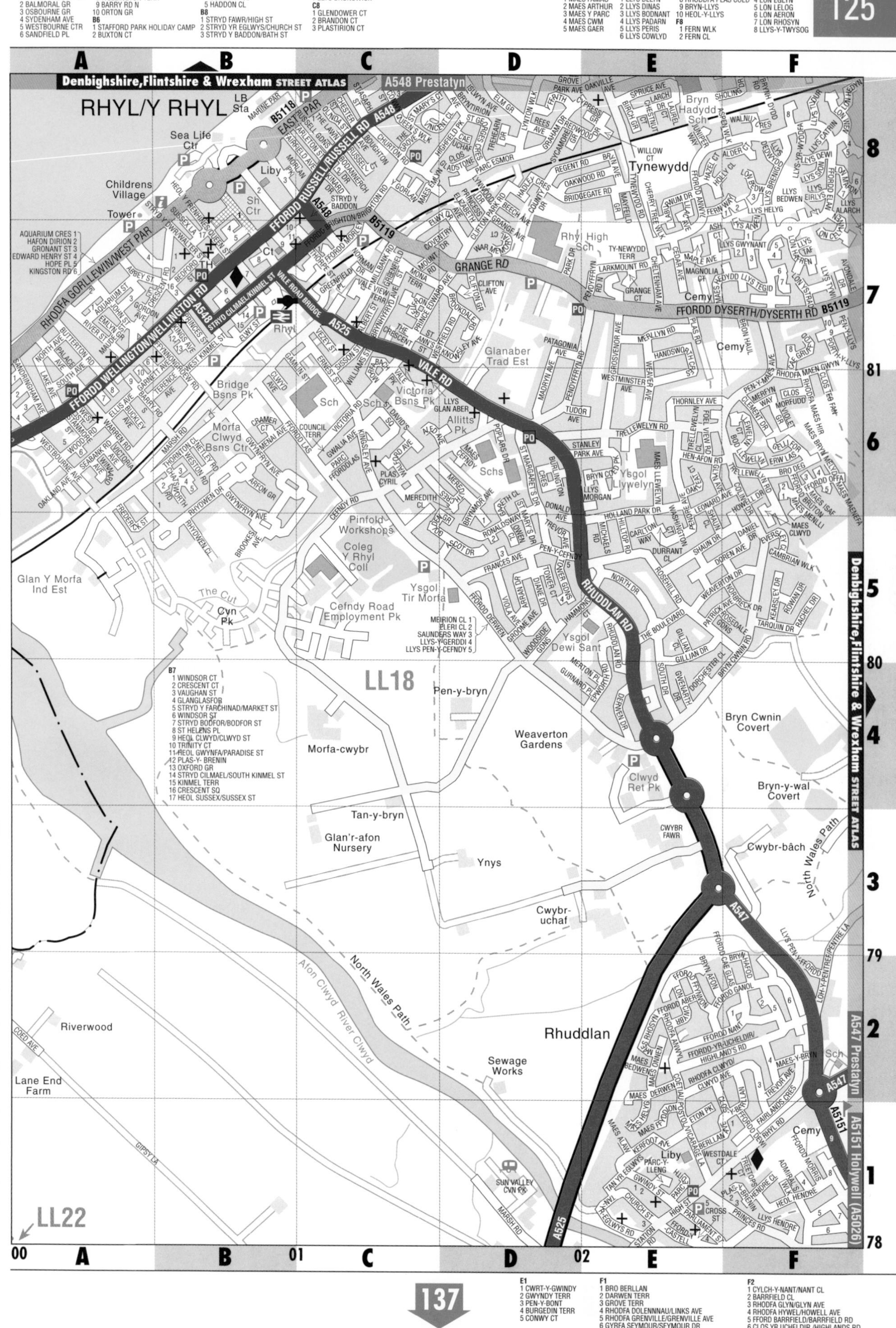

A6
1 MARLBOROUGH GR
2 BALMORAL GR
3 OSBOURNE GR
4 SYDENHAM AVE
5 WESTBOURNE CTR
6 SANDFIELD PL
7 BRIDGE ST
8 WELLINGTON TERR
9 BARRY RD N
10 ORTON GR
B6
1 STAFFORD PARK HOLIDAY CAMP
2 BUXTON CT
3 THORNTON CL
4 SUDBURY CL
5 HADDON CL
B8
1 STRYD FAWR/HIGH ST
2 STRYD YR EGLWYS/CHURCH ST
3 STRYD Y BADDON/BATH ST
C7
1 LLYS BRUNSWICK
C8
1 GLENDOWER CT
2 BRANDON CT
3 PLASTIRION CT
F6
1 MAES FAMAU
2 MAES ARTHUR
3 MAES Y PARC
4 MAES CWM
5 MAES GAER
F7
1 LLYS DELYN
2 LLYS DINAS
3 LLYS BODNANT
4 LLYS PADARN
5 LLYS PERIS
6 LLYS COWLYD
7 LLYS CADNANT
8 RHODDFA PLAS COED
9 BRYN-LLYS
10 HEOL-Y-LLYS
F8
1 FERN WLK
2 FERN CL
3 LLYS MIAREN
4 LON EGLYN
5 LON LELOG
6 LON AERON
7 LON RHOSYN
8 LLYS-Y-TWYSOG
125
Denbighshire,Flintshire & Wrexham STREET ATLAS
A548 Prestatyn
RHYL/Y RHYL
Sea Life Ctr
Childrens Village
Tower
Sh Ctr
Liby
TH
Rhyl
Bridge Bsns Pk
Morfa Clwyd Bsns Ctr
Victoria Bsns Pk
Allitts Pk
Glanaber Trad Est
Rhyl High Sch
Tynewydd
Bryn Hadydd Sch
Cemy
Ysgol Llywelyn
Pinfold Workshops
Coleg Y Rhyl Coll
Ysgol Tir Morfa
Cefndy Road Employment Pk
Ysgol Dewi Sant
Glan Y Morfa Ind Est
The Cut
Cyn Pk
LL18
Pen-y-bryn
Weaverton Gardens
Clwyd Ret Pk
Bryn Cwnin Covert
Bryn-y-wal Covert
Morfa-cwybr
Tan-y-bryn
Glan'r-afon Nursery
Ynys
Cwybr-bâch
North Wales Path
Cwybr-uchaf
Afon Clwyd River Clwyd
Riverwood
Lane End Farm
Rhuddlan
Sewage Works
SUN VALLEY CVN PK
LL22
FFORDD WELLINGTON/WELLINGTON RD
FFORDD RUSSELL/RUSSELL RD
VALE RD
RHUDDLAN RD
GRANGE RD
FFORDD DYSERTH/DYSERTH RD
RHODFA GORLLEWIN/WEST PAR
A525
A547
A5151
B5118
B5119
B7
1 WINDSOR CT
2 CRESCENT CT
3 VAUGHAN ST
4 GLANGLASFOR
5 STRYD Y FARCHINAD/MARKET ST
6 WINDSOR ST
7 STRYD BODFOR/BODFOR ST
8 ST HELENS PL
9 HEOL CLWYD/CLWYD ST
10 TRINITY CT
11 HEOL GWYNFA/PARADISE ST
12 PLAS-Y- BRENIN
13 OXFORD GR
14 STRYD CILMAEL/SOUTH KINMEL ST
15 KINMEL TERR
16 CRESCENT SQ
17 HEOL SUSSEX/SUSSEX ST
AQUARIUM CRES 1
HAFON DIRION 2
GRONANT ST 3
EDWARD HENRY ST 4
HOPE PL 5
KINGSTON RD 6
MEIRION CL 1
ELERI CL 2
SAUNDERS WAY 3
LLYS-Y-GERDDI 4
LLYS PEN-Y-CEFNDY 5
A547 Prestatyn
A5151 Holywell (A5026)
00
01
02
78
79
80
81
A B C D E F
1 2 3 4 5 6 7 8
137
E1
1 CWRT-Y-GWINDY
2 GWYNDY TERR
3 PEN-Y-BONT
4 BURGEDIN TERR
5 CONWY CT
F1
1 BRO BERLLAN
2 DARWEN TERR
3 GROVE TERR
4 RHODFA DOLENNNAU/LINKS AVE
5 RHODFA GRENVILLE/GRENVILLE AVE
6 GYRFA SEYMOUR/SEYMOUR DR
7 RHODFA CONWY/CONWY AVE
8 RHODFA BODRHYDDAN/BODRHYDDAN AVE
9 FFORDD NEWYDD/NEW RD
F2
1 CYLCH-Y-NANT/NANT CL
2 BARRFIELD CL
3 RHODFA GLYN/GLYN AVE
4 RHODFA HYWEL/HOWELL AVE
5 FFORD BARRFIELD/BARRFIELD RD
6 CLOS YR UCHELDIR /HIGHLANDS RD

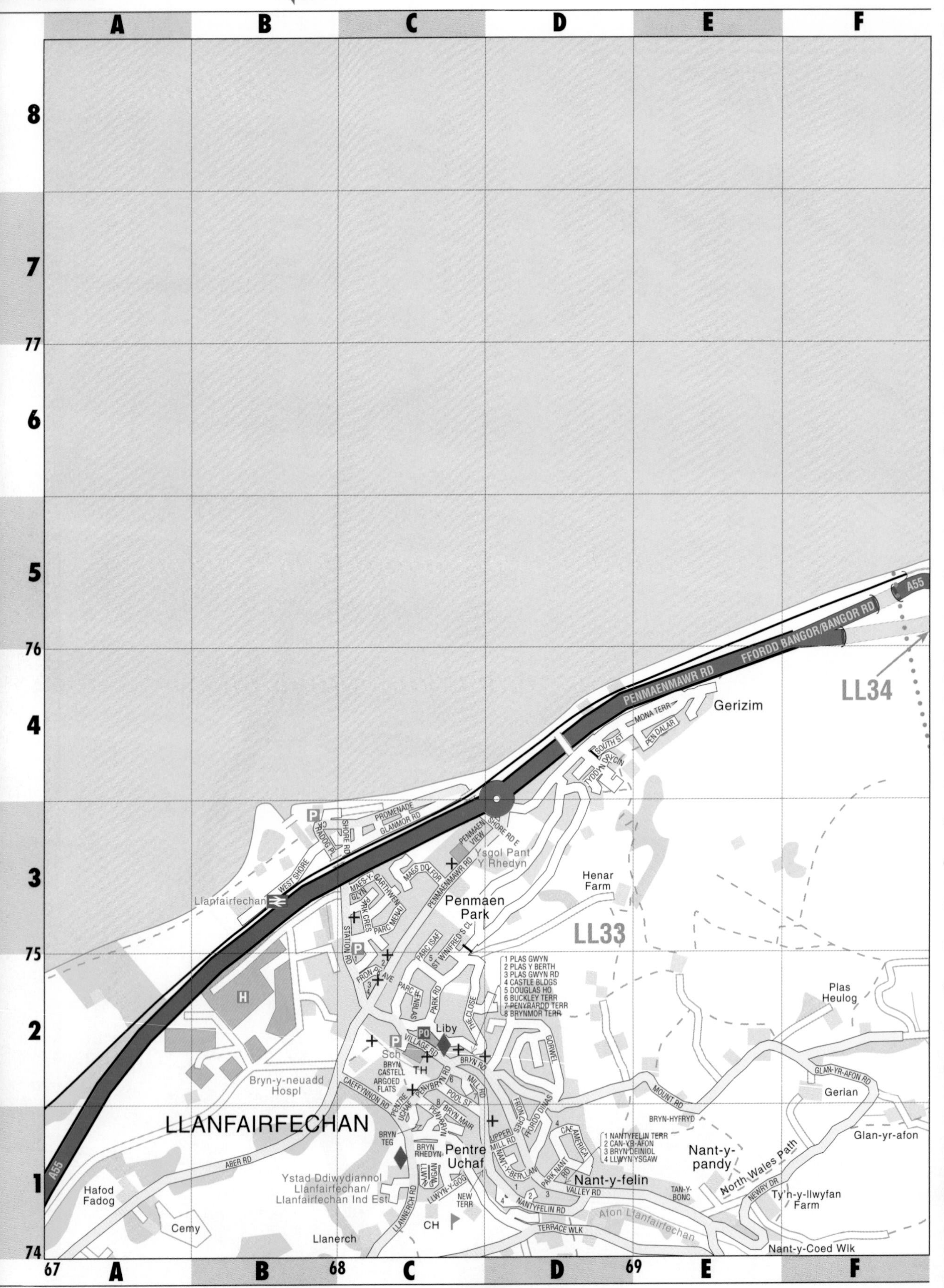

A B C D E F

8

7

77

6

5

76

LL34

4

A55

PENMAENMAWR RD

FFORDD BANGOR/BANGOR RD

MONA TERR

PEN DALAR

Gerizim

SOUTH ST

TYDDYN GWYN

P

PROMENADE

GLANMOR RD

SHORE RD

PROMENADE

SHORE RD E

PENMAEN VIEW

WEST SHORE

Llanfairfechan

Ysgol Pant Y Rhedyn

Penmaen Park

Henar Farm

3

MAES-Y-GAETHWYNT

GLYN

PARC CRES

STATION RD

PARC MENAI

MAES DOLFOR

PENMAENMAWR RD

PARC SAE

ST WINIFRED'S CL

LL33

75

FRON DEG AVE

PARC Y BRYN

PARK RD

THE CLOSE

Plas Heulog

1 PLAS GWYN
2 PLAS Y BERTH
3 PLAS GWYN RD
4 CASTLE BLDGS
5 DOUGLAS HO
6 BUCKLEY TERR
7 PENYRARDD TERR
8 BRYNMOR TERR

H

Liby

2

P

PO

VILLAGE RD

BRYN RD

MILL RD

GORWEL

MOUNT RD

GLAN-YR-AFON RD

Gerlan

Sch

BRYN CASTELL

ARGOED FLATS

TH

6

Bryn-y-neuadd Hospl

CAEFFYNNON RD

UCHAF

PENLLWYN

POOL ST

BRYN MAIR

FFORDD DINAS

UPPER MILL RD

NANT-Y-BER LAN

CAE AMERICA

PARK NANT RD

Bryn-Hyfryd

Glan-yr-afon

LLANFAIRFECHAN

BRYN TEG

BRYN RHEDYN

PEN Y BRYN

Pentre Uchaf

LLWYN-Y-GOG

NEW TERR

NANTYFELIN RD

VALLEY RD

Nant-y-felin

1 NANTYFELIN TERR
2 CAN-YB-AFON
3 BRYN DEINIOL
4 LLWYN YSGAW

Nant-y-pandy

TAN-Y-BONC

NEWRY DR

NORTH WALES PATH

Ty'n-y-llwyfan Farm

1

A55

Hafod Fadog

Cemy

Ystad Ddiwydiannol Llanfairfechan/ Llanfairfechan Ind Est

Llanerch

LLANERCH RD

CH

TERRACE WLK

Afon Llanfairfechan

Nant-y-Coed Wlk

74

67 A B 68 C D 69 E F

128

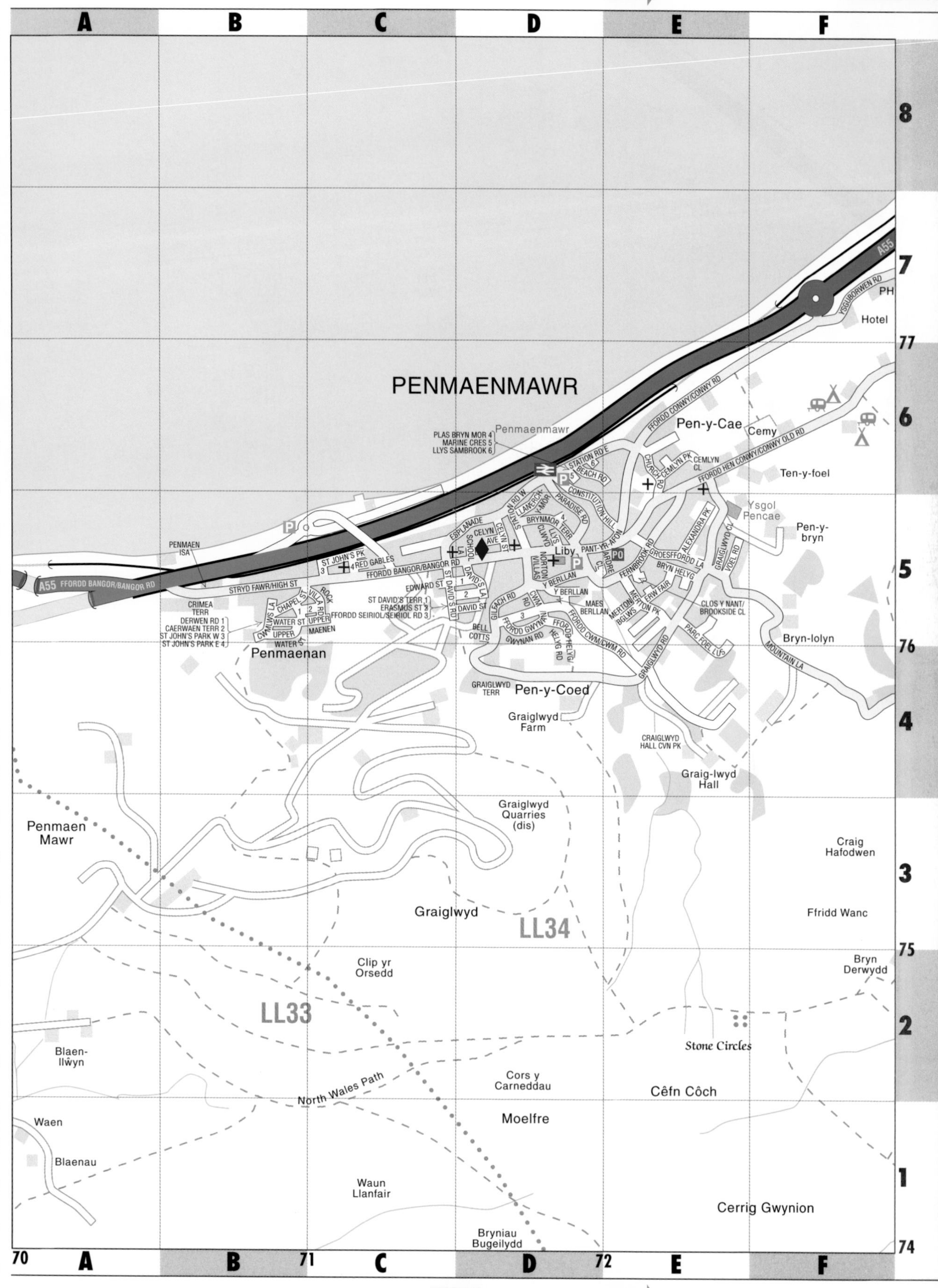

A
B
C
D
E
F
8
7
77
6
5
76
4
3
75
2
1
74
70
71
72
A55
PH
Hotel
PENMAENMAWR
Pen-y-Cae
Cemy
Penmaenmawr
PLAS BRYN MOR 4
MARINE CRES 5
LLYS SAMBROOK 6
Ten-y-foel
Ysgol Pencae
Pen-y-bryn
PENMAEN ISA
A55 FFORDD BANGOR/BANGOR RD
STRYD FAWR/HIGH ST
FFORDD BANGOR/BANGOR RD
ST JOHN'S PK
RED GABLES
ESPLANADE
CELYN AVE
CELYN ST
Liby
PANT-YR-AFON
GROESFFORDD LA
ALEXANDRA PK
BRYN HELYG
CLOS Y NANT/ BROOKSIDE CL
Bryn-lolyn
MOUNTAIN LA
CRIMEA TERR
DERWEN RD 1
CAERWAEN TERR 2
ST JOHN'S PARK W 3
ST JOHN'S PARK E 4
ST DAVID'S TERR 1
ERASMUS ST 2
FFORDD SEIRIOL/SEIRIOL RD 3
EDWARD ST
DAVID ST
BELL COTTS
Y BERLLAN
MAES BERLLAN
Penmaenan
GRAIGLWYD TERR
Pen-y-Coed
Graiglwyd Farm
CRAIGLWYD HALL CVN PK
Graig-lwyd Hall
Penmaen Mawr
Graiglwyd Quarries (dis)
Craig Hafodwen
Graiglwyd
LL34
Ffridd Wanc
Clip yr Orsedd
Bryn Derwydd
LL33
Stone Circles
Blaen-llŵyn
North Wales Path
Cors y Carneddau
Cêfn Côch
Waen
Moelfre
Blaenau
Waun Llanfair
Cerrig Gwynion
Bryniau Bugeilydd
A
B
C
D
E
F

22

128

127
116

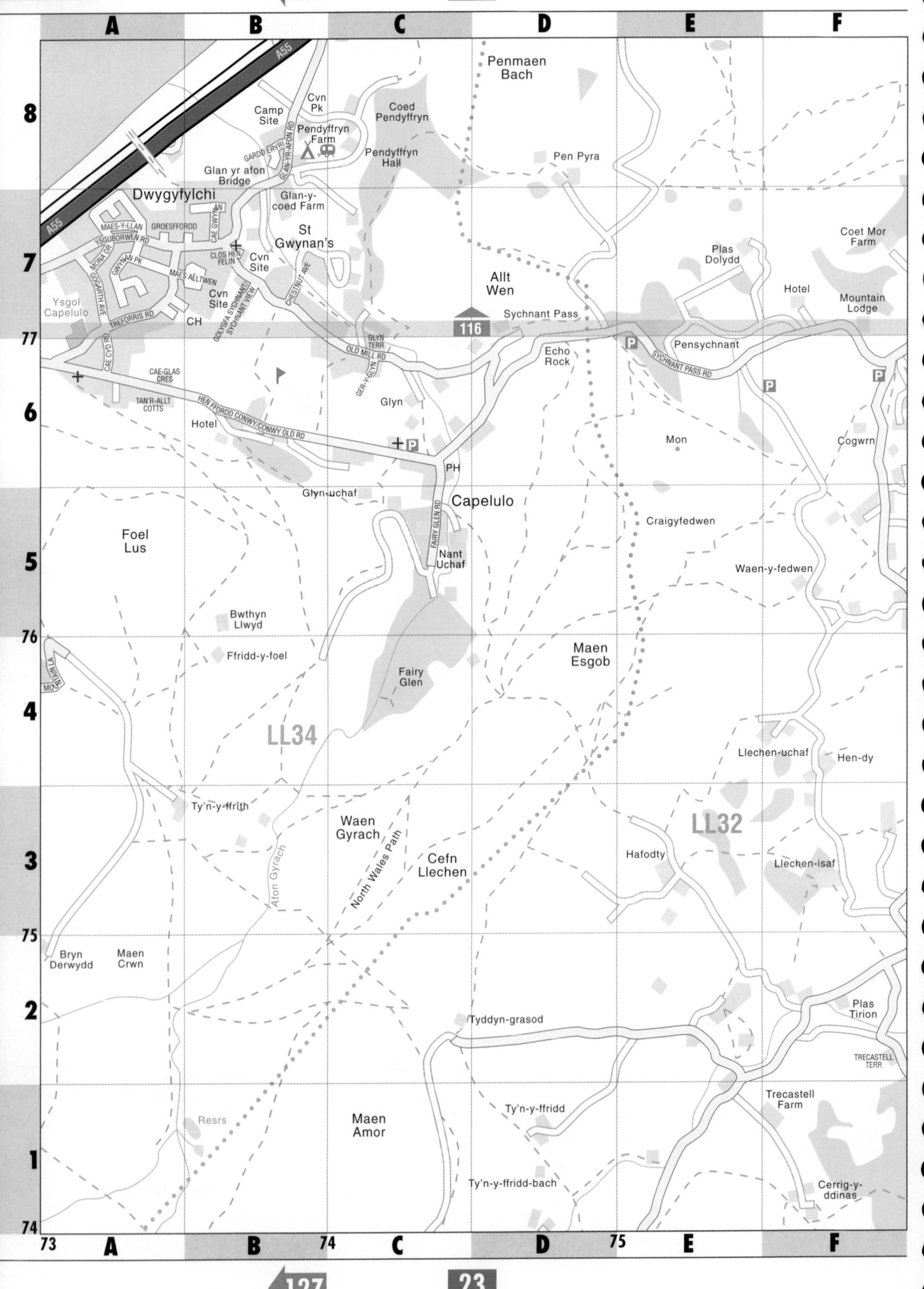
A
B
C
D
E
F
8
7
77
6
5
76
4
3
75
2
1
74
73
74
75
A55
Penmaen
Bach
Cvn
Pk
Camp
Site
Coed
Pendyffryn
Pendyffryn
Farm
Pendyffryn
Hall
Pen Pyra
Glan yr afon
Bridge
Dwygyfylchi
Glan-y-
coed Farm
St
Gwynan's
Cvn
Site
Cvn
Site
Allt
Wen
Plas
Dolydd
Coet Mor
Farm
Hotel
Mountain
Lodge
Ysgol
Capelulo
CH
Sychnant Pass
116
Echo
Rock
Pensychnant
SYCHNANT PASS RD
P
CAE-GLAS
CRES
TAN'R-ALLT
COTTS
HEN FFORDD CONWY/CONWY OLD RD
Hotel
Glyn
Mon
Cogwrn
PH
Glyn-uchaf
Capelulo
Craigyfedwen
Foel
Lus
FAIRY GLEN RD
Nant
Uchaf
Waen-y-fedwen
Bwthyn
Llwyd
Ffridd-y-foel
Maen
Esgob
Fairy
Glen
LL34
Llechen-uchaf
Hen-dy
Ty'n-y-ffrith
LL32
Waen
Gyrach
North Wales Path
Cefn
Llechen
Hafodty
Llechen-isaf
Afon Gyrach
Bryn
Derwydd
Maen
Crwn
Plas
Tirion
Tyddyn-grasod
TRECASTELL
TERR
Trecastell
Farm
Resrs
Maen
Amor
Ty'n-y-ffridd
Ty'n-y-ffridd-bach
Cerrig-y-
ddinas

127
23

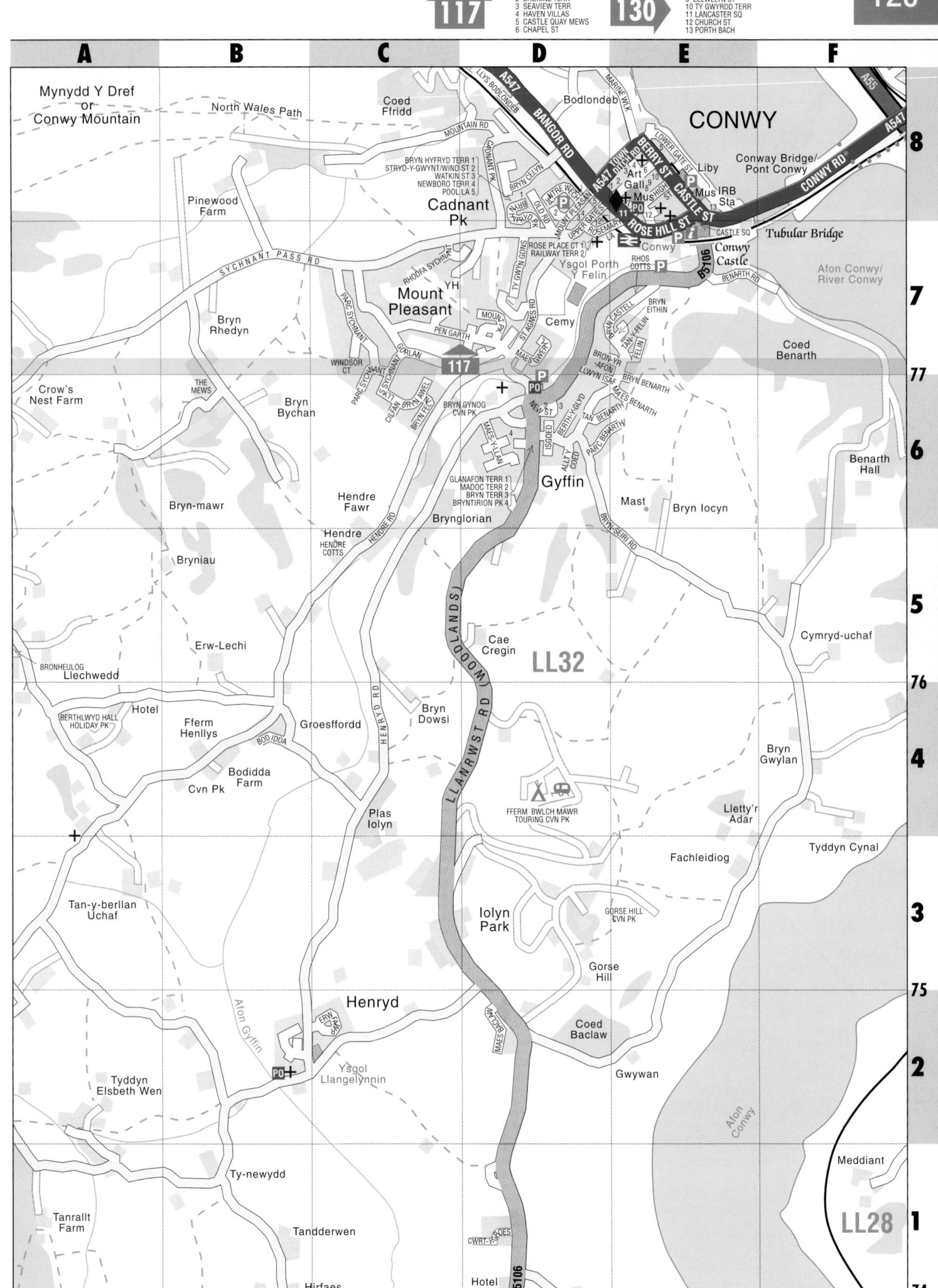

E8
1 PORTH FFORDD FANGOR
2 ERSKINE TERR
3 SEAVIEW TERR
4 HAVEN VILLAS
5 CASTLE QUAY MEWS
6 CHAPEL ST

7 YORK PL
8 CROWN LA
9 LLEWELYN ST
10 TY GWYRDD TERR
11 LANCASTER SQ
12 CHURCH ST
13 PORTH BACH

117

130

23

130

CONWY

Mynydd Y Dref
or
Conwy Mountain

North Wales Path

Coed Ffridd

Bodlondeb

Conway Bridge/
Pont Conwy

MOUNTAIN RD

BRYN HYFRYD TERR 1
STRYD-Y-GWYNT/WIND ST 2
WATKIN ST 3
NEWBORO TERR 4
POOL LA 5

Cadnant
Pk

Pinewood
Farm

Art
Gall

Mus IRB
Sta

Liby

Mus

SYCHNANT PASS RD

RHODFA SYCHNANT

YH

Railway Terr 2
Rose Place Ct 1

Mount
Pleasant

Ysgol Porth
Y Felin

Rhos
Cotts

Conwy

Conwy
Castle

Castle Sq

Tubular Bridge

Bryn
Rhedyn

Cemy

Afon Conwy/
River Conwy

Crow's
Nest Farm

THE
MEWS

Bryn
Bychan

117

WINDSOR
CT

Bryn Eithin

Coed
Benarth

Bryn Gynog
Cvn Pk

Gyffin

Bryn Benarth

Benarth
Hall

Bryn-mawr

Hendre
Fawr

GLANAFON TERR 1
MADOC TERR 2
BRYN TERR 3
BRYNTIRION PK 4

Brynglorian

Mast

Bryn Iocyn

Bryniau

Hendre
Cotts

LL32

Erw-Lechi

Cae
Cregin

Cymryd-uchaf

BRONHEULOG
Llechwedd

Bryn
Dowsi

Berthlwyd Hall
Holiday Pk

Hotel

Bryn
Gwylan

Fferm
Henllys

Groesffordd

FFERM BWLCH MAWR
TOURING CVN PK

Lletty'r
Adar

Bodidda
Farm

Cvn Pk

Tyddyn Cynal

Fachleidiog

Tan-y-berllan
Uchaf

Plas
Iolyn

Iolyn
Park

GORSE HILL
CVN PK

Henryd

Gorse
Hill

Tyddyn
Elsbeth Wen

Ysgol
Llangelynnin

Coed
Baclaw

Gwywan

Afon Conwy

Ty-newydd

Meddiant

Tanrallt
Farm

Tandderwen

LL28

Hirfaes

Hotel

129 118

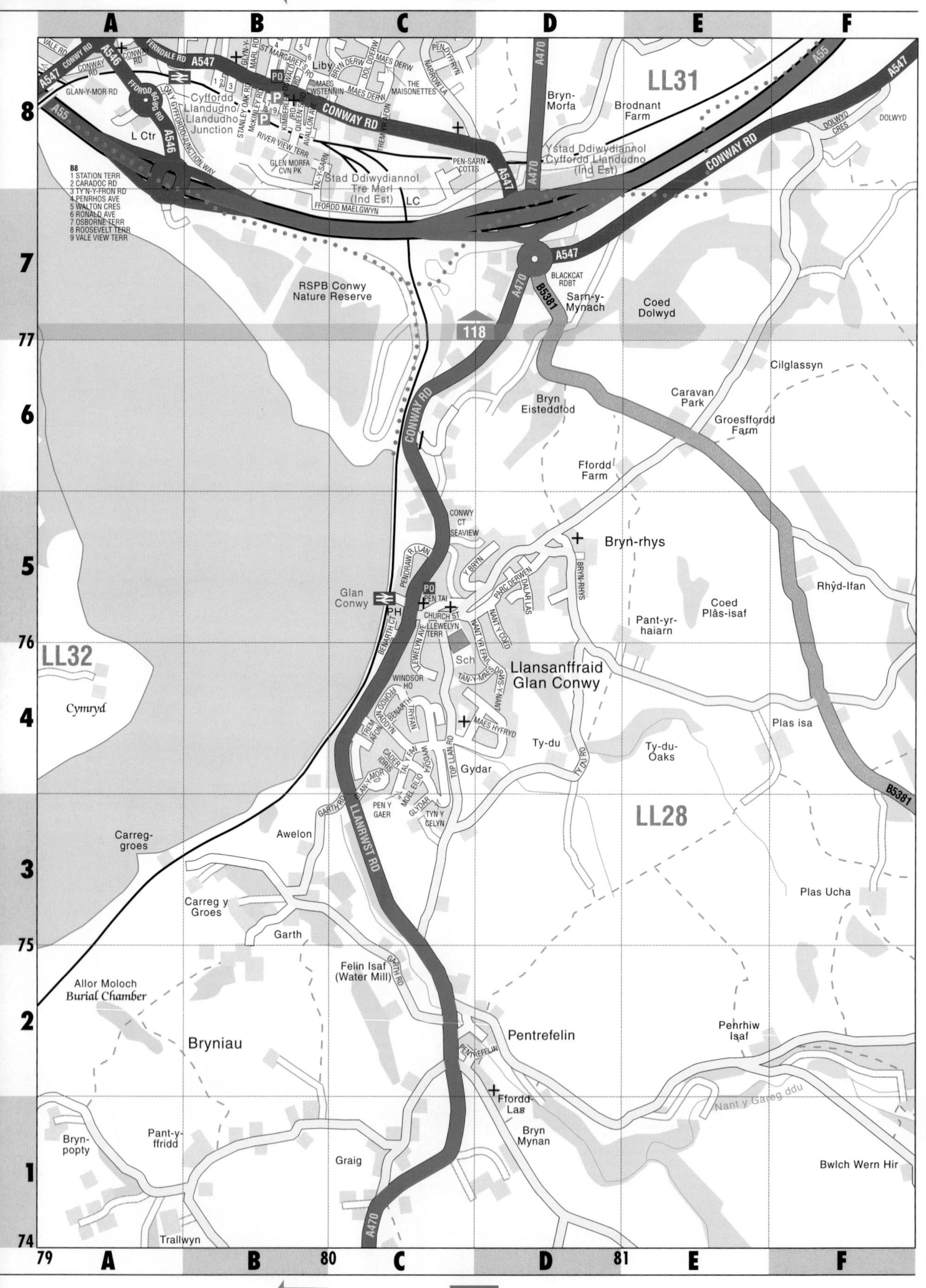
LL31
LL32
LL28
Bryn-Morfa
Brodnant Farm
Ystad Ddiwydiannol Cyffordd Llandudno (Ind Est)
Cyffordd Llandudno Llandudno Junction
L Ctr
Stad Ddiwydiannol Tre Marl (Ind Est)
CONWAY RD
A547
A55
A470
A546
B5381
BLACKCAT RDBT
Sarn-y-Mynach
Coed Dolwyd
RSPB Conwy Nature Reserve
Cilglassyn
Bryn Eisteddfod
Caravan Park
Groesffordd Farm
Ffordd Farm
Bryn-rhys
Rhŷd-Ifan
Glan Conwy
Coed Plâs-isaf
Pant-yr-haiarn
Llansanffraid Glan Conwy
Cymryd
Ty-du
Ty-du-Oaks
Plas isa
Gydar
Awelon
Carreg-groes
Carreg y Groes
Garth
Plas Ucha
LLANRWST RD
Felin Isaf (Water Mill)
Allor Moloch Burial Chamber
Bryniau
Pentrefelin
Penrhiw Isaf
Ffordd-Las
Nant y Gareg ddu
Bryn Mynan
Bryn-popty
Pant-y-ffridd
Graig
Bwlch Wern Hir
Trallwyn
B8
1 STATION TERR
2 CARADOC RD
3 TY'N-Y-FRON RD
4 PENRHOS AVE
5 WALTON CRES
6 RONALD AVE
7 OSBORNE TERR
8 ROOSEVELT TERR
9 VALE VIEW TERR

129 24

119
132

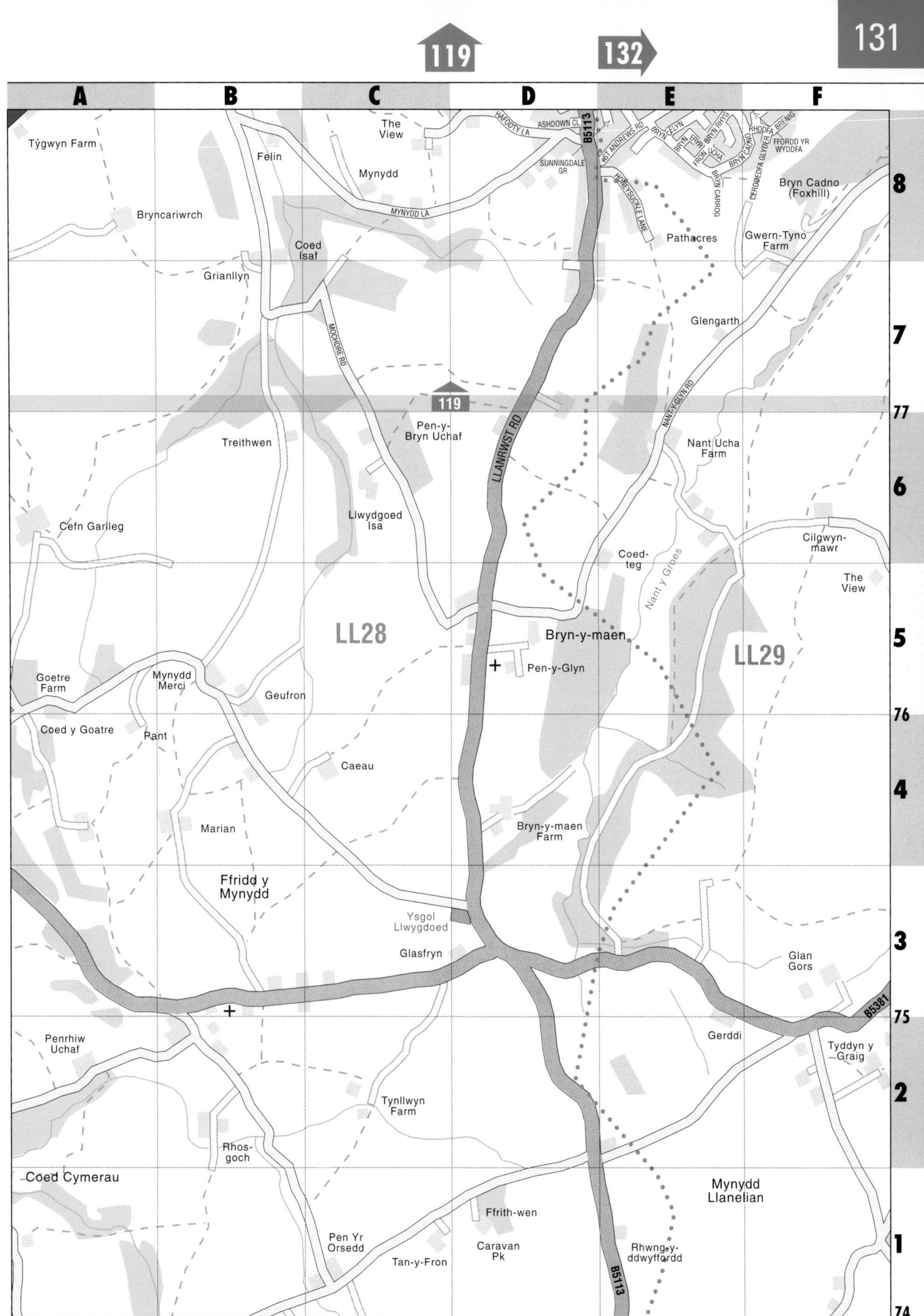
A
B
C
D
E
F
Tŷgwyn Farm
The View
Felin
Mynydd
HAFODTY LA
ASHDOWN CL
B5113
ST ANDREWS RD
SUNNINGDALE GR
HONEYSUCKLE LANE
BRYN CARROG
RHODFA BRENIG
FFORDD YR WYDDFA
Bryn Cadno (Foxhill)
Bryncariwrch
MYNYDD LA
Coed Isaf
Pathacres
Gwern-Tyno Farm
Grianllyn
Glengarth
MOCHDRE RD
119
LLANRWST RD
NANT-Y-GLYN RD
Pen-y-Bryn Uchaf
Treithwen
Nant Ucha Farm
Cefn Garlleg
Llwydgoed Isa
Cilgwyn-mawr
Coed-teg
Nant y Groes
The View
LL28
Bryn-y-maen
LL29
Pen-y-Glyn
Goetre Farm
Mynydd Merci
Geufron
Coed y Goatre
Pant
Caeau
Marian
Bryn-y-maen Farm
Ffridd y Mynydd
Ysgol Llwygdoed
Glasfryn
Glan Gors
B5381
Penrhiw Uchaf
Gerddi
Tyddyn y Graig
Tynllwyn Farm
Rhos-goch
Coed Cymerau
Mynydd Llanelian
Ffrith-wen
Pen Yr Orsedd
Caravan Pk
Tan-y-Fron
Rhwng-y-ddwyffordd
B5113
8
7
77
6
5
76
4
3
75
2
1
74
82
83
84

24
132

131
120

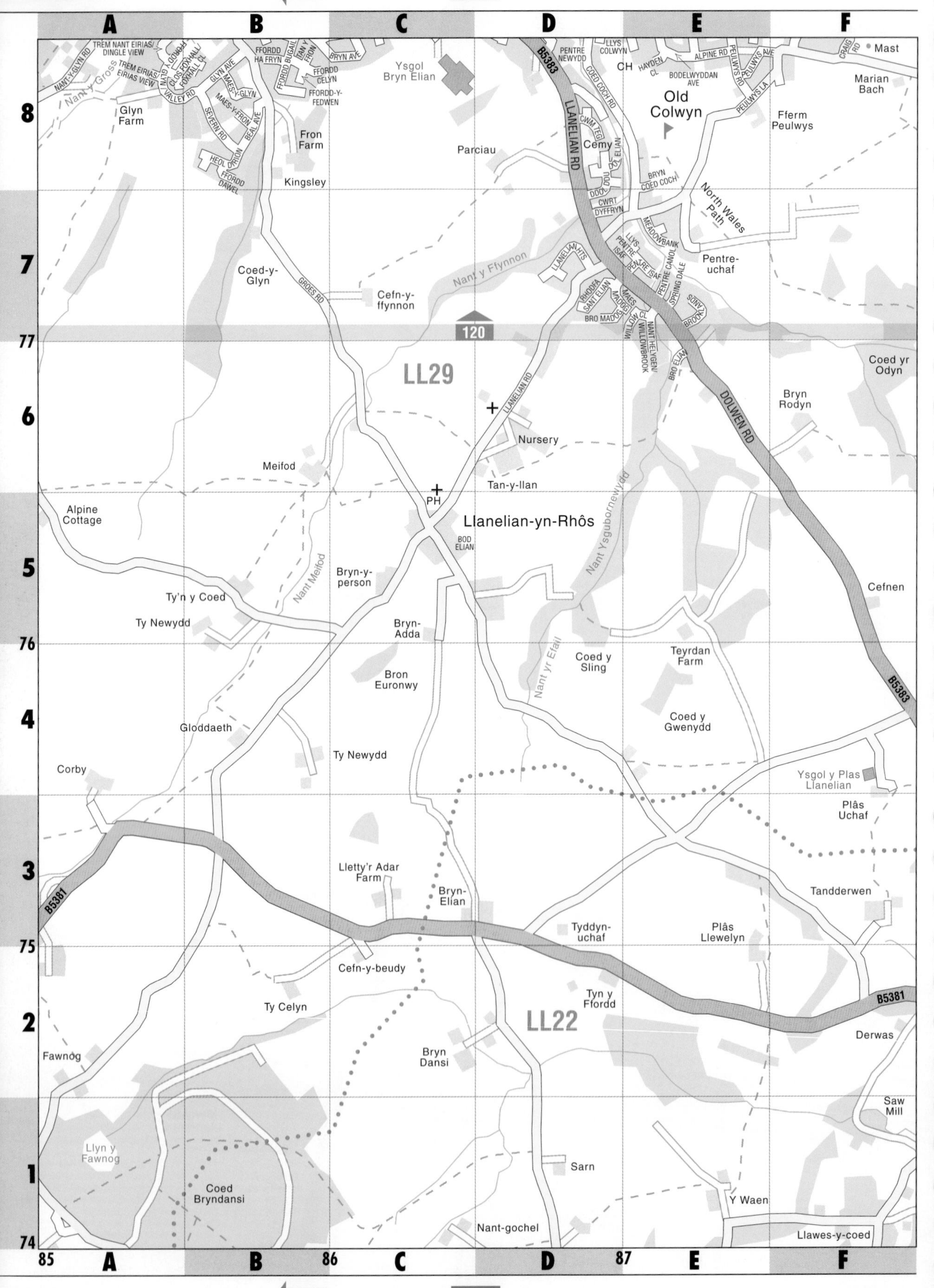
A
B
C
D
E
F
8
7
77
6
5
76
4
3
75
2
1
74
85
86
87
Mast
Marian Bach
Ysgol Bryn Elian
Glyn Farm
Fron Farm
Kingsley
Parciau
Old Colwyn
Fferm Peulwys
Cemy
North Wales Path
Pentre-uchaf
Coed-y-Glyn
Cefn-y-ffynnon
Nant y Ffynnon
LLANELIAN RD
B5383
LL29
Coed yr Odyn
Bryn Rodyn
DOLWEN RD
Nursery
Meifod
Tan-y-llan
PH
Alpine Cottage
Llanelian-yn-Rhôs
BOD ELIAN
Nant Meifod
Nant Ysgubornewydd
Bryn-y-person
Cefnen
Ty'n y Coed
Ty Newydd
Bryn-Adda
Bron Euronwy
Coed y Sling
Nant yr Efail
Teyrdan Farm
Coed y Gwenydd
Gloddaeth
Ty Newydd
Corby
Ysgol y Plas Llanelian
Plâs Uchaf
B5381
Lletty'r Adar Farm
Bryn-Elian
Tandderwen
Tyddyn-uchaf
Plâs Llewelyn
Cefn-y-beudy
Tyn y Ffordd
Ty Celyn
LL22
Derwas
Fawnog
Bryn Dansi
Saw Mill
Llyn y Fawnog
Sarn
Coed Bryndansi
Y Waen
Nant-gochel
Llawes-y-coed

131
25

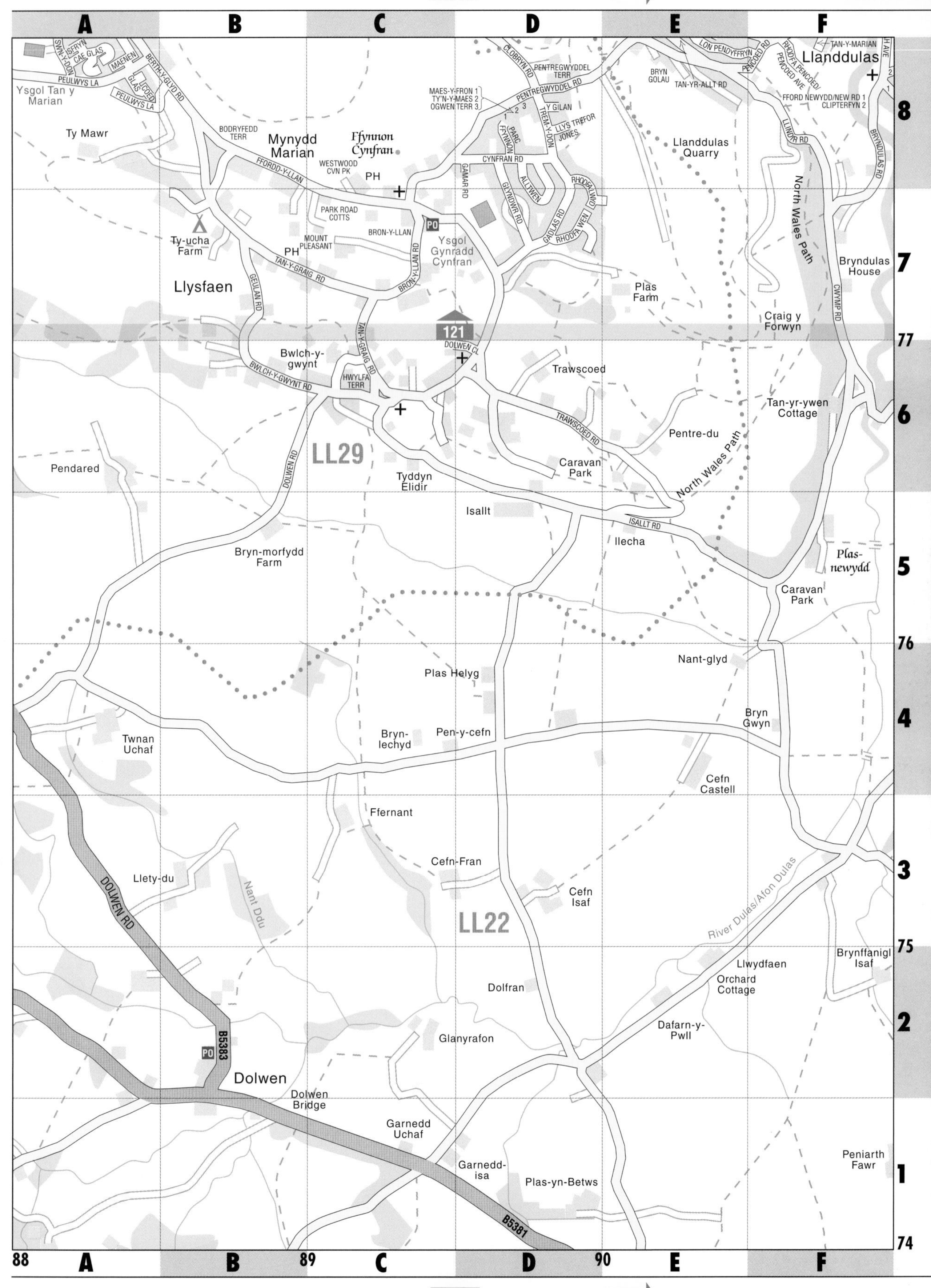
121
134
A
B
C
D
E
F
Ysgol Tan y Marian
Ty Mawr
Mynydd Marian
Ffynnon Cynfran
WESTWOOD CVN PK
PH
PARK ROAD COTTS
MOUNT PLEASANT
BRON-Y-LLAN
Ysgol Gynradd Cynfran
Ty-ucha Farm
Llysfaen
Llanddulas
Llanddulas Quarry
North Wales Path
Bryndulas House
Plas Farm
Craig y Forwyn
Bwlch-y-gwynt
HWYLFA TERR
Trawscoed
Tan-yr-ywen Cottage
Pentre-du
LL29
Pendared
Tyddyn Elidir
Caravan Park
Isallt
llecha
Plas-newydd
Bryn-morfydd Farm
Caravan Park
Nant-glyd
Plas Helyg
Bryn Gwyn
Twnan Uchaf
Bryn-lechyd
Pen-y-cefn
Cefn Castell
Ffernant
Llety-du
Nant Ddu
Cefn-Fran
Cefn Isaf
LL22
River Dulas/Afon Dulas
Brynffanigl Isaf
Llwydfaen
Orchard Cottage
Dolfran
Dafarn-y-Pwll
Glanyrafon
DOLWEN RD
B5383
PO
Dolwen
Dolwen Bridge
Garnedd Uchaf
Garnedd-isa
Plas-yn-Betws
B5381
Peniarth Fawr
8
7
77
6
5
76
4
3
75
2
1
74
88
89
90
25
134

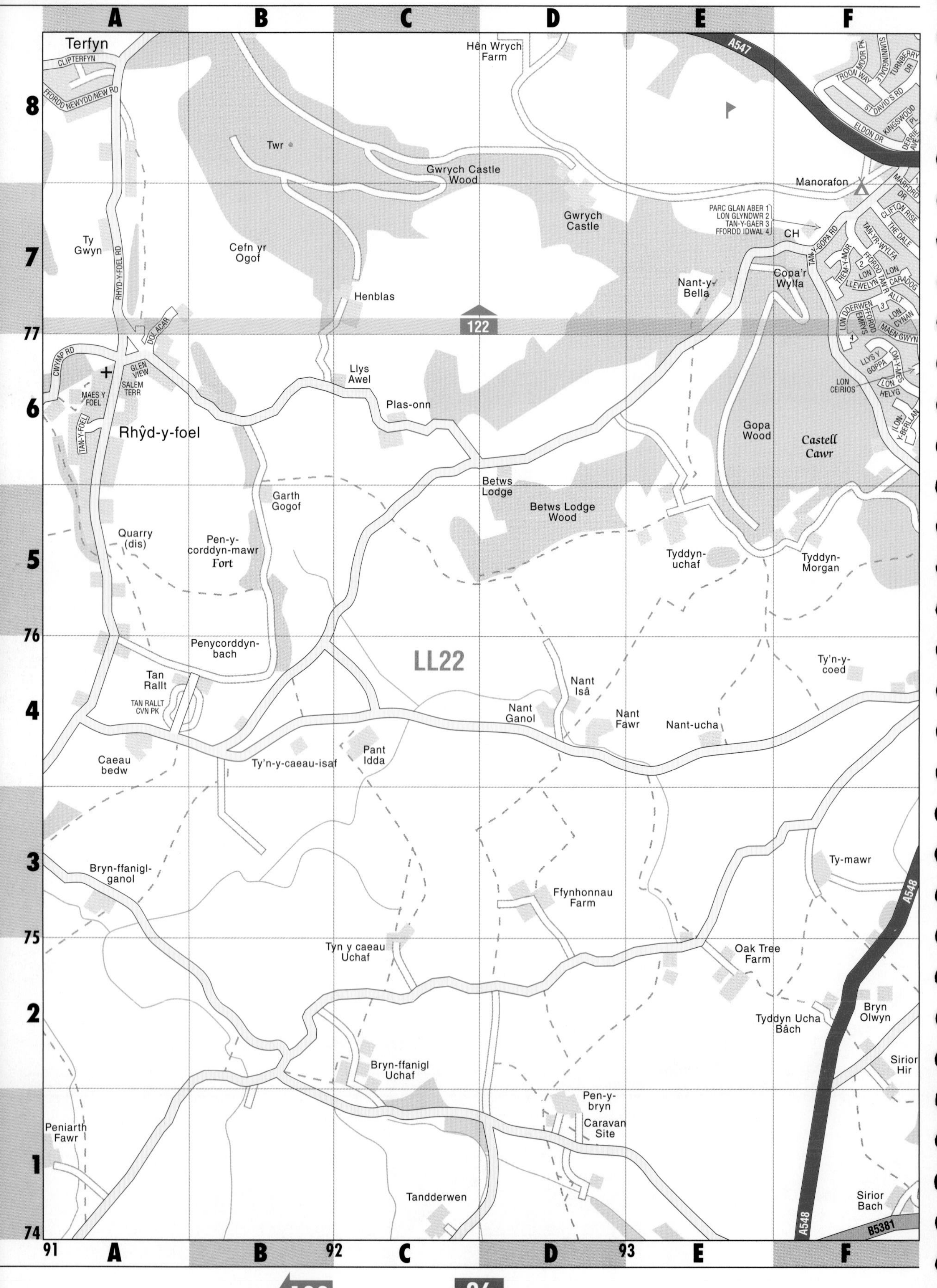

A   B   C   D   E   F

Terfyn

CLIPTERFYN

FFORDD NEWYDD/NEW RD

8

Hen Wrych Farm

Gwrych Castle Wood

Twr

A547

Manorafon

Gwrych Castle

PARC GLAN ABER 1
LON GLYNDWR 2
TAN-Y-GAER 3
FFORDD IDWAL 4

CH

Ty Gwyn

RHYD-Y-FOEL RD

7

Cefn yr Ogof

Nant-y-Bella

Copa'r Wylfa

Henblas

77

122

DÔL ACAR

GLEN VIEW

SALEM TERR

CWYMP RD

Llys Awel

Gopa Wood

Castell Cawr

6

MAES Y FOEL

TAN-Y-FOEL

Rhŷd-y-foel

Plas-onn

Betws Lodge

Garth Gogof

Betws Lodge Wood

Tyddyn-uchaf

Tyddyn-Morgan

Quarry (dis)

5

Pen-y-corddyn-mawr Fort

76

Penycorddyn-bach

LL22

Ty'n-y-coed

Tan Rallt

Nant Isâ

4

TAN RALLT CVN PK

Nant Ganol

Nant Fawr

Nant-ucha

Caeau bedw

Ty'n-y-caeau-isaf

Pant Idda

Bryn-ffanigl-ganol

3

Ty-mawr

A548

Ffynhonnau Farm

75

Tyn y caeau Uchaf

Oak Tree Farm

2

Tyddyn Ucha Bâch

Bryn Olwyn

Bryn-ffanigl Uchaf

Sirior Hir

Pen-y-bryn Caravan Site

Peniarth Fawr

1

Tandderwen

A548

Sirior Bach

74

91   A   B   92   C   D   93   E   F

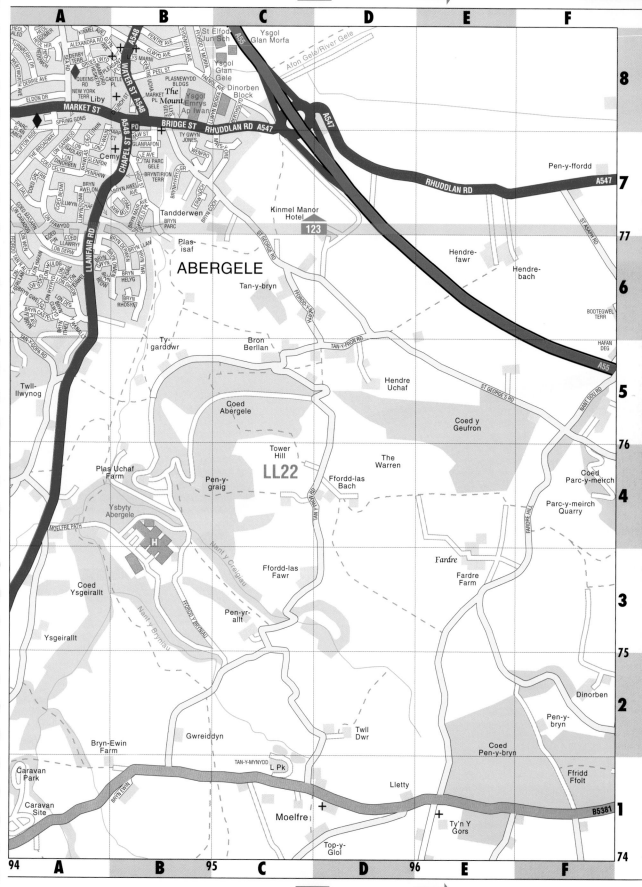
123
136

A B C D E F

8 7 77 6 5 76 4 3 75 2 1 74

ABERGELE

LL22

HEOL ALED
HEOL GOMER
HEOL HIR
HEOL DEWI
HEOL IOLO
KINMEL AVE
ALEXANDRA RD
GLYN AVE
TURNBERRY DR
WENTWORTH AVE
DERRIE AVE
DERBY TERR
SEA RD
GROES LWYD
PLEASANT PL
LLYS MARNI
CLWYD AVE
PENTRE AVE
SYDENHAM AVE
FFORDD Y MORFA
St Elfod Jun Sch
Ysgol Glan Morfa
Ysgol Glan Gele
Afon Gele/River Gele
PEEL ST
PENTRE UCHA
QUEENS RD
HESKETH RD
BAMFORD RD
CASTLE PL
PLASNEWYDD BLDGS
FAENOL AVE
Dinorben Block
NEW YORK TERR
Liby
ELDON DR
CHURCH ST
MARKET PL
The Mount
Ysgol Emrys Ap Iwan
LLYS GELE
LLWYN MORFA
BERTHGLYD
MARKET ST
WATER ST
A548
A55
A547
SPRING GDNS
PARC GLAN ABER
CLIFTON RISE
THE BROADWAY
HARP CT
PO
BRIDGE ST
RHUDDLAN RD A547
NEW ST
LON-Y-WAUN
TY GWYN JONES
MAES-Y-DRE
LON GARNEDD
LON GADLAS
COED ETHIN
RHIWLAS
GLANRAFON
Cemy
WENFRO
DINORBEN
GLENFOR
GELE AVE
TAI PARC GELE
COED CELYN
PENRHIW
CHAPEL ST
BRYNTIRION TERR
BRYNHYFRYD GR
THE DALE
COED GLYN
BRYN AWELON
COED BEDW
LLWYN ONN
BRYN AWEL AVE
COMMON WAY
LERW GOCH
BRYN GOCH
LLWYN UCHAF
BRYN MAIR AVE
MAESHYFRYD PK
Tandderwen
Kinmel Manor Hotel
123
LON CARADOG
COED MASARN
LLWYN TYDDYN
LON FFAWYDD
BRYN PARC
COED PIN
COED LLAWRYF
LON DERW
FFORDD TAN'R ALLT
LON WEN
LON HAFAN
BRYN DERWEN
BRYN LLAN
BRYN GWYN
BRYN ONNEN
BRYN TWR
BRYN BEDW
BRYN HELYG
BRYN RHOSYN
Plas-isaf
ST GEORGE RD
Tan-y-bryn
LLANFAIR RD
Y-BERLLAN
BRYN GWELED
BRYN CASTELL
BRYN PLAS
Y BRYN
LON DEG
BRYN EITHIN
Y WENALLT
TAN-Y-GOPA RD
Ty-garddwr
Bron Berllan
FFORDD-Y-BERTH
TAN-Y-FRON RD
Pen-y-ffordd
RHUDDLAN RD
A547
Hendre-fawr
Hendre-bach
ST ASAPH RD
BODTEGWEL TERR
HAFAN DEG
A55
Twll-llwynog
Hendre Uchaf
ST GEORGE'S RD
NANT DDU RD
Coed Abergele
Coed y Geufron
Tower Hill
The Warren
Plas Uchaf Farm
Pen-y-graig
Ffordd-las Bach
Coed Parc-y-meirch
Parc-y-meirch Quarry
TAN-Y-FRON RD
FARDRE HILL
Ysbyty Abergele
MOELFRE PATH
H
Nant y Creigiau
Fardre
Fardre Farm
Ffordd-las Fawr
Coed Ysgeirallt
FFORDD Y BRYNIAU
Nant y Bryniau
Pen-yr-allt
Ysgeirallt
Dinorben
Pen-y-bryn
Bryn-Ewin Farm
Gwreiddyn
Twll Dwr
Coed Pen-y-bryn
TAN-Y-MYNYDD
L Pk
Caravan Park
Ffridd Ffolt
Lletty
BRYN EWIN
Caravan Site
Moelfre
B5381
Ty'n Y Gors
Top-y-Glol

94 A B 95 C D 96 E F

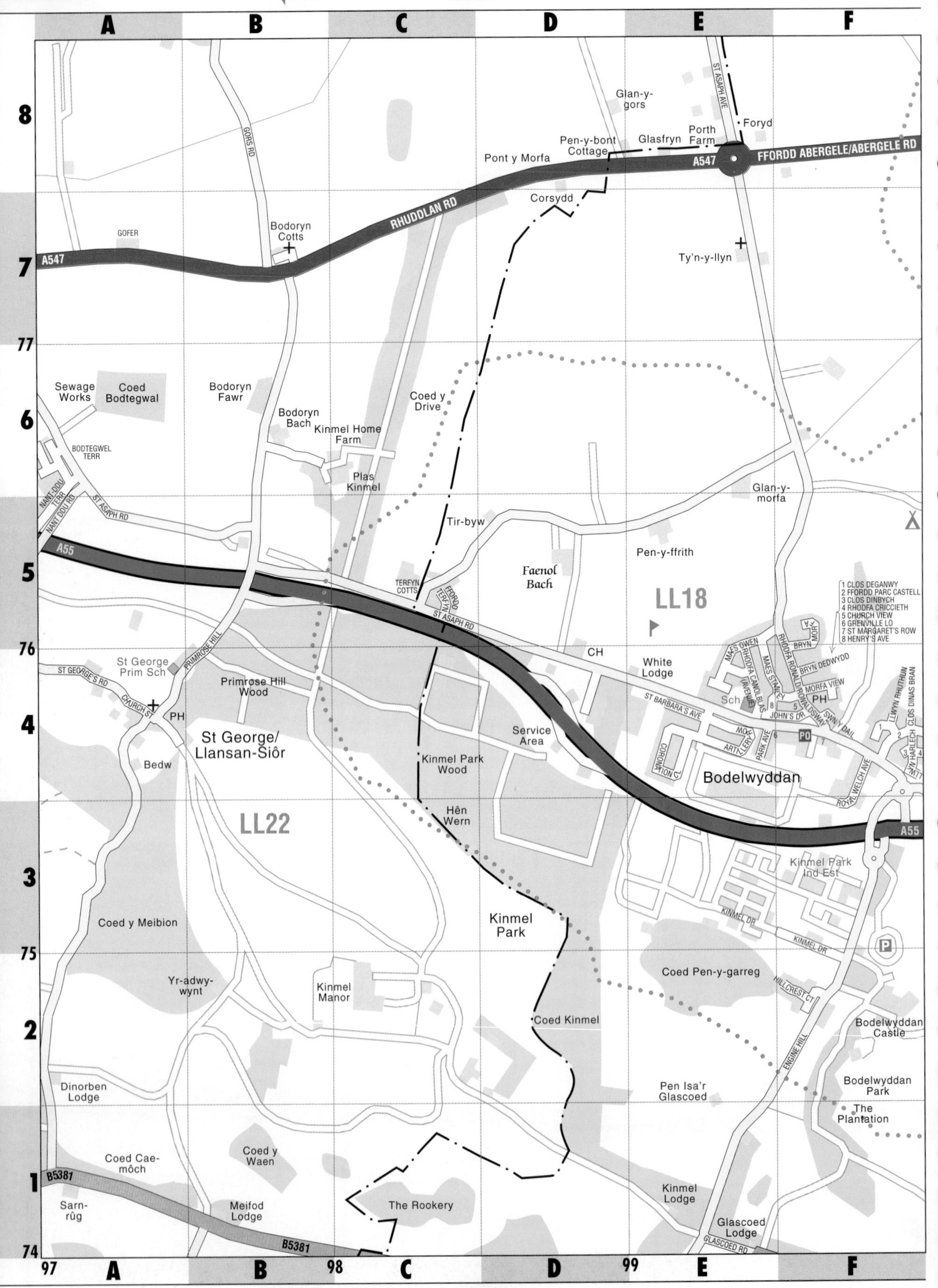
A
B
C
D
E
F
8
7
77
6
5
76
4
3
75
2
1
74
97
98
99
Glan-y-gors
ST ASAPH AVE
Foryd
Porth Farm
Glasfryn
Pen-y-bont Cottage
Pont y Morfa
A547
FFORDD ABERGELE/ABERGELE RD
Corsydd
RHUDDLAN RD
GORS RD
Bodoryn Cotts
GOFER
A547
Ty'n-y-llyn
Sewage Works
Coed Bodtegwal
Bodoryn Fawr
Bodoryn Bach
Kinmel Home Farm
Coed y Drive
BODTEGWEL TERR
Plas Kinmel
Glan-y-morfa
NANT-DDU TERR
NANT DDU RD
ST ASAPH RD
Tir-byw
A55
Pen-y-ffrith
Faenol Bach
TERFYN COTTS
FFORDD TERFYN
LL18
ST ASAPH RD
1 CLOS DEGANWY
2 FFORDD PARC CASTELL
3 CLOS DINBYCH
4 RHODFA CRICCIETH
5 CHURCH VIEW
6 GRENVILLE LO
7 ST MARGARET'S ROW
8 HENRY'S AVE
St George Prim Sch
ST GEORGE'S RD
PRIMROSE HILL
CH
White Lodge
MAES OWEN
RHODFA CAMOLBLAS
MAES STANLEY
RHODFA RONALD
BRYN DEDWYDD
MORFA VIEW
Primrose Hill Wood
CHURCH ST
PH
St George/ Llansan-Siôr
ST BARBARA'S AVE
Sch
PH
JOHN'S DR
LLWYN RHUTHUN
CLOS DINAS BRAN
Service Area
Kinmel Park Wood
CORONATION CL
PARK AVE
PO
Bedw
Bodelwyddan
ROYAL WELCH AVE
LL22
Hên Wern
A55
Kinmel Park Ind Est
Coed y Meibion
Kinmel Park
KINMEL DR
KINMEL DR
Coed Pen-y-garreg
Yr-adwy-wynt
Kinmel Manor
HILLCREST CT
Coed Kinmel
Bodelwyddan Castle
ENGINE HILL
Dinorben Lodge
Pen Isa'r Glascoed
Bodelwyddan Park
The Plantation
Coed Cae-môch
Coed y Waen
B5381
Sarn-rûg
Meifod Lodge
The Rookery
Kinmel Lodge
Glascoed Lodge
B5381
GLASCOED RD

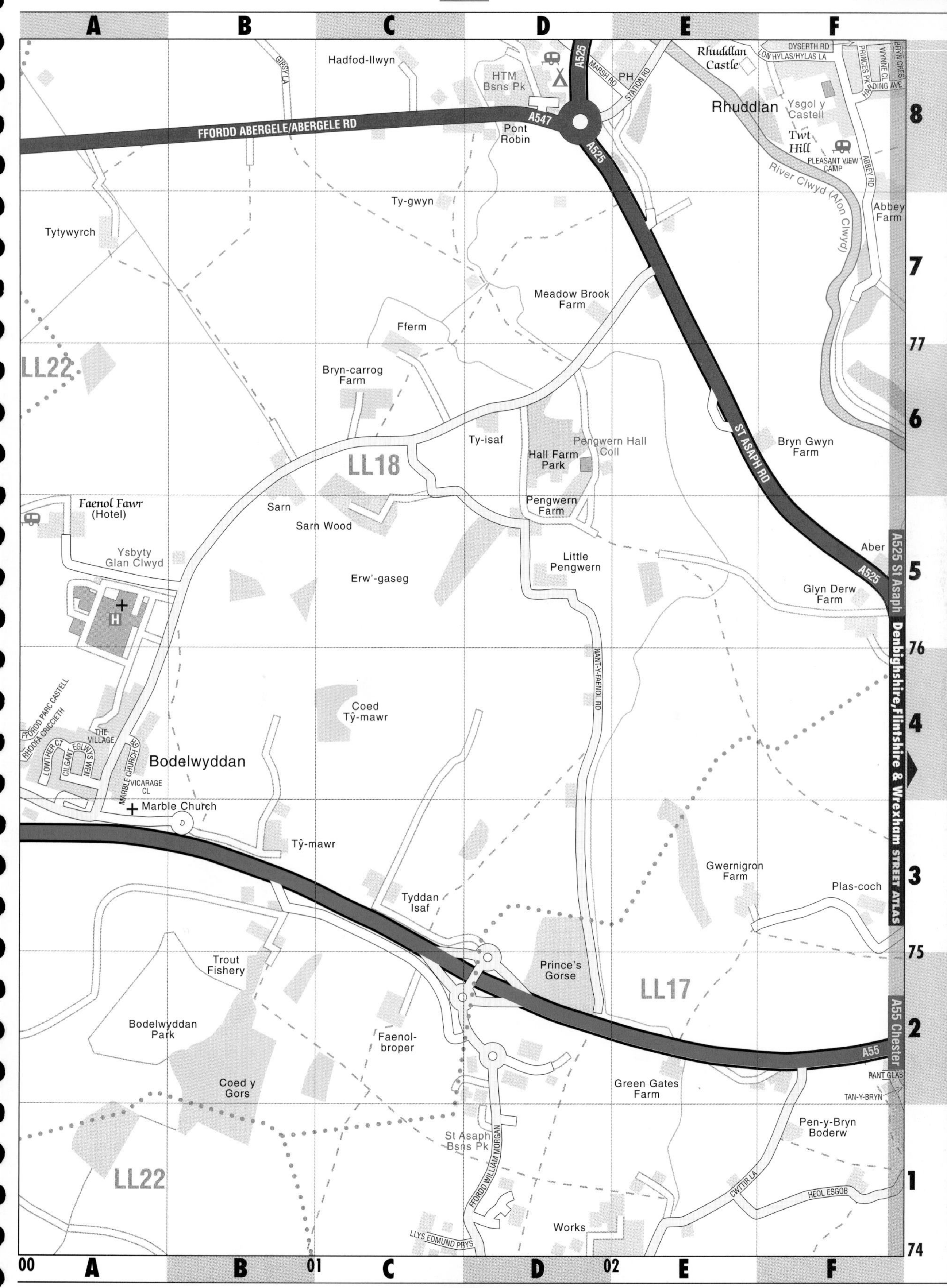

A B C D E F

8 Rhuddlan Castle
DYSERTH RD
LON HYLAS/HYLAS LA
BRYN CRES
WYNNE CL
PRINCES PK
HARDING AVE
Rhuddlan
Ysgol y Castell
Twt Hill
PLEASANT VIEW CAMP
ABBEY RD
River Clwyd (Afon Clwyd)
Abbey Farm

HTM Bsns Pk
Pont Robin
MARSH RD
STATION RD
A547
A525
PH

FFORDD ABERGELE/ABERGELE RD

Hadfod-llwyn
GISBY LA

Tytywyrch

LL22

7 Ty-gwyn

Meadow Brook Farm

Fferm

Bryn-carrog Farm

77

St Asaph Rd
Bryn Gwyn Farm

6 LL18

Ty-isaf
Pengwern Hall Coll
Hall Farm Park

Faenol Fawr (Hotel)

Sarn

Sarn Wood

Pengwern Farm

Aber

5 Ysbyty Glan Clwyd
H

Erw'-gaseg

Little Pengwern

Glyn Derw Farm

A525 St Asaph

A525

76
NANT-Y-FAENOL RD

FFORDD PARC CASTELL
BRODFA CRICCIETH
LOWTHER CL
CILGANT
EGLWYS WEN
THE VILLAGE
MARBLE CHURCH
VICARAGE CL

Coed Ty-mawr

4
Bodelwyddan
+ Marble Church
D

Ty-mawr

Gwernigron Farm

Plas-coch

3

Trout Fishery

Tyddan Isaf

Prince's Gorse

75

Bodelwyddan Park

Faenol-broper

LL17

A55 Chester

2 Coed y Gors

Green Gates Farm

PANT GLAS
TAN-Y-BRYN

A55

Pen-y-Bryn Boderw

1 LL22

St Asaph Bsns Pk
FFORDD WILLIAM MORGAN

GWTIR LA
HEOL ESGOB

74

Works

LLYS EDMUND PRYS

00 A B 01 C D 02 E F

Denbighshire, Flintshire & Wrexham STREET ATLAS

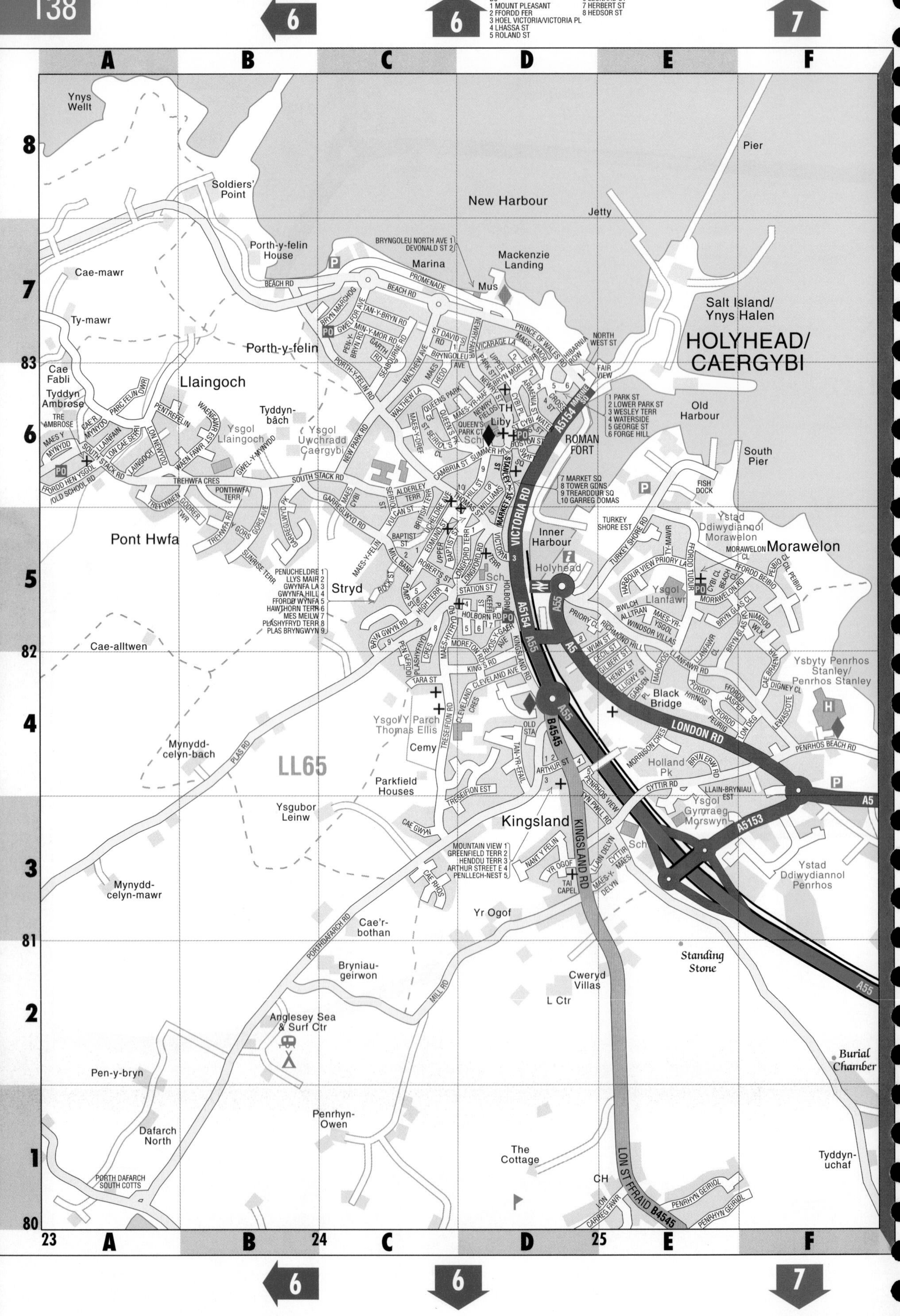
D5
1 MOUNT PLEASANT
2 FFORDD FER
3 HOEL VICTORIA/VICTORIA PL
4 LHASSA ST
5 ROLAND ST
6 LEONARD ST
7 HERBERT ST
8 HEDSOR ST
Ynys Wellt
Soldiers' Point
New Harbour
Jetty
Pier
Porth-y-felin House
Marina
Mackenzie Landing
Mus
Cae-mawr
Ty-mawr
Salt Island/ Ynys Halen
HOLYHEAD/ CAERGYBI
Porth-y-felin
Llaingoch
Cae Fabli
Tyddyn Ambrose
Tyddyn-bâch
Ysgol Llaingoch
Ysgol Uwchradd Caergybi
Old Harbour
ROMAN FORT
South Pier
Pont Hwfa
Inner Harbour
Holyhead
Morawelon
Ystad Ddiwydiannol Morawelon
Stryd
Ysgol Llanfawr
Cae-alltwen
Ysbyty Penrhos Stanley/ Penrhos Stanley
Black Bridge
Ysgol Y Parch Thomas Ellis
Cemy
Mynydd-celyn-bach
LL65
Holland Pk
Parkfield Houses
Ysgol Gymraeg Morswyn
Ysgubor Leinw
Kingsland
Mynydd-celyn-mawr
Ystad Ddiwydiannol Penrhos
Yr Ogof
Cae'r-bothan
Bryniau-geirwon
Standing Stone
Cweryd Villas
L Ctr
Anglesey Sea & Surf Ctr
Burial Chamber
Pen-y-bryn
Penrhyn-Owen
Dafarch North
The Cottage
Tyddyn-uchaf
CH
PORTH DAFARCH SOUTH COTTS
A5
A55
A5154
A5153
B4545
LONDON RD
VICTORIA RD
KINGSLAND RD
LON ST FFRAID

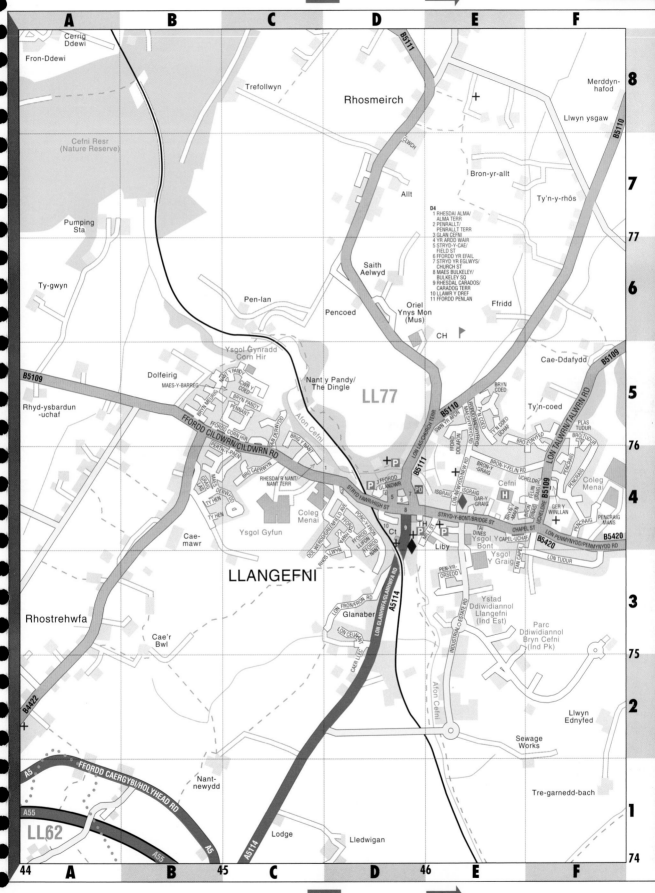

A   B   C   D   E   F

8

Cerrig Ddewi
Fron-Ddewi

Trefollwyn

Rhosmeirch

Merddyn-hafod

Llwyn ysgaw

Cefni Resr
(Nature Reserve)

CLWCH

Bron-yr-allt

Ty'n-y-rhôs

7

77

Allt

D4
1 RHESDAI ALMA/
  ALMA TERR
2 PENRALLT/
  PENRALLT TERR
3 GLAN CEFNI
4 YR ARDD WAIR
5 STRYD-Y-CAE/
  FIELD ST
6 FFORDD YR EFAIL
7 STRYD YR EGLWYS/
  CHURCH ST
8 MAES BULKELEY/
  BULKELEY SQ
9 RHESDAL CARADOS/
  CARADOG TERR
10 LLAWR Y DREF
11 FFORDD PENLAN

6

Ty-gwyn

Pen-lan

Saith
Aelwyd

Ffridd

Pencoed

Oriel Ynys Mon
(Mus)

CH

Cae-Ddafydd

B5109

5

Dolfeirig

Ysgol Gynradd
Corn Hir

MAES-Y-BARREG

Nant y Pandy/
The Dingle

LL77

BRYN
COED

B5110

Ty'n-coed

PLAS
TUDUR

Coleg
Menai

B5109

Rhyd-ysbardun
-uchaf

FFORDD CILDWRN/CILDWRN RD

Afon Cefni

P

BRYN
COED

Cefni

H

4

76

P

Coleg
Menai

STRYD FAWR/HIGH ST

STRYD-Y-BONT/BRIDGE ST

B5420

Cae-
mawr

Ysgol Gyfun

GREENFIELD AVE

TH
P

Liby

B5420

LON PENMYNYDD/PENMYNYDD RD

LLANGEFNI

PEN-YR-
ORSEDD

Ysgol
Y Graig

3

Rhostrehwfa

Cae'r
Bwl

Glanaber

A5114

Ystad Ddiwidiannol
Llangefni
(Ind Est)

Parc
Ddiwidiannol
Bryn Cefni
(Ind Pk)

75

B4422

2

Llwyn
Ednyfed

Afon Cefni

Sewage
Works

FFORDD CAERGYBI/HOLYHEAD RD

Nant-
newydd

Tre-garnedd-bach

1

A5

A55

LL62

A5

A55

A5114

Lodge

Lledwigan

74

44   A   B   45   C   D   46   E   F

21
16

A   B   C   D   E   F

LL77

8

LL61

Bôd-ynys

Twll-y-clawdd

Castell

Fron Isaf

Ty'n Buarth

Ty'n-yr-Allt

Llinos-fawr

Graig Fawr

7

Cefn Du Isaf

Fron-Deg

73

Tyn-cae

Bridin

6

Fron-Capel

Keeper's Lodge

Garnedd-gôch

Bryn-coch

Star

Hendre

A55

5

Garnedd Isa

Cefn-du

Garnedd-fawr

Garnedd-ddu

BRYN FYNNON

STAD OR...

A5152

72

Rhoshelyg

FFORDD CAERGYBI/HOLYHEAD RD

Bryn Gof

A5

A55

A5

LC

Hafan

Tyddyn-isaf

4

LL60

Parciau-isaf

Afon Braint

Rhosbothan

Trefnant-wen

3

Tyn-brwyn

Llŵyn-ogan

Trefnant-bâch

Tyddyn-uchaf

71

Holo-gwyn

Trefnant-ddu

Tyddyn-Adda

MAES GWYN

2

Kellys Farm

Ysgol Parc Y Bont

Tyddyn-Fadog

LL61

TRE GOF

PO

STAD PLAS HEN

TAN-Y-CAPEL

Bryncelli Ddu

Llwyn-onn

Llanddaniel Fab

1

Carreg Boeth

Bryn-celli-wen

CAEMAWR COTTS

Bryn Celli Ddu Burial Chamber Chambered Cairn

B5420

BRYNSIENCYN RD

A4080

70

49   A   B   50   C   D   51   E   F

21
146

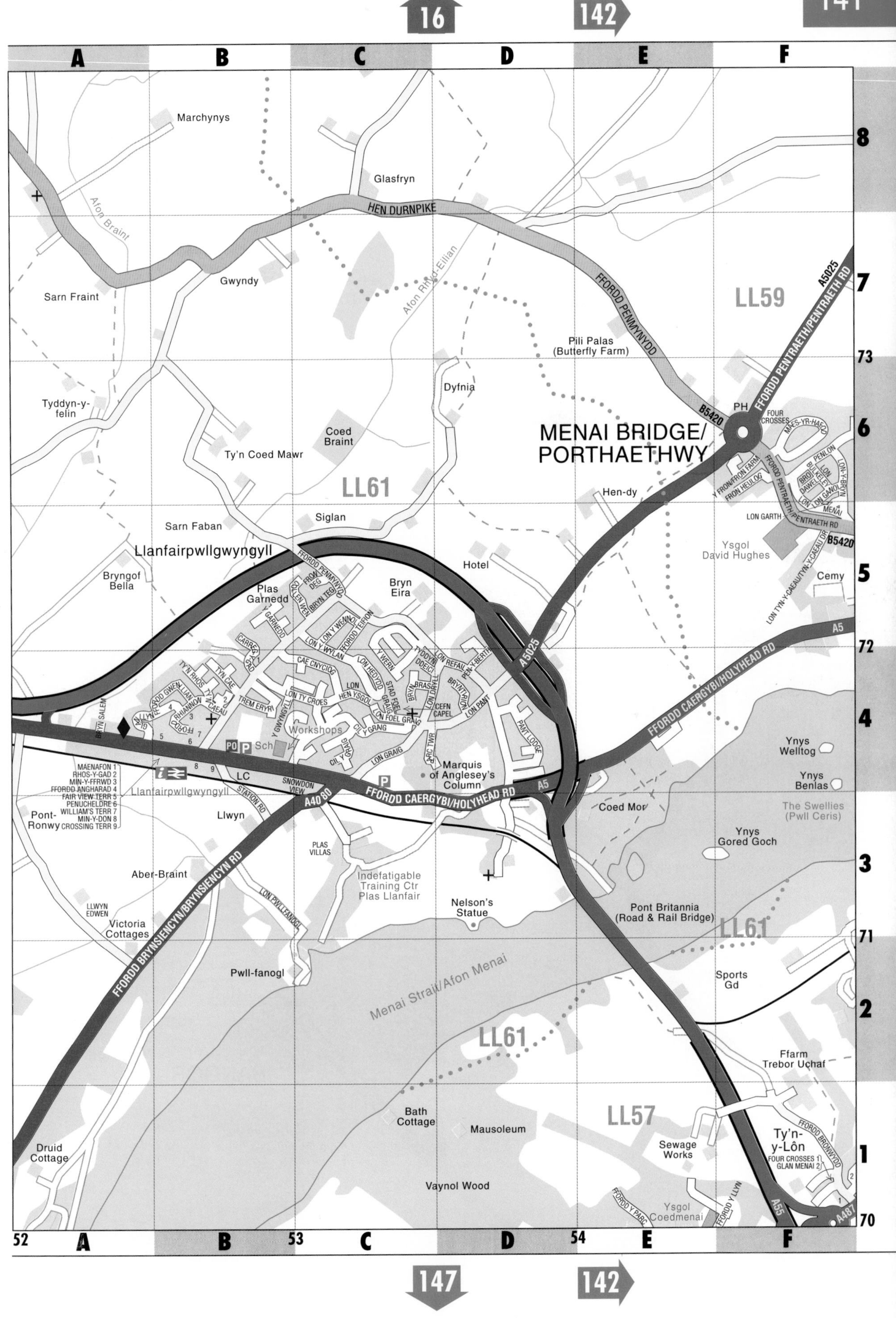

**MENAI BRIDGE/
PORTHAETHWY**

LL59

LL61

Llanfairpwllgwyngyll

LL61

LL61

LL57

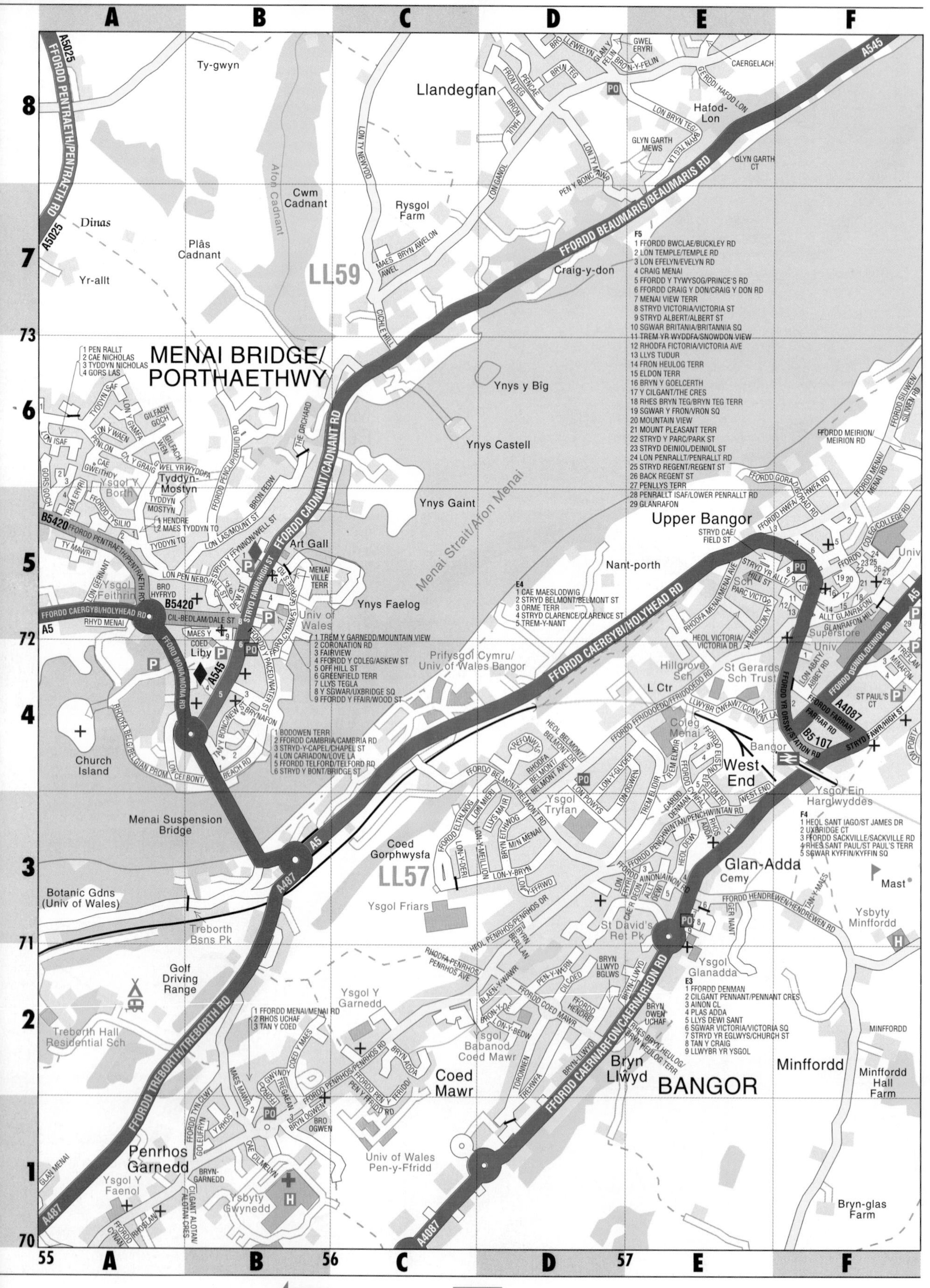
A B C D E F
8
7
73
6
5
72
4
3
71
2
1
70
55 56 57
Ty-gwyn
Llandegfan
Hafod-Lon
CAERGELACH
GWEL ERYRI
GLYN GARTH MEWS
GLYN GARTH CT
Cwm Cadnant
Rysgol Farm
Afon Cadnant
Dinas
Plâs Cadnant
Yr-allt
LL59
Craig-y-don
FFORDD BEAUMARIS/BEAUMARIS RD
FFORDD PENTRAETH/PENTRAETH RD
A5025
A545
MENAI BRIDGE/
PORTHAETHWY
1 PEN RALLT
2 CAE NICHOLAS
3 TYDDYN NICHOLAS
4 GORS LAS
Ynys y Bîg
Ynys Castell
Ynys Gaint
Menai Strait/Afon Menai
Tyddyn-Mostyn
Ysgol Y Borth
1 HENDRE
2 MAES TYDDYN TO
FFORDD CADNANT/CADNANT RD
Art Gall
Upper Bangor
STRYD CAE/FIELD ST
Nant-porth
Ynys Faelog
B5420
Ysgol Feithrin
Univ of Wales
Coed Liby
A5
F5
1 FFORDD BWCLAE/BUCKLEY RD
2 LON TEMPLE/TEMPLE RD
3 LON EFELYN/EVELYN RD
4 CRAIG MENAI
5 FFORDD Y TYWYSOG/PRINCE'S RD
6 FFORDD CRAIG Y DON/CRAIG Y DON RD
7 MENAI VIEW TERR
8 STRYD VICTORIA/VICTORIA ST
9 STRYD ALBERT/ALBERT ST
10 SGWAR BRITANIA/BRITANNIA SQ
11 TREM YR WYDDFA/SNOWDON VIEW
12 RHODFA FICTORIA/VICTORIA AVE
13 LLYS TUDUR
14 FRON HEULOG TERR
15 ELDON TERR
16 BRYN Y GOELCERTH
17 Y CILGANT/THE CRES
18 RHES BRYN TEG/BRYN TEG TERR
19 SGWAR Y FRON/VRON SQ
20 MOUNTAIN VIEW
21 MOUNT PLEASANT TERR
22 STRYD Y PARC/PARK ST
23 STRYD DEINIOL/DEINIOL ST
24 LON PENRALLT/PENRALLT RD
25 STRYD REGENT/REGENT ST
26 BACK REGENT ST
27 PENLLYS TERR
28 PENRALLT ISAF/LOWER PENRALLT RD
29 GLANRAFON
E4
1 CAE MAESLODWIG
2 STRYD BELMONT/BELMONT ST
3 ORME TERR
4 STRYD CLARENCE/CLARENCE ST
5 TREM-Y-NANT
1 TREM Y GARNEDD/MOUNTAIN VIEW
2 CORONATION RD
3 FAIRVIEW
4 FFORDD Y COLEG/ASKEW ST
5 OFF HILL ST
6 GREENFIELD TERR
7 LLYS TEGLA
8 Y SGWAR/UXBRIDGE SQ
9 FFORDD Y FFAIR/WOOD ST
1 BODOWEN TERR
2 FFORDD CAMBRIA/CAMBRIA RD
3 STRYD-Y-CAPEL/CHAPEL ST
4 LON CARIADON/LOVE LA
5 FFORDD TELFORD/TELFORD RD
6 STRYD Y BONT/BRIDGE ST
Prifysgol Cymru/
Univ of Wales Bangor
FFORDD CAERGYBI/HOLYHEAD RD
FFORDD MEIRION/MEIRION RD
Superstore
Univ
Hillgrove Sch
St Gerards Sch Trust
L Ctr
Coleg Menai
West End
Bangor
ST PAUL'S CT
A4087
B5107
FFORDD YR ORSAF/STATION RD
Ysgol Ein Harglwyddes
F4
1 HEOL SANT IAGO/ST JAMES DR
2 UXBRIDGE CT
3 FFORDD SACKVILLE/SACKVILLE RD
4 RHES SANT PAUL/ST PAUL'S TERR
5 SGWAR KYFFIN/KYFFIN SQ
Church Island
Menai Suspension Bridge
Ysgol Tryfan
Coed Gorphwysfa
LL57
Glan-Adda
Cemy
Mast
Botanic Gdns (Univ of Wales)
A487
Ysgol Friars
Treborth Bsns Pk
St David's Ret Pk
Ysbyty Minffordd
Golf Driving Range
Ysgol Glanadda
E3
1 FFORDD DENMAN
2 CILGANT PENNANT/PENNANT CRES
3 AINON CL
4 PLAS ADDA
5 LLYS DEWI SANT
6 SGWAR VICTORIA/VICTORIA SQ
7 STRYD YR EGLWYS/CHURCH ST
8 TAN Y CRAIG
9 LLWYBR YR YSGOL
MINFFORDD
Treborth Hall Residential Sch
1 FFORDD MENAI/MENAI RD
2 RHOS UCHAF
3 TAN Y COED
Ysgol Y Garnedd
Ysgol Babanod Coed Mawr
Coed Mawr
Bryn Llwyd
BANGOR
Minffordd
Minffordd Hall Farm
FFORDD TREBORTH/TREBORTH RD
FFORDD CAERNARFON/CAERNARFON RD
Penrhos Garnedd
Ysgol Y Faenol
Ysbyty Gwynedd
Univ of Wales Pen-y-Ffridd
Bryn-glas Farm
A4087

A B C D E F

8 7 73 6 5 72 4 3 71 2 1 70

A6
1 TREM Y CASTELL
2 ALLT Y GARTH/GARTH HILL
3 MARIAN TERR
4 AEL-Y-BRYN
5 CARREG Y GARTH
6 GAMBIER TERR
7 LON Y BRODYR/FRIARS WLK
8 GARFIELD TERR
9 GORDON TERR
10 EWR FAIR
11 TABERNACL CHAPEL FLATS

A5
1 LLAIN DEINIOL
2 RHODFA MAIR/ST MARY'S AVE
3 LON FRONDEG/FRONDEG ST
4 FFORDD ASHLEY/ASHLEY RD
5 LON TABERNACL/TABERNACL RD
6 FFORDD Y FFYNNON/WELL ST
7 STRYD PANTON/PANTON ST
8 BRICK ST
9 STRYD JAMS/JAMES ST
10 FFORDD DEINIOL/DEINIOL RD
11 FFORDD GWYNEDD
12 FFORDD GARTH/GARTH RD
13 STRYD WATERLOO/WATERLOO ST
14 CANOLFAN DEINIOL CTR
15 TAI'R MYNYDD/MOUNT ST
16 SGWAR Y FRON/MOUNTAIN SQ
17 BISHOP'S CL
18 NEW EBENEZER PL

1 MIN YRALLT/EDGE HILL
2 GLAN-DWR TERR
3 LON GLANDWR/GLANDWR RD

B6
1 LON TOTTEN/TOTTEN RD
2 RHES OSBORNE/OSBORNE TERR
3 LON YR DWR/WATER ST
4 FFORDD SEION
5 RHODFA'S BRODYR/FRIARS AVE
6 RHES SEIRIOL/SEIRIOL TERR
7 BRO SEIRI
8 STRYD EDMUND/EDMUND ST
9 LLYS ELEN
10 STRYD MASON/MASON ST
11 SALEM CT
12 STRYD Y PISTYLL/FOUNTAIN ST
13 STRYD ROBERT/ROBERT ST
14 FFORDD Y TRAETH/STRAND ST

1 FRIARS COTTS
2 TREVELYAN TERR
3 FFORDD Y MYNYDD/MOUNT ST

PLAS GWENLLIAN 1
LLWYN HUDOL 4
LLYS BEDWYR 5
LLYS OWAIN 6
PLAS Y LLYN 7
PLAS MARCHOGION 8
PLAS MABON 9
LLYS ARTHUR 10

1 PLAS GLYNDWR
2 LLYS GERAINT
3 LLYS DYFRIG

1 PEN CASTELL
2 RHES ALLT CASTELL/CASTLE HILL TERR
3 PLAS POBTY
4 RHES TAN Y BRYN/TAN Y BRYN-TERR
5 RHES-BRYN DIFYR/BRYN DIFYR TERR

New Pier
Garth
Porth Penrhyn
Abercegin
Drws-y-coed
Penrhyn
Hirael
CH
BRON CASTELL
YH
Univ
Liby
TH
Cath
Mus
Ct
LL57
Penrhyn Castle
Penrhyn Park
Ysgol Glancegin
Bangor Mountain
Maesgeirchen
Cemy
Crem
Home Farm
Afon Ogwen
Afon Cegin
Dologwen
Ystad Ddiwydiannol Llandegai (Ind Est)
North Wales Path
Tyddyn-mynyddig
Llandygai
Ysgol Llandygai
Hotel
Tre-r-felin
Tal-y-bont
Bro Eurys
PO
TAN-Y-BRYN
Bryn
Ffridd-carw
Rhos Isaf
Cefn-y-coed
Pentre'r-felin
Plas Maes-y-groes
A5
A55

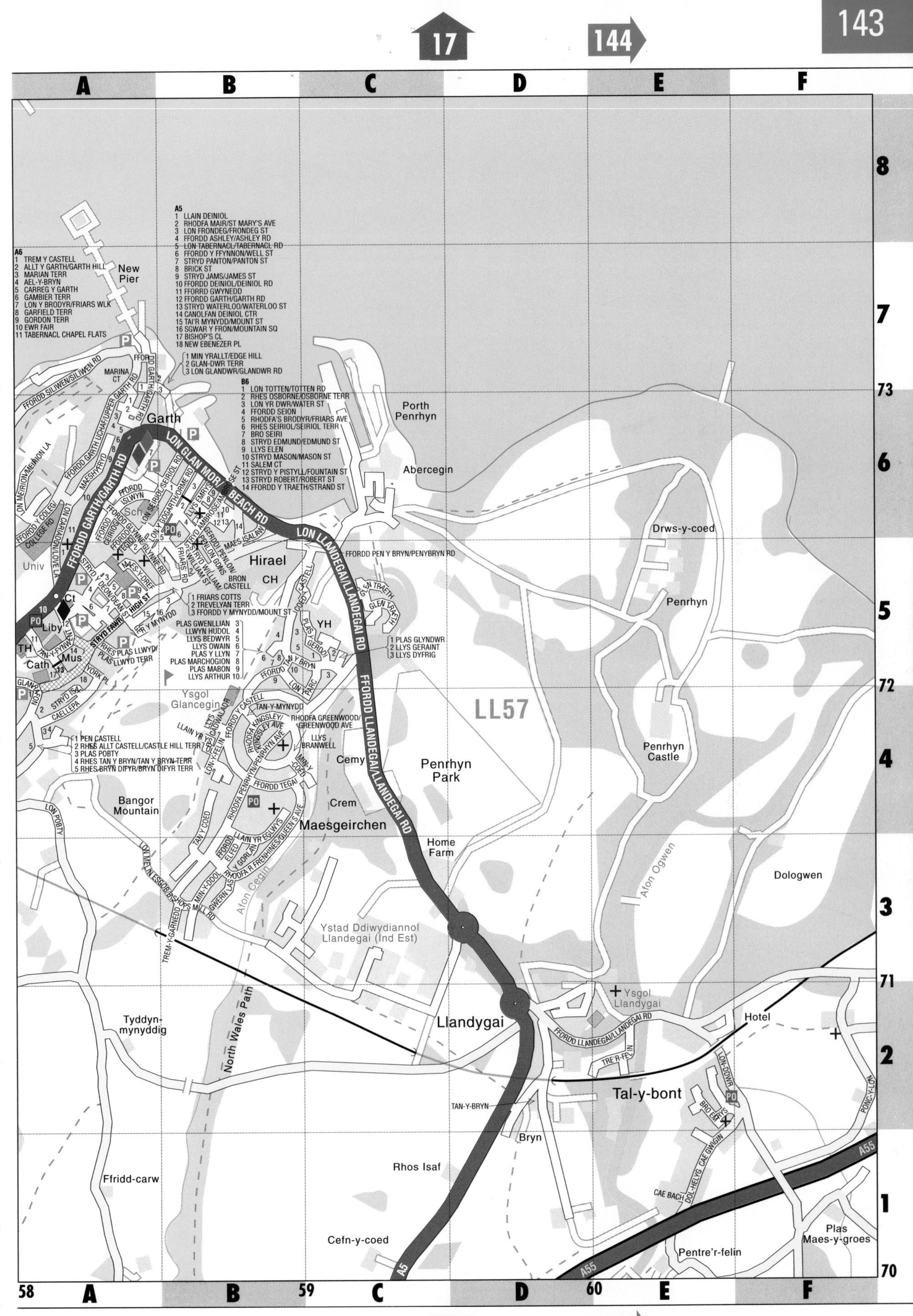

A   B   C   D   E   F

8

7

73

6

Coed Gyfynys

Glan-y-môr-isaf

Wig
Crossing

Wig   Wig-bâch

Spinneys,
Aber-Ogwen
Nature Reserve

5

Tai'r Meibion
Crossing

Wig   A55

Aber-Ogwen

72

Coed
Wern-porchell

4

Tai'r-
meibion

Crymlyn
Farm

Llwyn Onn

Crymlyn

Pentre-isaf

LL57

Gilfach

LL33

Tan-yr-allt

3

TAN-Y-LON

Tan-y-Lôn

Hendre
Horse Magic

Ty'n-yr-hendre

Nant-Heilyn

71

Coed
Ty'n-yr-hendre

Gatehouse

✚

Coed
Bronydd Isaf

Tal-y-bont-
uchaf

2

Tan-y-
marian bâch

North Wales Path

Ffrîdd Fedw

A55

Bronydd Isaf

1

Marianwinllan

Tan-y-marian

70

Bronydd uchaf

61   A   B   62   C   D   63   E   F

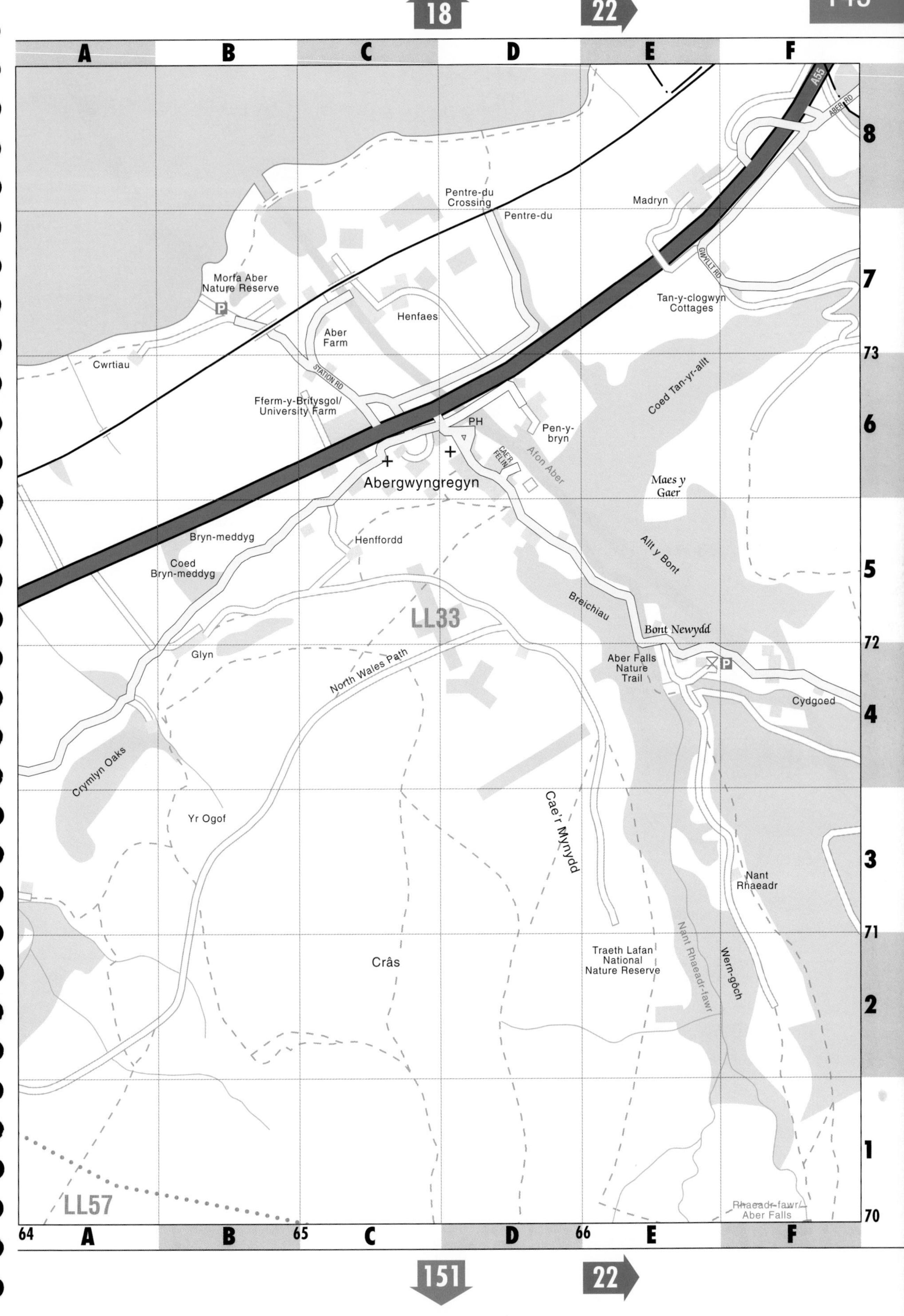
18
22
A
B
C
D
E
F
8
7
73
6
5
72
4
3
71
2
1
70
64
65
66
151
22
A55
ABER RD
Pentre-du
Crossing
Pentre-du
Madryn
GWYLLT RD
Morfa Aber
Nature Reserve
P
Henfaes
Tan-y-clogwyn
Cottages
Aber
Farm
Cwrtiau
STATION RD
Coed Tan-yr-allt
Fferm-y-Brifysgol/
University Farm
PH
Pen-y-
bryn
CAE'R FELIN
Afon Aber
Abergwyngregyn
Maes y
Gaer
Bryn-meddyg
Henffordd
Allt y Bont
Coed
Bryn-meddyg
Breichiau
LL33
Bont Newydd
Glyn
Aber Falls
Nature
Trail
North Wales Path
Cydgoed
Crymlyn Oaks
Cae'r Mynydd
Yr Ogof
Nant
Rhaeadr
Nant Rhaeadr-fawr
Crâs
Traeth Lafan
National
Nature Reserve
Wern-gôch
LL57
Rhaeadr-fawr/
Aber Falls

21
140

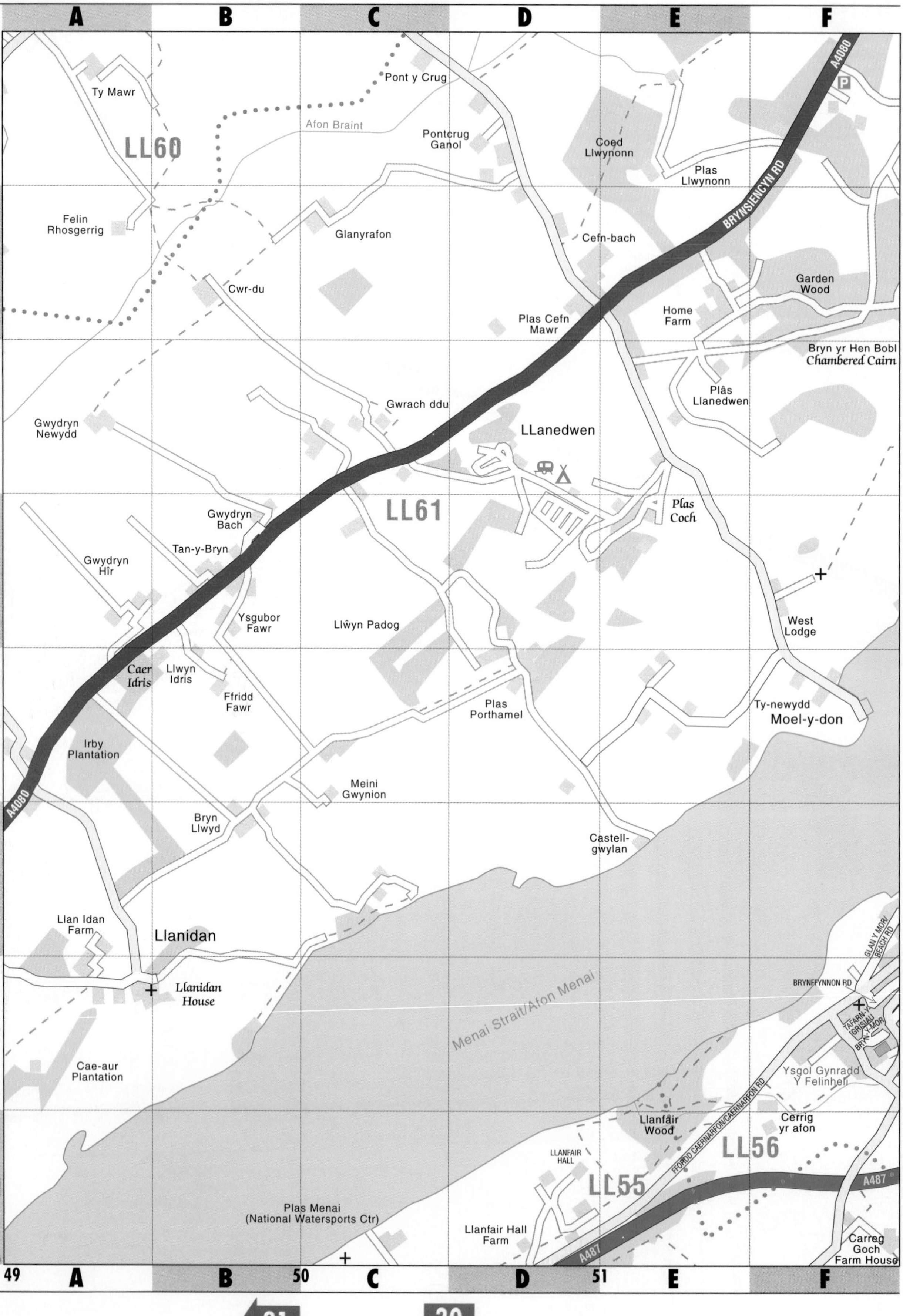

A B C D E F

8

LL60

Ty Mawr

Pont y Crug

Afon Braint

Pontcrug Ganol

Coed Llwynonn

Plas Llwynonn

BRYNSIENCYN RD

A4080

P

7

Felin Rhosgerrig

Cwr-du

Glanyrafon

Cefn-bach

Home Farm

Garden Wood

69

Plas Cefn Mawr

Bryn yr Hen Bobl
Chambered Cairn

6

Gwydryn Newydd

Gwrach ddu

LLanedwen

Plâs Llanedwen

LL61

Gwydryn Bach

Plas Coch

5

Gwydryn Hîr

Tan-y-Bryn

Ysgubor Fawr

Llŵyn Padog

West Lodge

68

Caer Idris

Llwyn Idris

Ffridd Fawr

Plas Porthamel

Ty-newydd
Moel-y-don

4

Irby Plantation

A4080

Meini Gwynion

Bryn Llwyd

Castell-gwylan

3

Llan Idan Farm

Llanidan

67

Llanidan House

Menai Strait/Afon Menai

GLAN Y MÔR BEACH RD

BRYNFFYNNON RD

TAFARN YR ISRSAU BRYN Y MÔR

2

Cae-aur Plantation

Ysgol Gynradd Y Felinheli

Cerrig yr afon

Llanfâir Wood

LL56

FFORDD CAERNARFON/CAERNARFON RD

A487

LLANFAIR HALL

LL55

1

Plas Menai
(National Watersports Ctr)

Llanfair Hall Farm

Carreg Goch Farm House

66

49 A B 50 C D 51 E F

141
148

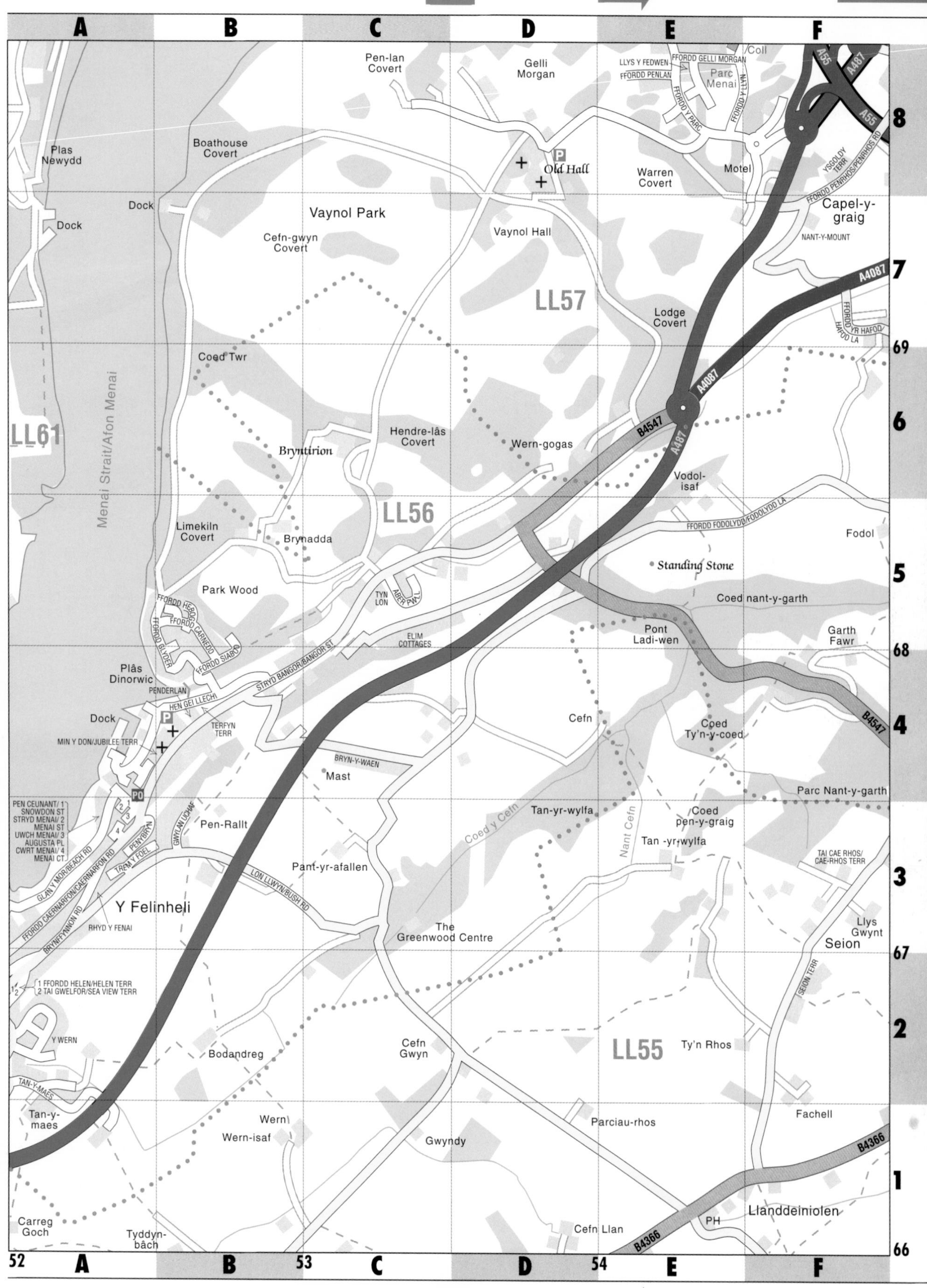
Pen-lan Covert
Gelli Morgan
LLYS Y FEDWEN
FFORDD GELLI MORGAN
FFORDD PENLAN
Coll
Parc Menai
Plas Newydd
Boathouse Covert
Old Hall
Warren Covert
Motel
Capel-y-graig
NANT-Y-MOUNT
Dock
Vaynol Park
Cefn-gwyn Covert
Vaynol Hall
LL57
Lodge Covert
Coed Twr
Menai Strait/Afon Menai
LL61
Hendre-lâs Covert
Bryntirion
Wern-gogas
Vodol-isaf
LL56
Limekiln Covert
Brynadda
FFORDD FODOLYDD/FODOLYDD LA
Fodol
Standing Stone
Park Wood
TYN LON
Coed nant-y-garth
Pont Ladi-wen
Garth Fawr
ELIM COTTAGES
Plâs Dinorwic
STRYD BANGOR/BANGOR ST
PENDERLAN
HEN GEI LLECHI
TERFYN TERR
Cefn
Coed Ty'n-y-coed
MIN Y DON/JUBILEE TERR
BRYN-Y-WAEN
Mast
Parc Nant-y-garth
Tan-yr-wylfa
Coed pen-y-graig
Tan -yr-wylfa
Pen-Rallt
Coed y Cefn
Nant Cefn
PEN CEUNANT/ 1 SNOWDON ST
STRYD MENAI/ 2 MENAI ST
UWCH MENAI/ 3 AUGUSTA PL
CWRT MENAI/ 4 MENAI CT
TAI CAE RHOS/ CAE-RHOS TERR
Pant-yr-afallen
LON LLWYN/BUSH RD
Y Felinheli
RHYD Y FENAI
The Greenwood Centre
Llys Gwynt
Seion
SEION TERR
1 FFORDD HELEN/HELEN TERR
2 TAI GWELFOR/SEA VIEW TERR
Y WERN
Cefn Gwyn
LL55
Ty'n Rhos
Bodandreg
TAN-Y-MAES
Tan-y-maes
Wern
Wern-isaf
Gwyndy
Parciau-rhos
Fachell
Carreg Goch
Tyddyn-bâch
Cefn Llan
PH
Llanddeiniolen
A55
A487
A4087
B4547
B4366
A B C D E F
52 53 54
66 67 68 69
1 2 3 4 5 6 7 8

30
148

147
142

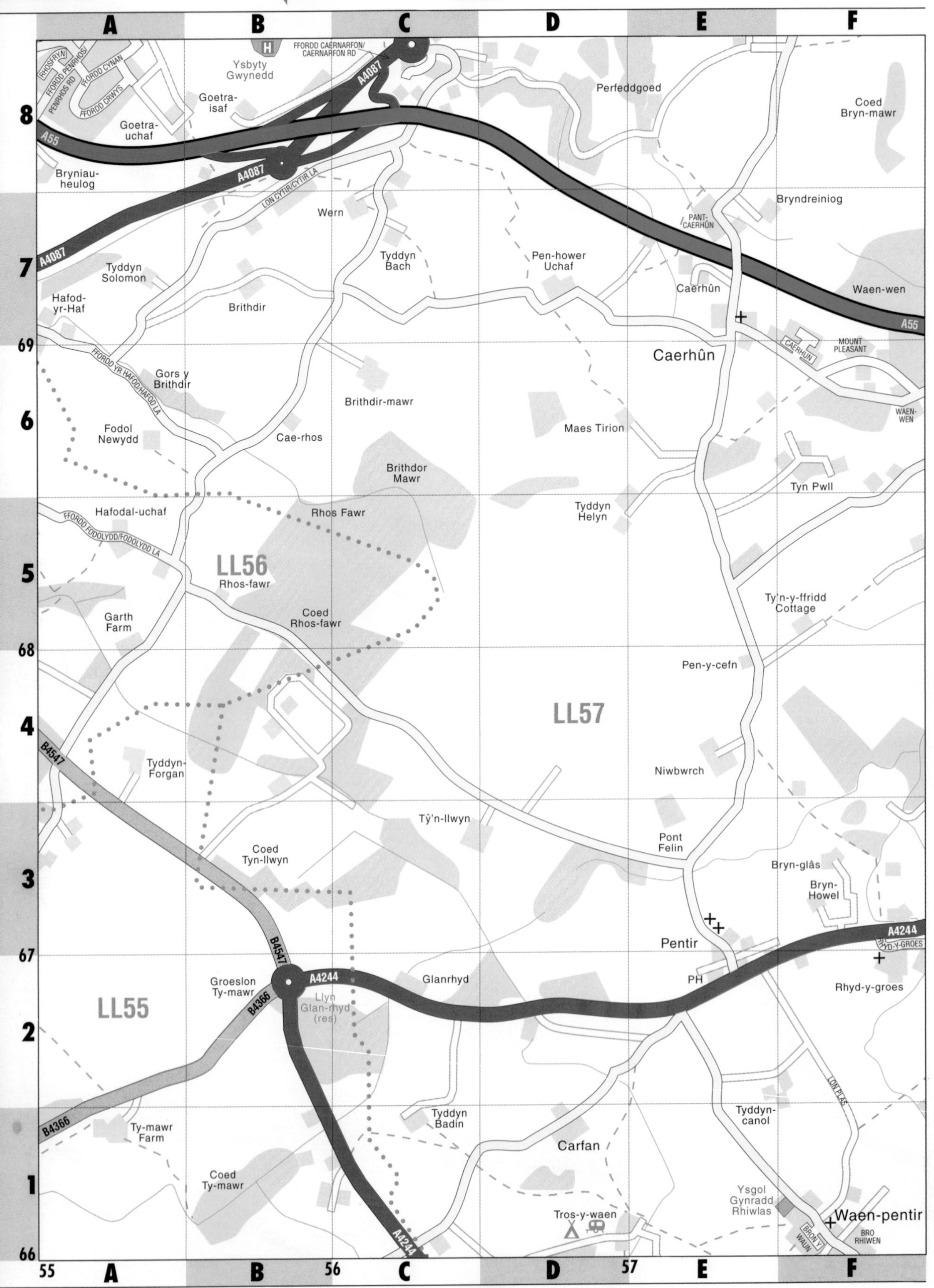
A
B
C
D
E
F
Ysbyty
Gwynedd
FFORDD CAERNARFON/
CAERNARFON RD
Goetra-
isaf
Goetra-
uchaf
Perfeddgoed
Coed
Bryn-mawr
A55
A4087
Bryniau-
heulog
Bryndreiniog
Wern
LON CYTIR/CYTIR LA
PANT-
CAERHÛN
Tyddyn
Bach
Pen-hower
Uchaf
Tyddyn
Solomon
Caerhûn
Waen-wen
Hafod-
yr-Haf
Brithdir
MOUNT
PLEASANT
Caerhûn
FFORDD YR HAFOD/HAFOD LA
Gors y
Brithdir
Brithdir-mawr
Maes Tirion
WAEN-
WEN
Fodol
Newydd
Cae-rhos
Brithdor
Mawr
Tyn Pwll
Hafodal-uchaf
Rhos Fawr
Tyddyn
Helyn
FFORDD FODOLYDD/FODOLYDD LA
LL56
Rhos-fawr
Ty'n-y-ffridd
Cottage
Garth
Farm
Coed
Rhos-fawr
Pen-y-cefn
LL57
B4547
Tyddyn-
Forgan
Niwbwrch
Tŷ'n-llwyn
Pont
Felin
Coed
Tyn-llwyn
Bryn-glâs
Bryn-
Howel
Pentir
A4244
RHYD-Y-GROES
Groeslon
Ty-mawr
Glanrhyd
PH
Rhyd-y-groes
LL55
B4366
Llyn
Glan-rhyd
(res)
LON PLAS
Tyddyn
Badin
Tyddyn-
canol
Ty-mawr
Farm
Carfan
Coed
Ty-mawr
Ysgol
Gynradd
Rhiwlas
Tros-y-waen
Waen-pentir
BRON Y WAUN
BRO
RHIWEN
8
7
69
6
5
68
4
3
67
2
1
66
55
56
57

147
31

143

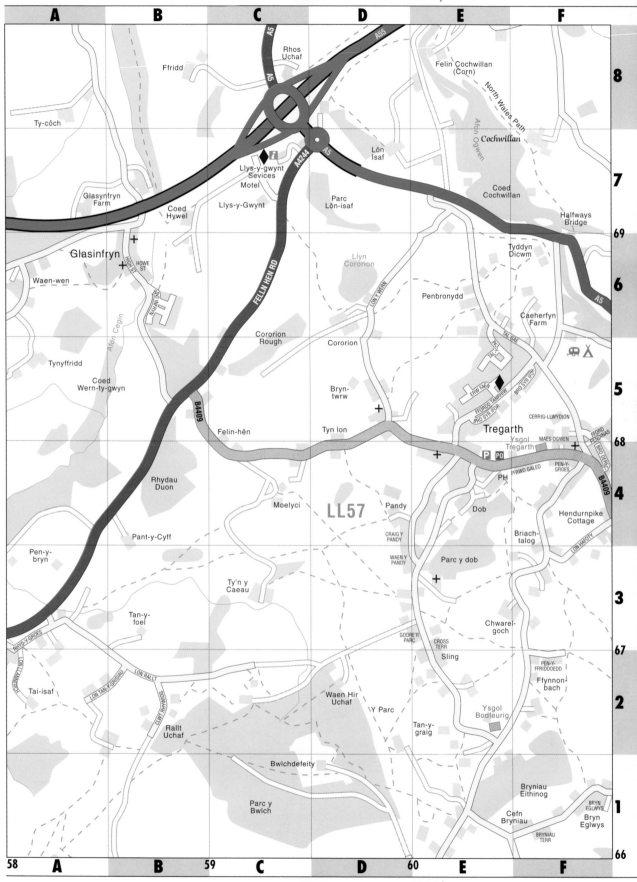
150

A B C D E F

Rhos Uchaf
Ffridd
A5
A55
Felin Cochwillan (Corn)
North Wales Path
8
Ty-côch
Afon Ogwen
Cochwillan
Lôn Isaf
A4244
Llys-y-gwynt Sevices
Motel
7
Coed Cochwillan
Glasynfryn Farm
Coed Hywel
Llys-y-Gwynt
Parc Lôn-isaf
Halfways Bridge
69
Glasinfryn
HIGH ST
HOWE ST
Llyn Cororion
Tyddyn Dicwm
Waen-wen
FELIN HEN RD
BRO INFRYN
LON Y WERN
Penbronydd
6
Afon Cegin
Caeherfyn Farm
Cororion Rough
Cororion
TAL GAE
TAL-Y-CAE
Tynyffridd
Coed Wern-ty-gwyn
Bryn-twrw
ERW FAEN
FFORDD TANRHIW
BRO SYR IFOR
5
B4409
CERRIG-LLWYDION
Felin-hên
Tyn lon
Tregarth
Ysgol Tregarth
MAES OGWEN
FFORD PENDINAS
BRO DERFEL
68
P
PO
FFRWD GALED
PEN-Y-GROES
PH
Rhydau Duon
Moelyci
LL57
Pandy
Dob
Hendurnpike Cottage
4
Pant-y-Cyff
CRAIG Y PANDY
Briach-talog
Pen-y-bryn
WAEN Y PANDY
Parc y dob
LON HAFOTY
Ty'n y Caeau
3
Tan-y-foel
Chwarel-goch
RHYD-Y-GROES
GODRE'R PARC
CROSS TERR
Sling
67
LON LLANERCH
LON RALLT
PEN-Y-FFRIDDOEDD
Ffynnon-bach
Tai-isaf
LON TAN-Y-GRISIAU
CLWT RHAWDG
Waen Hir Uchaf
Y Parc
Ysgol Bodfeurig
2
Rallt Uchaf
Tan-y-graig
Bwlchdefeity
Bryniau Eithinog
Parc y Bwlch
BRYN EGLWYS
Bryn Eglwys
1
Cefn Bryniau
BRYNIAU TERR
66

58 A B 59 C D 60 E F

31

150

A B C D E F

8 Pen-y-bryn
Plâs-uchaf
Bronydd Uchaf
Llwyn-y-penddu
Tyddyn-isaf

Bryn-hafod-y-wern
Bryn Hall

7 Pant-y-gwair
North Wales Path
Rhiw Gôch
Bryn-Owen
Bryn-eithin
Bryn Farm

69 Wern
Corbri

6 Tai'n-y-coed Farm
Afon y Llan
Pont Llan
Llanllechid
Pant-Hwfa Farm

Bwlch ym Mhwll-le

Tal-y-sarn

Coed-uchaf

5 Rachub
BRYN PISTYLL
FFORDD TAN Y RHIWCH
Moel Faban

BRON ARFON
PH
PO
STRYD FAWR/HIGH ST

68 MAES BLEDDYN
RACHUB SQ
YR YNYS
TYDDYN CANOL
1 WELL ST
2 STRYD WALTER/WALTER ST
3 CAECHWAREL
4 BRYNHEDYDD

YR HEN YSGOL 1
DOCTOR ST 2
FFRONDEG ST 3
4 STRYD BRYN OWEN/BRYN OWEN ST 4
TANDDERWEN 5

BRON BETHEL

LLWYN BLEDDYN RD

Cemy
Tyddyn Uchaf

4 Ysgol Gynradd Llanllechid
LON NEWYDD
LL57
Tyddyn-Sabel

L Ctr
Pant Dreiniog Ind Est
1 STRYD GANOL/MIDDLE ST
2 LON DDWR/WATER ST
3 FFORDD YR ELEN

3 Ysgol Dyffryn Ogwen
Cilfodan
STRYD GRAY/GRAY ST
Pen-y-gaer
Mast
TAN-Y-FOEL
Parc
Nant Ty

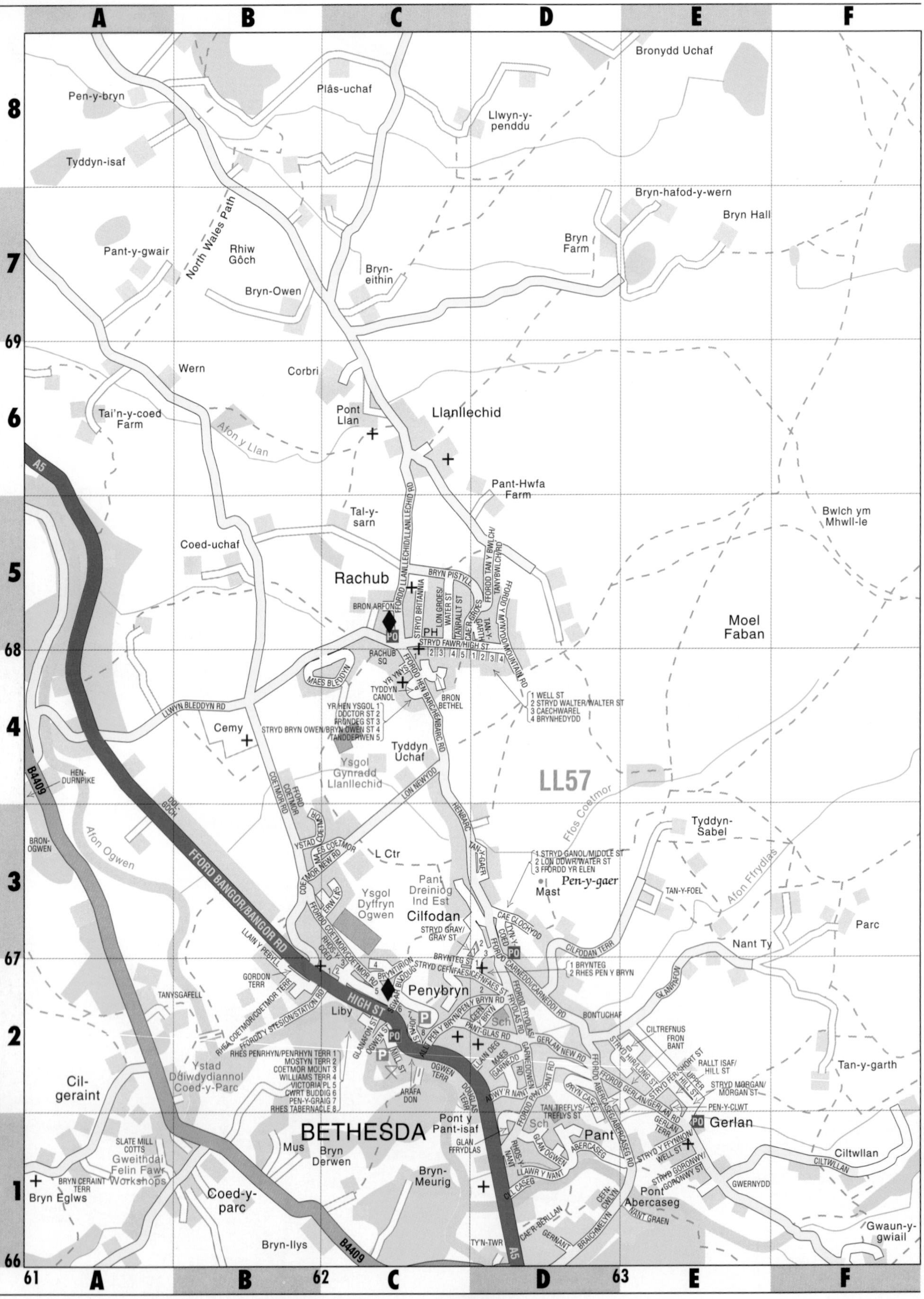

67 BRYNTEG ST
1 BRYNTEG
2 RHES PEN Y BRYN
BONTUCHAF

GORDON TERR
Penybryn
Sch

2 TANYSGAFELL
HIGH ST
Liby
Ogwen Terr
Sch
Pant
Tan-y-garth
CILTREFNUS FRON BANT
RALLT ISAF/HILL ST
STRYD MORGAN/MORGAN ST
PEN-Y-CLWT

Cil-geraint
Ystad Ddiwydiannol Coed-y-Parc
RHES PENRHYN/PENRHYN TERR 1
MOSTYN TERR 2
COETMOR MOUNT 3
WILLIAMS TERR 4
VICTORIA PL 5
CWRT BUDDIG 6
PEN-Y-GRAIG 7
RHES TABERNACLE 8
ARAFA DON
Pont y Pant-isaf
GLAN FFRYDLAS
PO
Gerlan
STRYD Y FFYNNON
WELL ST

1 SLATE MILL COTTS
Gweithdai Felin Fawr Workshops
BETHESDA
Mus
Bryn Derwen
Bryn-Meurig
STRYD GORONWY/GORONWY ST
GWERNYDD
CILTWLLAN
Gwaun-y-gwiail

Bryn Eglws
Coed-y-parc
Pont Abercaseg
Nant Graen

Bryn-Ilys
Bryn-llys

66

61 A B 62 C D 63 E F

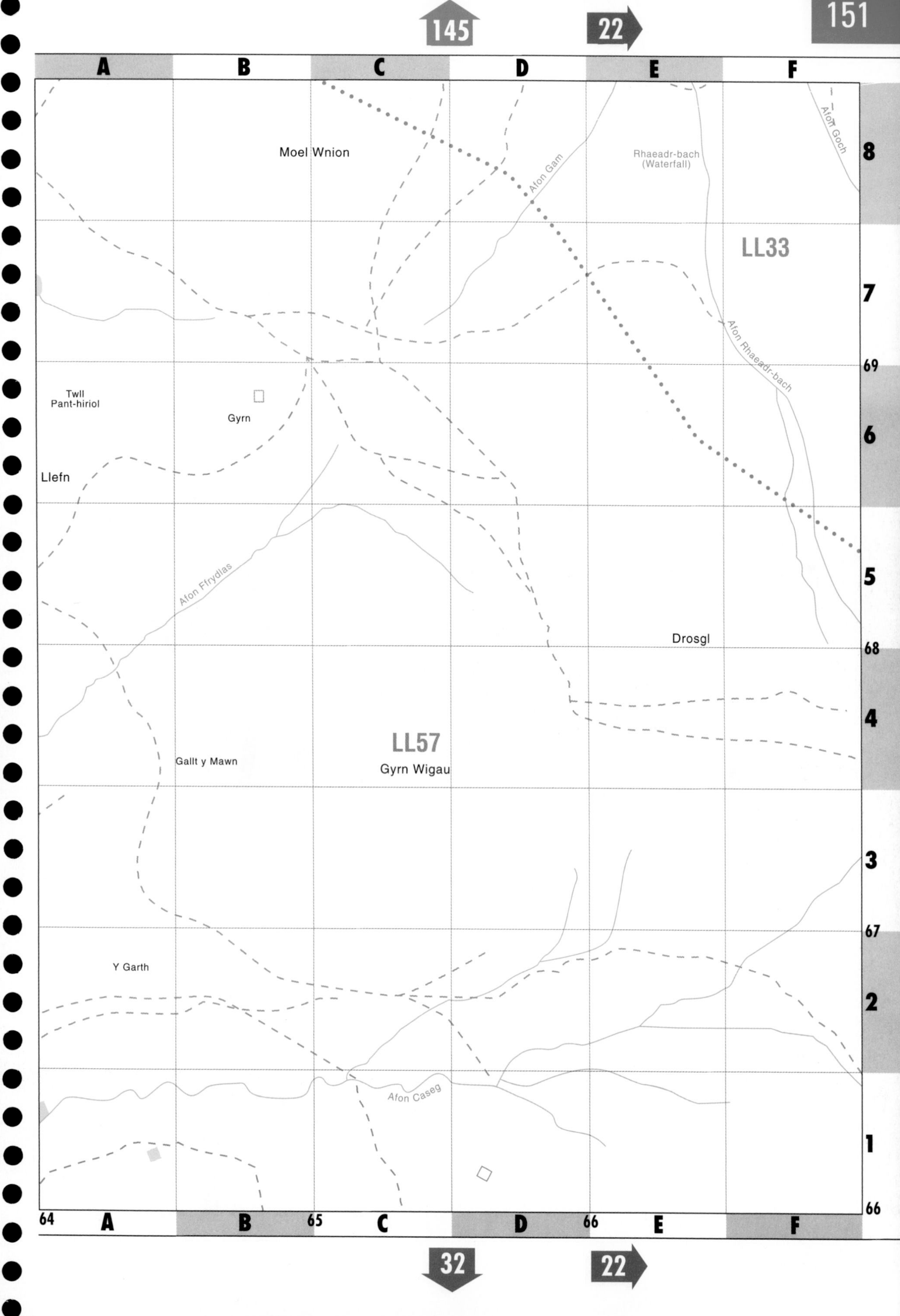

145

22

A   B   C   D   E   F

Moel Wnion

Afon Gam

Rhaeadr-bach
(Waterfall)

Afon Goch

LL33

8

7

Afon Rhaeadr-bach

69

Twll
Pant-hiriol

Gyrn

6

Llefn

Afon Ffrydlas

5

Drosgl

68

4

LL57

Gallt y Mawn

Gyrn Wigau

Y Garth

3

67

2

Afon Caseg

1

66

64   A   B   65   C   D   66   E   F

32

22

LL61

Foel
Farm Park

B4419

Cae
Mawr

Mermaid
Inn
(PH)

Tal-y-foel
Pier

B4419

Talgwynedd

Ty Coch
Farm

Waterloo
Port

A487

MARINE
TERR

PORTH
WATERLOO
PORT
RD

Lodge

Plas-y-borth

E4
1 FFORDD PAFILIWN
2 ALLT PAFILIWN
3 PENRALLT UCHAF/NORTH PENRALLT
4 PENRALLT ISAF/SOUTH PENRALLT
5 GORLLEWIN TWTHILL/TWTHILL W
6 STRYD THOMAS/THOMAS ST
7 HELO Y BRYN/HILL ST
8 HEOL EDWARD/EDWARD ST
9 HEOL ELINOR/ELEANOR ST
10 STRYD VICTORIA/VICTORIA ST
11 FFORDD HAMPTON/HAMPTON RD
12 PENTRE NEWYDD/MOUNTAIN ST
13 PENLLYN/POOL SIDE
14 PENLLYN
15 PENLLYN/POOL HILL
16 LON YSGOL RAD
17 STRYD WILLIAM/WILLIAM ST
18 STRYD MARGED/MARGARET ST
19 ALLT CADNANT
20 STRYD MARI
21 RHESDAI CLARKE
22 RHESDAI HAFOD
23 STRYD Y LLYN/POOL ST
24 PEN Y GRAIG/POOL LA
25 STRYD JOHN LLWYD/WESLEY ST
26 STRYD NEWYDD/NEW ST
27 STRYD WATERLOO/WATERLOO
28 STRYD GARNON/GARNON ST
29 STRYD CAPEL JOPPA/SNOWDON ST
30 STRYD NIWBWRCH/NEWBOROUGH ST
31 UXBRIDGE SQ
32 STRYD DINORWIC/DINORWIC ST
33 STRYD Y FAENOL/VAYNOL ST
34 FFORDD VICTORIA/VICTORIA RD
35 TRE'R GOF/CHAPEL ST
36 RHES SEGONTIWM/SEGONTIUM TERR

D4
1 Y PROMENAD/THE PROMENADE
2 STRYD YR EGLWYS/CHURCH ST
3 LON YR EGLWYS/CHURCH LA
4 STRYD Y FARCHNAD/MARKET ST
5 STRYD PEDWARA CHWECH/NORTHGATE ST
6 PEPPER LA
7 GLAN MOR UCHA/CROWN ST
8 STRYD Y PORTH MAWR
9 STRYD FAWR/HIGH ST
10 STRYD Y JEL/SHIREHALL ST
11 STRYD Y CASTELL/CASTLE ST
12 STRYD Y PLAS/PALACE ST
13 TWILL YN Y WAL/HOLE IN THE WALL ST
14 TAN Y BONT/GREENGATE ST
15 ALLT Y CASTLE/CASTLE HILL
16 LON CRWYN
17 Y MAES/CASTLE SQ
18 PEN DEITSH/CASTLE DITCH
19 TAN-Y-MUR
20 BONT BRIDD/BRIDGE ST
21 PATERNOSTER BLDGS

E3
1 RHES CWSTENIN
2 RHES ASSHETON/ASSHETON TERR
3 HEOL GELERT/GELERT ST
4 CAE GROES/BEULAH SQ
5 STRYD YR HENDRE/HENDRE ST
6 SANTES HELEN/ST HELEN'S ST
7 FFORDD SEGONTIWM/SEGONTIUM ROAD S
8 STRYD MARCWS/MARCUS ST
9 ST HELEN'S TERR

E5
1 LON CAMBELL/CAMBELL RD
2 LON WARFIELD/WARFIELD RD
3 LON SYDNEY/SYDNEY RD
4 Y CLOGWYN/ENGLAND ROAD S
5 DWYRAIN TWTHILL/TWTHILL E
F5
1 LON PRIESTLEY/PRIESTLEY RD

LL55

FFORDD Y GOGLEDD/NORTH RD

FFORDD BANGOR/BANGOR RD

FFORDD BETHEL/BETHEL RD

B4366

Sports
Sch Ctr

MENAI STRAIT
AFON MENAI

Victoria
Dock

BALACLAFA/BALACLAVA RD

Caernarfon
Maritime Mus

B4419

B4419

Pol
HQ

Sch

CAERNARFON

Liby

TANRALLT

A4086

A4086

FFORDD LLANBERIS/LLANBERIS RD

County
Offices

Cts
Aber
Bridge

Mus

Caernarfon
Castle

CEI LLECHI/
SLATE QUAY

Caernarfon

SEGONTIUM
ROMAN FORT
Mus

FFORDD CWSTENIN/CONSTANTINE RD

A4085

FFORDD YR ABER/ABER FORESHORE RD

FFORDD COED HELEN

Coed Helen
HOLIDAY PK

Ffarm
Isaf

A4085

CH

Coed
Helen

LON COED HELEN/COED HELEN LA

Mast

Cemy

Bryn Teg

Is-Helen

LL54

LON PARC/SOUTH RD

Tyddyn-
llwydyn

Hendy
Covert

Morfa
Common

Beudy
Ychain

Ysbyty
Eryri

FFORDD BONT SAINT/PWLLHELI RD

FFORDD TELIN SEGONT/SEIONT MILL RD

Afon Seiont

Welsh Highland Rly
(Caernarfon)

Ysbyty
Bryn
Seiont

PARC
MURIAU

Plas
Farm

Hendy

Tyddyn-Alice
Farm

Ty'rallt
Farm

Pant
Farm

LC

A487

Berllan

F4
1 LLYS AFRON
2 LLYS ORWIG
3 LLYS BUDDIG

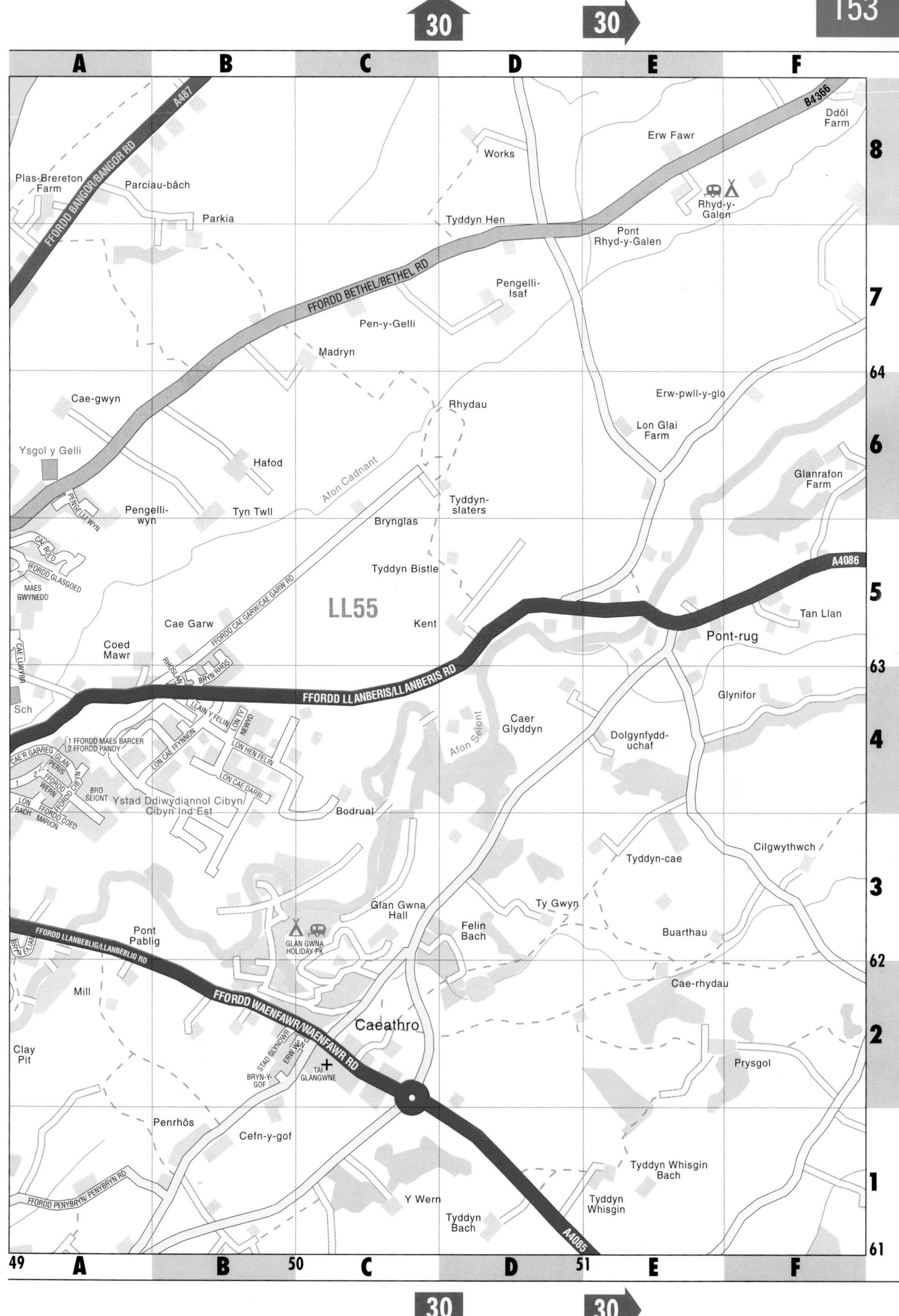
30
30
A
B
C
D
E
F
8
7
64
6
5
63
4
3
62
2
1
61
49
50
51
A487
FFORDD BANGOR/BANGOR RD
B4366
Ddôl Farm
Erw Fawr
Works
Plas-Brereton Farm
Parciau-bâch
Parkia
Tyddyn Hen
Rhyd-y-Galen
Pont Rhyd-y-Galen
FFORDD BETHEL/BETHEL RD
Pengelli-Isaf
Pen-y-Gelli
Madryn
Cae-gwyn
Rhydau
Erw-pwll-y-glo
Lon Glai Farm
Ysgol y Gelli
Hafod
Afon Cadnant
PENGELLI WYN
Pengelli-wyn
Tyn Twll
Brynglas
Tyddyn-slaters
Glanrafon Farm
CAE BOLD
FFORDD GLASGOED
MAES GWYNEDD
Tyddyn Bistle
A4086
LL55
FFORDD CAE GARW/CAE GARW RD
Cae Garw
Kent
Tan Llan
Pont-rug
Coed Mawr
CAE LLWYBR
RHOSLAN
BRYN RHOS
FFORDD LLANBERIS/LLANBERIS RD
Glynifor
Sch
LLAIN Y FELIN
LON TY NEWYDD
Caer Glyddyn
Afon Seiont
Dolgynfydd-uchaf
1 FFORDD MAES BARCER
2 FFORDD PANDY
CAE'R GARREG
GLAN PERIS
FFORDD WERN
FFORDD CIBYN
LON CAE FFYNNON
LON HEN FELIN
LON CAE DARBI
BRO SEIONT
Ystad Ddiwydiannol Cibyn
Cibyn Ind Est
LON BACH
FFORDD COED
MARION
Bodrual
Tyddyn-cae
Cilgwythwch
Glan Gwna Hall
Ty Gwyn
Felin Bach
Buarthau
Pont Pablig
GLAN GWNA HOLIDAY PK
FFORDD LLANBEBLIG/LLANBEBLIG RD
Cae-rhydau
Mill
FFORDD WAENFAWR/WAENFAWR RD
Caeathro
Clay Pit
STAD GLYNDWR
ERW WEN
BRYN-Y-GOF
TAI GLANGWNE
Prysgol
Penrhôs
Cefn-y-gof
Tyddyn Whisgin Bach
FFORDD PENYBRYN/PENYBRYN RD
Y Wern
Tyddyn Bach
Tyddyn Whisgin
A4085

30
30

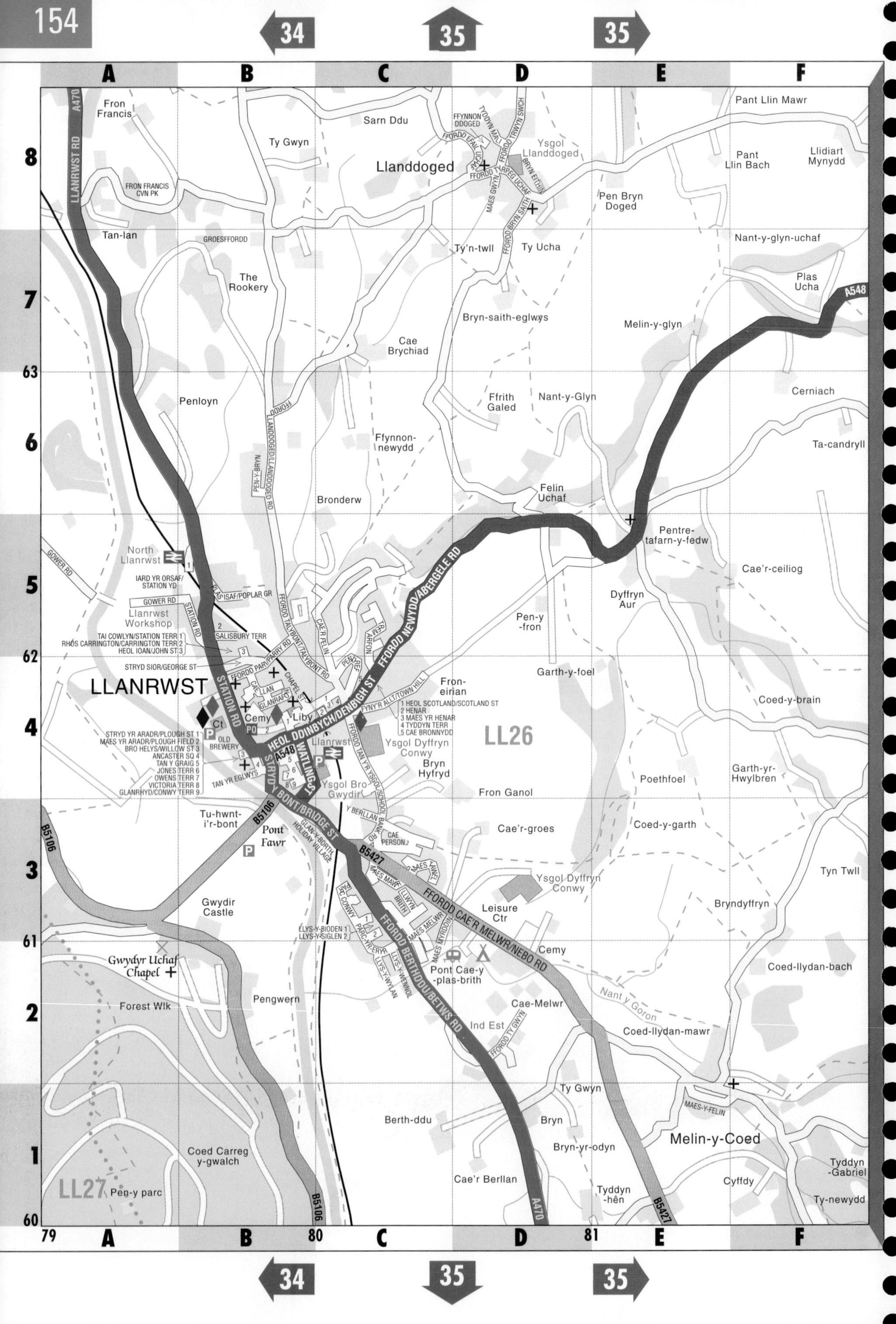
34
35
35
A
B
C
D
E
F
8
7
63
6
5
62
4
3
61
2
1
60
79
80
81
Fron Francis
LLANRWST RD
A470
Sarn Ddu
Ty Gwyn
Llanddoged
FFYNNON DDOGED
TYDDYN MALI
FFORDD TRWYN SWCH
FFORDD EFAIL UCHAF
Ysgol Llanddoged
Pant Llin Mawr
Pant Llin Bach
Llidiart Mynydd
FRON FRANCIS CVN PK
MAES GWYN
FFORDD TY'R APEG UCHAF
BRYN EITHIN
FFORDD BRYN SAITH
Pen Bryn Doged
Tan-lan
GROESFFORDD
Ty'n-twll
Ty Ucha
Nant-y-glyn-uchaf
The Rookery
Plas Ucha
A548
Bryn-saith-eglwys
Melin-y-glyn
Cae Brychiad
Penloyn
Ffrith Galed
Nant-y-Glyn
Cerniach
FFORDD LLANDDOGED/LLANDDOGED RD
PEN-Y-BRYN
Ffynnon-newydd
Ta-candryll
Bronderw
Felin Uchaf
North Llanrwst
GOWER RD
Pentre-tafarn-y-fedw
IARD YR ORSAF/STATION YD
PLAS ISAF/POPLAR GR
Cae'r-ceiliog
GOWER RD
STATION RD
FFORDD TALYBONT/TALYBONT RD
CAE'R FELIN
FFORDD NEWYDD/ABERGELE RD
Dyffryn Aur
Llanrwst Workshop
SALISBURY TERR
ARFON
Pen-y-fron
TAI COWLYN/STATION TERR 1
RHOS CARRINGTON/CARRINGTON TERR 2
HEOL IOAN/JOHN ST 3
STRYD SIOR/GEORGE ST
FFORDD PARRY/PARRY RD
CHAPEL ST
Garth-y-foel
Fron-eirian
LLANRWST
STATION RD
GLANRAFON
HEOL DDINBYCH/DENBIGH ST
FFYN'R ALLT/TOWN HILL
1 HEOL SCOTLAND/SCOTLAND ST
2 HENAR
3 MAES YR HENAR
4 TYDDYN TERR
5 CAE BRONNYDD
Coed-y-brain
Ct
Cemy
Liby
PO
LL26
STRYD YR ARADR/PLOUGH ST 1
MAES YR ARADR/PLOUGH FIELD 2
BRO HELYS/WILLOW ST 3
ANCASTER SQ 4
TAN Y GRAIG 5
JONES TERR 6
OWENS TERR 7
VICTORIA TERR 8
GLANRHYD/CONWY TERR 9
OLD BREWERY
A548
WATLING ST
Llanrwst
Ysgol Dyffryn Conwy
FFORDD TAN YR YSGOL/SCHOOL BANK RD
Bryn Hyfryd
Poethfoel
Garth-yr-Hwylbren
TAN YR EGLWYS
Ysgol Bro Gwydir
Fron Ganol
STRYD Y BONT/BRIDGE ST
Tu-hwnt-i'r-bont
B5106
Pont Fawr
Y BERLLAN
Cae'r-groes
Coed-y-garth
B5106
GLAN-Y-BORTH HOLIDAY VILLAGE
CAE PERSON
B5427
MAES MAWR
Tyn Twll
Ysgol Dyffryn Conwy
Gwydir Castle
FFORDD CAE'R MELWR/NEBO RD
Leisure Ctr
Bryndyffryn
LLYS-Y-BIODEN 1
LLYS-Y-SIGLEN 2
PARC-Y-ERYR
MAES MELWR
MAES MYRDDIN
Cemy
Gwydyr Uchaf Chapel
Pont Cae-y-plas-brith
Coed-llydan-bach
Forest Wlk
Pengwern
FFORDD BERTHDDU/BETWS RD
Cae-Melwr
Nant y Goron
Ind Est
Coed-llydan-mawr
FFORDD TY GWYN
Ty Gwyn
MAES-Y-FELIN
Berth-ddu
Bryn
Melin-y-Coed
Bryn-yr-odyn
Coed Carreg y-gwalch
Tyddyn -Gabriel
Cyffdy
LL27
Pen-y parc
Cae'r Berllan
Tyddyn -hên
Ty-newydd
A470
B5427
B5106
34
35
35

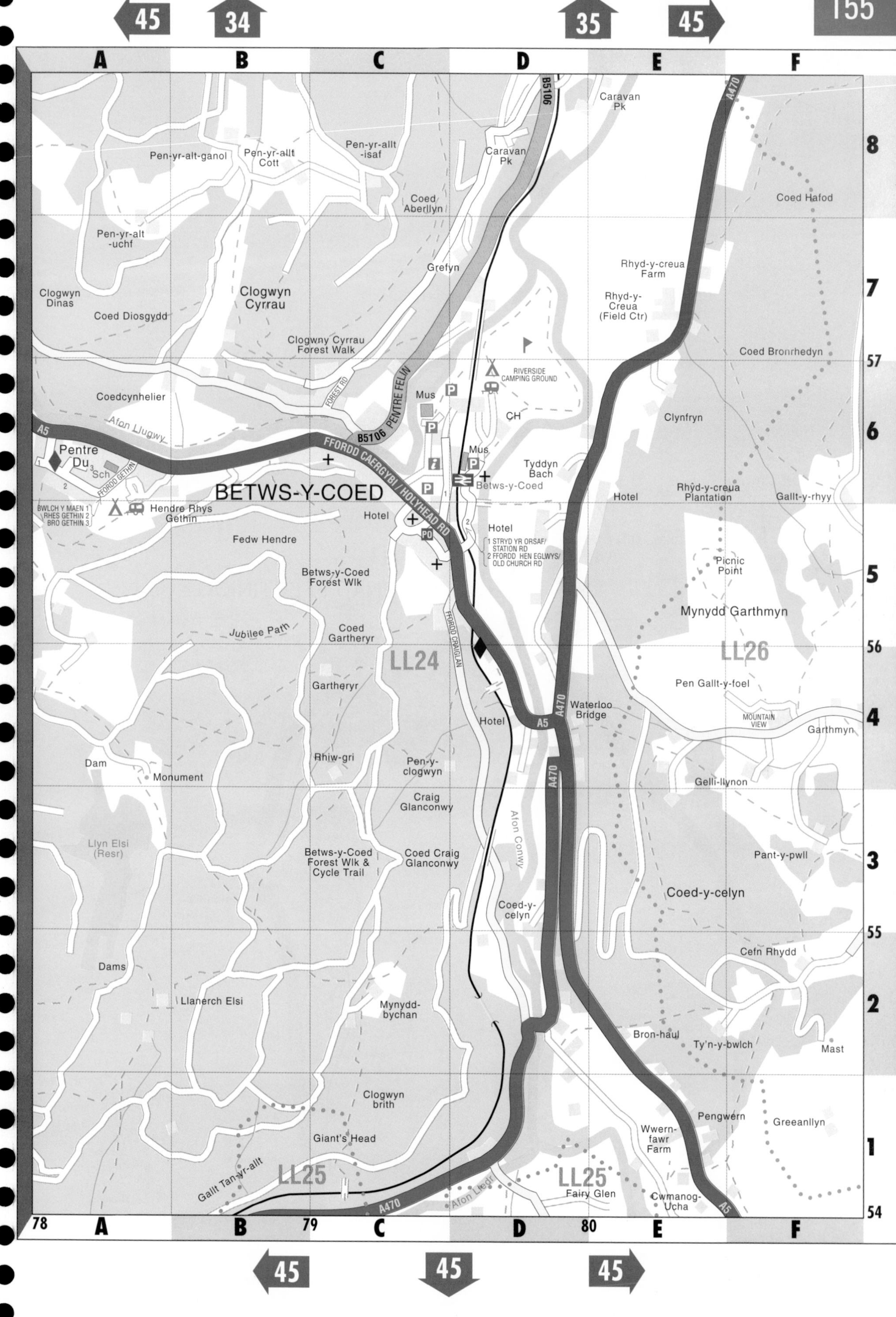

A B C D E F

8

7

57

6

5

56

4

55

2

54

BETWS-Y-COED

Pen-yr-alt-ganol
Pen-yr-allt Cott
Pen-yr-allt-isaf
Caravan Pk
Caravan Pk
Coed Aberllyn
Grefyn
Coed Hafod
Rhyd-y-creua Farm
Rhyd-y-Creua (Field Ctr)
Clogwyn Dinas
Clogwyn Cyrrau
Coed Diosgydd
Coed Bronrhedyn
Pen-yr-alt-uchf
Clogwny Cyrrau Forest Walk
Coedcynhelier
Afon Llugwy
RIVERSIDE CAMPING GROUND
Mus
CH
Clynfryn
A5
FOREST RD
PENTRE FELIN
B5106
FFORDD CAERGYBI / HOLYHEAD RD
Rhyd-y-creua Plantation
Gallt-y-rhyy
Pentre Du
Sch
FFORDD GETHIN
i
Mus
Betws-y-Coed
Tyddyn Bach
Hotel
BWLCH Y MAEN 1
RHES GETHIN 2
BRO GETHIN 3
Hendre Rhys Gethin
PO
Hotel
Picnic Point
Fedw Hendre
Hotel
1 STRYD YR ORSAF/ STATION RD
2 FFORDD HEN EGLWYS/ OLD CHURCH RD
Betws-y-Coed Forest Wlk
Mynydd Garthmyn
Jubilee Path
Coed Gartheryr
LL24
LL26
Gartheryr
Pen Gallt-y-foel
Dam
Monument
Rhiw-gri
Pen-y-clogwyn
Hotel
Waterloo Bridge
A5
MOUNTAIN VIEW
Garthmyn
FFORDD CRAIGLAN
Craig Glanconwy
A470
Gelli-llynon
Llyn Elsi (Resr)
Betws-y-Coed Forest Wlk & Cycle Trail
Coed Craig Glanconwy
Afon Conwy
Pant-y-pwll
Coed-y-celyn
Coed-y-celyn
Cefn Rhydd
Dams
Llanerch Elsi
Mynydd-bychan
Bron-haul
Ty'n-y-bwlch
Mast
Clogwyn brith
Pengwern
Greeanllyn
Giant's Head
Wwern-fawr Farm
LL25
Gallt Tan-yr-allt
A470
Afon Llecd
LL25
Fairy Glen
Cwmanog-Ucha
A5

78 79 80

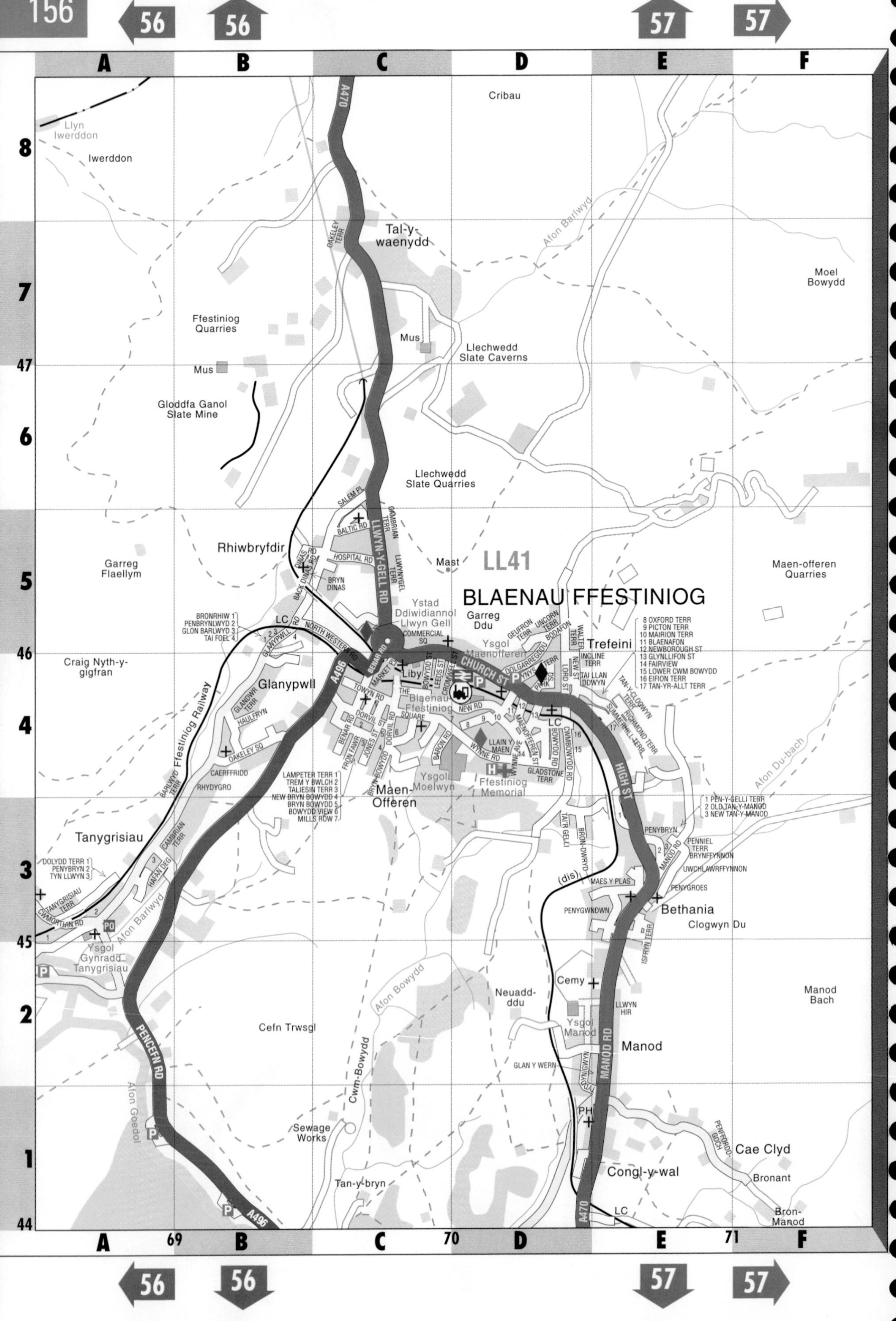
A B C D E F
8 7 47 6 5 46 4 3 45 2 1 44
69 70 71
Cribau
Llyn Iwerddon
Iwerddon
Tal-y-waenydd
Moel Bowydd
Ffestiniog Quarries
Mus
Llechwedd Slate Caverns
Gloddfa Ganol Slate Mine
Llechwedd Slate Quarries
Rhiwbryfdir
Garreg Flaellym
Mast
LL41
Maen-offeren Quarries
BLAENAU FFESTINIOG
Ystad Ddiwidiannol Llwyn Gell
Garreg Ddu
Ysgol Maenofferen
Trefeini
Craig Nyth-y-gigfran
Glanypwll
Liby
Blaenau Ffestiniog
Maen-Offeren
Ysgol Moelwyn
Ffestiniog Memorial
Tanygrisiau
Bethania
Clogwyn Du
Ysgol Gynradd Tanygrisiau
Cemy
Neuadd-ddu
Manod Bach
Cefn Trwsgl
Ysgol Manod
Manod
Sewage Works
Cae Clyd
Bronant
Congl-y-wal
Tan-y-bryn
Bron-Manod
Ffestiniog Railway
Afon Barlwyd
Afon Bowydd
Afon Du-bach
Afon Goedol
Cwm-Bowydd
A470
A496
LLWYN-Y-GELL RD
CHURCH ST
HIGH ST
MANOD RD
PENCEFN RD
NORTH WESTERN RD
BRONRHIW 1
PENBRYNLLWYD 2
GLON BARLWYD 3
TAI FOEL 4
8 OXFORD TERR
9 PICTON TERR
10 MAIRION TERR
11 BLAENAFON
12 NEWBOROUGH ST
13 GLYNLLIFON ST
14 FAIRVIEW
15 LOWER CWM BOWYDD
16 EIFION TERR
17 TAN-YR-ALLT TERR
LAMPETER TERR 1
TREM Y BWLCH 2
TALIESIN TERR 3
NEW BRYN BOWYDD 4
BRYN BOWYDD 5
BOWYDD VIEW 6
MILLS ROW 7
1 PEN-Y-GELLI TERR
2 OLD TAN-Y-MANOD
3 NEW TAN-Y-MANOD
DOLYDD TERR 1
PENYBRYN 2
TYN LLWYN 3
LC
PH

66
66
66

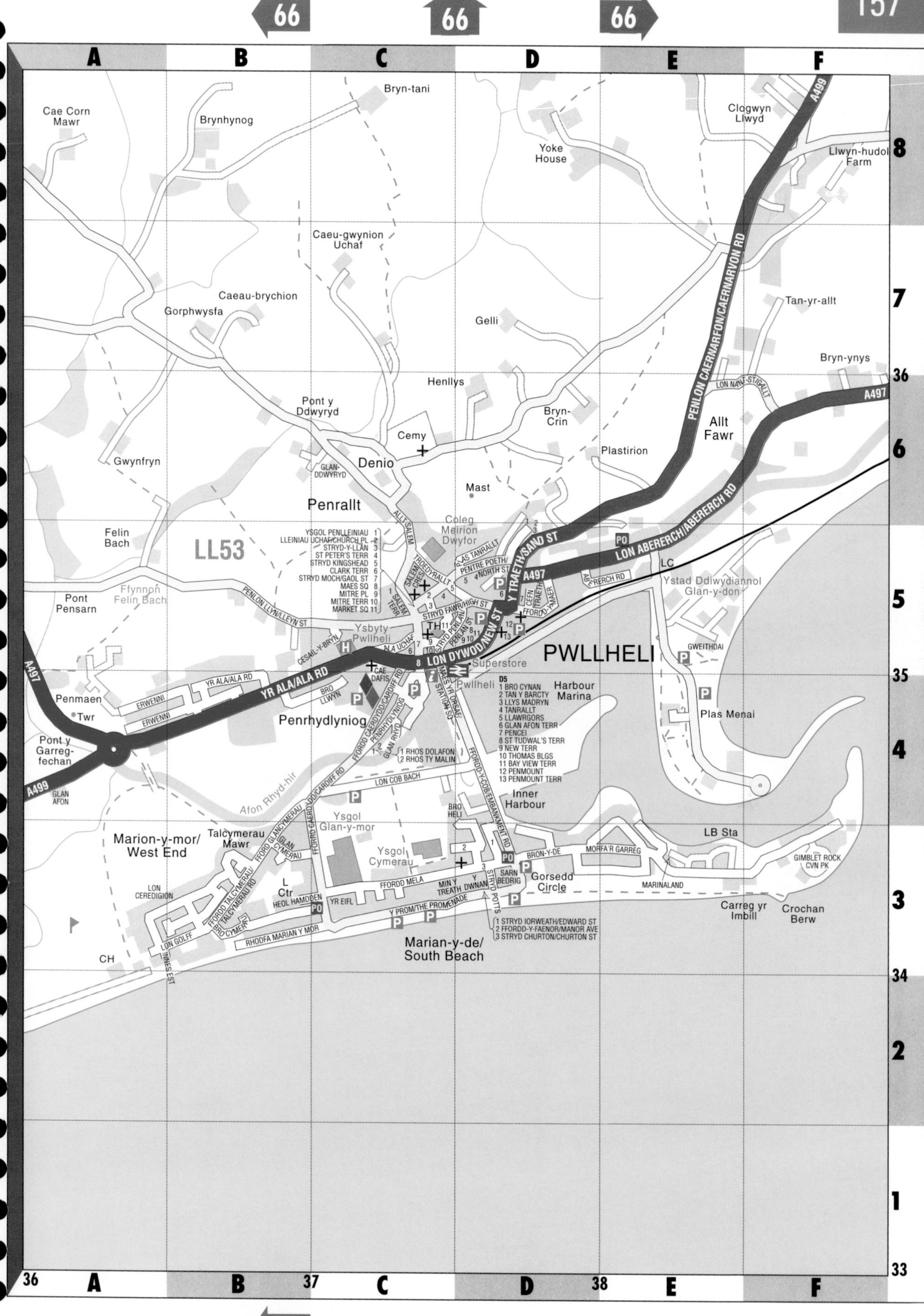

A
B
C
D
E
F
8
7
36
6
5
35
4
3
34
2
1
33
37
38
Cae Corn Mawr
Brynhynog
Bryn-tani
Clogwyn Llwyd
Yoke House
Llwyn-hudol Farm
A499
Caeu-gwynion Uchaf
Caeau-brychion
Gorphwysfa
Gelli
Tan-yr-allt
Bryn-ynys
Henllys
Pont y Ddwyryd
Bryn-Crin
Allt Fawr
A497
PENLON CAERNARFON/CAERNARVON RD
LON NANT-STIGALLT
Cemy
Denio
GLAN-DWYRYD
Gwynfryn
Plastirion
Mast
Penrallt
Coleg Meirion Dwyfor
Felin Bach
LL53
YSGOL PENLLEINIAU 1
LLEINIAU UCHAF/CHURCH PL 2
STRYD-Y-LLAN 3
ST PETER'S TERR 4
STRYD KINGSHEAD 5
CLARK TERR 6
STRYD MOCH/GAOL ST 7
MAES SQ 8
MITRE PL 9
MITRE TERR 10
MARKET SQ 11
LON ABERERCH/ABERERCH RD
Y TRAETH/SAND ST
LC
Ystad Ddiwydiannol Glan-y-don
Pont Pensarn
Ffynnon Felin Bach
PENLON LLYN/LLEYN ST
Ysbyty Pwllheli
PWLLHELI
LON DYWOD/NEW ST
Superstore
GWEITHDAI
CESAIL-Y-BRYN
CAE DAFIS
Pwllheli
A499
YR ALA/ALA RD
YR ALA/ALA RD
ERWENNI
ERWENNI
BRO LLWYN
Penmaen
Twr
Penrhydlyniog
D5
1 BRO CYNAN
2 TAN Y BARCTY
3 LLYS MADRYN
4 TANRALLT
5 LLAWRGORS
6 GLAN AFON TERR
7 PENCEI
8 ST TUDWAL'S TERR
9 NEW TERR
10 THOMAS BLGS
11 BAY VIEW TERR
12 PENMOUNT
13 PENMOUNT TERR
Harbour Marina
Plas Menai
Pont y Garreg-fechan
1 RHOS DOLAFON
2 RHOS TY MALIN
LON COB BACH
Afon Rhyd-hir
GLAN AFON
Inner Harbour
Ysgol Glan-y-mor
Marion-y-mor/ West End
Talcymerau Mawr
Ysgol Cymerau
LB Sta
BRON-Y-DE
MORFA'R GARREG
GIMBLET ROCK CVN PK
MARINALAND
LON CEREDIGION
L Ctr
HEOL HAMDDEN
FFORDD MELA
MIN Y TRAETH
Y DWNAN
SARN BEDRIG
Gorsedd Circle
Carreg yr Imbill
Crochan Berw
Y PROM/THE PROMENADE
RHODFA MARIAN Y MOR
LON GOLFF
1 STRYD IORWEATH/EDWARD ST
2 FFORDD-Y-FAENOR/MANOR AVE
3 STRYD CHURTON/CHURTON ST
Marian-y-de/ South Beach
CH

81

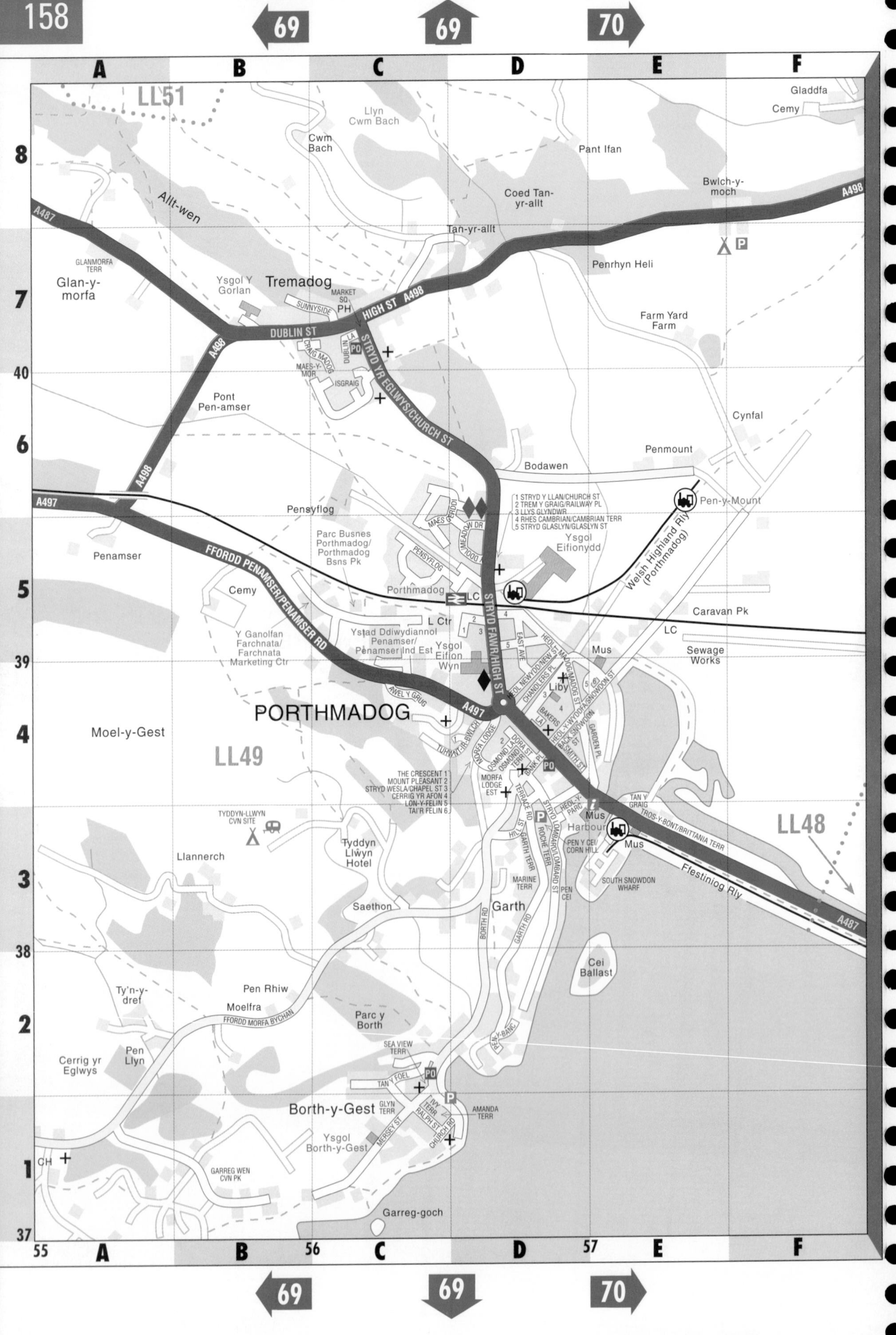

69
69
70

LL51

Gladdfa
Cemy

Llyn
Cwm Bach

Cwm
Bach

Pant Ifan

Coed Tan-
yr-allt

Bwlch-y-
moch

A498

8

Tan-yr-allt

Allt-wen

Penrhyn Heli

GLANMORFA
TERR

Ysgol Y
Gorlan

Tremadog

Farm Yard
Farm

Glan-y-
morfa

A487

Market
Sq.
PH
SUNNYSIDE
HIGH ST
A498

7

DUBLIN ST
STRYD YR EGLWYS/CHURCH ST

Cynfal

40

CRAIG MAWR
MAES-Y-
MOR
ISGRAIG
LA
PO

Pont
Pen-amser

A498

Penmount

6

Bodawen

Pensyflog

MAES BRONDIR
MEADOW DR
PEN-Y-COED

Porthmadog

1 STRYD Y LLAN/CHURCH ST
2 TREM Y GRAIG/RAILWAY PL
3 LLYS GLYNDWR
4 RHES CAMBRIAN/CAMBRIAN TERR
5 STRYD GLASLYN/GLASLYN PL

Pen-y-Mount

A497

Parc Busnes
Porthmadog/
Porthmadog
Bsns Pk

Ysgol
Eifionydd

Welsh Highland Rly
(Porthmadog)

Penamser

FFORDD PENAMSER/PENAMSER RD

Cemy

LC

Caravan Pk

5

Y Ganolfan
Farchnata/
Farchnata
Marketing Ctr

L Ctr
Ystad Ddiwydiannol
Penamser/
Penamser Ind Est

STRYD FAWR/HIGH ST
EAST AV

LC

Mus

Sewage
Works

39

Ysgol
Eifion
Wyn

1
2
3
4

HEOL MADOG/MADOG ST
STRYD NEWYDD/NEW ST
CHANDLERS ST
BAKERS LA
HEOL Y WYDDFA/SNOWDON ST
BLACK ROCK
GARDEN PL

Liby

Mus

Moel-y-Gest

PORTHMADOG

A497

4

LL49

AWEL Y GRUG

TURNPIKE/BEBLWCH

MORFA LODGE
OSMOND LA
DORIA ST
OSMOND ST
STRYD MADOG/MADOG TERR
PARK TERR

PO

THE CRESCENT 1
MOUNT PLEASANT 2
STRYD WESLA/CHAPEL ST 3
CERRIG YR AFON 4
LON-Y-FELIN 5
TAI'R FELIN 6

Morfa
Lodge
Est

TAN Y
GRAIG

i

TYDDYN-LLWYN
CVN SITE

TERRACE RD
HYL Y GARTH
ROCHE TERR

Mus

TROS-Y-BONT/BRITTANIA TERR

LL48

Llannerch

Tyddyn
Llwyn
Hotel

Harbour

PEN Y CEI
CORN HILL

Ffestiniog Rly

A487

3

BORTH RD

Saethon

Garth

MARINE
TERR
PEN
CEI

SOUTH SNOWDON
WHARF

GARTH RD

38

Cei
Ballast

Ty'n-y-
dref

Pen Rhiw

Moelfra

FFORDD MORFA BYCHAN

2

Cerrig yr
Eglwys

Pen
Llyn

Parc y
Borth

SEA VIEW
TERR

TAN Y FOEL
PO

TRA'R BANC

Ysgol
Borth-y-Gest

GLYN
TERR

MERSEY ST
SAL PIL ST

IVY
TERR
CHURCH RD

AMANDA
TERR

1

CH

Borth-y-Gest

GARREG WEN
CVN PK

Garreg-goch

37

69
69
70

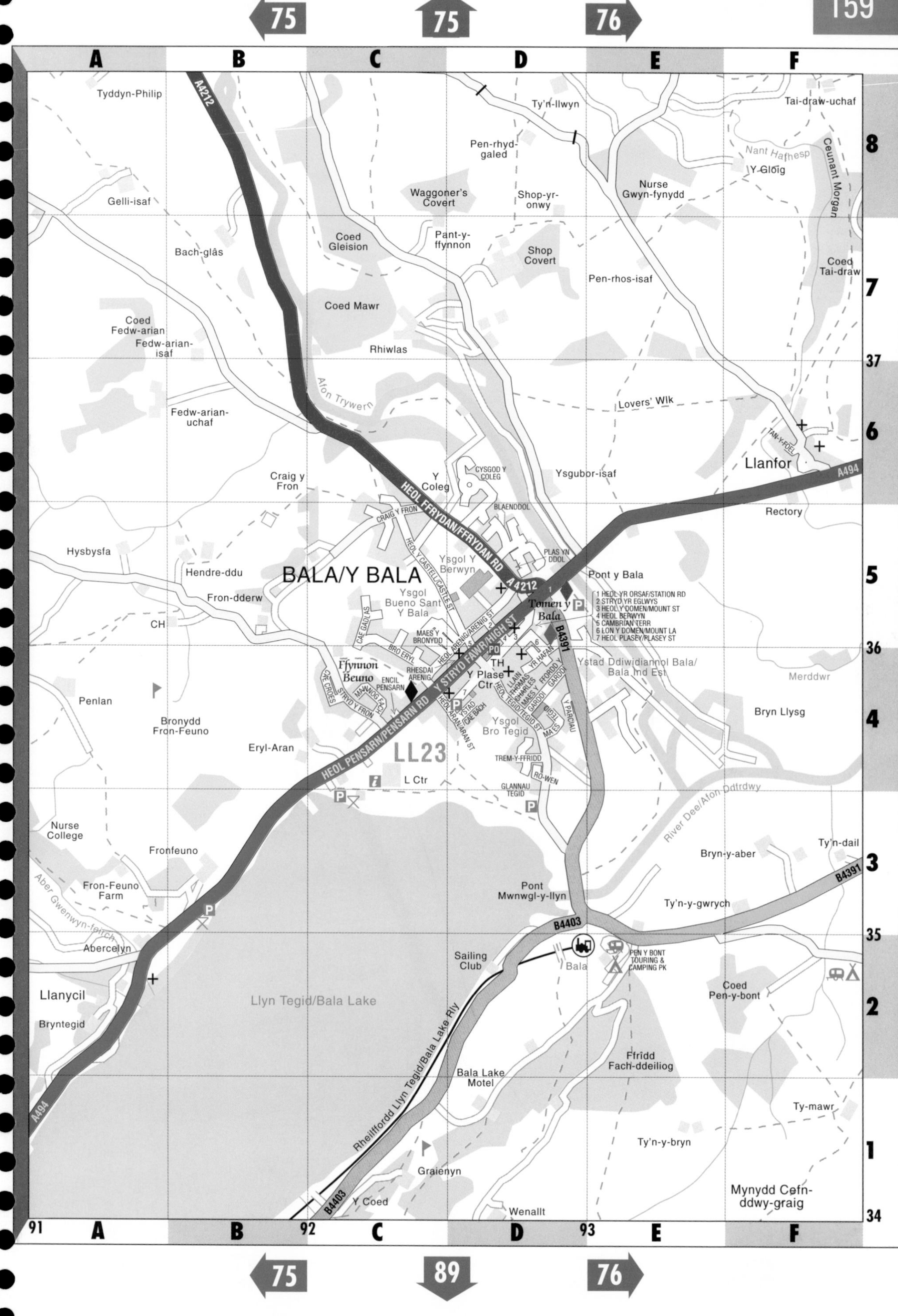

75
75
76
BALA/Y BALA
LL23
Tyddyn-Philip
Ty'n-llwyn
Tai-draw-uchaf
Pen-rhyd-galed
Nant Hafhesp
Y Gloig
Ceunant Morgan
Nurse Gwyn-fynydd
Waggoner's Covert
Shop-yr-onwy
Gelli-isaf
Coed Gleision
Pant-y-ffynnon
Shop Covert
Bach-glâs
Pen-rhos-isaf
Coed Tai-draw
Coed Mawr
Coed Fedw-arian
Fedw-arian-isaf
Rhiwlas
Afon Trywern
Lovers' Wlk
Fedw-arian-uchaf
Tan-y-Foel
Llanfor
Craig y Fron
Y Coleg
Cysgod y Coleg
Ysgubor-isaf
Heol Ffrydan/Ffrydan Rd
Craig y Fron
Blaenddol
Rectory
Hysbysfa
Plas yn Ddol
Ysgol Y Berwyn
Pont y Bala
Hendre-ddu
Fron-dderw
Ysgol Bueno Sant Y Bala
Tomen y Bala
1 Heol yr Orsaf/Station Rd
2 Stryd yr Eglwys
3 Heol y Domen/Mount St
4 Heol Berwyn
5 Cambrian Terr
6 Lon y Domen/Mount La
7 Heol Plasey/Plasey St
CH
Cae Gadlas
Maes y Bronydd
Heol Arenig/Arenig St
Y Stryd Fawr/High St
Bro Eryl
Heol y Castell/Castle St
PO
TH
Yr Hafan
Ffordd y Garodd
Ystad Ddiwidiannol Bala/Bala Ind Est
Merddwr
Ffynnon Beuno
Rhesdai Arenig
Encil Pensarn
Cae Croes
Y Plase Ctr
Llain Thomas Charles
Maes y Garodd
Heol Tegid/Tegid St
Y Pardiau
Maes Tegid
Bryn Llysg
Penlan
Bronydd Fron-Feuno
Stryd y Fron
Maes Tegid
Heol Pensarn/Pensarn Rd
Ystad Cae Bach
Heol Aran/Aran St
Eryl-Aran
Ysgol Bro Tegid
Trem-y-Ffridd
Ro-Wen
L Ctr
Glannau Tegid
River Dee/Afon Ddfrdwy
Ty'n-dail
Nurse College
Fronfeuno
Bryn-y-aber
Aber Gwenwyn-feirch
Fron-Feuno Farm
Pont Mwnwgl-y-llyn
Ty'n-y-gwrych
Abercelyn
Sailing Club
Bala
Pen y Bont Touring & Camping Pk
Llanycil
Llyn Tegid/Bala Lake
Coed Pen-y-bont
Bryntegid
Ffridd Fach-ddeiliog
Bala Lake Motel
Rheilffordd Llyn Tegid/Bala Lake Rly
Ty-mawr
Ty'n-y-bryn
Graienyn
Mynydd Cefn-ddwy-graig
Y Coed
Wenallt
A4212
A494
B4391
B4403
A B C D E F
8 7 37 6 5 36 4 3 35 2 1 34
91 92 93
75
89
76

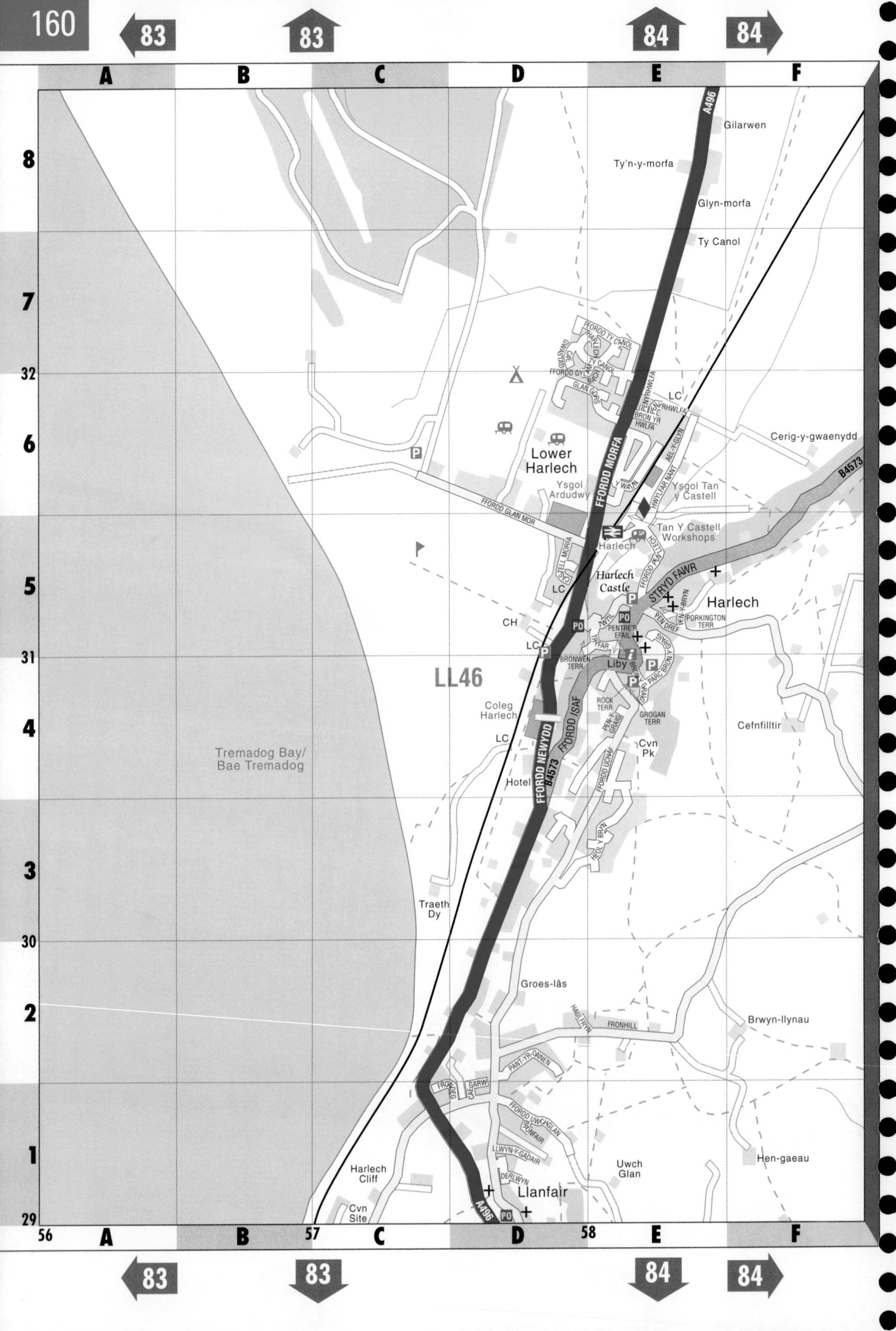
83
83
84
84
A
B
C
D
E
F
8
7
32
6
5
31
4
3
30
2
1
29
56
57
58
A496
Gilarwen
Ty'n-y-morfa
Glyn-morfa
Ty Canol
FFORDD TY CANOL
HARLECH
TY CANOL
FFORDD GYLCH
GLAN GORS
LC
Cerig-y-gwaenydd
B4573
FFORDD MORFA
Lower
Harlech
Ysgol
Ardudwy
Ysgol Tan
y Castell
FFORDD GLAN MOR
Tan Y Castell
Workshops
Harlech
Harlech
Castle
STRYD FAWR
Harlech
PORKINGTON
TERR
LC
CH
LC
BRONWEN
TERR
Liby
LL46
Coleg
Harlech
ROCK
TERR
GROGAN
TERR
Cefnfilltir
LC
FFORDD NEWYDD
FFORDD ISAF
Cvn
Pk
Tremadog Bay/
Bae Tremadog
Hotel
FFORDD UCHAF
Traeth
Dy
Groes-lâs
FRONHILL
Brwyn-llynau
PANT-YR-ONNEN
FFORDD UWCHGLAN
LLWYN-Y-GADAIR
Hen-gaeau
Uwch
Glan
Harlech
Cliff
Llanfair
Cvn
Site
PO
A496
83
83
84
84

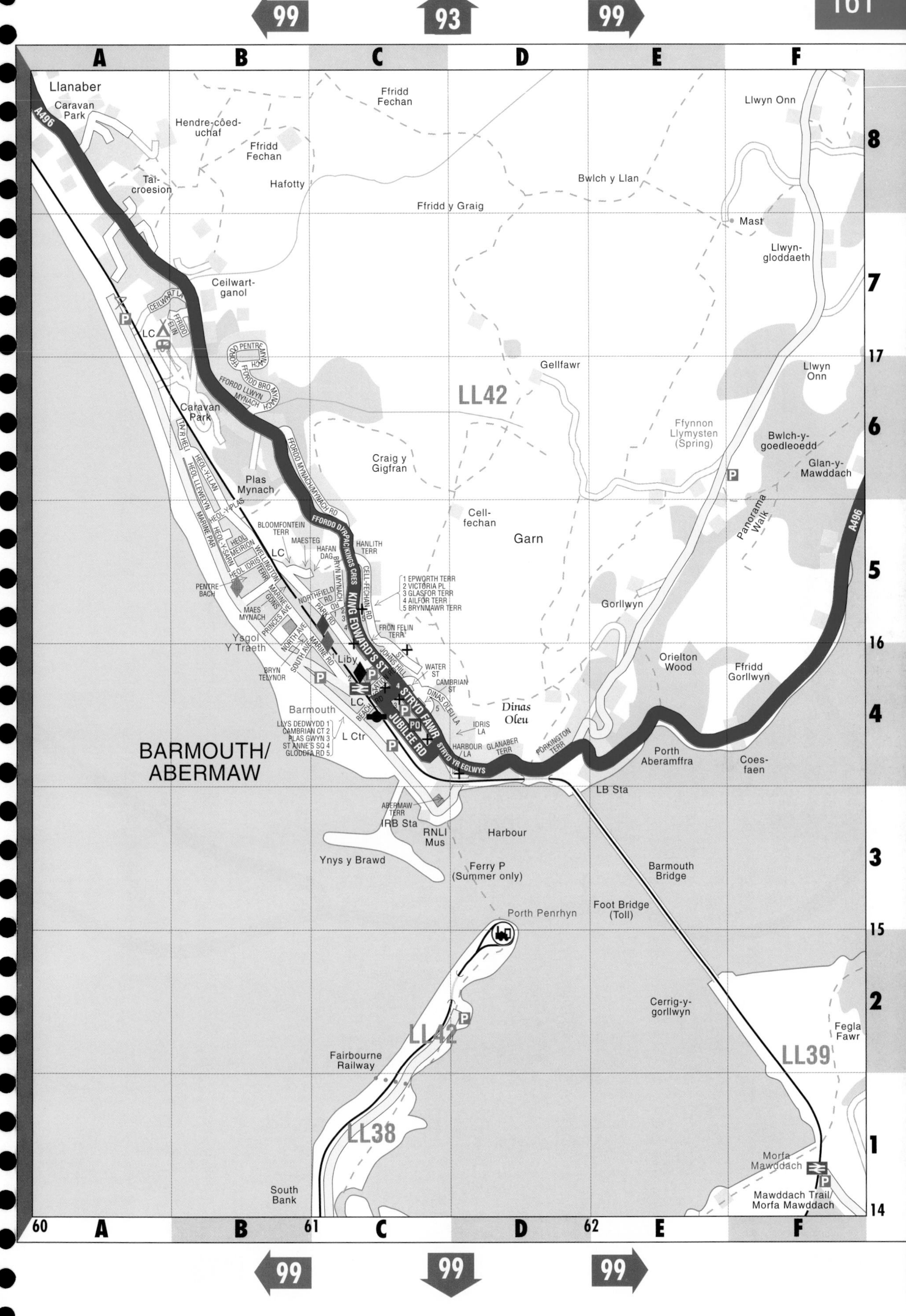

99
93
99

A B C D E F

Llanaber
Caravan Park
A496
Hendre-côed-uchaf
Ffridd Fechan
Tal-croesion
Ffridd Fechan
Hafotty

Ffridd Fechan
Ffridd y Graig

Llwyn Onn

Bwlch y Llan

Mast

Llwyn-gloddaeth

8

Ceilwart-ganol
CEILWART LA

17

Gellfawr

LL42

Llwyn Onn

7

Caravan Park

Ffynnon Llymysten (Spring)

Bwlch-y-goedleoedd
Glan-y-Mawddach

6

Plas Mynach
FFORDD MYNACH MAWDDACH RD
Craig y Gigfran

Cell-fechan

Garn

Panorama Walk

A496

5

BLOOMFONTEIN TERR
MAESTEG
HAFAN DAG
LC
HANLITH TERR
BRYN MYNACH

1 EPWORTH TERR
2 VICTORIA PL
3 GLASFOR TERR
4 AILFOR TERR
5 BRYNMAWR TERR

Gorllwyn

Pentre Bach
NORTHFIELD RD
PARK RD
CELL FECHAN RD
KING EDWARD'S ST

MAES MYNACH
NORTH AVE
MARINE RD
FRON FELIN TERR

Ysgol Y Traeth
BRYN TELYNOR
PRINCES AVE
SOUTH AVE
MARINE RD
ST JOHN'S HILL
WATER ST
CAMBRIAN ST

Orielton Wood

Ffridd Gorllwyn

16

Liby
STRYD FAWR
DINAS OLEU LA

Dinas Oleu

Barmouth
LC
JUBILEE RD
PO
STRYD YR EGLWYS
HARBOUR LA
GLANABER TERR
PORKINGTON TERR
IDRIS LA

Porth Aberamffra

Coesfaen

4

LLYS DEDWYDD 1
CAMBRIAN CT 2
PLAS GWYN 3
ST ANNE'S SQ 4
GLODDFA RD 5

L Ctr

BARMOUTH/ABERMAW

LB Sta

Porth Aberamffra

ABERMAW TERR
IRB Sta
RNLI Mus

Harbour

Barmouth Bridge

Ynys y Brawd

Ferry P (Summer only)

Foot Bridge (Toll)

3

Porth Penrhyn

Barmouth Bridge

15

LL42

Cerrig-y-gorllwyn

2

Fairbourne Railway

Fegla Fawr

LL39

LL38

Morfa Mawddach

1

South Bank

Mawddach Trail/Morfa Mawddach

14

60 A B 61 C D 62 E F

99
99
99

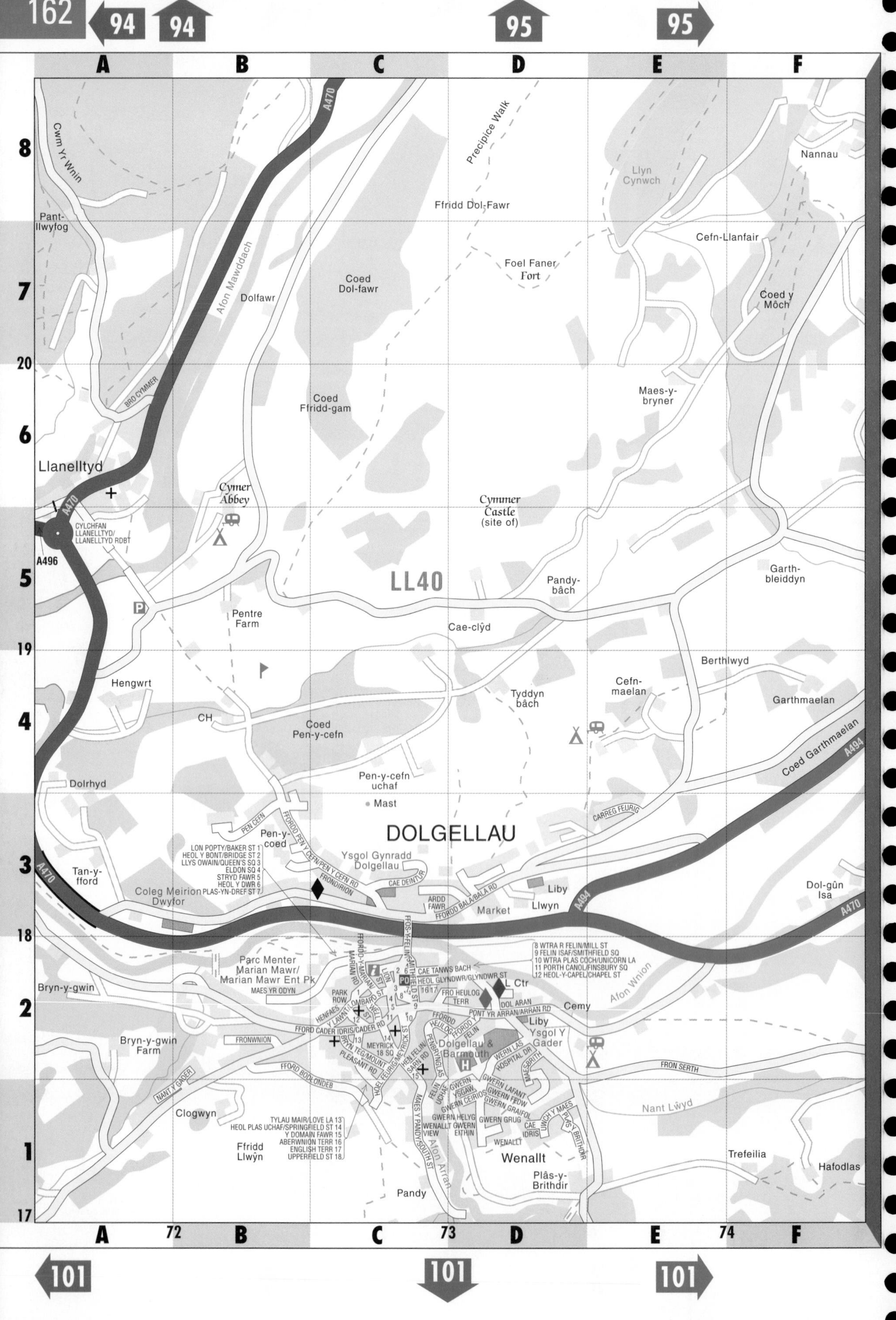
94
94
95
95
A
B
C
D
E
F
8
7
20
6
5
19
4
3
18
2
1
17
Cwm Yr Wnin
Pant-
llwyfog
A470
Afon Mawddach
Dolfawr
Precipice Walk
Ffridd Dol-Fawr
Llyn
Cynwch
Nannau
Cefn-Llanfair
Foel Faner
Fort
Coed
Dol-fawr
Coed y
Môch
BRO CYMMER
Coed
Ffridd-gam
Maes-y-
bryner
Llanelltyd
Cymer
Abbey
Cymmer
Castle
(site of)
CYLCHFAN
LLANELLTYD/
LLANELLTYD RDBT
A496
LL40
Pandy-
bâch
Garth-
bleiddyn
P
Pentre
Farm
Cae-clŷd
Hengwrt
Berthlwyd
Cefn-
maelan
Tyddyn
bâch
Garthmaelan
CH
Coed
Pen-y-cefn
Coed Garthmaelan
A494
Dolrhyd
Pen-y-cefn
uchaf
Mast
PEN CEFN
FFORDD PEN Y CEFN/PEN Y CEFN RD
CARREG FEURIG
DOLGELLAU
Pen-y-
coed
LON POPTY/BAKER ST 1
HEOL Y BONT/BRIDGE ST 2
LLYS OWAIN/QUEEN'S SQ 3
ELDON SQ 4
STRYD FAWR 5
HEOL Y DWR 6
PLAS-YN-DREF ST 7
Ysgol Gynradd
Dolgellau
A470
Tan-y-
fford
FRONDIRION
CAE DEINTUR
Liby
Dol-gûn
Isa
Coleg Meirion
Dwyfor
ARDD
FAWR
FFORDD BALA/BALA RD
Market
Llwyn
A494
A470
FFOS-Y-FELIN/SMITHFIELD ST
FFORDD-Y-MARIAN/MARIAN RD
8 WTRA R FELIN/MILL ST
9 FELIN ISAF/SMITHFIELD SQ
10 WTRA PLAS COCH/UNICORN LA
11 PORTH CANOL/FINSBURY SQ
12 HEOL-Y-CAPEL/CHAPEL ST
Parc Menter
Marian Mawr/
Marian Mawr Ent Pk
CAE TANWS BACH
HEOL GLYNDWR/GLYNDWR ST
PO
L Ctr
Afon Wnion
Bryn-y-gwin
MAES YR ODYN
PARK
ROW
FRO HEULOG
TERR
DOL ARAN
Cemy
HENFAES
Y LAWNT/LOMBARD ST
PONT YR ARRAN/ARRAN RD
FFORDD CADER IDRIS/CADER RD
Liby
Ysgol Y
Gader
Bryn-y-gwin
Farm
FRONWNION
BRYN TEG/MOUNT ST
MEYRICK
18 SQ
HEULOG FFORDD
Dolgellau &
Barmouth
H
WERN LAS
HOSPITAL DR
MAES-BRITH
FRON SERTH
PLEASANT RD
FFORDD BODLONDEB
HEN FELIN
SARN RD
PENBRYNGLAS
NANT Y GADER
GWERN LAFANT
GWERN FFOW
GWERN GRAIFOL
Nant Lŵyd
Clogwyn
TYLAU MAIR/LOVE LA 13
HEOL PLAS UCHAF/SPRINGFIELD ST 14
Y DOMAIN FAWR 15
ABERWNION TERR 16
ENGLISH TERR 17
UPPERFIELD ST 18
MAES Y PANDY/SOUTH ST
WENALLT
VIEW
GWERN
EITHIN
GWERN HELYG
GWERN GRUG
CAE
IDRIS
UNCH Y MAES
PLAS BRITHDIR
WENALLT
Ffridd
Llwŷn
Afon Arran
Wenallt
Trefeilia
Hafodlas
Plâs-y-
Brithdir
Pandy
A
72
B
C
73
D
E
74
F
101
101
101

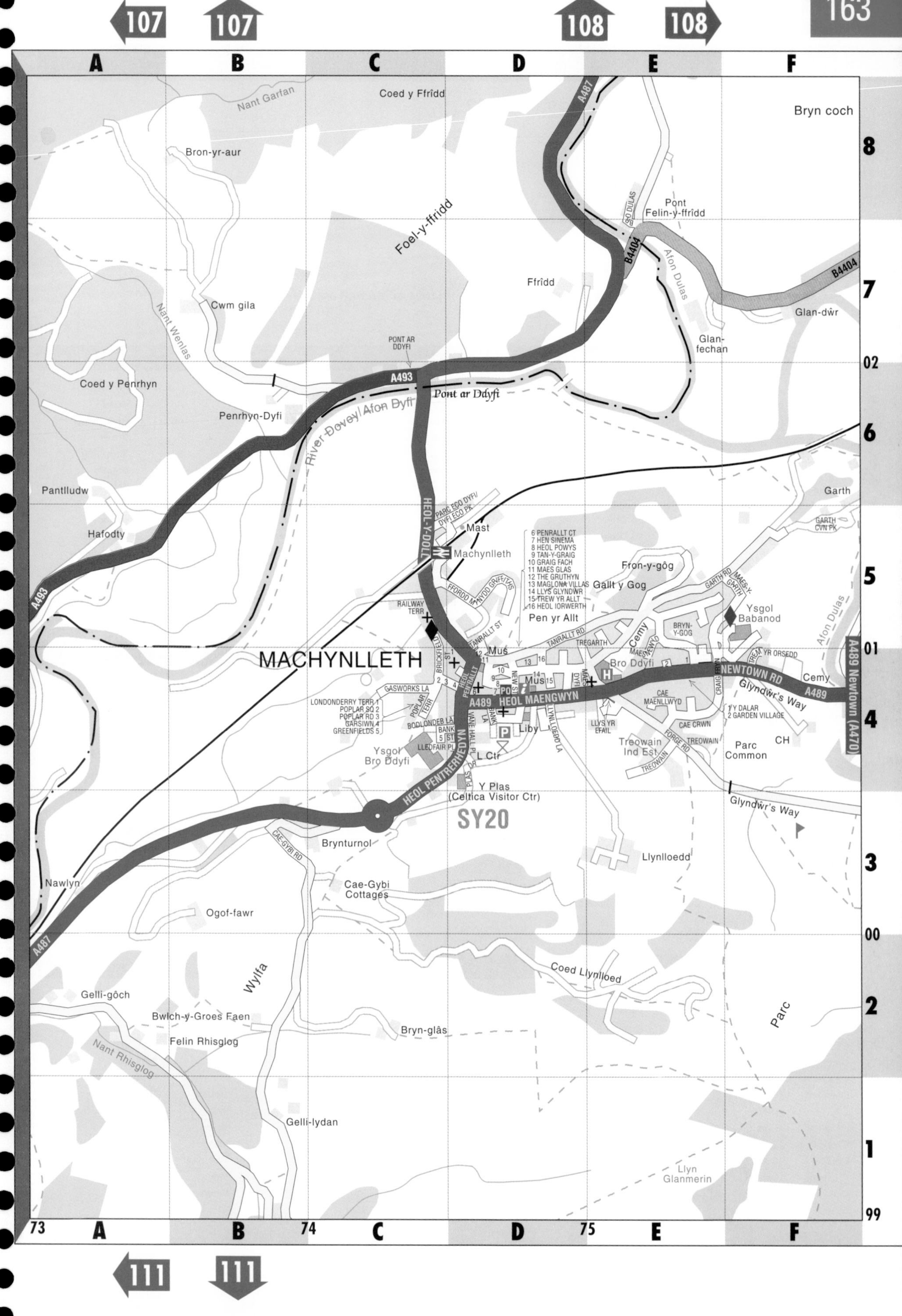
107
107
108
108
A
B
C
D
E
F
Coed y Ffrîdd
Nant Garfan
Bryn coch
8
Bron-yr-aur
A487
Pont
Felin-y-ffridd
Foel-y-ffridd
B4404
Afon Dulas
Ffrîdd
7
B4404
Cwm gila
Nant Wenlas
Glan-dŵr
Glan-
fechan
PONT AR
DDYFI
02
Coed y Penrhyn
A493
Pont ar Ddyfi
Penrhyn-Dyfi
River Dovey/Afon Dyfi
6
Pantlludw
Garth
Hafodty
HEOL-Y-DOLL
Mast
GARTH
CVN PK
Machynlleth
6 PENRALLT CT
7 HEN SINEMA
8 HEOL POWYS
9 TAN-Y-GRAIG
10 GRAIG FACH
11 MAES GLAS
12 THE GRUTHYN
13 MAGLONA VILLAS
14 LLYS GLYNDWR
15 TREW YR ALLT
16 HEOL IORWERTH
Fron-y-gôg
Gallt y Gog
5
A493
Pen yr Allt
Ysgol
Babanod
RAILWAY
TERR
Afon Dulas
MACHYNLLETH
Mus
Bro Ddyfi
01
Mus
NEWTOWN RD
Cemy
A489 Newtown (A470)
LONDONDERRY TERR 1
POPLAR SQ 2
POPLAR RD 3
GARSIWN 4
GREENFIELDS 5
GASWORKS LA
A489 HEOL MAENGWYN
Glyndŵr's Way
A489
1 Y DALAR
2 GARDEN VILLAGE
4
LLYS YR
EFAIL
Liby
Treowain
Ind Est
Parc
Common
CH
Ysgol
Bro Ddyfi
L Ctr
HEOL PENTRERHEDYN
Y Plas
(Celtica Visitor Ctr)
Glyndŵr's Way
SY20
Brynturnol
Llynlloedd
3
Nawlyn
Cae-Gybi
Cottages
Ogof-fawr
A487
00
Wylfa
Coed Llynlloed
Gelli-gôch
2
Bwlch-y-Groes Faen
Parc
Felin Rhisglog
Bryn-glâs
Nant Rhisglog
Gelli-lydan
1
Llyn
Glanmerin
99
73
A
B
74
C
D
75
E
F
111
111

Index

Church Rd **6** Beckenham BR2..........**53** C6

| **Place name** | **Location number** | **Locality, town or village** | **Postcode district** | **Page and grid square** |
| May be abbreviated on the map | Present when a number indicates the place's position in a crowded area of mapping | Shown when more than one place has the same name | District for the indexed place | Page number and grid reference for the standard mapping |

Public and commercial buildings are highlighted in magenta   **Places of interest** are highlighted in blue with a star★

Abbreviations used in the index

Acad	Academy	Comm	Common	Gd	Ground	L	Leisure	Prom	Promenade
App	Approach	Cott	Cottage	Gdn	Garden	La	Lane	Rd	Road
Arc	Arcade	Cres	Crescent	Gn	Green	Liby	Library	Recn	Recreation
Ave	Avenue	Cswy	Causeway	Gr	Grove	Mdw	Meadow	Ret	Retail
Bglw	Bungalow	Ct	Court	H	Hall	Meml	Memorial	Sh	Shopping
Bldg	Building	Ctr	Centre	Ho	House	Mkt	Market	Sq	Square
Bsns, Bus	Business	Ctry	Country	Hospl	Hospital	Mus	Museum	St	Street
Bvd	Boulevard	Cty	County	HQ	Headquarters	Orch	Orchard	Sta	Station
Cath	Cathedral	Dr	Drive	Hts	Heights	Pal	Palace	Terr	Terrace
Cir	Circus	Dro	Drove	Ind	Industrial	Par	Parade	TH	Town Hall
Cl	Close	Ed	Education	Inst	Institute	Pas	Passage	Univ	University
Cnr	Corner	Emb	Embankment	Int	International	Pk	Park	Wk, Wlk	Walk
Coll	College	Est	Estate	Intc	Interchange	Pl	Place	Wr	Water
Com	Community	Ex	Exhibition	Junc	Junction	Prec	Precinct	Yd	Yard

Translations Welsh – English

Aber	Estuary, confluence	Cwrt	Court	Maes	Open area, field, square	Rhodfa	Avenue
Afon	River	Dinas	City			Sgwar	Square
Amgueddfa	Museum	Dôl	Meadow	Môr	Sea	Stryd	Street
Bro	Area, district	Eglwys	Church	Mynydd	Mountain	Swyddfa post	Post office
Bryn	Hill	Felin	Mill	Oriel	Gallery	Tref, Tre	Town
Cae	Field	Fferm	Farm	Parc	Park	Tŷ	House
Caer	Fort	Ffordd	Road, way	Parc busnes	Business park	Uchaf	Upper
Canolfan	Centre	Gelli	Grove	Pen	Top, end	Ysbyty	Hospital
Capel	Chapel	Gerddi	Gardens	Pentref	Village	Ysgol	School
Castell	Castle	Heol	Road	Plas	Mansion, place	Ystad, stad	Estate
Cilgant	Crescent	Isaf	Lower	Pont	Bridge	Ystad ddiwydiannol	Industrial estate
Clòs	Close	Llan	Church, parish	Prifysgol	University		
Coed	Wood	Llyn	Lake	Rhaeadr	Waterfall	Ystrad	Vale
Coleg	College	Lôn	Lane	Rhes	Terrace, row		
Cwm	Valley			Rhiw	Hill, incline		

Translations English – Welsh

Avenue	Rhodfa	Estuary	Aber	Lower	Isaf	Square	Sgwâr, maes
Bridge	Pont	Farm	Fferm	Mansion	Plas	Street	Stryd
Business Park	Parc busnes	Field	Cae	Meadow	Dôl	Terrace	Rhes
Castle	Castell	Fort	Caer	Mill	Felin	Top, end	Pen
Centre	Canolfan	Gallery	Oriel	Mountain	Mynydd	Town	Tref, tre
Chapel	Capel	Gardens	Gerddi	Museum	Amgueddfa	University	Prifysgol
Church	Eglwys	Grove	Gelli	Parish	Llan, plwyf, eglwys	Upper	Uchaf
City	Dinas	Hill	Bryn, rhiw	Park	Parc	Vale	Ystrad, glyn, dyffryn
Close	Clòs	Hospital	Ysbyty	Place	Plas, maes	Valley	Cwm
College	Coleg	House	Tŷ	Post office	Swyddfa post	Village	Pentref
Court	Cwrt	Industrial estate	Ystad ddiwydiannol	River	Afon	Waterfall	Rhaeadr
Crescent	Cilgant			Road	Heol	Way	Ffordd
District	Bro	Lake	Llyn	School	Ysgol	Wood	Coed
Estate	Ystad, stad	Lane	Lôn	Sea	Môr		

Index of localities, towns and villages

A

Aberangell 103 D1
Aber-Cywarch 103 E6
Aberdaron 78 G3
Aberdesach 39 C2
Aberdovey / Aberdyfi 109 F3
Abererch 66 F3
Aberffraw 19 E3
Aber-Geirw 87 A3
Abergele 123 C3
Abergwyngregyn 145 C6
Abergynolwyn 106 E6
Aberllefenni 108 D8
Aber-Ogwen 144 A5
Abersoch 81 B3
Abertrinant 106 B4
Allt Fawr 157 E6
Amlwch 4 D6
Anelog 78 E4
Arthog 100 A5

B

Bachau 10 C2
Bala / Y Bala 159 C5
Bangor 142 E2
Barmouth / Abermaw 161 B4
Beaumaris 17 F3
Beddgelert 55 B7
Belgrano 123 D4
Benllech 11 F1
Bennar 92 D5
Bethania LL41 156 E3
Bethania LL55 42 E1
Bethel LL23 76 E6
Bethel LL55 30 D8
Bethel LL62 20 C5
Bethesda 150 C1
Betws Garmon 41 C7
Betws Gwerfil Goch 62 D5
Betws-y-Coed 155 B6
Betws-yn-Rhos 25 E8
Blaenau Dolwyddelan 44 A2
Blaenau Ffestiniog 156 D5
Bodedern 13 B7
Bodelwyddan 136 E4
Bodewryd 3 F3
Bodffordd 14 F4
Bodorgan 20 C4
Boduan 65 E4
Bontddu 94 B1
Bontnewydd 29 F2
Bont-newydd 27 E5
Borth-y-Gest 158 C1
Botwnnog 80 C6
Brithdir 95 E1
Bronaber 86 A6
Bron-y-Nant 119 B5
Brymbo 24 B6
Bryn 98 A2
Bryncroes 79 E8
Bryncrug 105 F1
Bryn Du 19 C7
Bryn Euryn 119 B6
Bryngwran 13 E4
Bryngwyn 30 E5
Bryn Llwyd 142 D2
Bryn-mawr 80 A8
Bryn Pydew 118 E5
Brynrefail LL55 31 A7
Brynrefail LL70 11 B5
Bryn Rhyd-yr-Arian 26 E2
Brynsiencyn 21 F2
Brynteg 11 B1
Bull Bay / Porthllechog 4 C7
Burwen 4 B6
Bwlch-derwin 52 F5
Bwlchtocyn 82 D5
Bwlchyllyn 40 E6
Bylchau 38 A5

C

Cadnant Park 117 D2
Caeathro 153 C2
Caerdeon 92 F1
Caergeiliog 7 F1
Caerhûn 148 E6
Caernarfon 152 C4
Capel Coch 10 E1
Capel Curig 33 F1
Capel Garmon 45 F6
Capel Gwyn 13 D2
Capel Mawr 20 E6
Capel Parc 10 D5
Capel Uchaf 52 D8
Capelulo 128 D5
Capel-y-graig 147 F7
Carfan 148 D1
Carmel 40 D5
Carreglefn 3 E2
Carrog 58 A6
Cefn Berain 27 C4
Cefn-brith 47 F1
Cefn-ddwysarn 76 C5
Cemaes 3 C6
Cerrigceinwen 20 F8
Cerrigydrudion 61 B8
Ceunant 30 E4
Chwilog 67 D5
Cilfodan 150 C3
Cilfor 70 E4
Cil-garaint 150 A2
City Dulas 10 F6
Clynnog-fawr 52 B8
Coed Mawr 142 C2
Coed Rhos-fawr 66 D6
Coed y Garth 110 F1
Coed-y-parc 150 B1
Coed Ystumgwern 92 E7
Colwyn Bay / Bae Colwyn 120 C5
Congl-y-wal 156 E1
Conwy 117 E2
Corris 108 B6
Corris Uchaf 108 A7
Craigside 114 D3
Craig-y-Don 114 B3
Criccieth 68 E4
Croesor 55 E3
Croesywaun 30 C2
Crymlyn 144 F3
Cwlach 113 C4
Cwm Cewydd 103 F4
Cwm Howard 117 F8
Cwm Penmachno 57 F6
Cwm-y-Glo 31 A5
Cwrt 111 A7
Cyffylliog 49 F8
Cynwyd 77 F8

D

Dawn 25 B7
Deganwy 117 E6
Deiniolen 31 C5
Denio 157 C6
Derwenlas 111 E6
Dinas 64 E3
Dinas Dinlle 39 D7
Dinas-Mawddwy 103 D5
Dinmael 62 A3
Dinorwig 31 D4
Dol-ffanog 101 C1
Dolgarrog 23 E1
Dolgellau 162 C3
Dolgoch 106 D3
Dolhendre 88 D6
Dolwen 133 B2
Dolwyddelan 44 D3
Dolydd 40 B8
Dothan 14 A1
Druid 62 E2
Dulas 5 B2
Dwygyfylchi 116 A1
Dwyran 29 C8
Dyffryn Ardudwy 92 E6

E

Edern 64 F6
Efailnewydd 66 B3
Eglwysbach 24 B5
Eglwys Fach 111 A2
Eisingrug 70 D1
Elim 9 A3
Engedi 13 F3
Esgairgeiliog Ceinws 108 C4
Esgyryn 118 C4

F

Fairbourne 99 C3
Foryd 124 E5
Four Crosses 62 D1
Four Mile Bridge or Pont-rhydbont 7 C1
Friog 99 E3
Frongoch 75 C6
Furnace 111 A2

G

Gaerwen 21 F6
Gallt-y-foel 31 D5
Ganllwyd 95 A7
Garizim 126 E4
Garndolbenmaen 53 D3
Garnfadryn 65 A1
Garreg 70 C8
Garth LL49 158 D3
Garth LL57 143 A6
Garthmyn 45 E6
Gatehouse 144 A2
Gellilydan 71 E6
Gellioedd 60 F3
Gerlan 150 E1
Glan-Adda 142 E3
Glan-Dwyfach 53 C2
Glandyfi 111 B3
Glanwydden 118 F7
Glan-y-morfa 158 A7
Glanypwll 156 B4
Glan-yr-afon LL21 62 C1
Glan-yr-afon LL23 75 D8
Glan-yr-afon LL58 17 F7
Glan-yr-afon LL65 14 C5
Glasfryn 47 D1
Glasinfryn 149 A6
Glaspwll 111 F4
Goferydd 6 B5
Gogarth 113 A4
Golan 54 A1
Graig 24 B6
Groes 38 D7
Groesffordd 64 E6
Groesffordd Marli 27 D8
Groeslon 40 B6
Gwalchmai 14 C3
Gwalchmai Isaf 14 C3
Gwalchmai Uchaf 14 C2
Gwastadgoed 99 B1
Gwytherin 36 C4
Gyffin 129 D6
Gyrn Goch 51 D7

H

Harlech 160 E5
Hebron 10 E3
Hen Bentref Llandegfan 17 B1
Henllan 27 F2
Henryd 129 C2
Hermon 20 B3
Hirael 143 B5
Holyhead / Caergybi 138 E7

K

Kingsland 138 D3
Kinmel Bay / Bae Cinmel 124 D6

L

Llaingoch 138 B6
Llanaber 161 A8
Llanaelhaearn 51 C3
Llanallgo 11 D5
Llanarmon 67 C6
Llanbabo 9 C5
Llanbedr 84 B1
Llanbedrgoch 16 C7
Llanbedrog 81 D6
Llanbedr-y-cennin 23 C4
Llanberis 31 C2
Llandanwg 83 E3
Llanddaniel Fab 140 B1
Llanddeiniolen 147 F1
Llandderfel 76 E3
Llanddeusant 8 F4
Llanddoged 154 C8
Llanddona 17 C6
Llanddulas 121 F2
Llanddwywe 92 E5
Llandecwyn 70 F4
Llandegfan 17 B1
Llandegwing 80 C5
Llandrillo 77 D3
Llandudno 113 B2
Llandudno Junction 118 B3
Llandwrog 39 E7
Llandyfrydog 10 D4
Llandygai 143 D2
Llanedwen 146 D6
Llanegryn 105 E4
Llaneilian 5 B5
Llanelltyd 162 A6
Llanenddwyn 92 D6
Llanengan 82 B6
Llanerchymedd 10 B3
Llaneuddog 10 F7
Llanfachraeth 8 C1
Llanfachreth 95 D5
Llanfaelog 19 C8
Llanfaethlu 8 C6
Llanfaglan 29 D3
Llanfair 160 D1
Llanfairfechan 126 B1
Llanfairpwllgwyngyll 141 B5
Llanfair Talhaiarn 26 B5
Llanfairyneubwll 12 F3
Llanfairynghornwy 2 G4
Llanfechell 3 C4
Llan Ffestiniog 57 B1
Llanfflewyn 3 A1
Llanfigael 8 D1
Llanfihangel Glyn Myfyr 61 F8
Llanfihangel yn Nhowyn 13 B4
Llanfihangel-y-pennant LL36 106 F7
Llanfihangel-y-pennant LL51 54 A3
Llanfor 159 F6
Llanfrothen 70 F8
Llanfwrog 7 F7
Llangadwaladr 20 B4
Llangaffo 21 B3
Llangefni 139 C3
Llangernyw 25 C2
Llangian 82 B7
Llangoed 17 F6
Llangower 89 C7
Llangristiolus 21 A8
Llangwm 61 C3
Llangwnnadl 63 E2
Llangwyllog 15 A5
Llangybi 67 D8
Llangynog 91 E1
Llanidan 146 B3
Llaniestyn 80 C8
Llanllechid 150 C6
Llanllyfni 40 B2
Llannefydd 27 B5
Llannor 66 B4
Llanrhos 117 F7
Llanrhychwyn 34 E4
Llanrhyddlad 2 H2
Llanrug 30 D6
Llanrwst 154 B4
Llansadwrn 17 B3
Llansanffraid Glan Conwy 130 D4
Llansannan 37 C8
Llantrisant 9 B2
Llanuwchllyn 88 E5
Llanwnda 29 E1
Llanwrin 108 E2
Llanycil 159 A2
Llanymawddwy 98 A1
Llanynghenedl 13 A7
Llanystumdwy 68 B5
Llawr Betws 62 B1
Llechcynfarwy 14 B8
Llechfraith 94 A2
Llidiardau 74 F5
Llithfaen 50 F2
Llwyndyrys 66 D8
Llwyngwril 105 D8
Llynfaes 14 E5
Llysfaen 121 B1
Lôn 89 A6
Lower Harlech 160 D6

M

Machroes 81 B1
Machynlleth 163 C4
Maenaddwyn 10 F3
Maen Offeren 156 C4
Maentwrog 71 C7
Maerdy 62 B3
Maesgeirchen 143 C4
Malltraeth 20 D3
Mallwyd 103 E3
Manod 156 E2
Mariandyrys 17 F8
Marian-glas 11 D3
Marian-y-de / South Beach 157 C3
Marian-y-mor / West End 157 B3
Melin-y-Coed 154 E1
Melin-y-Wig 62 E7
Menai Bridge / Porthaethwy 142 B6
Meyllteyrn 63 H2
Minffordd LL36 101 D2
Minffordd LL48 70 C5
Minffordd LL57 142 F2
Minllyn 103 D5
Mochdre 119 B4
Moelfre 11 D5
Moel Tryfan 40 F7
Morawelon 138 F5
Morfa 63 D3
Morfa Bychan 69 C4
Morfa Dinlle 29 A1
Morfa Nefyn 65 A7
Mountain 6 D5
Mount Pleasant 117 C1
Mynydd Bodafon 10 F4
Mynydd Llandygai 31 F8
Mynydd Mechell 3 B2
Mynytho 81 A5

N

Nantglyn 38 D5
Nant Gwrtheyrn 50 E3
Nantlle 40 F4
Nantmor 55 C5
Nant Peris 31 F1
Nant-y-felin 126 D1
Nany-y-pandy 126 E1
Nasareth 40 B1
Nebo LL26 46 B7
Nebo LL54 40 B1
Nebo LL68 5 A3
Nefyn 65 D7
Newborough / Niwbwrch 28 E8
Newlands Park 7 D3

O

Old Colwyn 120 E2

P

Pabo 118 D4
Pandy 106 A1
Pandy Tudur 36 B7
Pant 150 D1
Pant Glas 53 B6

Pantperthog .108 A3
Pantyneuadd .109 D7
Penbolas .80 E8
Pencaenewydd .67 A7
Pencraig .91 E2
Pendre .109 D7
Pen-gilfach .31 B4
Pengorffwysfa .5 A4
Penhelig / Penhelyg .110 A3
Penisa'r waun .31 A7
Pen-Llyn .9 A1
Pen-lôn .29 A7
Penmachno .45 D1
Penmaenan .127 B4
Penmaenmawr .127 D6
Penmaen Park .126 C3
Penmaenpool .94 D1
Penmaen Rhôs .121 A3
Penmon .18 C7
Penmorfa .69 C7
Penmynydd .16 B1
Pennal .111 C7
Pennant LL21 .77 C1
Pennant SY20 .98 A3
Pennant Melangell .91 C1
Penrallt .157 C6
Penrhos .7 C4
Penrhosfeilw .6 D3
Penrhos Garnedd .142 A1
Penrhyd Lastra .4 C4
Penrhydlyniog .157 C4
Penrhyn Bay .115 A1
Penrhyndeudraeth .70 D6
Penrhyn-side .114 E1
Pensarn .123 C3
Pentir .148 E3
Pentraeth .16 C5
Pentre Berw .21 E7
Pentre-bont .44 D3
Pentre Du .155 A6
Pentrefelin .69 A6
Pentrefoelas .46 F2
Pentre Gwynfryn .84 B2
Pentre Isaf .25 C3
Pentre-llyn-cymmer .48 D3
Pentre'r Felin .24 B4
Pentreuchaf .66 B6
Pentre Uchaf .126 C1
Penybryn .150 C2
Pen-y-bryn .94 D2
Pen-y-Cae .127 E6
Penychain .67 C3
Pen-y-Coed .127 D4
Penyffridd .40 E7
Pen-y-garnedd .16 E3
Penygraigwen .10 D6
Penygroes .40 B3
Pen-y-Groeslon .79 C7
Penysarn .4 F3
Pistyll .50 C1
Plas Dolbenmaen .53 E2
Pont Hwfa .138 A5
Pontllyfni .39 D3
Pont-Rhythallt .30 F6
Pont-rug .153 E5
Pontwgan .23 D5
Pont-y-pant .44 F4
Port Dinorwic see Y Felinheli
Porth Dinllaen .64 F8
Porthmadog .158 B4
Porth-y-felin .138 B7
Portmeirion .70 B4
Prenteg .70 A8
Pwllheli .157 D5

R

Rachub .150 C5
Red Wharf Bay .16 D7
Rhiw .79 D4
Rhiwbryfdir .156 B5
Rhiwlas .31 C8
Rhoscefnhir .16 D3
Rhoscolyn / Llanwenfaen .12 C2
Rhos-ddu .64 D2
Rhosdylluan .88 D3
Rhosgadfan .40 E8
Rhosgoch .4 B2
Rhoshirwaun .79 A6
Rhoslan .68 C7
Rhos Lligwy .11 C5
Rhosmeirch .139 D8
Rhosneigr .19 A8
Rhostrehwfa .139 A3
Rhostryfan .40 D8
Rhosybol .4 C1
Rhos-y-gwaliau .76 A1
Rhos-y-llan .63 H7
Rhôs-on-Sea .119 D8
Rhuddlan .125 E1
Rhyd-Ddu .41 E4
Rhydlios .78 H7
Rhydlydan .47 E1
Rhyd-uchaf .75 C4
Rhydwyn .2 F2
Rhyd-y-clafdy .65 E2
Rhyd-y-foel .134 A6
Rhyd-y-gwystl .67 A6
Rhydymain .96 C5
Rhŷd-y-sarn .56 E1
Rhyl / Y Rhyl .125 B8
Rowen .23 C6

S

St George / Llansan-Siôr .136 B4
Sarnau .76 C6
Sarn Meyllteyrn .80 A7
Saron LL54 .29 D1
Saron LL55 .30 D8
Seion .147 F3
Soar .20 B7
Star .140 E5
Stryd .138 C5
Stryd y Facsen .8 E2

T

Tabor .101 F8
Taicynhaeaf .94 C2
Talardd .89 B1
Talsarnau .70 D2
Talwrn .15 F3
Tal-y-Bont LL32 .23 D3
Tal-y-bont LL43 .92 E4
Tal-y-bont LL57 .143 E2
Tal-y-cafn .23 F6
Tal-y-llyn .107 D8
Talysarn .40 D3
Tal-y-waenydd .156 C7
Tan-y-bwlch .71 C7
Tan-y-fron .37 E7
Tanygrisiau .156 A3
Tan-y-Lan .120 E3
Tan-y-Lôn .144 B3
Terfyn .122 A2
Towyn .124 B3
Trawsfynydd .72 A2
Trearddur .7 A2
Trefaes .80 B7
Trefdraeth .20 D5
Trefeini .156 E5
Trefor LL54 .51 B5
Trefor LL65 .14 A7
Trefriw .34 F6
Tregaian .15 C6
Tregarth .149 E5
Tregele .3 B5
Tremadog .158 B7
Trofarth .25 A6
Tudweiliog .63 H7
Tyddyn .63 G6
Tynewydd .125 E8
Tynygongl .11 D2
Ty'n-y-groes .23 E6
Ty'n-y-Lôn .141 F1
Tywyn LL31 .117 F4
Tywyn LL36 .109 C7

U

Upper Bangor .142 E5

V

Valley / Y Fali .7 E2

W

Waen .38 C5
Waen-pentir .148 F1
Waterloo Port .152 F7
Waunfawr .30 D2
Wenallt .162 D1
Wern .69 C6
West End .142 E4

Y

Y Felinheli formerly Port Dinorwic .147 A3
Y Ffôr .66 F5
Y Fron .40 E5
Ynys .70 B2
Ysbyty Ifan .59 C7

6G Rd / Ffordd 6G LL31 118 A2

A

Abbey Ct LL30 113 C3
Abbey Dr LL28 115 D1
Abbeyford Cvn Pk LL22 124 A4
Abbey Gr LL28 115 D1
Abbey Pl LL30 113 C3
Abbey Rd
Colwyn Bay / Bae Colwyn LL28 119 D8
Llandudno LL30 113 D3
Rhuddlan LL18 137 F8
Abbey Rd / Lon Abaty LL57 142 F4
Abbey St LL18 125 A7
Abercaseg LL57 150 D1
Abercaseg Rd / Ffordd Abercaseg LL57 150 D1
Aber Clwyd LL18 124 E6
Aberdovey Sta LL35 109 E3
Aber Dr LL30 114 D3
Aber Eiddon LL40 96 C4
Abererch Rd / Lon Abererch LL53 157 E5
Abererch Sands Holiday Ctr LL53 67 A2
Abererch Sta LL53 67 A3
Aber Falls Nature Trail★ LL33 145 E4
Aber Falls / Rhaeadr-fawr★ LL33 145 F1
Abergavenny Rd LL30 113 F3
Abergele & Pensarn Sta LL22 123 B4
Abergele Rd LL22,LL29 121 D3
Abergele Rd / Ffordd Abergele LL18 137 B8
Abergele Rd / Ffordd Newydd LL26 154 C4
Abergynolwyn Sta★ LL36 106 F5
Aberllefenni Forest Trail★ SY20 108 D8
Abermaw Terr LL42 161 C3
Aber Pl LL30 114 D3
Aber Pwll LL56 147 C5
Aber Rd
Abergwyngregyn LL33 145 F8
Llanfairfechan LL33 126 B1
Aber Rheon LL54 52 E8
Aberwnion Terr LL40 162 C2
Adam's Cl LL64 19 B8
Ad Astra Cvn Site LL78 11 B1
Adelphi St LL30 113 F3
Adi's Ark Farm Pk★ LL49 69 C5
Admiral's Wlk LL18 125 F1
Adwy Ddu LL48 70 C5
Adwy'r Nant LL55 55 B7
Adwy'r Nant
Bethesda LL57 150 D2
Llangoed LL58 17 F6
Adwy Wynt LL23 88 F4
Ael-y-Braint LL61 29 B8
Ael Y Broch LL29 119 F3
Aelybryn SY20 108 C4
Ael-y-Bryn 4 LL57 143 A6
Ael y Bryn LL55 30 D2
Ael Y Bryn / Hillside LL30 114 D3
Ael-y-Bryn Rd LL29 119 F4
Ael-y-Garth LL55 152 E5
Afon Eden Trail★ LL40 86 B2
Afon Rhos LL55 30 E6
Afon-wen-Terr LL53 67 D4
Agnes Gr 2 LL29 120 A4
Ailfor Terr LL42 161 C5
Ainon Cl 3 LL57 142 E3
Ainon Rd / Ffordd Ainon LL57 142 E3
Ala Las / Maesincla La LL55 152 F5
Ala Rd / Yr Ala LL53 157 B4
Ala Uchaf LL53 157 C5
Alberta Ct LL30 114 B3
Albert Dr LL31 118 A4
Albert Drive Gdns LL31 118 A4
Albert Gdns LL30 114 A1
Albert Rd LL29 120 D3
Albert St Llandudno LL30 113 E3
Rhyl / Y Rhyl LL18 125 C7
Albert St / Stryd Albert 9 LL57 142 F5
Albion St 10 LL30 113 E3
Alder Ct LL18 125 F8
Alderley Terr LL65 138 C6
Aled Ave LL18 125 C6
Aled Ct LL22 123 A3
Aled Dr LL28 119 C7
Aled Gdns LL18 124 C5
Aled Terr LL16 37 C8
Alexandra Pk LL34 127 E5
Alexandra Rd
Abergele LL22 123 A2
Colwyn Bay / Bae Colwyn LL29 119 E5
Llandudno LL30 113 D1
Alice Gdns 5 LL30 114 A1
Allanson Rd LL28 119 D7
Allerton Ct LL31 117 F4
Allitts Pk LL18 125 D6
All Saints Ave LL31 117 E4
Allt Bron-Philip LL58 17 C7
Allt Cadnant 19 LL55 152 E4
Allt Dewi LL57 142 E3
Allt Doli 1 LL54 40 A4
Allt Glanrafon / Glanrafon Hill LL57 142 F5
Allt Goch Cwm-y-Glo LL55 31 A5
Gellilydan LL41 71 F8
Allt Goch Bach LL58 17 E2
Allt Goch Fawr LL58 17 E3
Allt Pafiliwn 2 LL55 152 E4
Allt Pen Y Bryn / Pen Y Bryn Rd LL57 150 C2
Allt Salem LL53 157 C6
Allt Singrug LL25 44 D3
Alltwen LL29 121 D1
Allt Y Castell / Castle Hill 15 LL55 152 D4
Allt Y Coed LL32 129 D6
Allt Y Garth / Garth Hill 2 LL57 143 A6
Allt Y Mor LL54 51 B6
Allt-y-Powls LL22 26 C4
Alma St 8 LL58 17 F2
Alma Terr LL68 4 C7
Alma Terr / Rhesdai Alma 1 LL77 139 D4
Almshouses LL53 67 C8
Alotan Cres / Cilgant Alotan LL57 142 B1
Alpine Rd LL29 120 E2
Alwen Dr LL28 119 C7
Alwen Terr LL21 48 C3
Alyn Rd LL38 99 D4
Amanda Terr LL49 158 C1
Ambrose St / Stryd Ambrose LL57 143 B6
Amlwch Ind Est / Ystad Ddiwydiannol Amlwch LL68 4 E5
Amlwch Railway Ctr Mus★ LL68 4 E5
Amlwch Rd LL74 11 E2
Ancaster Sq LL26 154 B4
Anchorage Inn Cvn Pk The LL53 81 A3
Anglesey Bird World★ LL61 29 B8
Anglesey Model Village★ LL61 29 A8
Anglesey Rd LL30 113 C4
Anglesey Sea & Surf Ctr★ LL65 138 B2
Anglesey Sea Zoo★ LL61 29 E8
Angora Farm★ LL77 15 E3
Anneddle LL22 123 C4
Appleton Ct LL29 119 E5
Aquarium Cres LL18 125 A7
Aquarium St LL18 125 A7
Arafa Don LL57 150 C2
Ar Afon LL57 31 F8
Aran Hall Sch LL40 96 B4
Aran St / Heol Aran LL23 159 D4
Ardd Fawr LL40 162 C3
Arddol Terr SY20 108 B6
Ardre Cl LL34 127 D5
Arenig St / Heol Arenig LL23 159 D5
Arfon Gr LL18 125 B6
Arfonia 1 LL52 68 D5
Arfon Terr 1 LL55 30 E6
Arfryn LL30 117 E7
Argoed LL18 124 D3
Argoed Flats LL33 126 C2
Argoed Rd LL35 109 F3
Argraig LL62 20 B3
Argyll Rd LL30 113 F2
Armenia St LL65 138 D6
Arnold Cl 5 LL58 17 F3
Arnold Gdns LL18 124 C5
Arran Dr
Colwyn Bay / Bae Colwyn LL28 119 C6
Rhyl / Y Rhyl LL18 125 D5
Arran Rd / Pont Yr Arran LL40 162 D2
Arthog Terr LL39 100 A5
Arthog Waterfalls★ LL39 100 A5
Arthur St LL65 138 D4
Arthur Street E LL65 138 D4
Arthur Terr LL24 45 D1
Artillery Row LL18 136 E4
Arvon Ave LL30 113 D4
Arvonia Pas LL30 113 D3
Ar y Don LL36 109 C7
Ascot Dr LL18 125 D5
Ash Ct LL18 125 E7
Ashdown Cl LL28 119 D2
Ash Gr LL18 124 D5
Ashley Rd / Ffordd Ashley 4 LL57 143 A5
Askew St / Ffordd Y Coleg LL59 142 B5
Aspen Gr LL18 124 D5
Aspen Wlk LL18 125 F8
Assheton Terr / Rhes Assheton 2 LL55 152 E3
Astley Ct LL18 124 D6
Athelstan Rd LL36 109 C7
Athol St 2 LL67 3 D6
Attlee Cl LL30 113 E1
Augusta Pl / Uwch Menai LL56 147 A3
Augusta St LL30 113 E3
Avallon Ave LL31 118 B2
Avondale Dr LL18 125 F7
Awel Dyfi LL36 109 C7
Awelfryn Amlwch LL68 4 E5
Llithfaen LL53 50 F2
Awelon LL22 124 B3
Awel Y Grug LL49 158 C4
Awel-y-Mor
Colwyn Bay / Bae Colwyn LL28 119 D7
Rhosneigr LL64 19 A7
Tywyn LL36 109 C7

B

Back Bay View Rd LL29 120 A4
Back Belgrave Road / Ffordd Gefin Belgrave LL29 120 A4
Back Cadwgan Rd 4 LL29 120 D3
Back Charlton St 8 LL30 113 E3
Back Dinas Rd LL41 156 B5
Back East Par LL30 114 A3
Back Holland Terr 2 LL30 113 D3
Back Madoc St LL30 113 E3
Back New St LL55 31 C6
Back Regent St 26 LL57 142 F5
Back Snowdon St LL49 158 D4
Back South Par LL30 113 E4
Back Station Rd LL29 120 E3
Back York Rd LL31 117 D5
Bakehouse St LL57 31 C8
Bakers La LL49 158 D4
Baker St / Lon Popty LL40 162 C2
Balaclafa / Balaclava Rd LL55 152 D5
Balaclava Rd LL53 80 E5
Balaclava Rd / Balaclafa LL55 152 D5
Baladeulyn Terr / Tai Baladeulyn LL54 40 F4
Bala Ind Est / Ystad Ddiwidiannol Bala LL23 159 E4
Bala Lake Railway / Rheilffordd Llyn Tegid★ LL23 89 B6
Bala Rd / Ffordd Bala LL40 162 D3
Bala Sta★ LL23 159 D2
Balfour Rd LL30 114 A2
Balmoral Gr 2 LL18 125 A6
Baltic Rd LL41 156 C5
Bamford Hesketh LL22 123 A2
Bangor Cathedral / Cadeirian Deiniol★ LL57 143 A5
Bangor Mus & Art Gall★ LL57 143 A5
Bangor Rd LL32 117 C3
Bangor Rd / Ffordd Bangor
Benllech LL74 11 E1
Bethesda LL57 150 B3
Caernarfon LL55 153 A8
Llanfairfechan LL33,LL34 126 F5
Penmaenmawr LL34 127 C5
Bangor St LL60 21 F6
Bangor Sta LL57 142 F4
Bangor St / Stryd Bangor
Caernarfon LL55 152 E5
Y Felinheli LL56 147 C4
Bangor St / Stryd Y Bangor LL63 19 E3
Bank La SY20 163 D4
Bank Pl LL49 158 D4
Bank Quay / Cei Banc LL55 152 D4
Bank St SY20 163 C4
Baptist St LL65 138 D5
Baptist St / Heol-y-Bedyddwyr 2 LL54 40 A4
Baptist St / Stryd Batus LL65 13 C7
Barclodiad Gwres Burial Chamber★ LL63 19 B5
Barcyton LL53 65 A7
Barlwyd Terr LL41 156 B4
Barmouth Bay Holiday Village LL43 92 D4
Barmouth Sta LL42 161 C4
Baron Rd LL41 156 C4
Barrfield Cl 2 LL18 125 F2
Barrfield Rd / Ffordd Barrfield 5 LL18 125 F2
Barry Rd N 9 LL18 125 A6
Barry Rd S LL18 125 A6
Bath Pl LL35 109 F2
Bath St / Stryd Y Baddon 3 LL18 125 B8
Bay Trad Est LL18 124 D5
Bay View Rd Benllech LL74 11 F1
Colwyn Bay / Bae Colwyn LL29 120 A4
Bay View Terr
Abersoch LL53 81 B3
Llandudno LL30 113 C4
11 Pwllheli LL53 157 D5
Bay View Terr / Tai Gwel-y-Don LL54 40 B8
Beach Ave LL29 120 C4
Beachbank / Min-y-Traeth LL52 68 E5
Beach Cl LL65 138 E5
Beach Cotts LL62 20 D3
Beach Cvn & Chalet Pk The LL22 122 A4
Beach Dr LL30 115 A2
Beach House Rd LL22 122 B3
Beach Rd
Barmouth / Abermaw LL42 161 C4
Benllech LL74 11 F1
Deganwy LL31 117 D5
Fairbourne LL38 99 D3
Holyhead / Caergybi LL65 138 C7
Llanddulas LL22 121 F3
Morfa Bychan LL49 69 C4
Old Colwyn LL29 120 D3
Penmaenmawr LL34 127 D6
Rhosneigr LL64 19 A8
Trefor LL54 51 B6
Beach Rd / Glan Y Mor LL56 147 A3
Beach Rd / Lon Cei Bont LL59 142 B4
Beach Rd / Lon Glan Mor LL57 143 B6
Beach Terr LL64 19 A8
Beacon Est LL67 3 C6
Beacons Way LL32 117 C4
Beal Ave LL29 120 B2
Beaumaris Castle★ LL58 17 F3
Beaumaris Courthouse Mus★ LL58 17 F3
Beaumaris Dr LL30 113 F1
Beaumaris Gaol Mus★ LL58 17 F3
Beaumaris Marine World★ LL58 17 F3
Beaumaris Rd / Ffordd Beaumaris LL58,LL59 142 E7
Beaumont Ct LL28 119 E7
Beddgwenan LL54 39 F7
Bedford St LL18 125 B7
Bedford Terr LL30 114 B3
Beech Ave LL18 125 D8
Beechmere Rise LL28 119 B4
Beech Mount 5 LL29 120 A4
Belgian Prom / Rhodfa Belg LL59 142 A4
Belgrave Rd
Colwyn Bay / Bae Colwyn LL29 120 A4
Fairbourne LL38 99 D4
Belgrevis Ct LL31 117 D5
Bell Cotts LL34 127 D5
Belle View / Trem Hyfryd 5 LL41 57 A1
Belle Vue Terr LL30 113 C4
Belmont Ave / Rhodfa Belmont LL57 142 D4
Belmont Dr / Heol Belmont LL57 142 D4
Belmont Rd / Ffordd Belmont LL57 142 D4
Belmont St / Stryd Belmont 2 LL57 142 E4
Belvedere Pl LL30 113 F2
Benar Rd LL41 156 C4
Benar Terr LL25 44 D3
Benarth LL28 130 C4
Benarth Ct LL28 130 C5
Benarth Rd Conwy LL32 117 E1
Llandudno LL30 115 A2
Berllan LL22 123 B4
Berllan Ave LL18 125 E1
Berry St LL32 117 E2
Berthes Rd LL29 120 D3
Berthglyd LL22 123 C2
Berthlwyd Hall Holiday Pk LL32 129 A4
Berth-y-Glyd LL32 129 D6
Berth-y-Glyd Rd LL29 121 A2
Berwyn Cres LL18 124 E6
Berwyn Ct LL28 119 C6
Berwyn Gdns LL30 115 A2
Berwyn St SY10 91 F1
Berwyn St / Heol-y-Berwyn LL21 77 D4
Bethania Terr SY20 108 A7
Bethel Rd / Ffordd Bethel LL55 153 C7
Bethel Terr 10 LL48 70 D6
Bethesda St / Stryd Bethesda
14 Llanberis LL55 31 C3
Amlwch LL68 4 D5
Bettws Gwerfil Goch Sch LL21 62 D5
Betws Ave LL18 124 E6
Betws Council Hos LL67 3 F6
Betws Geraint LL75 16 D5
Betws Rd / Ffordd Berthddu LL26 154 C2
Betws-y-Coed Forest Wlk★ LL24 155 C5
Betws-y-Coed Forest Wlk & Cycle Trail★ LL24 155 C3
Betws-y-Coed Motor Mus★ LL24 155 C6
Betws-y-Coed Sta LL24 155 D6
Betws-yn-Rhos Prim Sch LL22 25 F8
Beulah Ave LL22 121 F3
Beulah Sq / Cae Groes 4 LL55 152 E3
Beuno Terr LL55 29 F3
Bevan Ave LL28 119 B4
Bibby Rd LL32 23 E1
Birch Gr LL18 125 E8
Birkdale Ave LL29 119 E3
Birkdale Cl LL29 119 E3
Bishop's Cl 17 LL57 143 A5
Bishops Gate LL30 113 D2
Bishops Mill Rd / Lon Melin Esgob LL57 143 A3
Bishop's Quarry LL30 113 B5
Bishtons Cl LL36 109 C7
Bishton Wlk LL36 109 C7
Blackcat Rdbt LL28 118 D1
Blackmarsh Rd / Ffordd Wern Ddu LL28 119 A4
Blaenafon LL41 156 D4
Blaenau Ffestiniog Sta LL41 156 D4
Blaenau Rd / Ffordd Blaenau LL41 57 A1
Blaen Cwm LL30 113 E1
Blaenddol LL23 159 D5
Blaen-y-cwm LL24 57 F6
Blaen-y-ddol LL55 31 C2
Blaen-y-Wawr LL57 142 D2
Blessed Edward Jones RC Sch LL18 125 D6
Blessed William Davies Sch LL30 113 F1
Bloomfontein Terr LL42 161 B5
Blue Bell Cotts LL54 40 D4
BNFL Trawsfynydd Nature Trail★ LL41 71 F5
BNFL Trawsfynydd Visitor Ctr★ LL41 71 F5
Bodafon LL41 156 D5
Bodafon Cvn Site LL74 11 E2
Bodafon Rd LL30 114 D2
Bodafon St LL30 113 F3
Bodannerch Dr LL18 125 C8
Bod Difyr 3 LL29 120 D3
Bodegroes Terr LL53 66 B2
Bod Elian LL29 132 C5
Bodelwyddan Ave
Kinmel Bay / Bae Cinmel LL18 124 E5
Old Colwyn LL29 120 E3
Bodelwyddan Castle★ LL22 136 F2
Bodelwyn Est LL64 19 A7
Bodfor St / Stryd Bodfor 7 LL18 125 B7
Bodfor Terr LL35 109 F2
Bod-Hyfryd Rd LL30 113 D4
Bod Idda LL32 129 B4
Bod Llewelyn LL18 125 F6
Bodlondeb Hill LL30 113 D4
Bodlondeb La SY20 163 D4
Bodnant Cres LL30 113 F1
Bodnant Gdn★ LL28 24 B7
Bodnant Rd
Llandudno LL30 113 F1
Rhos On S LL28 119 B6
Bodnant Rd / Ffordd Bodnant LL28 24 B7
Bodnant Uchaf Rd / Ffordd Bodnant Uchaf LL28 24 B7
Bodorgan Sta LL62 20 B5
Bodowen Terr LL59 142 B4
Bodrhyddan Ave / Rhodfa Bodrhyddan 8 LL18 125 F1
Bodryfedd Terr LL29 121 B2
Bodtegwel Terr LL22 136 A6
Bodvel Hall (Adventure Park)★ LL53 66 A3
Bodwrdin LL77 15 C7
Bodysgallen La LL30 118 B6
Bolmynydd Cvn Site LL53 81 C6
Bonc-Yr Odyn LL68 4 E6
Bont Bridd / Bridge St 20 LL55 152 D4
Bontnewydd Halt★ LL54 29 E3
Bontuchaf LL57 150 D2
Bont Y Crychddwr LL54 40 A2
Borth Rd LL49 158 D3
Boston Lodge Sta★ LL48 70 A4
Boston St LL65 138 D6
Boston Terr LL65 7 E2
Boughton Ave LL18 125 C8
Boulevard The LL18 125 E5
Bowes Ho LL36 109 C7
Bowydd Rd LL41 156 D4
Bowydd St LL41 156 C4
Bowydd View LL41 156 C4
Brackley Ave LL29 119 E5
Braich-Goch Terr SY20 108 B6
Braichmelyn LL57 150 D1
Brandon Ct 2 LL18 125 C8
Breakwater Ctry Pk★ LL65 6 D6
Breeze Hill LL74 11 E1
Breton St LL30 113 D3
Brettenham Rd LL28 119 D6
Brewis Rd LL28 119 C8
Brickfield St SY20 163 C4
Brickfield St / Stryd Cae Brics LL68 4 F6
Brickpool / Llyn Brics LL68 4 F6
Brickpool St LL68 4 F6
Brick St 8 Bangor LL57 143 A5
Llangoed LL58 17 F6
Pentraeth LL75 16 D5
Bridge Bsns Pk LL18 125 B6
Bridgegate Rd LL18 125 E8
Bridge Rd LL32 113 D1
Bridge St Abergele LL22 123 B2
10 Cemaes LL67 3 D6
Corris SY20 108 B6
Dolwyddelan LL25 44 D3
Llanerchymedd LL71 10 A3
7 Rhyl / Y Rhyl LL18 125 A6
Bridge St / Bont Bridd 20 LL55 152 D4

Bridge St / Heol Y Bont LL40 162 C2
Bridge St / Stryd-y-bont LL77 139 E4
Bridge St / Stryd y Bont
Llanrwst LL26 154 B4
Menai Bridge / Porthaethwy LL59 142 B4
Brighton Rd / Fford Brighton LL18 125 C7
Brig-y-Don LL22 121 E3
Brig Y Nant LL77 139 C5
Britannia Sq / Sgwar Britania 10 LL57 142 F5
British Terr LL65 138 C6
Brittania Terr / Tros-y-Bont LL49 158 E3
Broad St LL31 118 A3
Broadway LL28 119 D6
Broadway The LL22 123 A1
Bro Alwen LL21 61 F8
Bro Arfon LL54 40 E5
Bro Arthur LL44 92 E5
Bro Berllan 1 LL18 125 F1
Bro Branwen LL63 19 E3
Bro Cadfan LL54 40 E8
Bro Caerwyn LL77 139 C4
Bro Celyn
Clynnog-fawr LL54 52 B8
Gwalchmai LL65 14 E5
Bro Crafnant LL27 34 E6
Bro Cymerau LL53 157 B3
Bro Cymmer LL40 162 A6
Bro Cynan 1 LL53 157 D5
Bro Cynfil LL53 66 A1
Bro Dawel Bodedern LL65 13 C7
Menai Bridge / Porthaethwy LL59 141 F6
Rhosgoch LL66 4 A2
Bro Ddyfi Com Hospl / Ysbyty Gymuned Bro Ddyfi SY20 163 E4
Bro Deg LL18 125 F6
Bro Deiniol LL55 31 C6
Bro Derfel LL57 149 F4
Bro Dinam LL21 77 D4
Bro Dulas SY20 163 E8
Bro Dwylan LL53 63 H6
Bro Ednyfed LL77 139 F5
Bro Eglwys LL55 30 D1
Bro Einon LL48 70 D5
Bro Elian LL29 132 E6
Bro Elidir LL55 31 D4
Bro Emrys LL57 143 E2
Bro Enddwyn LL44 92 E6
Bro Eryl LL23 159 C4
Bro Geirionydd LL27 34 E6
Bro Gethin LL24 155 A6
Bro Gilbert LL54 40 D8
Bro Glyder LL55 31 F1
Bro Gower LL27 34 F5
Bro Gwerfyl LL21 62 D5
Bro Gwylwyr LL53 65 D7
Bro Hafhesb LL23 76 E4
Bro Helen LL55 152 E3
Bro Heli LL53 157 C4
Bro Helyg LL21 77 D3
Bro Helys / Willow St LL26 154 B4
Bro Hyfryd LL59 142 A5
Bro Hywyn LL53 78 G4
Bro Iarddur LL65 7 B2
Bro Infryn LL57 149 B6
Bro Isaf LL65 13 D4
Bro Islyn LL41 72 A3
Bro Llewelyn LL59 17 B1
Bro Llwyn LL53 157 C4
Bro Llwyndu LL54 40 B4
Bro Madog LL29 120 D1
Brompton Ave LL28 119 D6
Brompton Pk LL28 119 D7
Bro Mynydd LL65 13 E4
Bron Alltwen LL49 69 C7
Bron Arfon LL57 150 C5
Bron Bethel LL57 150 C4
Bron Castell LL57 143 B5
Bron Dinas LL77 139 F4
Bron-dwryd LL41 156 D3
Bronfair LL46 160 D1
Bron Fedw LL59 142 B5
Bron Ffinan LL75 16 D5
Bron Gele LL22 123 D4
Bron Gelli LL41 71 E6
Bron Gwynedd LL55 30 D8
Bronhalt Est LL16 38 D7
Bron Haul
Llandegfan LL59 142 D8
Rhyl / Y Rhyl LL18 125 F7
Bron Hendre LL54 51 B5
Bronheulog Henryd LL32 129 A5
Valley / Y Fali LL65 7 D2
Bronllan LL16 27 F3
Bron Llan LL24 45 D1
Bron Llyn LL22 121 E3
Bronllys LL60 21 F6
Bron-Ogwen LL57 150 A3
Bronrhiw LL41 156 B5
Bron Rhythallt LL55 30 F6
Bron Vardre Ave LL31 117 E4
Bronwen Ave LL18 124 D5
Bronwen Terr LL46 160 D5
Bron Wern LL22 121 E3
Bron Y Berth LL53 65 F1
Bron-y-De Bangor LL57 142 D2
Pwllheli LL53 157 D3
Bron-y-Felin LL59 142 E8
Bron-y-Felin Rd LL77 139 E4
Bron Y Foel LL53 65 E8
Bron y Gader LL36 106 F6
Bron-y-Gaer LL31 117 F5
Bron-y-Garth LL55 152 E5
Bron Y Garth Hospital / Ysbyty Bron Y Garth LL48 70 C5
Bron Y Garth Hospl / Ysbyty Bron Y Garth LL48 70 C5
Bron y Graig
Bodedern LL65 13 C7
Harlech LL46 160 E4
Bron-y-Graig LL77 139 E4
Bron-y-Ilan LL29 121 C1
Bron-y-Llan Rd LL29 121 C1
Bron-y-Nant Rd LL28 119 B5
Bron-yr-Afon LL32 117 E1
Bron Yr Hwlfa LL46 160 E6
Bron Y Waen LL24 45 D1
Bron Y Waun LL57 148 F1
Bron-y-Wendon Cvn Pk LL22 121 E3
Bro Ogwen LL57 142 B1
Brook Ave / Rhodfa Nant LL22 124 B2
Brookdale Rd LL18 125 D7
Brookes Ave LL18 125 B5
Brookes St LL30 113 E3
Brookfield Dr LL28 119 B7
Brooklands LL29 120 E1
Brookland Terr LL31 117 F4
Brooks LL53 81 A5
Brookside Cl / Clos Y Nant LL34 127 E5
Brook St LL36 109 D7
Brook Terr SY20 103 D4
Bro Pedr Fardd LL51 53 D3
Bro Prysor 7 LL41 72 A2
Bro Rhiwen LL57 31 C8
Bro-rhos LL55 30 D8
Bro Rhythallt LL55 30 F6
Bro'r Ysgol LL65 13 C7
Bro Seiont LL55 153 A4
Bro Seiri 7 LL57 143 B6
Bro Silyn LL54 40 D3
Bro Sion Wyn LL53 67 D5
Bro Syr Ifor LL57 149 E5
Bro Terfyn LL53 65 A7
Bro Trehinon LL68 4 E5
Bro Tudur LL77 139 F5
Bro Waun LL55 30 D2
Browns Holiday Pk LL22 124 A3
Bro Wyled LL54 40 D8
Brun Eisteddfod Terr LL30 113 C4
Brymer Terr LL55 29 F3
Bryn Adda Bangor LL57 142 C2
Benllech LL74 11 E1
Brynafon LL59 142 B4
Bryn Afon Rhuddlan LL18 125 E2
Valley / Y Fali LL65 7 D3
Bryn Ave
Colwyn Bay / Bae Colwyn LL28 119 D8
Kinmel Bay / Bae Cinmel LL18 124 E6
Old Colwyn LL29 120 C2
Rhyl / Y Rhyl LL18 125 E8
Bryn Awel Benllech LL74 11 E1
Conwy LL32 129 C6
Bryn Awel Ave LL22 123 B1
Bryn Awel Cvn Pk LL75 16 C6
Bryn Awelon
Abergele LL22 123 A1
Cyffylliog LL15 49 F8
Dyffryn Ardudwy LL44 92 E6
Llandegfan LL59 142 C7
Bryn Awelon Parc LL29 120 F3
Bryn Awel Sq LL36 109 C7
Bryn Bedw LL22 135 A6
Bryn Benarth LL32 129 E6
Bryn-Bowydd LL41 156 C4
Bryn Bras LL61 141 C4
Bryn-brysgyll LL41 72 A8
Bryn Cadno LL29 119 E2
Bryn Carrog LL29 119 E2
Bryn Caseg LL57 150 D2
Bryn Castell
Abergele LL22 135 A6
Conwy LL32 117 E1
Llanfairfechan LL33 126 C2
Bryn Celyn
Colwyn Bay / Bae Colwyn LL29 119 E2
Conwy LL32 117 D2
Llanddulas LL22 121 E3
Bryncelyn Rd LL54 40 C4
Bryn Ceraint Terr LL57 150 A1
Bryncir Terr LL49 69 C7
Bryn Clwyd LL22 135 A6
Bryncoch LL39 99 E4
Bryn Coch LL22 123 C1
Bryn Coed
Llan Ffestiniog LL41 57 A1
Llangefni LL77 139 E5
Bryn Coed Coch LL29 120 E2
Bryn Coed Pk LL18 125 E6
Bryn Colwyn LL29 121 A4
Bryn Colyn LL64 19 A8
Bryn Cotts LL24 57 F6
Bryn Cregyn LL31 117 E4
Bryn Cres LL18 137 F8
Bryn Cwnin Rd LL18 125 F5
Bryn Cynfal LL24 59 C7
Brynddu Rd LL68 3 D4
Bryn Dedwydd LL18 136 F4
Bryn Defaid LL28 119 C7
Bryn Deiliog LL45 84 A1
Bryn Deiniol LL33 126 D1
Bryn Derw LL31 118 C2
Bryn Derwen LL22 135 B6
Bryn-derwen LL54 40 D4
Bryn-derwen Terr LL32 23 D3
Bryn Difyr Terr / Rhes Bryn Difyr LL57 143 A4
Bryn Dinas LL41 156 C5
Bryndulas Rd LL22 121 F2
Bryn Eglwys
Colwyn Bay / Bae Colwyn LL28 119 D8
Llandudno Junction LL31 118 A3
Penisa'r waun LL55 31 A6
Tregarth LL57 149 F1
Bryn Eilan LL55 153 A3
Bryn Eirias Cl LL29 120 B3
Bryn Eithin
Brynsiencyn LL61 21 F1
Conwy LL32 117 E1
Llanddoged LL26 154 D8
Sarnau LL23 76 D6
Talsarnau LL47 70 E4
Bryn Eithinog LL57 142 D3
Bryn Elian Gr LL18 124 E3
Bryn Erw Rd LL65 138 E4
Bryn Eryr LL29 119 E2
Bryn Est LL53 65 A7
Bryn Ewin LL22 135 B1
Bryn Felin Conwy LL32 129 C6
Llanddona LL58 17 C6
Brynffynnon
Blaenau Ffestiniog LL41 156 E3
Nantmor LL55 55 C5
Bryn-ffynnon LL54 51 C4
Bryn Ffynnon LL31 118 C3
Brynffynnon Rd LL56 147 A3
Bryn Ffynnon Terr LL53 79 A7
Bryn Fynnon LL60 140 E5
Bryn Gaer LL60 21 F5
Bryn Gannock LL31 117 D6
Bryn Garan LL29 119 E3
Bryn-garnedd LL57 142 B1
Bryn Glas Groeslon LL54 40 B6
Nefyn LL53 65 D7
Bryn Glas Cl LL65 138 E5
Bryn Glas Rd LL65 138 F5
Brynglas Sta★ LL36 106 A2
Brynglas Wlk LL36 109 C7
Bryn Golau LL22 121 E2
Bryn Goleu LL74 11 D1
Bryngoleu Ave LL65 138 C7
Bryngoleu North Ave LL65 138 C7
Bryngosol Gdns LL30 117 E7
Bryngosol Rd LL30 117 E7
Bryn Gwelfor LL22 135 A6
Bryn Gwna LL62 20 C5
Bryn Gwylan LL35 109 F3
Bryn Gwyn LL22 135 A6
Bryn Gwyn Rd LL65 138 C5
Bryn Gwynt La LL30 114 E2
Bryngwynt St / Stryd Bryngwynt LL68 4 F6
Bryn Gynog Cvn Pk LL32 129 C6
Bryn Hadydd Sch LL18 125 E8
Bryn Hafod
Colwyn Bay / Bae Colwyn LL28 119 D4
Rhuddlan LL18 125 F2
Bryn Haulwen 1 LL48 70 D6
Brynhedydd LL57 150 D4
Brynhedydd Rd LL18 125 F8
Bryn Heli LL29 120 F3
Bryn Helyg
Abergele LL22 135 B6
Penmaenmawr LL34 127 E5
Brynheulog LL36 109 C7
Bryn Heulog
Dyffryn Ardudwy LL44 92 E7
Llandudno Junction LL31 118 C3
Old Colwyn LL29 120 E3
Bryn Heulog Terr / Rhes Bryn Heulog LL57 142 E2
Bryn Hwfa LL77 15 A1
Brynhyfryd LL35 109 F3
Bryn Hyfryd
Caernarfon LL55 152 F2
Dwyran LL61 29 B8
Bryn-hyfryd LL33 126 E1
Bryn Hyfryd
Llanfair Talhaiarn LL22 26 B5
Tal-y-Bont LL32 23 D4
Brynhyfryd Ave LL18 125 C7
Brynhyfryd Gr LL22 123 B1
Bryn Hyfryd Pk LL32 117 D1
Brynhyfryd Rd LL36 109 C7
Bryn Hyfryd Terr LL32 117 D2
Bryn-hynod Sta★ LL23 89 C7
Bryniau Duon LL59 17 C1
Bryniau-Hendre LL48 70 C5
Bryniau Pl LL30 113 D1
Bryniau Rd LL30 113 D1
Bryniau Terr LL57 149 F1
Bryn Islwyn LL48 70 C6
Bryn Ithel LL22 135 A6
Brynkir LL71 10 B2
Bryn La LL58 17 F2
Bryn Llan Abergele LL22 135 B6
Bryncroes LL53 79 D8
Llandwrog LL54 39 E7
Bryn Llewelyn Est LL48 70 D6
Bryn Llewelyn Terr LL24 45 D1
Bryn-Llwyd Bangor LL57 142 D2
Bryn-Llwyd continued
Bangor LL57 142 E2
Bryn Llwyd Llanfaethlu LL65 8 C6
Penygroes LL54 40 A3
Bryn Llwyd Bglws LL57 142 D2
Bryn-Llys 9 LL18 125 F7
Bryn Llywelyn LL61 21 F2
Bryn Lupus Dr LL30 118 A7
Bryn Lupus Rd LL30 117 F6
Bryn Maelgwyn La LL30 117 F6
Bryn Mair Bryncroes LL53 79 D8
Llanfairfechan LL33 126 C1
Bryn Mair Ave LL22 123 B1
Bryn Marchog LL65 138 C7
Bryn Marl LL31 118 A4
Bryn-Marl Rd LL28 119 B4
Brynmawr Terr LL42 161 C5
Bryn Melyn Cvan Pk LL23 76 F3
Bryn Menai LL28 119 D8
Bryn Meurig LL77 139 B5
Bryn Moelyn LL55 30 E6
Brynmor Ave LL18 125 D6
Bryn Mor Ct LL30 114 F2
Bryn Morfa LL18 136 F5
Bryn Morfa Cvn Pk LL32 117 B3
Bryn Morfe LL32 23 E1
Brynmor Terr
Llanfairfechan LL33 126 C2
Penmaenmawr LL34 127 D5
Bryn Mor Terr LL65 138 D6
Bryn Moryd LL65 7 E3
Bryn Mynach Rd LL42 161 C5
Bryn Ogwen LL57 142 B1
Bryn Onnen LL22 135 B6
Bryn Owen St / Stryd Bryn Owen LL57 150 C4
Bryn Owen Uchaf LL57 142 E2
Bryn Pandy LL77 139 C5
Bryn Parc LL22 123 B1
Bryn Paun LL58 17 F6
Bryn Piod LL40 95 D5
Bryn Pistyll LL57 150 C5
Brynpydew Rd LL28 119 A7
Bryn Rd
Llanfairfechan LL33 126 C2
Towyn LL22 124 A4
Bryn Refail Terr LL63 19 D7
Bryn Rhedyn
Llanfairfechan LL33 126 C1
Newborough / Niwbwrch LL61 20 E1
Bryn Rhedyw LL54 40 A2
Bryn Rhos LL55 153 B4
Bryn Rhosyn LL22 135 B6
Bryn Rhyg LL29 119 E2
Bryn-rhys LL28 130 D5
Bryn Saethon LL48 70 D6
Bryn Salem LL61 141 A4
Bryn Seiriol LL30 117 E6
Bryn Seiri Rd LL32 129 D6
Brynsiencyn Rd / Ffordd Brynsiencyn LL61 141 B3
Bryn Siriol Benllech LL74 11 E1
Llanddulas LL22 121 F4
Bryn Sisyllt LL54 40 A2
Bryn St LL47 70 D2
Bryn Tawel LL61 21 F1
Brynteg Bethesda LL57 150 D2
Llanfaelog LL63 19 C7
Llansadwrn LL59 17 B3
Bryn Teg
1 Beaumaris LL58 17 F3
Llandegfan LL59 142 D8
Llanfairfechan LL33 126 C1
Llanfairpwllgwyngyll LL61 141 C5
Towyn LL22 124 B3
Bryn Teg Ave LL29 120 C3
Bryn Teg Dr LL28 119 D6
Brynteg Holiday Pk LL55 30 F5
Bryn Teg La / Lon Bryn Teg LL59 142 E8
Bryn Teg / Mount Pleasant Rd LL40 162 C2
Brynteg St LL57 150 C2
Bryn-teg Terr LL57 31 C8
Bryn Teg Terr / Rhes Bryn Teg 13 LL57 142 F5
Bryn Telynor LL42 161 B4
Bryn Terr LL32 129 D6
Bryntirion Bethesda LL57 150 C2
Bryntirion★ LL61 29 C8
Llanfairpwllgwyngyll LL61 141 D4
Bryn Tirion
6 Beaumaris LL58 17 F3
Gwalchmai LL65 14 B3
Henllan LL16 27 F3
Penisa'r waun LL55 31 A6
Bryntirion Ave LL18 125 D8
Bryntirion Pk LL32 129 D6
Bryntirion Terr
Abergele LL22 123 B1
4 Criccieth LL52 68 D5
Bryn Trewan LL65 13 B4
Bryn Twr LL22 135 B6
Bryn Tyddyn LL52 69 A6
Bryn View Rd LL30 115 A1
Bryn-y-Bia Cl LL30 114 D3
Bryn-y-Bia Pl LL30 114 D3
Bryn-y-Bia Rd LL30 114 D3
Bryn-y-Coed LL31 117 F4
Bryn-y-Fedwen LL30 117 E7
Bryn-y-Garn Rd / Ffordd Bryn-y-Garn LL16 27 F3
Bryn Y Goelcerth 16 LL57 142 F5
Bryn-y-Gof LL55 153 B2
Bryn-y-gog SY20 163 E5
Bryn-y-Maen LL77 139 E4
Bryn-y-Mor LL56 146 F2
Brynymor Cvn Site LL36 109 B8
Bryn-y-Mor Rd LL28 119 E6
Bryn Y Mor Rd LL65 7 D1
Bryn-y-neuadd Hospl LL33 126 B2
Bryn-y-Paderau LL36 109 C7
Bryn y waen LL56 147 C4
Buckley Ave LL18 125 A6
Buckley Rd / Ffordd Bwclae 1 LL57 142 F5
Buckley Terr LL33 126 C2
Builder St LL30 113 E2
Builder St W LL30 113 E1
Bulkeley Sq / Maes Bulkeley 8 LL77 139 D4
Bulkeley Terr 9 LL58 17 F2
Bull Bay Rd / Ffordd Porth Llechog LL68 4 D6
Bungalows The
Amlwch LL68 4 D5
Dolgarrog LL32 23 D1
Penysarn LL69 4 F3
Bunker's Hill 7 LL58 17 F3
Burgedin Terr 4 LL18 125 E1
Burlington Cres LL18 125 D6
Burton Way LL58 17 F4
Burwen Rd / Ffordd Burwen LL68 4 C5
Bush Rd / Lon Llwyn LL56 147 B3
Butterton Rd LL18 125 A7
Buxton Ct 2 LL18 125 B6
Bwlch Alltran LL65 138 E5
Bwlch Cvn Pk LL78 16 A8
Bwlch Farm Cvn Pk LL31 117 F5
Bwlch Farm Rd LL31 117 F5
Bwlch Gwynt LL53 65 E8
Bwlch-y-Gwynt Rd LL29 133 B6
Bwlch Y Maen LL24 155 A6
Byrn Berllan LL57 142 D3

C

Cadair Idris National Nature Reserve★ LL36 101 C3
Cadeirian Deiniol / Bangor Cathedral★ LL57 143 A5
Cader Ave LL18 124 D4
Cader Dinmael LL21 62 A3
Cader Idris LL28 130 C4
Cader Rd / Fford Cader Idris LL40 162 C2
Cader Wlk LL36 109 C7
Cadnant Ct 16 LL58 17 F3
Cadnant Pk LL32 117 D2
Cadnant Rd / Ffordd Cadnant LL59 142 B6
Cadwalader LL18 124 E4
Cadwgan Ave 6 LL29 120 D3
Cadwgan Rd LL29 120 E3
Cae America LL33 126 D1
Cae Argoed LL35 109 F3
Caeau Bach LL55 152 F2
Cae Bach Bangor LL57 143 E1
Llandrillo LL21 77 D4
Llandudno LL30 113 E2
Llannor LL53 66 B4
Llansannan LL16 37 C8
Cae Bach Aur LL77 14 F3
Cae Berllan LL55 152 F5
Cae Blodau LL18 124 D4
Cae Bold LL55 153 A5
Cae Braenar LL65 138 F4
Cae Bronnydd LL26 154 C4
Cae Bryn LL54 40 B6
Cae Cali LL78 11 C1
Cae Capel
Betws-yn-Rhos LL22 25 F8
Chwilog LL53 67 D5
Tudweiliog LL53 63 H6
Cae Capel Bach LL54 40 B4
Cae Capel / Chapelfield LL31 118 A5
Cae Catrin LL54 40 B3
Cae Ceithin Farm Pk★ LL46 83 E3
Caechwarel LL57 150 D4
Cae Cilmelyn LL57 142 B1
Cae Cloc LL64 19 A8
Cae Clochydd LL57 150 D3
Cae Clwyd LL21 61 B7
Cae Clyd LL30 114 A2
Cae Cnycíog LL61 141 C4
Cae Coed LL31 118 B3
Cae Corn Hir LL55 152 E3
Cae Croes LL23 159 C4
Cae Crwn SY20 163 E4
Cae Cyd Rd LL34 128 A6
Cae Dafis LL53 157 C4
Cae Dderwen LL22 26 C5
Cae Deintur LL40 162 C3
Cae Derw LL31 118 C3
Cae Du LL53 81 A2
Cae Dwr LL53 81 D6
Cae Eicer Est LL68 5 A5
Cae Eithin LL48 70 B5
Cae Felin LL22 25 F8
Cae Ffynnon LL59 17 C1
Caeffynnon Rd LL33 126 C2
Cae Fron LL54 40 E5
Cae Gadlas LL23 159 C5
Cae Garnedd LL67 3 B5
Cae Garw LL46 160 D1
Cae Garw Rd LL55 153 B5

Cae Glas
Colwyn Bay / Bae Colwyn LL29 ... 121 A2
Llanfair Talhaiarn LL22 ... 26 B5
Rhiwlas LL57 ... 31 C8
Cae-glas Cres LL34 ... 128 A6
Cae Groes / Beulah Sq 4 LL55 ... 152 E3
Cae Gruffydd LL18 ... 125 F7
Cae Gwalia LL23 ... 88 F4
Cae Gwastad LL46 ... 160 D7
Cae Gweithdy LL59 ... 142 A6
Cae Gwigin LL57 ... 143 E1
Cae Gwym LL23 ... 75 B4
Cae Gwyn
Caernarfon LL55 ... 152 F6
Holyhead / Caergybi LL65 . 138 C3
Cae Gwynan LL34 ... 116 B1
Cae-Gybi Rd SY20 ... 163 B3
Cae Hendy LL53 ... 81 C6
Cae Idris LL40 ... 162 D1
Cae Llan LL26 ... 154 B4
Cae Lleiniau 1 LL61 ... 29 B8
Caellepa LL57 ... 143 A4
Cae Llwybr LL55 ... 153 A5
Cae Llwyd LL52 ... 68 B5
Cae Llyn LL54 ... 51 C3
Cae Maenllwyd SY20 ... 163 E4
Cae Maeslodwig 1 LL57 ... 142 E4
Cae Mair LL58 ... 17 E2
Cae Mair Uchaf LL58 ... 17 E2
Cae Mawr
Llandudno LL30 ... 113 D1
Penrhyndeudraeth LL48 ... 70 C6
Caemawr Cotts LL60 ... 140 B1
Cae Melfed LL53 ... 66 B3
Cae Melyn LL22 ... 121 F3
Cae Mor LL22 ... 124 A3
Cae Morley LL58 ... 18 A6
Cae Mur LL55 ... 152 F5
Cae Nicholas LL59 ... 142 A6
Cae Onner LL22 ... 27 C8
Cae Penrallt LL65 ... 7 A2
Cae Person LL26 ... 154 C3
Cae Pin LL53 ... 81 B3
Caerau Cvn Pk LL22 ... 26 F7
Cae'r-berllan LL57 ... 150 D1
Cae'r Delyn Bodffordd LL77 14 F3
Llanerchymedd LL71 ... 10 B2
Cae'r Deon LL57 ... 142 E3
Cae Refail LL61 ... 29 B8
Cae'r Efail LL53 ... 81 C6
Caerfelin LL59 ... 142 D8
Cae'r Felin LL33 ... 145 D6
Cae'r Felin LL26 ... 154 C5
Caerffridd LL41 ... 156 B4
Cae'r Ffynnon LL52 ... 68 B5
Caerffynnon Terr LL48 ... 70 C5
Caer Garreg LL55 ... 152 F4
Cae'r Garreg LL55 ... 153 A4
Caergelach LL59 ... 142 E8
Cae'r Goenaint LL16 ... 38 D7
Cae'r Groes LL57 ... 150 C5
Cae'r Gromlech LL53 ... 66 F5
Cae Rhos Brynteg LL78 ... 11 C1
Holyhead / Caergybi LL65 . 138 C3
Llandudno LL30 ... 118 A7
Cae Rhos Goed LL31 ... 118 A3
Cae-rhos Terr / Tai Cae Rhos LL55 ... 147 F3
Caerhun LL57 ... 148 F6
Cae Rhys LL52 ... 68 D5
Caer Leb★ LL61 ... 21 E2
Caer Llec LL77 ... 139 D3
Cae'r Llwyn Dinas LL53 ... 64 E3
Llandwrog LL54 ... 39 F6
Cae'r Mynydd LL65 ... 138 A6
Caernarfon Air World Mus★ LL54 ... 29 A1
Caernarfon Castle★ LL55 ... 152 D4
Caernarfon Maritime Mus★ LL55 ... 152 D4
Caernarfon Rd / Ffordd Caernarfon
Bangor LL57 ... 142 D2
Caernarfon LL55 ... 30 A8
Y Felinheli LL55,LL56 ... 146 E1
Caernarfon Sta★ LL55 .. 152 E3
Caernarvon Rd / Penlon Caernarvon LL53 ... 157 E6
Caer Odyn Cvn Site LL53 . 64 F6
Cae'r Saint LL55 ... 152 F4
Caerwaen Terr LL34 ... 127 C5
Cae'r Ymryson LL55 ... 152 E3
Cae Sarn LL54 ... 40 B6
Cae Siop LL32 ... 23 D4
Cae Tanws Bach LL40 ... 162 C2
Cae Ty Coch LL78 ... 11 C1
Cae Uchaf LL18 ... 125 D8
Cae Ysgawen LL78 ... 11 C1
Cainwan Terr LL60 ... 21 B3
Caledffrwd Terr LL55 ... 31 C5
California Terr LL55 ... 31 B6
Cambell Rd / Lon Cambell 1 LL55 ... 152 E5
Cambria Cvn Pk LL22 ... 123 F5
Cambrian Ct LL42 ... 161 C4
Cambrian Dr LL28 ... 119 B7
Cambrian Rd / Ffordd Cambrian LL36 ... 109 C7
Cambrian St LL42 ... 161 C4
Cambrian Terr
Bala / Y Bala LL23 ... 159 D5
Blaenau Ffestiniog LL41 .. 156 C5
Blaenau Ffestiniog,Tanygrisiau LL41 ... 156 A3
Cambrian Terr *continued*
2 Criccieth LL52 ... 68 E5
Garndolbenmaen LL51 ... 53 D2
Tywyn LL36 ... 109 C7
Cambrian Terr / Rhes Cambrian LL49 ... 158 D5
Cambrian View LL48 ... 70 D5
Cambrian Way LL28 ... 119 B7
Cambrian Wlk LL18 ... 125 F5
Cambria Rd LL29 ... 120 F3
Cambria Rd / Ffordd Cambria LL59 ... 142 B4
Cambria St LL65 ... 138 D6
Campbell Cl LL30 ... 114 E1
Canning Rd LL29 ... 120 A4
Canol Creuddyn LL30 ... 113 F2

Canolfan = centre

Canolfan Deiniol Ctr 14 LL57 ... 143 A5
Canolfan Tryweryn★ LL23 ... 75 B7
Canolfan Victoria Ctr 11 LL30 ... 113 E3
Canterbury La LL28 ... 119 C8
Cantref LL36 ... 109 C7
Can-yr-Afon LL33 ... 126 D1
Capel-Coch Rd / Ffordd Capel-Coch 22 LL55 ... 31 C3
Capel Elen Cvn Site LL70 11 C5
Capel Farm Est LL65 ... 7 B1
Capel Lodge LL65 ... 7 A1
Capel-Uchaf LL77 ... 139 E4
Caradoc Pl LL55 ... 31 C6
Caradoc Rd LL31 ... 118 B2
Caradog Pl LL33 ... 126 B3
Caradog Terr / Rhesdal Carados 9 LL77 ... 139 D4
Cardiff Rd / Ffordd Caerdydd LL53 ... 157 C4
Carleg Uchaf LL44 ... 92 E6
Carlton Rd LL29 ... 119 E5
Carlton Way LL18 ... 125 E5
Carmen Sylva Rd LL30 .. 114 B2
Carna Terr LL65 ... 7 E2
Carneddi Rd / Ffordd Carneddi LL57 ... 150 D2
Carolina Cres LL30 ... 115 A1
Caroline Rd LL30 ... 113 E3
Carpenter Ave LL30 ... 114 A1
Carreg Felin LL59 ... 17 B1
Carreg Feurig LL40 ... 162 E3
Carreg-y-Gad LL61 ... 141 B4
Carreg Y Garth
5 Bangor LL57 ... 143 A6
Rhiwlas LL57 ... 31 D8
Carrington Terr / Rhos Carrington LL26 ... 154 B5
Carrog Terr LL24 ... 58 A6
Carroll Pl LL30 ... 113 C3
Castellor LL67 ... 3 D6
Castell y Bere★ LL36 ... 106 E7
Castle Bldgs LL33 ... 126 C2
Castle Ditch / Pen Deitsh 18 LL55 ... 152 D4
Castle Flats 18 LL55 ... 31 C3
Castle Hill / Allt Y Castell 15 LL55 ... 152 D4
Castle Hill Terr / Rhes Allt Castle LL57 ... 143 A4
Castle Pl LL22 ... 123 B2
Castle Quay Mews 5 LL32 ... 117 E2
Castle Row 13 LL58 ... 17 F3
Castle Sq LL32 ... 117 E2
Castle Sq / Y Dref LL52 . 68 D4
Castle Sq / Y Maes 17 LL55 ... 152 D4
Castle St Beaumaris LL58 .. 17 F3
Conwy LL32 ... 117 E2
Castle St / Ffordd Castell LL52 ... 68 E4
Castle St / Fford-y-Castell LL18 ... 125 E1
Castle St / Heol Y Castell LL23 ... 159 C5
Castle St / Stryd Y Castell 11 LL55 ... 152 D4
Castle Terr Criccieth LL52 . 68 D4
Dolwyddelan LL25 ... 44 D3
Castle View 25 LL55 ... 31 C3
Catell Morfa LL46 ... 160 D5
Cavour St LL54 ... 40 D4
Cayley Prom LL28 ... 119 E6
CC Bsns Pk LL18 ... 124 D3
Cecil St LL65 ... 138 E4
Cedar Ave LL18 ... 125 E7
Cedar Gr LL28 ... 119 C7
Cedar Pk LL28 ... 119 D3
Cefn Berain LL16 ... 27 C4
Cefn Cadnant LL55 ... 152 F4
Cefn Capel LL61 ... 141 C4
Cefn Crib Cvn Pk SY20 . 111 A6
Cefn Cwellyn LL54 ... 41 E4
Cefn-Cwlyn LL57 ... 150 D1
Cefn Cwmwd Cotts LL77 . 15 A1
Cefn-cymmerau Nature Trail★ LL45 ... 84 C2
Cefn-cymmerau Waterfall★ LL45 ... 84 C1
Cefn Derwen LL62 ... 20 C5
Cefn Dyffryn LL54 ... 40 B6
Cefndy Rd LL18 ... 125 C6
Cefndy Road Employment Pk LL18 ... 125 C5
Cefn Eithin LL62 ... 21 A8
Cefn Elan LL55 ... 30 E6
Cefn Faesllyn LL54 ... 40 B3
Cefnfaes St / Stryd Cefnfaes LL57 ... 150 D2
Cefn Gwyn LL41 ... 72 A2
Cefn Hendre LL55 ... 152 F3
Cefni Hospl LL77 ... 139 E4
Cefni Resr (Nature Reserve)★ LL77 ... 139 A7
Cefni Woods★ LL77 ... 15 C5
Cefn Mairwen LL17 ... 27 E6
Cefn Morfa LL53 ... 65 A6
Cefn Rd LL29 ... 120 D3
Cefn Talar LL55 ... 152 E4
Cefn Traeth LL53 ... 157 D5
Cefn Y Bryn LL57 ... 150 D2
Cefn-y-Bryn LL30 ... 117 E7
Cefn-y-gader LL49 ... 69 C4
Cefn Y Twr LL53 ... 65 C7
Cei Banc / Bank Quay LL55 ... 152 D4
Cei Llechi / Slate Quay LL55 ... 152 D4
Cei Llydan Sta★ LL55 ... 31 C4
Ceilwart La LL42 ... 161 B7
Ceiri Terr LL54 ... 51 C3
Cei R Porthmon LL28 ... 23 F6
Cell-Fechan Rd LL42 ... 161 C5
Celyn Ave LL34 ... 127 D5
Celynin Rd / Ffordd Celynin LL37 ... 105 D8
Celyn St LL34 ... 127 D5
Cemlyn Cl LL34 ... 127 E6
Cemlyn Nature Reserve★ LL67 ... 2 H6
Cemlyn Pk LL34 ... 127 E6
Central Pl LL30 ... 113 E2
Central Place Units LL30 ... 113 E2
Centre for Alternative Technology★ SY20 ... 108 B3
Cerddedfa Glyder LL29 . 119 F2
Cerrig-llwydion LL57 ... 149 F5
Cerrig Yr Afon LL49 ... 158 D4
Cesail-y-Bryn LL53 ... 157 C5
Ceunant Street / Stryd Ceunant LL55 ... 31 C2
Chandlers Pl LL49 ... 158 D4
Chapelfield / Cae Capel LL31 ... 118 A5
Chapel Hos LL55 ... 31 C6
Chapel Row LL23 ... 76 E3
Chapel Sq LL35 ... 109 F3
Chapel St Abergele LL22 . 123 B1
5 Beaumaris LL58 ... 17 F2
Bodedern LL65 ... 13 C7
Brynsiencyn LL61 ... 21 F2
6 Conwy LL32 ... 117 E2
Corris SY20 ... 108 B6
Croesor LL48 ... 55 F3
Gaerwen LL60 ... 21 F6
Llandudno LL30 ... 113 E3
Llangefni LL77 ... 139 E4
Llanrwst LL26 ... 154 B4
Mochdre LL28 ... 119 B3
Newborough / Niwbwrch LL61 ... 28 F8
Penmaenmawr LL34 ... 127 B5
Pentraeth LL75 ... 16 D5
Penysarn LL69 ... 4 F3
Rhydwyn LL65 ... 2 F1
5 Trawsfynydd LL41 ... 72 A2
Ysbyty Ifan LL24 ... 59 C7
Chapel St / Heol-y-Capel LL40 ... 162 C2
Chapel St / Stryd Caple LL68 ... 4 F6
Chapel St / Stryd Wesla LL49 ... 158 D4
Chapel St / Stryd-y-Capel
Menai Bridge / Porthaethwy LL59 ... 142 B4
4 Penygroes LL54 ... 40 A4
Chapel St / Tre'r Gof 35 LL55 ... 152 E4
Charleston Cl LL30 ... 114 F1
Charleston Rd LL30 ... 114 F1
Charlesville Rd LL18 ... 124 E5
Charlotte Rd LL30 ... 113 F2
Charlton St 9 LL30 ... 113 E3
Chatham Log Cabins LL54 ... 39 F8
Chatsworth Rd LL18 ... 125 B6
Cheltenham Ave LL18 ... 125 E7
Cherry Tree Cl
Benllech LL74 ... 11 E2
Colwyn Bay / Bae Colwyn LL28 ... 119 D3
Cherry Tree La LL28 ... 119 D4
Cherry Tree Wlk LL18 ... 125 E7
Chester Ave / Rhodfa Caer LL18 ... 124 D4
Chester St LL18 ... 125 C8
Chestnut Ave LL34 ... 116 B1
Chestnut Ct LL18 ... 125 E8
Church Cl LL30 ... 115 A1
Church Cres LL30 ... 113 D2
Church Dr
Colwyn Bay / Bae Colwyn LL28 ... 115 D1
Valley / Y Fali LL65 ... 7 E2
Churchill Cl
Llandudno LL30 ... 113 E1
Old Colwyn LL29 ... 120 F3
Church La / Lon Yr Eglwys 3 LL55 ... 152 D4
Church Pl / Llainiau Uchaf LL53 ... 157 C5
Church Rd
Borth-y-Gest LL49 ... 158 C1
Colwyn Bay / Bae Colwyn LL28 ... 119 C8
Penmaenmawr LL34 ... 127 E6
Church Rd / Lon Eglwys LL54 ... 40 C4
Church St
Aberdovey / Aberdyfi LL35 109 F3
Abergele LL22 ... 123 B2
Beaumaris LL58 ... 17 F3
Blaenau Ffestiniog LL41 .. 156 D4
12 Conwy LL32 ... 117 E2
Dolwyddelan LL25 ... 44 D3
Llandderfel LL23 ... 76 E3
Llanerchymedd LL71 ... 10 A3
Llanfair Talhaiarn LL22 ... 26 B5
Llangynog SY10 ... 91 F1
Llansanffraid Glan Conwy LL28 ... 130 C5
Llanuwchllyn LL23 ... 88 F5
Newborough / Niwbwrch LL61 ... 28 F8
Rhuddlan LL18 ... 125 E1
St George / Llansan-Sior LL22 ... 136 A4
4 Trawsfynydd LL41 ... 72 A2
Tywyn LL36 ... 109 C7
Church St / Stryd Y Eglwys LL63 ... 19 E3
Church St / Stryd Y Llan LL49 ... 158 D5
Church St / Stryd Yr Eglwys
7 Bangor LL57 ... 142 E3
Barmouth / Abermaw LL42 ... 161 C4
Bodedern LL65 ... 13 C7
2 Caernarfon LL55 ... 152 D4
Henllan LL16 ... 27 E3
7 Llangefni LL77 ... 139 D4
2 Rhuddlan LL18 ... 125 B8
Tremadog LL49 ... 158 C6
Church Terr / Lon Las LL77 ... 139 D5
Church View
Bodelwyddan LL18 ... 136 F4
Llangynog SY10 ... 91 F1
Ysbyty Ifan LL24 ... 59 C7
Church Walks LL29 ... 120 D3
Church Wlks LL30 ... 113 D4
Churton Rd LL18 ... 125 C8
Churton St / Stryd Churton LL53 ... 157 D3
Chwaen Terr LL71 ... 10 A3
Cibyn Ind Est / Ystad Ddiwdiannol Cibyn LL55 ... 153 B4
Cichle Hill LL59 ... 142 C7
Cil-bedlam / Dale St LL59 ... 142 B5
Cilcoed LL57 ... 142 D2
Cil Coed LL55 ... 152 F4
Cildwrn Rd / Ffordd Cildwrn LL77 ... 139 B5
Cilfan Conwy LL32 ... 129 C6
Pensarn LL22 ... 123 C4
Cilfodan Terr LL57 ... 150 D3
Cilfor LL47 ... 70 E4
Cilgant Alotan / Alotan Cres LL57 ... 142 B1
Cilgant Eglwys Wen LL18 ... 137 A4
Cilgant Pennant / Pennant Cres 2 LL57 ... 142 E3
Cilgwyn LL31 ... 118 C3
Cil Isaf LL55 ... 152 F4
Cil Peblig LL55 ... 152 F3
Cil Peibio LL65 ... 138 F5
Cil Swnt LL72 ... 11 E5
Ciltrefnus LL57 ... 150 E2
Ciltwllan LL57 ... 150 F1
Cil Uchaf LL55 ... 152 F4
Cil Y Graig
2 Dwyran LL61 ... 29 B8
Llanfairpwllgwyngyll LL61 . 141 C4
Menai Bridge / Porthaethwy LL59 ... 142 A6
Circle The LL18 ... 124 C5
Clai Mawr Cvn Pk LL75 .. 16 C6
Claremont Rd LL30 ... 113 E3
Clarence Cres LL30 ... 114 A2
Clarence Dr LL30 ... 114 A2
Clarence Gdns LL30 ... 114 A2
Clarence Rd LL30 ... 114 A2
Clarence St / Stryd Clarence 4 LL57 ... 142 E4
Clare Villas LL30 ... 113 D1
Clark St LL32 ... 23 E2
Clark Terr LL53 ... 157 C5
Claughton Rd 4 LL29 .. 119 F4
Cleifiog Terr LL65 ... 7 D2
Clement Ave LL30 ... 113 D3
Clement Dr LL18 ... 125 F6
Clement Pas 1 LL30 ... 113 D3
Clement St LL30 ... 113 D3
Cleveland Ave
Holyhead / Caergybi LL65 138 D4
Tywyn LL36 ... 109 D7
Cleveland Cres LL65 ... 138 D4
Cliff Dr LL30 ... 115 A2
Cliff Gdns LL29 ... 120 E4
Clifford Ct LL31 ... 118 A4
Cliff Rd LL29 ... 120 D4
Clifton Ave LL18 ... 125 D7
Clifton Gr LL18 ... 125 D7
Clifton Park Rd LL18 ... 125 D8
Clifton Rd
Llandudno LL30 ... 113 D3
Clifton Rd *continued*
Old Colwyn LL29 ... 120 E4
Clifton Rise LL22 ... 123 A1
Clipterfyn LL22 ... 122 A2
Cll Caseg LL57 ... 150 D1
Clobryn Rd LL22,LL29 ... 121 D3
Cloddfa Glai LL54 ... 40 D4
Clogwyn Cyrrau Forest Walk★ LL24 ... 155 C7
Clogwyn Sta★ LL55 ... 42 C7
Cloisters The / Y Clawstrau LL28 ... 115 D1
Clonmel St LL30 ... 113 E3
Clos Deganwy LL18 ... 136 F4
Clos Dinas Bran LL18 ... 136 F4
Clos Dinbych LL18 ... 136 F4
Close The
Colwyn Bay / Bae Colwyn LL29 ... 120 A4
Llandudno LL30 ... 114 F1
Llanfairfechan LL33 ... 126 C2
Clos Foxhall / Foxhall Cl LL29 ... 120 A2
Clos Gladstone LL18 ... 125 D8
Clos Hen Felin LL34 ... 116 B1
Clos Morfudd LL18 ... 125 F6
Clos Teg Fan LL18 ... 125 F6
Clos-y-Berllan LL18 ... 125 F2
Clos Y Nant / Brookside Cl LL34 ... 127 E5
Clos Yr Ucheldir / Highlands Cl 6 LL18 ... 125 F2
Clovelly Mount 4 LL29 . 120 A4
Clwch LL77 ... 139 D7
Clwt Rhywiog LL57 ... 149 B2
Clwyd Ave Abergele LL22 123 B2
Rhyl / Y Rhyl LL18 ... 125 B6
Clwyd Ave / Rhodfa Clwyd LL18 ... 125 E2
Clwyd Bank LL18 ... 124 E5
Clwyd Ct LL28 ... 119 C6
Clwyd Gdns LL18 ... 124 C5
Clwyd Pk LL18 ... 124 E3
Clwyd Ret Pk LL18 ... 125 E4
Clwyd St / Heol Clwyd 9 LL18 ... 125 B7
Clynnog Rd / Ffordd Clynnog LL54 ... 40 A3
Cobalt Ho LL30 ... 114 A3
Coed Ave LL18 ... 124 F2
Coed Bedw LL22 ... 123 A1
Coed Bryn-Mawr Nature Trails★ LL41 ... 71 B7
Coed Cae Fall★ LL41 ... 70 F7
Coed Celyn LL22 ... 123 A1
Coed Coch Rd LL29 ... 120 D2
Coed Eithin LL22 ... 123 A1
Coed Gwern LL22 ... 123 A1
Coed-Gwydyr LL27 ... 34 E7
Coed Helen Holiday Pk LL54 ... 152 C3
Coed Helen La / Lon Coed Helen LL54,LL55 ... 152 D2
Coed Helen Rd / Ffordd Coed Helen LL54 ... 152 D3
Coed Llawryf LL22 ... 135 A6
Coedmadog Rd LL54 ... 40 C4
Coed Masarn LL22 ... 123 A1
Coed-Pella Rd LL29 ... 119 F4
Coed Pin LL22 ... 135 A6
Coedwig Terr LL58 ... 18 B7
Coed-y-Brenin Visitor Ctr★ LL40 ... 86 B2
Coed Y Bwlch LL31 ... 117 F5
Coed Y Castell LL57 ... 143 C5
Coed Y Ddol LL55 ... 31 C3
Coed-y-Glyn
Colwyn Bay / Bae Colwyn LL29 ... 119 D3
Llanberis LL55 ... 31 C3
Llandudno LL30 ... 117 E7
Coed-y-Llwyn LL41 ... 71 E6
Coed-y-Llwyn Cvn Site LL41 ... 71 E6
Coed Y Maes LL57 ... 142 B2
Coed-y-Mor LL30 ... 114 F2
Coetiau Postol / Vicarage La LL18 ... 125 E1
Coetmor Mount LL57 ... 150 C2
Coetmor New Rd LL57 .. 150 B3
Coetmor Rd LL57 ... 150 B4
Coetmor Rd / Ffordd Coetmor LL57 ... 150 C3
Coetmor Terr / Rhea Coetmor LL57 ... 150 B2

Coleg = college

Coleg Harlech LL46 ... 160 D4
Coleg Meirion Dwyfor
Dolgellau LL40 ... 162 B3
Pwllheli LL53 ... 157 C5
Coleg Menai
Bangor LL57 ... 142 E4
Llangefni LL77 ... 139 F4
Coleg Y Rhyl Coll LL18 .. 125 C5
Colin Dr LL18 ... 125 F6
College Ave LL28 ... 115 D1
College Gn LL36 ... 109 C7
College Rd / Ffordd Y Coleg LL57 ... 142 F5
Collen Wen LL61 ... 141 C5
Colomendy LL15 ... 49 F8
Colwyn Ave LL28 ... 119 E8

Colwyn Bay Com Hospl LL29 120 C3
Colwyn Bay County Infants Sch LL29 119 E5
Colwyn Bay Sta LL29 120 A5
Colwyn Cres LL28 119 D8
Colwyn Pl LL30 114 D3
Colwyn Rd LL30 114 D3
Combermere Rd LL29 119 E4
Commercial Sq LL41 156 C5
Compton Way LL22 123 B1
Congl Feddw LL53 81 B3
Conolly Cl LL30 114 E1
Constantine Rd / Ffordd Cwestenin LL55 152 E3
Constitution Hill LL34 127 D5
Convent La / Llwybr Cwfaint LL57 142 E4
Conway Cl LL28 119 C7
Conway Cres LL30 117 E7
Conway Garth LL28 115 E1
Conway Rd
Llandudno Junction LL31 118 A2
Llandudno Junction LL31 118 C2
Llandudno LL30 114 A1
Llansanffraid Glan Conwy LL28 130 C6
Mochdre LL28 119 C5
Tal-y-Bont LL32 23 D3
Conwy Ave / Rhodfa Conwy 7 LL18 125 F1
Conwy Butterfly Jungle★ LL32 117 E2
Conwy Castle★ LL32 117 E1
Conwy Ct
Llansanffraid Glan Conwy LL28 130 C5
5 Rhuddlan LL18 125 E1
Conwy Falls★ LL24 45 E4
Conwy Hospl / Ysbyty Conwy LL32 117 C3
Conwy Mussel Mus★ LL32 117 E2
Conwy Old Rd / Ffordd Hen Conwy LL34 127 E6
Conwy Old Rd / Hen Ffordd Conwy LL34 128 B6
Conwy Rd LL31,LL32 117 F2
Conwy Rd / Ffordd Conwy LL34 127 E6
Conwy St LL18 125 C8
Conwy Sta LL32 117 E1
Conwy Terr / Glanrhyd LL26 154 B4
Conwy Valley Railway Mus★ LL24 155 D6
Copperfield Cl LL65 7 D1
Copperhill St LL35 109 F3
Copperhill Wlk LL35 109 F3
Copthorne Mews LL28 119 D3
Copthorn Rd LL28 119 D3
Corbet Sq LL36 109 C7
Corbett Ave LL36 109 C7
Corbett Cl LL36 109 C7
Corbett La LL35 109 F3
Corlan yr Rhos 2 LL55 30 E6
Corn Coch LL65 13 C7
Corn Hill / Pen Y Cei LL49 158 D3
Cornwall Est LL53 81 A6
Coronation Cl LL18 136 E4
Coronation Rd LL59 142 B5
Corporation Terr 3 LL52 68 E5
Corris Craft Ctr★ SY20 108 A6
Corris Cvn Pk SY20 108 B5
Corris Mus★ SY20 108 B6
Corris Prim Sch / Ysgol Gynradd Corris SY20 108 B6
Corris Rly★ SY20 108 B6
Cors Bodgynydd Nature Reserve★ LL27 34 D2
Cottage Homes LL61 28 F8
Council Hos
Llanerchymedd LL71 10 E3
Llanynghenedl LL65 13 A8
Council St W LL30 113 E2
Council Terr LL18 125 C6
County Dr LL18 125 D8
County Rd / Ffordd-y-Sir LL54 40 B4
Court St LL30 113 E4
Coventry Dr LL18 125 C7
Cowlyd Cl LL28 119 C7
Crafnant Rd LL28 119 B6
Craig Ddu LL68 4 E6
Craig Dr LL30 115 A2
Craig Fryn SY20 163 E4
Craig Hts LL29 120 F3
Craiglwyd Hall Cvn Pk LL34 127 E4
Craig Madog LL49 158 C7
Craig Menai 4 LL57 142 F5
Craig Rd LL29 120 F3
Craigside Dr / Rhodfa R Graig LL30 114 D3
Craig View LL28 119 B6
Craig Wen LL28 119 C7
Craig Y Dinas
Penisa'r waun LL55 31 A6
Pont-Rhythallt LL55 30 F6
Craig Y Don LL68 4 E6
Craig-y-Don
Benllech LL74 11 E2
Pensarn LL22 123 B3
Craig Y Don Rd / Ffordd Craig Y Don 6 LL57 142 F5
Craig Y Fron LL23 159 C5
Craig Y Pandy LL57 149 D4
Cramer Ct LL18 125 B6
Cranford Cres LL28 115 D1
Cranford Ct LL28 115 D1
Creau Gleision LL57 31 C8
Cremlyn LL55 30 D8
Crescent Ct
Llandudno LL30 113 F3
2 Rhyl / Y Rhyl LL18 125 B7
Crescent Rd LL18 125 B7
Crescent Sq 16 LL18 125 B7
Crescent The
Colwyn Bay / Bae Colwyn LL28 115 D1
Porthmadog LL49 158 D4
Rhyl / Y Rhyl LL18 125 C7
Crescent The / Y Cilgant 17 LL57 142 F5
Criafolen LL22 123 D4
Criccieth Castle★ LL52 68 E4
Criccieth Cl 3 LL30 113 F1
Criccieth Sta LL52 68 D4
Crigyll Rd / Ffordd Crigyll LL64 19 B8
Crimea Terr LL34 127 B5
Croes-Higol Rd LL54 51 B5
Croes-y-Waen LL55 30 D2
Croft Cotts LL32 23 D2
Crofton Mews 8 LL58 17 F3
Crogfryn La LL30 118 B6
Cromlech Rd LL30 113 C4
Cromwell St LL41 156 D4
Cross Foxes LL22 27 C8
Crossing Ind Est / Ystad Ddiwydiannol Griffiths LL55 30 A8
Crossing Terr LL61 141 B4
Crossley Rd LL28 119 D7
Cross St
Holyhead / Caergybi LL65 138 D6
Rhuddlan LL18 125 E1
Cross St / Ffordd Groes LL54 40 B4
Cross Terr LL57 149 E3
Crown La 8 LL32 117 E2
Crown St / Glan Mor Ucha 7 LL55 152 D4
Crown Street LL65 14 C2
Crown Terr Abererch LL53 66 F3
Llanfair Talhaiarn LL22 26 B5
Crud-Yr-Awel LL61 28 F8
Crugan Ave LL18 124 D6
Cuffnell Cl 3 LL30 114 A1
Curzon Pas LL30 114 A2
Curzon Rd LL30 114 A2
Cwlach Rd LL30 113 D4
Cwlach St LL30 113 D4
Cwmbowydd Rd LL41 156 D4
Cwm Canllan Waterfalls★ LL40 94 F7
Cwm Estyn LL31 118 A4
Cwm Howard La 1 LL30 113 F1
Cwm Idwal Nature Reserve★ LL57 32 D2
Cwm Llan Waterfalls★ LL55 42 E2
Cwmlws La LL34 127 B5
Cwmorthin Rd LL41 156 A3
Cwm Pl LL30 113 F1
Cwm Pottery★ LL54 51 B4
Cwm Rd Llandudno LL30 113 E2
Penmaenmawr LL34 127 D5
Cwm Rd / Ffordd Cwm LL34 127 D5
Cwm Silyn LL55 152 F2
Cwm Teg LL29 120 D2
Cwrt Bryn Coed 2 LL29 119 F4
Cwrt Bryn-y-Bia LL30 114 E2
Cwrt Buddig LL57 150 C2
Cwrt Dyffryn LL29 120 D1
Cwrt Gele LL22 123 D4
Cwrt Menai / Menai Ct LL56 147 A3
Cwrt Mostyn / Mostyn Ct LL30 113 E2
Cwrt Sant Tudno LL30 114 A3
Cwrt W M Hughes 10 LL30 114 A1
Cwrt Y Coleg LL28 119 E6
Cwrt Y Dderwen LL29 119 F4
Cwrt-y-Groes LL32 129 D1
Cwrt-y-gwindy 1 LL18 125 E1
Cwr Y Coed LL77 139 C5
Cwttir La LL17 137 E1
Cwybr Fawr LL18 125 E3
Cwymp Rd LL22 121 F1
Cybi Cl LL65 138 E5
Cybi Pl LL65 138 D6
Cyffin Terr LL48 70 D8
Cyffordd Llandudno / Llandudno Juction Sta LL31 118 A2
Cyffty Lead Mine★ LL27 34 E1
Cylchfan Llanelltyd / Llanelltyd Rdbt LL40 162 A5
Cylch Tudur / Tudor Cres LL30 113 F2
Cylch-y-Nant / Nant Cl 1 LL18 125 F2
Cyll Terr LL30 113 C4
Cymer Abbey★ LL40 162 B6
Cynfran Rd LL29 121 D2
Cynlas LL18 124 D3
Cypress Gr LL18 125 E8
Cysgod Y Bryn LL53 81 B7
Cysgod Y Coleg LL23 159 D6
Cystennin Rd LL28 119 A5
Cytiau'r Gwyddelod★ LL65 6 D3
Cytir La / Lon Cytir LL57 148 B8
Cyttir Maes LL65 138 E3
Cyttir Rd LL65 138 E4

D

Dakla Dr LL30 115 A1
Dalarlas LL40 95 D5
Dalar Las Llangoed LL58 17 F6
Llansanffraid Glan Conwy LL28 130 D5
Dale Rd LL30 113 C2
Dale St / Cil-bedlam LL59 142 B5
Dale The LL22 122 F1
Daniel Dr LL18 125 F5
Daresbury Cl 8 LL30 114 A1
Daron Valley Cvn Pk LL53 78 G3
Darwen Terr 2 LL18 125 F1
Daufor LL53 81 B1
David Edwards Cl LL29 120 D3
David's La LL34 127 D5
David St Malltraeth LL62 20 D3
Penmaenmawr LL34 127 D5
Ddol Ddu LL29 120 D2
Ddol Erddi LL55 30 D2
Ddol Terr LL24 57 F6
Dduallt Sta★ LL41 56 D1
Dean St / Stryd Y Deon LL57 143 A5
Deganwy Ave LL30 113 D3
Deganwy Beach Est LL31 117 D6
Deganwy Quay Crossing LL31 117 E4
Deganwy Quay Marina LL31 117 E4
Deganwy Rd LL30,LL31 117 D6
Deganwy Sta LL31 117 D5
Deiniol Rd / Ffordd Deiniol LL57 142 F4
Deiniol St / Stryd Deiniol 23 LL57 142 F5
Denbigh Circ LL18 124 E3
Denbigh Rd LL22 26 C5
Denbigh St LL16 27 F3
Denbigh St / Heol Ddinbych LL26 154 B4
Denness Pl LL30 113 D2
Derby Terr LL22 123 A2
Derlwyn LL46 160 D1
Derrie Ave LL22 123 A2
Derwen Ave LL28 119 B6
Derwen Deg LL40 95 A7
Derwen Dr LL18 125 E4
Derwen La LL30 118 E8
Derwen Las LL55 152 F2
Derwen Pk LL30 114 F1
Derwen Rd LL34 127 B5
Derwen Y Brenin / Kings Oak LL29 119 D4
Deva Cl LL28 119 C7
Devonald St LL65 138 D7
Dew St LL59 142 B5
Diane Dr LL18 125 D5
Digbeth Terr LL54 29 F2
Digby Rd LL28 119 D7
Digney Cl LL65 138 F4
Dinam Rd LL65 13 B4
Dinas Ave LL18 124 C5
Dinas Cotts LL54 29 E1
Dinas Oleu La LL42 161 C4
Dinas Rd
Blaenau Ffestiniog LL41 156 B5
Llandudno LL30 113 D2
Dinas Sta★ LL54 29 E1
Din Dryfol Burial Chamber (rems of)★ LL62 20 C7
Dinerth Ave LL28 119 B8
Dinerth Cl LL28 119 B8
Dinerth Cres LL28 119 B8
Dinerth Hall Rd LL28 119 B8
Dinerth Pk LL28 119 C8
Dinerth Rd LL28 119 B6
Dingle Hill LL29 120 B3
Dingle La LL74 11 F1
Dingle The LL29 120 A4
Dingle View / Trem Nant Eirias LL29 120 A2
Dinlle Cvn Site LL54 39 E7
Din Lligwy★ LL72 11 C5
Dinorben Ct LL68 4 D5
Dinorwic St / Stryd Dinorwic 32 LL55 152 E4
Dinorwic Terr LL55 31 C5
Dinosaur World★ LL29 119 E4
Dobinson's La LL30 113 F2
Doctor St LL57 150 C4
Dodgson Cl LL30 114 A1
Dol Acar LL22 134 A6
Dolafon LL74 11 E1
Dol Afon LL55 30 F6
Dol Aran LL40 162 D2
Dolbadarn Castle★ LL55 31 D2
Dol Beuno LL55 29 F3
Dol Dderw LL31 118 C2
Dol Eilian LL55 31 D2
Dol Eithin Caergeiliog LL65 13 B4
Llandudno LL30 115 A2
Dol Eledir LL55 31 D2
Dol Elian LL29 120 D2
Dol Fair LL55 55 A7
Dolgarreddu LL41 156 D4
Dolgarrog Sta LL26 23 F2
Dolgefeiliau Forest Trail★ LL40 86 C2
Dolgellau & Barmouth District Hospl / Ysbyty Dolgellau Y Bermo a'r Cylch LL40 162 D2
Dol-Goch LL57 150 A3
Dolgoch Falls★ LL36 106 D3
Dolgoch Falls Sta★ LL36 106 D3
Dolgoch Wlk LL36 109 C7
Dolgoed LL31 118 B4
Dol-Helyg LL57 143 E1
Dolhendra SY10 91 F1
Dol Hendre LL36 109 C7
Dol Hudol LL31 118 A4
Dolhyfryd LL22 35 F7
Dolithel LL36 105 F2
Dolphin Ct LL28 119 C6
Dolrhedyn Terr LL41 56 E4
Dolwar LL53 66 F5
Dolwen Cl LL29 133 D6
Dolwen Rd
Betws-yn-Rhos LL22 25 F8
Dolwen LL22 133 A3
Llysfaen LL29 133 B6
Old Colwyn LL29 132 E6
Dol Werdd / Greenfield Ave LL77 139 D4
Dolwyd LL28 118 F2
Dolwyd Cres LL28 118 F2
Dolwyddelan Castle★ LL25 44 C3
Dolwyddelan Sta LL25 44 D3
Dol Wynne LL22 121 E3
Dolydd LL30 113 D2
Dolydd Terr LL41 156 A3
Dolydd / The Meadows LL31 118 B3
Donald Ave LL18 125 D5
Dora St LL49 158 D4
Dorchester Cl LL18 125 E4
Doren Ave LL18 125 F5
Dorvil Rd LL41 156 C4
Dorvil St LL41 156 C4
Douglas Ho LL33 126 C2
Douglas Rd LL29 120 A4
Douglas Road Inf Sch LL29 120 A4
Douglas Terr LL57 150 D2
Dovey Junction Sta SY20 111 B5
Drake Cl LL30 115 A2
Dr Garretts Dr LL32 117 C3
Drive The
Malltraeth,Hermon LL62 20 B2
Malltraeth LL62 20 D3
Druid Rd / Ffordd Penclip LL59 142 B6
Drws-y-Nant LL28 130 D4
Dublin La LL49 158 C7
Dublin St LL49 158 B7
Duchess Cl 7 LL30 114 A1
Dulas Ave / Rhodfa Dulas LL18 124 D4
Dulas Cl LL28 119 C7
Dulas Pk LL18 124 D4
Dundonald Ave LL22 123 B3
Dundonald Rd LL29 120 A3
Durrant Cl LL18 125 E5
Dwyrain Twthill / Twthill E 5 LL55 152 E5
Dyffryn LL54 40 B6
Dyffryn Ardudwy Burial Chambers★ LL44 92 F5
Dyffryn Ardudwy Prim Sch LL44 92 E5
Dyffryn Rd LL30 113 D2
Dyffryn Seaside Est LL44 92 D6
Dyfi Eco Pk / Parc Eco Dyfi SY20 163 C5
Dyfi Furnace (Mus)★ SY20 111 A2
Dyfi National Nature Reserve★ SY24 109 E1
Dyfi Terr SY20 103 D5
Dyfnant Terr LL24 57 F6
Dyserth Rd LL18 137 F8
Dyserth Rd / Ffordd Dyserth LL18 125 F7
Dysynni Wlk LL36 109 C7

E

Eagles Farm Rd / Ffordd Fferm Yr Eryr LL28 119 A3
East Ave LL49 158 D5
East Par LL18 125 B8
Eaton Ave LL29 120 C3
Ebberston Rd E LL28 119 E6
Ebberston Rd W LL28 119 D6
Edge Hill / Min Yrallt LL57 143 A7
Edmund St LL65 138 C5
Edmund St / Stryd Edmund 8 LL57 143 B6
Ednyfed Hill / Gallt Ednyfed LL68 4 F6
Edward Henry St LL18 125 A7
Edward's Holiday Camp LL22 124 A3
Edward St
Llandudno LL30 113 E3
Edward St *continued*
Penmaenmawr LL34 127 C5
Edward St / Heol Edward 8 LL55 152 E4
Edward St / Stryd Iorweath LL53 157 D3
Efail Newydd LL74 11 E2
Egerton Rd LL29 119 E5
Eifion Terr
Blaenau Ffestiniog LL41 156 D4
Talysarn LL54 40 D4
Y Ffor LL53 66 F6
Eifl Rd LL54 51 B5
Eirian Ave LL18 124 E4
Eirias High Sch / Ysgol Uwchradd Eirias LL29 120 B4
Eirias Rd LL29 120 B3
Eirias Terr LL29 120 F4
Eirias View / Trem Eirias LL29 120 A2
Elan Rd LL30 113 F1
Eldon Dr LL22 122 F2
Eldon Sq LL40 162 C2
Eldon Terr 15 LL57 142 F5
Eleanor Rd LL29 120 D3
Eleanor St / Heol Elinor 9 LL55 152 E4
Electric Mountain Visitor Ctr★ LL55 31 D3
Eleri Cl LL18 125 D5
Elfod LL22 123 B3
Elia Ct 9 LL29 120 A4
Elian Rd LL29 120 B3
Elias Terr LL75 16 D5
Elim Cotts LL56 147 C5
Elizabeth Villas LL30 113 D1
Ellesmere Rd LL29 119 F5
Ellin's Twr★ LL65 6 B5
Ellis Ave Old Colwyn LL29 121 A3
Rhyl / Y Rhyl LL18 125 A6
Ellis Way LL32 117 C4
Elm Gr LL18 125 D8
Elusendai LL58 17 D3
Elwy Circ LL18 124 E4
Elwy Dr LL18 125 D8
Elwy Gdns LL30 114 A1
Elwy Rd LL28 119 D8
Elwy St LL18 125 B7
Embankment Rd / Fford-y-Cob LL53 157 D4
Emery Down 4 LL30 114 A1
Emlyn Gr LL18 125 A7
Encil Pensarn LL23 159 C4
Endsleigh Rd LL29 120 E3
Engine Hill LL18 136 F2
England Road N / Lon Ysgubor Wen LL55 152 F6
England Road S / Y Clogwyn 4 LL55 152 E5
English Terr LL40 162 C2
Epworth Rd LL18 125 E4
Epworth Terr LL42 161 C5
Erasmus St LL34 127 D5
Erddig Cl LL30 117 F8
Ernestine Villas LL30 113 D1
Ernest St LL18 125 C6
Erskine Rd LL29 120 A4
Erskine Terr 2 LL32 117 E2
Erw Deg LL55 29 F3
Erwenni LL53 157 A4
Erw Faen LL57 149 E5
Erw Fair LL34 127 E5
Erw Fawr LL32 129 C2
Erw Goch LL22 123 B1
Erw Gwenllian 21 LL55 31 C3
Erw Hywel LL59 17 B1
Erw Las Bethesda LL57 150 C3
Rhyl / Y Rhyl LL18 125 F6
Erwporthor Chalet Pk LL36 109 E6
Erw Sant LL54 51 C3
Erw Wen Caeathro LL55 153 C2
Llanddulas LL22 121 E3
Erw Wen Rd LL29 120 A4
Eryl Pl LL30 113 D2
Esgyryn Rd LL31 118 C4
Esplanade Criccieth LL52 68 E5
Penmaenmawr LL34 127 D5
Eton Pk LL18 125 E1
Euston Rd / Ffordd Euston LL57 142 E4
Evelyn Rd / Lon Efelyn 3 LL57 142 F5
Everard Rd LL28 119 E7
Eversley Cl LL18 125 F5
Ewloe Dr LL30 117 F8
Ewr Fair 10 LL57 143 A6

F

Faenol Ave
Abergele LL22 123 C2
Tywyn LL36 109 C7
Faenol Isaf LL36 109 C7
Fairbourne Holiday Village LL38 99 D4
Fairbourne Railway★ LL38 99 D4
Fairbourne Sta LL38 99 D3
Fairfield Ave LL18 125 C8
Fairfield Cl
Llandudno Junction LL30 118 F8
Llandudno LL30 114 F1
Fairlands Cres LL18 125 F1
Fair Mount LL29 120 D3
Fairview
Blaenau Ffestiniog LL41 156 D4

Fairview *continued*
Menai Bridge / Porthaethwy LL59 142 B5
Fair View LL65 138 D6
Fair View Terr LL61 141 B4
Fairway LL28 119 D8
Fairways LL30 113 D1
Fairy Glen★ LL24 45 E4
Fairy Glen★ LL25 155 D1
Old Colwyn LL29 120 D3
Fairy Glen Rd LL34 128 C5
Farchnata Marketing Ctr / Y Ganolfan Farchnata LL49 158 B5
Farchynys Woodland Wlk★ LL40 94 A1
Fardre Hill LL22 135 F4
Farmer St LL71 10 A3
Farrar Rd / Ffordd Farrar LL57 142 F4
Farrington Ct LL30 114 F1
Fawnog Wen 7 LL48 70 D6
Fedwen Arian LL22 25 C2
Felindre SY20 111 B7
Felin Gerrig LL54 40 B3
Felin Graig LL77 139 F4
Felin Isaf / Smithfield Sq LL40 162 C2
Felin Isaf (Water Mill)★ LL28 130 C2
Felin Uchaf LL40 162 C1
Felin Hen Rd LL57 149 C6
Fernbrook Rd LL34 127 E5
Fern Cl 2 LL18 125 F8
Ferndale Rd LL31 118 A3
Fern Hill LL74 11 E1
Fern Way LL18 125 E8
Fern Wlk 1 LL18 125 F8
Ferry Farm Rd LL31 117 F3
Festiniog Rly★ LL41 71 B8

Fferm = farm

Fferm Bach Rd LL30 114 B1
Fferm Bwlch Mawr Touring Cvn Pk LL32 129 D4
Fferm Coleg Glynllifon LL54 39 F6
Fferm La LL30 118 B8
Ffestiniog Memorial Hospl LL41 156 D4
Ffestiniog Power Sta Visitor Ctr★ LL41 56 E3
Ffestiniog Rly Mus★ LL49 158 E3
Fford Bodlondeb LL40 162 B2
Fford Cader Idris / Cader Rd LL40 162 C2
Fford Cae Rhyg LL53 65 C7
Fford Coetmor LL57 150 B4
Fford Cwellyn LL55 152 F5
Fford Cynan / St George's Rd LL59 142 B5

Ffordd = road, way

Ffordd 6G / 6G Rd LL31 118 A2
Ffordd Aber LL18 125 E2
Ffordd Abercaseg / Abercaseg Rd LL57 150 D1
Ffordd Abergele LL22 25 F8
Ffordd Abergele / Abergele Rd LL18 137 B8
Ffordd Ainon / Ainon Rd LL57 142 E3
Ffordd Alban LL36 109 C7
Ffordd Angharad LL61 141 B4
Ffordd Anwyl LL18 125 E8
Ffordd Ashley / Ashley Rd 4 LL57 143 A5
Ffordd Bala / Bala Rd LL40 162 D3
Ffordd Bangor / Bangor Rd
Benllech LL74 11 E1
Bethesda LL57 150 B3
Caernarfon LL55 153 A8
Llanfairfechan LL33,LL34 126 F5
Penmaenmawr LL34 127 C5
Ffordd Barrfield / Barrfield Rd 5 LL18 125 F2
Ffordd Beaumaris / Beaumaris Rd LL58, LL59 142 E7
Ffordd Beibio LL65 138 F5
Ffordd Belmont / Belmont Rd LL57 142 D4
Ffordd Benar LL44 92 E5
Ffordd Berthddu / Betws Rd LL26 154 C2
Ffordd Bethel / Bethel Rd LL55 153 C7
Ffordd Blaenau / Blaenau Rd LL41 57 A1
Ffordd Bodnant / Bodnant Rd LL28 24 B7
Ffordd Bodnant Uchaf / Bodnant Uchaf Rd LL28 24 B7
Ffordd Bont Saint / Pwllheli Rd LL55 152 E1
Ffordd Brighton / Brighton Rd LL18 125 C7
Ffordd Bro Mynach / Monks Vale Rd LL42 161 B6
Ffordd Bronwydd LL57 141 F1
Ffordd Bruton LL18 125 F6
Ffordd Bryn Fran LL28 24 C5
Ffordd Bryngwyn LL55 30 F6
Ffordd Bryn Saith LL26 154 D8
Ffordd Brynsiencyn / Brynsiencyn Rd LL61 141 B3
Ffordd Bryn-y-Garn / Bryn-y-Garn Rd LL16 27 F3
Ffordd Bugail LL29 120 B2
Ffordd Burwen / Burwen Rd LL68 4 C5
Ffordd Bwclae / Buckley Rd 1 LL57 142 F5
Ffordd Cadfan LL36 109 C7
Ffordd Cadnant / Cadnant Rd LL59 142 B6
Ffordd Cae Duon LL54 53 B8
Ffordd Cae Forys LL28 24 C7
Ffordd Cae Glas LL18 125 F2
Ffordd Caerdydd / Cardiff Rd LL53 157 C4
Ffordd Caerdydd Uchaf / Upper Cardiff Rd LL53 157 C4
Ffordd Caergybi LL67 3 C6
Ffordd Caergybi / Holyhead Rd
Bangor LL57 142 D5
Llangefni LL62,LL77 139 B1
Star LL60,LL61 140 C4
Ffordd Caergybi / Holyhead Rd LL24 155 C5
Ffordd Caergybi / Holyhead Road LL61 141 D3
Ffordd Caergygi / Holyhead Rd LL60 21 C8
Ffordd Cae'r Melwr / Nebo Rd LL26 154 D3
Ffordd Caernarfon / Caernarfon Rd
Bangor LL57 142 D2
Caernarfon LL55 30 A8
Y Felinheli LL55,LL56 146 E1
Ffordd Cambria / Cambria Rd LL59 142 B4
Ffordd Cambrian / Cambrian Road LL36 109 C7
Ffordd Capel LL44 92 E6
Ffordd Capel-Coch / Capel-Coch Rd LL55 31 C3
Ffordd Caradoc LL65 7 C1
Ffordd Carnedd LL56 147 B5
Ffordd Carneddi / Carneddi Rd LL57 150 D2
Ffordd Castell / Castle St LL52 68 E4
Ffordd Ceiriog LL57 143 A6
Ffordd Celyn LL29 120 B2
Ffordd Celynin / Celynin Rd LL37 105 D8
Ffordd Cerrig Mawr LL65 13 A4
Ffordd Cibyn LL55 153 A4
Ffordd Cildwrn / Cildwrn Rd LL77 139 B5
Ffordd Clegir LL55 31 C3
Ffordd Clynnog / Clynnog Rd LL54 40 A3
Ffordd Coed Helen / Coed Helen Rd LL54 152 D3
Ffordd Coed Marion LL55 153 A4
Ffordd Coed Mawr LL57 142 D2
Ffordd Coetmor / Coetmor Rd LL57 150 C3
Ffordd Conwy / Conwy Rd LL34 127 E6
Ffordd Corn Hir LL77 139 C5
Ffordd Corsen LL38 99 D3
Ffordd Cors Y Llyn LL54 40 C1
Ffordd Craiglan LL24 155 D5
Ffordd Craiglun LL18 124 F3
Ffordd Craig Y Don / Craig Y Don Rd 6 LL57 142 F5
Ffordd Crawia LL55 30 E7
Ffordd Crigyll / Crigyll Rd LL64 19 B8
Ffordd Crwys LL57 148 A8
Ffordd Cwestenin / Constantine Rd LL55 152 E3
Ffordd Cwm / Cwm Rd LL34 127 D5
Ffordd Cwstenin 2 LL28 119 B4
Ffordd Cwt Glas LL44 92 E7
Ffordd Cynan LL57 148 A8
Ffordd Cynfal LL57 142 E4
Ffordd Cynlas LL74 11 E1
Ffordd Dawel LL29 120 B2
Ffordd Deiniol LL55 31 C6
Ffordd Deiniol / Deiniol Rd LL57 142 F4
Ffordd Denman 1 LL57 142 E3
Ffordd Derwen LL18 125 D5
Ffordd Dewi
Llandudno LL30 113 F2
Rhuddlan LL18 125 F1
Ffordd Dewi Sant LL53 65 C7
Ffordd Dinas LL33 126 D1
Ffordd Dulyn LL30 113 D1
Ffordd Dwyfor LL30 113 F1
Ffordd Dyfed LL36 109 C7
Ffordd Dyffryn LL28 119 B5
Ffordd Dyfrig LL36 109 D7
Ffordd Dyrpac / Kings Cres LL42 161 C5
Ffordd Dyserth / Dyserth Rd LL18 125 F7
Ffordd Efail Uchaf LL26 154 D8
Ffordd Eglwys LL58 17 F4
Ffordd Elan LL18 125 F8
Ffordd Eleth LL72 11 E5
Ffordd Elfed LL57 143 B3
Ffordd Elias LL29 121 A3
Ffordd Elidir LL55 152 F5
Ffordd Elisabeth LL30 113 E1
Ffordd Eithinog LL57 142 C3
Ffordd Emrys LL22 122 F1
Ffordd Eryr LL28 119 B4
Ffordd Eryri LL55 152 E2
Ffordd Euryn LL28 119 B5
Ffordd Euston / Euston Rd LL57 142 E4
Ffordd Farrar / Farrar Rd LL57 142 F4
Ffordd Felin Seiont / Seiont Mill Rd LL55 152 E2
Ffordd Fer 2 LL65 138 D5
Ffordd Feurig LL65 138 E4
Ffordd Fferm Yr Eryr / Eagles Farm Rd LL28 119 A3
Ffordd Ffridd Isa LL44, LL43 93 A5
Ffordd Ffriddoedd / Ffriddoedd Rd LL57 142 E4
Ffordd Ffynnon
Rhuddlan LL18 125 E2
Tywyn LL36 109 C7
Ffordd Fodolydd / Fodolydd La LL56 147 E5
Ffordd Frydlas / Frydlas Rd LL57 150 D2
Ffordd Ganol LL18 125 F2
Ffordd Garth / Garth Rd 12 LL57 143 A5
Ffordd Garth Uchaf / Upper Garth Rd LL57 143 A6
Ffordd Gefin Belgrave / Back Belgrave Rd 10 LL29 120 A4
Ffordd Gelli Morgan LL57 147 E8
Ffordd Gerlan / Gerlan Rd LL57 150 E2
Ffordd Gethin LL24 155 A6
Ffordd Glandwr LL77 139 D4
Ffordd Glanffynnon LL55 30 E6
Ffordd Glanmoelyn LL55 30 E6
Ffordd Glan Mor LL46 160 E5
Ffordd Glan-Mor LL43 92 E4
Ffordd Glasgoed LL55 153 A5
Ffordd Glyder LL56 147 B5
Ffordd Glynne / Glynne Rd LL57 143 A6
Ffordd Gobaith LL28 119 B5
Ffordd Gogor LL16 37 C8
Ffordd Gorad / Gorad Rd LL57 142 F6
Ffordd Gors LL44 92 F5
Ffordd Groes LL22 26 B4
Ffordd Groes / Cross St LL54 40 B4
Ffordd Gwelfryn LL22 123 C4
Ffordd Gwenllian
Llanfairpwllgwyngyll LL61 141 B4
Nefyn LL53 65 C7
Ffordd Gwynan / Gwynan Rd LL34 127 D5
Ffordd Gwyndy LL57 142 B2
Ffordd Gwynedd
11 Bangor LL57 143 A5
Llandudno LL30 113 F2
Tywyn LL36 109 C7
Ffordd Gyffylog LL28 24 B5
Ffordd Gylam Bach LL46 160 E6
Ffordd Haearn Bach / Tram Rd LL54 40 A4
Ffordd Ha Fryn LL29 120 B2
Ffordd Hampton / Hampton Rd 11 LL55 152 E4
Ffordd Hebog LL56 147 B5
Ffordd Helen / Helen Terr LL56 147 A2
Ffordd Helyg / Helyg Rd LL34 127 D5
Ffordd Henbarc / Henbarc Rd LL57 150 C4
Ffordd Hen Conwy / Conwy Old Rd LL34 127 E6
Ffordd Henddol LL38 99 D3
Ffordd Hendre LL57 142 D2
Ffordd Hendrewen / Hendrewen Rd LL57 142 F3
Ffordd Hen Eglwys / Old Church Rd LL24 155 D6
Ffordd Hen Ysgol / Old School Rd LL65 138 A6
Ffordd Heulog LL40 162 C2
Ffordd Heulog / Sun St LL41 72 A8
Ffordd Hirnos LL65 138 E4
Ffordd Hwfa LL77 139 D4
Ffordd Hwfa / Hwfa Rd LL57 142 F5
Ffordd Iago LL54 40 B6
Ffordd Idwal LL22 134 F6
Ffordd Iorwerth LL53 65 C7
Ffordd Isaf
Colwyn Bay / Bae Colwyn LL28 119 C4
Dyffryn Ardudwy LL44 92 E6
Harlech LL46 160 D4
Ffordd Islwyn LL57 143 A6
Ffordd Jasper LL65 138 E4
Ffordd Las
Llandudno LL30 113 F2
Rhyl / Y Rhyl LL18 125 C6
Ffordd Llanbeblig / Llanbeblig Rd LL55 153 A3
Ffordd Llanberis / Llanberis Rd LL55 153 C4
Ffordd Llanddoged / Llanddoged Rd LL26 154 B6
Ffordd Llandegai / Llandegai Rd LL57 143 C4
Ffordd Llaneilian / Llaneilian Rd LL68 4 F5
Ffordd Llanelwy LL22 25 F8
Ffordd Llanllechid / Llanllechid Rd LL57 150 C5
Ffordd Llechi LL64 19 A8
Ffordd Llewelyn LL65 7 E2
Ffordd Llifon LL77 139 D4
Ffordd Lligwy LL72 11 E5
Ffordd Llundain / London Rd LL65 13 C7
Ffordd Llwyndu / Llwyndu Rd LL54 40 B4
Ffordd Llwyn Du / Llwyn Du Rd LL28 24 C4
Ffordd Llwyn Mynach LL42 161 B6
Ffordd Madyn LL68 4 E5
Ffordd Maelgwyn LL31 118 C1
Ffordd Maelog LL64 19 B7
Ffordd Maes Barcer LL55 152 F4
Ffordd Maeshyfryd / Maeshyfryd Rd LL77 139 E5
Ffordd Marchlyn LL55 152 F5
Ffordd Meifod / Meifod Rd LL16 27 F3
Ffordd Meigan 2 LL58 17 F3
Ffordd Meirion / Meirion Rd LL57 142 F6
Ffordd Meirion Rd LL38 99 D3
Ffordd Mela LL53 157 C3
Ffordd Menai LL55 152 F6
Ffordd Menai / Menai Rd LL57 142 F6
Ffordd Minffordd LL55 30 E6
Ffordd Morfa
Harlech LL46 160 E6
Llandudno LL30 113 F2
Ffordd Morfa Bychan LL49 158 B2
Ffordd Morley / Morley Rd LL18 125 C7
Ffordd Morris LL18 125 F1
Ffordd Mynach LL28 119 A4
Ffordd Mynach / Mynach Rd LL42 161 B6
Ffordd Mynydd Griffiths SY20 163 D5
Ffordd Naddyn LL28 130 C4
Ffordd Nant
Kinmel Bay / Bae Cinmel LL18 124 F3
Llangefni LL77 139 D4
Rhuddlan LL18 125 F2
Ffordd Nasareth LL54 40 B1
Ffordd Nebo LL54 40 B1
Ffordd Neifion / Neptune Road LL36 109 C7
Ffordd Newydd LL46 160 D4
Ffordd Newydd / Abergele Rd LL26 154 C4
Ffordd Newydd / New Rd
Llanddulas LL22 122 A2
Llandudno Junction LL31 118 A3
9 Rhuddlan LL18 125 F1
Ffordd Offa LL18 125 F6
Ffordd Dolafon LL77 139 E5
Ffordd Padarn / Padarn Rd 20 LL55 31 C3
Ffordd Pafiliwn 1 LL55 152 E4
Ffordd Pandy
Caernarfon LL55 153 A4
Colwyn Bay / Bae Colwyn LL29 120 B3
Ffordd Panteinion
Dyffryn Ardudwy LL44 92 E7
Fairbourne LL38 99 D3
Ffordd Pant / Pant Rd
Bethesda LL57 150 D2
Caernarfon LL54 152 E1
Ffordd Parc Castell LL18 136 F4
Ffordd Pari / Parry Rd LL26 154 B4
Ffordd Pedrog
Llanbedrog LL53 81 B6
Mynytho LL53 81 A5
Ffordd Penamser / Penamser Rd LL49 158 B5
Ffordd Penchwintan / Penchwintan Rd LL57 142 E3
Ffordd Penclip / Druid Rd LL59 142 B6
Ffordd Pendinas LL57 149 F5
Ffordd Pendyferyn LL65 7 E2
Ffordd Penlan
Bangor LL57 147 E8
11 Llangefni LL77 139 D4
Ffordd Pen Llech LL46 160 E5
Ffordd Penmynydd
Llanfairpwllgwyngyll LL61 141 C5
Menai Bridge / Porthaethwy LL59 141 E7
Ffordd Pennant / Pennant Rd LL28 24 B4
Ffordd Penrhos / Penrhos Rd LL57 142 C2
Ffordd Penrhyd LL28 23 F6
Ffordd Penrhyd / Penrhyd Rd LL28 24 A6
Ffordd Penrhyn LL30 113 F2
Ffordd Pentraeth / Pentraeth Rd
Menai Bridge / Porthaethwy LL59 141 F6
Pentraeth LL79 16 F2
Ffordd Pentre Mynach LL42 161 B7
Ffordd Penybonc / Penybonc Rd LL68 4 E6
Ffordd Penybryn / Penybryn Rd LL55 152 F1
Ffordd Pen Y Bryn / Penybryn Rd LL57 143 C5
Ffordd Pen Y Cefn / Pen Y Cefn Rd LL40 162 C3
Ffordd Pen Y Ffridd / Pen Y Ffridd Rd LL57 142 C2
Ffordd Pont Lloc LL54 40 C1
Ffordd Porth Llechog / Bull Bay Rd LL68 4 D6
Ffordd Porthmadog / Porthmadog Rd LL52 68 F5
Ffordd Rhedyw / Rhedyw Rd LL54 40 A2
Ffordd Rhiannon LL61 141 B4
Ffordd Rhiwlas / Rhiwlas Rd LL28 24 B4
Ffordd Richard Davies LL17 27 E8
Ffordd Russell / Russell Rd LL18 125 C8
Ffordd Sackville / Sackville Rd 3 LL57 142 F4
Ffordd Sam Pari LL32 117 B3
Ffordd Santes Helen / St Helen's Rd LL55 152 E3
Ffordd Segontiwm / Segontium Rd S 7 LL55 152 E3
Ffordd Seion 4 LL57 143 B6
Ffordd Seiriol LL72 11 E5
Ffordd Seiriol / Seiriol Rd LL34 127 D5
Ffordd Siabod LL56 147 B4
Ffordd Siglen LL29 120 B3
Ffordd Siliwen / Siliwen Rd LL57 143 A7
Ffordd Talcymerau / Talcymerau Rd LL53 157 B3
Ffordd Talwrn LL75 16 D5
Ffordd Talybont / Talybont Rd LL26 154 B4
Ffordd Tanlan LL21 61 B7
Ffordd Tan'r Allt LL22 122 F1
Ffordd Tanrhiw LL57 149 E5
Ffordd Tan Y Bryn LL57 143 B5
Ffordd Tanybryn / Tanybryn Rd LL68 4 D5
Ffordd Tan Y Bwlch / Tanybwlch Rd LL57 150 D5
Ffordd Tan Y'r Ysgol / School Bank Rd LL26 154 C3
Ffordd Tegai LL57 143 B4
Ffordd Tegid LL57 143 A6
Ffordd Teifion LL61 141 C5
Ffordd Telford / Telford Rd LL59 142 B4
Ffordd Terfyn LL18 136 C5
Ffordd Terr LL76 16 C7
Ffordd Tirionfa LL29 120 E3
Ffordd Treborth / Treborth Rd LL57 142 A2
Ffordd Triban LL28 119 D3
Ffordd Trwyn Swch LL26 154 D8
Ffordd Tudno LL30 113 F2
Ffordd Tudur LL65 138 E5
Ffordd Ty Canol LL46 160 E7
Ffordd Ty Cerrig LL54 40 B1
Ffordd Tyddyn-y-Felin LL43 92 F4
Ffordd Ty Du / Ty Du Rd LL55 31 C3
Ffordd Ty Gwyn LL26 154 D2
Ffordd Ty Gwyn / Ty Gwyn Rd LL28 24 A6
Ffordd Tyn Clwt LL57 142 B1
Ffordd Tyrpeg Uchaf LL26 154 D8
Ffordd Tysilio LL59 142 A5
Ffordd Uchaf
Colwyn Bay / Bae Colwyn LL28 119 C4
Harlech LL46 160 E4
Ffordd Uwchglan LL46 160 D1
Ffordd Victoria / Victoria Rd 34 LL55 152 E4
Ffordd Wellington / Wellington Rd LL18 125 A7
Ffordd Wern LL55 153 A4
Ffordd Wern Ddu / Blackmarsh Road LL28 119 A4
Ffordd Wiga LL31 118 F7
Ffordd William Morgan LL17 137 D1
Ffordd Wynfa LL65 138 C5
Ffordd-y-Berllan LL22 124 B2
Ffordd-y-Berth LL22 135 C6
Ffordd-y-Brenin / King's Rd LL54 40 B4
Ffordd Y Briws LL44 92 E6
Ffordd Y Bryn LL38 99 D3
Ffordd-y-Bryn LL28 119 B5
Ffordd Y Bryniau LL22 135 B3
Ffordd Y Castell LL57 143 B4

Ffordd-y-Cob / Embankment Rd LL53 157 D4
Ffordd Y Coleg LL37 105 D8
Ffordd Y Coleg / Askew St LL59 142 B5
Ffordd Y Coleg / College Rd LL57 142 F5
Ffordd-y-Fedwen LL29 120 B2
Ffordd-y-Felin LL36 105 E2
Ffordd Y Felin LL40 162 D2
Ffordd Y Ffair / Wood St LL59 142 B5
Ffordd Y Ffynnon / Well St 6 LL57 143 A5
Ffordd Y Garddi LL23 159 D4
Ffordd-y-Glyn LL53 81 D6
Ffordd y Glyn / Valley Rd LL29 120 A2
Ffordd Y Gogledd / North Rd LL55 152 E6
Ffordd-y-Graig
Llanddulas LL22 121 E3
Old Colwyn LL29 121 A3
Ffordd Y Llan LL44 92 E6
Ffordd-y-Llan LL29 121 B2
Ffordd Y Llyn
Bangor LL57 147 E8
Nebo LL54 40 C1
Ffordd-y-Maer
Colwyn Bay / Bae Colwyn LL28 119 B4
Pwllheli LL53 157 D5
Ffordd-y-Marian / Marian Rd LL40 162 C2
Ffordd y Mor 1 LL67 3 D6
Ffordd Y Morfa LL22 123 B2
Ffordd-y-Morfa LL22 123 B3
Ffordd Y Mynydd LL22 25 F8
Ffordd Y Mynydd / Mountain Rd LL57 150 D5
Ffordd Y Mynydd / Mount St LL57 143 B5
Ffordd Y Neuadd LL44 92 E6
Ffordd Y Paced / Water St LL59 142 B4
Ffordd Y Parc
Bangor LL57 147 E8
Nebo LL54 53 A8
Treborth LL57 141 E1
Ffordd y Pier / Pier Road LL36 109 C7
Ffordd Yr Aber / Aber Foreshore Rd LL54 152 C4
Ffordd Yr Alarch / Swan Rd LL28 119 A3
Ffordd-yr-Drsaf / Station Rd LL54 40 A4
Ffordd Yr Efail
Dyffryn Ardudwy LL44 92 E6
6 Llangefni LL77 139 D4
Ffordd Yr Elen LL57 150 D3
Ffordd Yr Hafod / Hafod La LL57 148 A6
Ffordd Yr Orsaf / Station Rd
Bangor LL57 142 F4
Dyffryn Ardudwy LL44 92 E6
Llanrug LL55 30 E6
Ffordd Yr Orsedd LL30 113 E1
Ffordd-yr-Ucheldir / Highland's Rd LL18 125 E2
Ffordd Yr Wyddfa LL29 119 F2
Ffordd yr Ysgol / School La LL76 16 C7
Ffordd Ysbyty / Hospital Rd LL30 113 E1
Ffordd Ysgethin LL4,LL43 92 E5
Ffordd Ysgubor Goch LL55 152 F4
Ffordd-y-Sir / County Rd LL54 40 B4
Ffordd Y Stesion / Station Rd LL57 150 B2
Ffordd y Traeth LL67 3 C6
Ffordd Y Traeth / Strand St 14 LL57 143 B6
Ffordd Y Tywysog / Prince's Rd 5 LL57 142 F5
Ffordd y Wylan 6 LL67 3 D6
Ffordd-y-Wylan LL64 19 B8
Fford Glancymerau LL53 157 B3
Fford Mona / Mona Rd LL59 142 A4
Fford-y-Castell / Castle St LL18 125 E1
Fford-y-Faenor / Manor Ave LL53 157 D3
Fford Y Felin LL37 105 D8
Fford-y-Pentre LL31 118 D5
Ffordd Y Wendon / Wendon Dr LL68 4 E6
Fforrd y Felin LL67 3 C5
Ffos-y-Felin / Smithfield St LL40 162 C2
Ffridd Elin LL42 161 B7
Ffriddoedd Rd / Ffordd Ffriddoedd LL57 142 E4
Ffrith Rd LL31 118 D4
Ffrwd Galed LL57 149 F4
Ffrydan Rd / Heol Ffrydan LL23 159 D5
Ffynnon Arian LL36 109 C7
Ffynnon Ddoged LL26 154 D8
Ffynnongroew Rd LL18 125 B7
Ffynnon Nefydd LL16 27 B5
Ffynnon Sadwrn La LL30 114 D3
Field St Brynsiencyn LL61 21 F2
Valley / Y Fali LL65 7 E2
Field St / Stryd Cae LL57 142 E5
Field St / Stryd-y-cae 5 LL77 139 D4
Finsbury Sq / Porth Canol LL40 162 C2
First Ave LL28 119 C8
Fish Dock LL65 138 E6
Fodolydd La / Ffordd Fodolydd LL56 147 E5
Foelas Terr LL26 45 F6
Foel Farm Pk* LL61 152 C8
Foel View Rd LL18 125 E6
Foreshore Pk LL28 115 D1
Foreshore Rd / Ffordd Yr Aber LL54 152 C4
Forest Garden Arboretum* LL40 95 C5
Forest Rd LL24 155 C6
Forge Hill LL65 138 D6
Forge Rd SY20 163 E4
Foryd Rd LL18 124 D5
Fountain St / Stryd Y Pistyll 12 LL57 143 B6
Four Crosses
Bangor LL57 141 F1
Menai Bridge / Porthaethwy LL59 141 F6
Foxhall Cl / Clos Foxhall LL29 120 A2
Frances Ave LL18 125 D5
Francis Ave
Fairbourne LL38 99 D4
Rhos On S LL28 119 E6
Frank Villas LL30 113 D1
Frankwell Cl LL36 109 D7
Frankwell St LL36 109 C7
Frederick St LL18 125 A5
Friars Ave / Rhodfa's Brodyr 5 LL57 143 B6
Friars Cotts LL57 143 B5
Friars' Rd LL57 143 B5
Friar's Wlk / Lon Y Brodyr 7 LL57 143 A6
Friog Terr LL38 99 D3
Froheulog 4 LL48 70 D6
Fro Heulog Terr LL40 162 D2
Fron LL67 3 C6
Fron Bant LL57 150 E2
Fron Cres LL33 126 D1
Frondeg Llanfair LL46 160 D1
Penmachno LL24 45 D1
Fron-deg LL54 40 B6
Fron Deg
Llandegfan LL59 142 D8
Llanfairpwllgwyngyll LL61 141 C5
Rhostryfan LL54 40 D8
Fron-Deg Rd LL30 114 E1
Frondeg St LL57 150 C4
Frondeg St / Lon Frondeg 3 LL57 143 A5
Frondirion LL40 162 C3
Fron Eithin LL62 20 D3
Fron Fair LL41 71 C7
Fron Farm / Y Fron LL59 141 F6
Fron Fawr LL41 156 C4
Fronfelen Terr LL44 92 E6
Fron Felin Terr LL42 161 C5
Fron Francis Cvn Pk LL26 154 A8
Frongain LL23 88 F5
Fron-galed LL41 72 A3
Fron Goch 24 LL55 31 C3
Fron-goch LL41 71 C7
Frongoed LL16 38 D5
Fronheulog LL77 14 F3
Fron Heulog LL59 141 F6
Fron Heulog Terr 14 LL57 142 F5
Fronhill LL46 160 E2
Fron Hyfryd LL53 50 F2
Fron Pk Ave LL33 126 C2
Fron Rd LL29 120 C3
Fron Rd / Lon Fron LL77 139 D3
Fron Serth LL40 162 E2
Fron Terr 5 LL29 120 D3
Fron Uchaf LL29 119 E2
Fronwnion LL40 162 B2
Fronwynion St LL41 72 A2
Fronwynion Terr 6 LL41 72 A2
Fryars Bay LL58 18 A4
Frydlas Rd / Ffordd Frydlas LL57 150 D2
Fyny'r Allt / Town Hill LL26 154 C4

G

Gadlas Rd LL29 121 D1
Gadlys Cvn Site LL70 11 C5
Gadlys La 7 LL58 17 F2
Gaerwen Ind Est LL60 21 E6
Gaerwen Uchaf LL60 21 F6
Gaingc Rd LL22 123 F5
Gallt Ednyfed / Ednyfed Hill LL68 4 F6
Gallt Y Sil LL55 152 F3
Gamar Rd LL29 121 D2
Gambier Terr 6 LL57 143 A6
Gamlin St LL18 125 B7
Ganllwyd Prim Sch / Ysgol Gynradd Y Ganllwyd LL40 95 A7
Gannock Pk LL31 117 E5
Gannock Pk W LL31 117 D6
Gannock Rd LL31 117 D5
Gaol St LL58 17 F3
Gaol St / Stryd Moch LL53 157 C5
Garage St LL30 113 F2
Gardd Denman LL57 142 E3
Gardd Eryri LL34 116 B2
Gardd Y Mor / Marine Gdns LL31 117 D6
Garden Dr LL30 115 A1
Garden La / Y Gerddi LL65 13 C7
Garden Pl
Holyhead / Caergybi LL65 138 E4
Porthmadog LL49 158 E4
Garden St 2 LL30 113 E3
Garden Terr LL63 19 E3
Garden Village SY20 163 E4
Gareth Cl LL18 125 D6
Garfield Terr 8 LL57 143 A6
Garneddwen SY20 108 C7
Garneddwen Rd LL57 150 D2
Garnett Ave LL18 125 B6
Garnon St / Stryd Garnon 28 LL55 152 E4
Garreg Domas LL65 138 D6
Garreg Frech LL48 70 D8
Garreglwyd LL74 11 E1
Garreg Lwyd LL36 109 D7
Garreglwyd Pk LL65 138 B5
Garreglwyd Rd LL65 138 C5
Garreg Terr LL48 70 D8
Garreg Wen Cvn Pk LL49 158 B1
Garreg Wen Est LL68 10 B6
Garsiwn SY20 163 D4
Garth Clarendon LL18 124 E3
Garth Cvn Pk SY20 163 F5
Garth Dr / Rhodfa'r Garth LL60 21 F6
Garth Gopa LL22 121 F3
Garth Hill / Allt Y Garth 2 LL57 143 A6
Garth Morea LL18 124 E3
Garth Rd
Aberdovey / Aberdyfi LL35 109 F3
Colwyn Bay / Bae Colwyn LL29 120 B3
Holyhead / Caergybi LL65 138 C7
Llansanffraid Glan Conwy LL28 130 C3
Llansanffraid Glan Conwy,Pentrefelin LL28 130 C2
Machynlleth SY20 163 E5
Porthmadog LL49 158 D3
Garth Rd / Ffordd Garth 12 LL57 143 A5
Garth Rd N 5 LL28 119 B4
Garth Rd S 6 LL28 119 B4
Garth Terr LL49 158 D3
Garthwen LL33 126 C3
Garth Wen LL58 17 F5
Garth Y Felin LL65 7 D2
Garth-yr-Esgob LL52 68 D4
Gar-y-Graig LL77 139 E4
Gas La / Tan Y Fynwent LL68 4 E5
Gasworks La SY20 163 C4
Gefnan LL57 31 F8
Geinionydd Lodge LL27 34 F6
Gele Ave LL22 123 B1
Gelert's Grave* LL55 55 B6
Gelert St / Heol Gelert 3 LL55 152 E3
Gelli For LL18 125 F6
Gellilyden Terr LL41 71 E6
George St
Holyhead / Caergybi LL65 138 D6
Llandudno LL30 113 E3
George St / Stryd Sior LL26 154 B4
Gerafon LL67 3 B5
Ger Afon LL53 81 C6
Geraint Rd / Lon Geraint LL52 68 E5
Gerddi LL53 64 F6
Gerddi Benar LL54 29 F1
Gerddi Hafod Lon LL59 142 E8
Gerddi Menai LL55 152 E6
Gerddi Penlon / Penlon Gdns LL57 143 B5
Gerddi'r Morfa LL32 117 C3
Gerddi Stanley 3 LL58 17 F3
Gerddi Victoria / Victoria Gdns LL29 119 F3
Gerlan Est LL65 7 F1
Gerlan New Rd LL57 150 D2
Gerlan Rd / Ffordd Gerlan LL57 150 E2
Gerlan Terr LL57 150 E1
Gernant LL57 150 D1
Ger Nant LL57 142 E3
Ger-y-Bont LL53 67 A3
Ger-y-Felin LL61 29 B8
Ger-y-Glyn LL34 128 C6
Ger-y-Mor LL22 123 B4
Ger Y Mor LL64 19 A7
Ger Y Mynydd LL57 143 A5
Ger-y-nant LL53 81 C7
Ger Y Winllan LL77 139 F4
Gethin Sq LL24 45 C1
Geufron LL18 125 C7
Geufron Terr LL41 156 D5
Geulan Rd LL29 121 B1
Gewlfor LL54 40 E8
Gilbert St LL65 138 E4
Gilfach Ddu Sta* LL55 31 D3
Gilfach Goch LL59 142 A6
Gilfach Nant-y-Glyn LL31 118 C3
Gilfach Rd
Llandudno Junction LL31 118 E6
Penmaenmawr LL34 127 D5
Gilfach Wen LL59 142 A6
Gillian Cl LL18 125 E5
Gillian Dr LL18 125 E5
Gimblet Rock Cvn Pk LL53 157 F3
Gipsy La LL18 125 A1
Gladstone Terr
Blaenau Ffestiniog LL41 156 D4
Groeslon LL54 40 B6
Llanerchymedd LL71 10 A3
Gladys Gr 3 LL29 120 A4
Glan Aber LL28 24 B6
Glanaber Terr
Barmouth / Abermaw LL42 161 D4
Cwm Penmachno LL24 57 F6
Glanaber Trad Est LL18 125 D7
Glan Afon LL53 157 A4
Glanafon St LL57 150 C2
Glanafon Terr LL32 129 D6
Glan Afon Terr 6 LL53 157 D5
Glan Cadnant LL55 152 F4
Glan Cefni 3 LL77 139 D4
Glan Collen LL22 25 C2
Glan Conwy Sta LL28 130 C5
Glan Cymerau LL53 157 B3
Glan Ddwyryd LL53 157 C6
Glan Dovey Terr LL35 109 F2
Glan Dulyn LL32 23 D3
Glan Dwr Belgrano LL22 123 C4
Dwyran LL61 29 B8
Glandwr Cres LL18 124 E4
Glandwr Rd / Lon Glandwr LL57 143 B7
Glandwr Terr
Blaenau Ffestiniog LL41 156 B4
Deiniolen LL55 31 C5
Glan-dwr Terr LL57 143 B7
Glan Erch LL53 66 F3
Glan Ewly LL22 26 C5
Glanf Arw LL28 23 F6
Glan Ffrydlas LL57 150 D1
Glanffynnon 5 LL55 30 E6
Glanglasfor 4 LL18 125 B7
Glan Gors LL46 160 E6
Glan Gwna Holiday Pk LL55 153 C3
Glanhwfa Rd / Lon Glanhwfa LL77 139 D3
Glanlliw LL23 88 D5
Glan Llyfnwy LL54 40 E4
Glan Llyn Llanfachraeth LL65 8 C1
Llanfairpwllgwyngyll LL61 141 A4
Glan Menai LL57 141 F1
Glan Moelyn 7 LL55 30 E6
Glan Mor LL55 152 D4
Glanmor Rd LL33 126 C3
Glan Mor Ucha / Crown St 7 LL55 152 D4
Glannau Tegid LL23 159 D4
Glan Ogwen LL57 150 D1
Glan Peris LL55 153 A4
Glan Pwll LL53 65 C7
Glanrafan Est LL55 29 F3
Glanrafon Abergele LL22 123 B1
Bangor LL57 143 A5
Bethesda LL57 150 E2
23 Llanberis LL55 31 C3
Llanrwst LL26 154 B4
Glanrafon Ave LL30 114 D3
Glanrafon Bach LL68 3 C3
Glanrafon / Glanrafon Terr LL55 31 F1
Glanrafon Hill / Allt Glanrafon LL57 142 F5
Glanrafon Terr LL31 117 F4
Glan'r-afon Terr LL24 33 E1
Glanrafon Terr / Glanrafon LL55 31 F1
Glan Rd LL28 119 B4
Glan Rhonwy LL54 40 E4
Glanrhos LL44 92 E6
Glanrhos Terr LL44 92 E6
Glan Rhyd LL53 157 C4
Glanrhyd / Conwy Terr LL26 154 B4
Glan Seiont LL55 152 F2
Glan Tryweryn LL23 75 C6
Glan Wendon LL36 109 B8
Glanwern Terr LL53 67 D5
Glanwydden Rd LL31 118 F7
Glan-y-Borth Holiday Village LL26 154 C3
Glan Y Don Parc LL68 4 C7
Glan-y-Fedw LL22 25 F8
Glan-y-Mor
Aberffraw LL63 19 E3
Abergele LL22 123 A3
Glan Y Mor
Caernarfon LL55 152 D4
Fairbourne LL38 99 D4
Glan-y-Mor LL28 130 C4
Glan Y Mor / Beach Rd LL56 147 A3
Glan Y Morfa Ind Est LL18 125 A5
Glan-y-Mor Rd
Llandudno Junction LL31 117 F4
Glan-y-Mor Rd *continued*
Llandudno LL30 115 B2
Old Colwyn LL29 120 F4
Rhosneigr LL64 19 A8
Glanypwll Rd LL41 156 B5
Glan-Yr-Afon Amlwch LL68 4 E5
Cwm Penmachno LL24 57 F6
Glan-yr-Afon Rd
Dwygyfylchi LL34 116 B2
Llanfairfechan LL33 126 F2
Glan Yr Afon Terr LL41 56 E3
Glan Ysgethin LL43 92 F4
Glan Y Wern LL41 156 D2
Glan-y-Wern
Talsarnau LL47 70 C1
Tyn-y-groes LL32 23 E6
Glan-y-Wern Rd LL28 119 B5
Glas Coed LL29 121 A2
Glascoed Ave LL18 124 C5
Glascoed Rd LL17 27 E8
Glasdir Copper Trail* LL40 95 B5
Glasffordd LL73 11 D3
Glasfor Terr LL42 161 C5
Glasfryn LL16 27 F3
Glasfryn Terr
Fairbourne LL39 99 F4
Pencaenewydd LL53 67 A8
Glasgoed LL62 20 B3
Glas Goed LL31 118 B4
Glasgoed Rd 7 LL67 3 D6
Glasgwm Rd LL24 45 C1
Glaslyn St / Stryd Glaslyn LL49 158 D5
Glassblobbery The* LL21 62 C1
Glendower Ct 1 LL18 125 C8
Glendower Cvn Pk SY10 91 F1
Glenfor LL22 123 A1
Glen Morfa LL22 124 B3
Glen Morfa Cvn Pk LL31 118 B2
Glenmorfa Terr LL49 158 A7
Glen Traeth LL57 143 C5
Glen View LL22 134 A6
Glen Wnion LL40 96 D5
Glen-y-gors Terr LL63 19 D7
Gloddaeth Ave LL30 113 D3
Gloddaeth Cres LL30 113 D3
Gloddaeth La LL31 118 D7
Gloddaeth St LL30 113 D3
Gloddaith View LL30 114 F1
Gloddfa Ganol Slate Mine* LL41 156 B6
Gloddfa Rd LL42 161 C4
Glon Barlwyd LL41 156 B5
Glydar LL28 130 C3
Glyn Afon Terr LL55 31 C5
Glyn Afon Terr / Tai Glyn Afon LL55 30 D2
Glyn Ave Abergele LL22 123 B2
Colwyn Bay / Bae Colwyn LL29 120 B2
Rhyl / Y Rhyl LL18 125 E6
Glyn Ave / Rhodfa Glyn 3 LL18 125 F2
Glyn Circ LL18 124 E4
Glynderwen SY20 111 E6
Glyndwr Rd LL29 121 D1
Glyndwr St / Heol Glyndwr LL40 162 C2
Glyn Garth Ct LL59 142 E8
Glyn Garth Mews LL59 142 E8
Glyn Isaf LL31 118 B3
Glynllifon St LL41 156 D4
Glynllifon Terr / Rhes Glynllifon LL54 40 B6
Glynne Rd / Ffordd Glynne LL57 143 A6
Glyn Rhonwy LL55 31 C3
Glyn Terr
Borth-y-Gest LL49 158 C1
Dwygyfylchi LL34 128 C6
Glyn-y-Marian LL53 81 D6
Glyn-y-marl Gdns LL31 118 B3
Glyn-y-Marl Rd LL31 118 B3
Glyn-y-Mor LL53 81 C6
Gnat Wlk LL65 13 A3
Godre Meurig LL38 99 D3
Godre'r Coed LL21 77 F8
Godre'r Gaer LL37 105 D8
Godre'r Garn LL16 27 F3
Godre'r Graig LL16 27 B5
Godre'r Parc LL57 149 E3
Godrer Twr LL65 138 B5
Goedlodd La LL31 118 D5
Goedwig St LL71 10 A3
Gofer LL22 136 A7
Gogarth Ave LL34 116 A1
Gogarth Rd LL30 113 C3
Golden Gate Holiday Ctr LL22 123 F5
Golden Gr LL18 125 D5
Golden Sands Holiday Camp LL18 124 C5
Golden Sunset Cvn Pk LL74 11 F1
Goleufryn LL57 142 B1
Golygfa Sychnant / Sychnant View LL34 116 B1
Gongl Rhedyn 9 LL67 3 D6
Goodman St / Stryd Goodman 10 LL55 31 C3
Gorad Rd LL65 7 E3
Gorad Rd / Ffordd Gorad LL57 142 F6
Gorddinog Cres LL58 17 F6

Gordon Ave
Colwyn Bay / Bae Colwyn LL28 119 D8
Rhyl / Y Rhyl LL18 125 A7
Gordon Terr
9 Bangor LL57 143 A6
Bethesda LL57 150 B2
Gorffwyafa LL61 29 B8
Gorlan LL32 117 C1
Gorllewin Twthill / Twthill W 5 LL55 152 E4
Goronwy Gdns LL30 115 A1
Goronwy St / Stryd Goronwy LL57 150 E1
Gors Ave LL65 138 B5
Gorsefield Rd LL32 117 C3
Gorse Hill Cvn Pk LL32 129 E3
Gors Goch LL59 142 A5
Gors Las LL59 142 A5
Gors Rd LL22 124 B2
Gorwel Abergele LL22 123 B3
Amlwch LL68 4 E5
Llanfairfechan LL33 126 D2
Gorwel Deg LL77 15 A1
Gorwelion LL65 7 D3
Gower Rd Llanrwst LL26 154 A5
Mochdre LL28 119 B5
Trefriw LL26,LL27 34 F5
Graham Dr LL18 125 D8
Graham Rd LL32 23 E1
Graig Fach SY20 163 D4
Graig Las LL77 139 B4
Graiglwyd Cl LL34 127 E5
Graiglwyd Rd LL34 127 E4
Graiglwyd Terr LL34 127 D4
Grange Ave LL18 125 D7
Grange Ct LL18 125 E7
Grange Rd
Colwyn Bay / Bae Colwyn LL29 120 A3
Llanrhos LL30 118 A7
Rhyl / Y Rhyl LL18 125 D7
Gray St / Stryd Gray LL57 150 C3
Great Orme Cable Car* LL30 113 D5
Great Orme Country Pk* LL30 113 A6
Great Orme Mines* LL30 113 C5
Great Ormes Rd LL30 113 C3
Great Orme Tramway* LL30 113 B5
Green Ave LL18 124 F4
Green Bank LL21 61 B7
Green Edge 17 LL58 17 F3
Greenfield Ave / Dol Werdd LL77 139 D4
Greenfield Pl LL18 125 C7
Greenfield Rd LL29 120 A4
Greenfields SY20 163 C4
Greenfield St LL18 125 C7
Greenfield Terr
Corris SY20 108 B6
Holyhead / Caergybi LL65 138 D4
Menai Bridge / Porthaethwy LL59 142 B5
Greengate St / Tan Y Bont 14 LL55 152 D4
Green Hill LL29 120 D3
Green Pastures Cvn Pk LL53 81 A1
Green Rd LL28 119 E7
Green Terr Llangaffo LL60 21 B3
Trefor LL54 51 B5
Greenway LL28 115 D1
Greenwood Ave / Rhodfa Greenwood LL57 143 B4
Greenwood Centre The* LL56 147 C3
Gregory Ave LL29 119 D5
Gregory Cl LL29 119 D5
Gregory Cres LL29 119 D5
Grenville Ave / Rhodfa Grenville 5 LL18 125 F1
Grenville Lo LL18 136 F4
Grey Mare's Tail The* LL27 34 F4
Greystone Est LL65 7 E1
Griffin Ind Est LL48 70 D6
Griffin Terr 12 LL48 70 D6
Groesffordd LL53 67 D5
Groesffordd
Bryncrug LL36 105 E1
Dwygyfylchi LL34 116 A1
Llanddoged LL26 154 B7
Groesffordd La LL34 127 E5
Groesffordd Nant-y-ci LL16 38 E4
Groes Lwyd LL22 123 A2
Groes Rd LL29 120 B2
Grogan Terr LL46 160 E4
Gronant St LL18 125 A7
Groome Ave LL18 125 D5
Grosslon LL76 16 C7
Grosvenor Ave LL18 125 E7
Grosvenor Rd LL29 119 E5
Grove Park Ave LL18 125 D8
Grove Pas LL30 113 E4
Grove Pk LL29 120 A4
Grove Pk W 5 LL29 119 F4
Grove Rd LL29 120 A4
Grove Terr 3 LL18 125 F1
Grove The LL18 125 C8
Grugan Wen LL54 40 B6
Gruthyn The SY20 163 D4
Gurnard Pl LL18 125 E4
Gwalia Ave LL18 125 C6
Gwalia Ind Est LL36 109 C8
Gwalia Rd LL36 109 C8
Gwalin Ganol LL52 68 D4
Gwastadgoed Isaf LL37 99 B1
Gwastadnant LL55 42 D8
Gweithdai LL53 157 E5
Gweithdai Felin Fawr Workshops LL57 150 A1
Gweithdai Rhosyr (Workshops) LL61 20 F1
Gwel Eryri LL59 17 B1
Gwel Fenai LL61 28 F8
Gwelfor LL28 119 D7
Gwelfor Ave LL65 138 C7
Gwelfor Est LL67 3 D6
Gwelfor Rd LL35 109 F3
Gwelfryn LL28 119 B3
Gwel Fynydd 4 LL55 30 E6
Gwellyn Ave LL18 124 E2
Gwel-y-Don LL75 16 D6
Gwel-y-Mynydd LL65 138 B6
Gwel Yr Wyddfa LL59 142 A6
Gwel Y Wynydd 17 LL55 31 C3
Gwenarth Dr LL18 125 E4
Gwern Ceirios LL40 162 D1
Gwern Eithin LL40 162 D1
Gwern Fedw LL40 162 D1
Gwern Graifol LL40 162 D1
Gwern Grug LL40 162 D1
Gwern Gwalia LL21 62 C1
Gwern Helyg LL40 162 D1
Gwern Lafant LL40 162 D1
Gwern Las LL57 143 B3
Gwernydd LL57 150 E1
Gwern y Lon LL23 89 A6
Gwern Ysgaw LL40 162 D1
Gwilym 3 LL48 70 D6
Gwindy St LL18 125 E1
Gwydir Uchaf Chapel* LL26 154 A2
Gwydryn Dr LL53 81 A3
Gwydyr Castle* LL26 154 B3
Gwydyr Gdns 11 LL30 114 A1
Gwydyr Rd Dolgarrog LL32 23 E2
Llandudno LL30 113 F1
Gwylan Uchaf LL56 147 B3
Gwylfa Est / Ystad Gwylfa LL68 4 E6
Gwyllt Cotts LL33 22 A8
Gwyllt Rd
Abergwyngregyn LL33 145 E7
Llanfairfechan LL33 22 A8
Gwynan Pk LL34 116 A1
Gwynan Rd / Ffordd Gwynan LL34 127 D5
Gwynant Ct LL30 113 F1
Gwyndy Terr 2 LL18 125 E1
Gwynedd Cvn Site LL36 109 C6
Gwynedd Rd LL30 114 A3
Gwynfa Hill LL65 138 C5
Gwynfa La LL65 138 C5
Gwynfryn Ave LL18 125 B6
Gwynt Y Mor LL32 117 C4
Gwyrfai Terr LL55 31 C6
Gwytherin Ave LL22 124 B4
Gyrfa Seymour / Seymour Dr 6 LL18 125 F1

H

Hadden Ct LL28 119 E8
Haddon Cl 5 LL18 125 B6
Hadley Cres LL18 125 D8
Hafan Dag LL42 161 C5
Hafan Deg
Blaenau Ffestiniog LL41 156 A3
St George / Llansan-Sior LL22 135 F5
Hafan Elan LL55 30 E6
Hafan y Mor Holiday Pk LL53 67 D3
Hafan Yr Ewyn LL18 124 E4
Hafan Yr Heli LL18 124 F4
Hafod Ave LL18 124 F2
Hafod La / Ffordd Yr Hafod LL57 148 A6
Hafod Lon LL57 31 C8
Hafod Oleu LL55 31 C6
Hafod Rd E LL30 115 A2
Hafod Rd W LL30 115 A2
Hafodty La LL28 119 D2
Hafod-y-Mor LL22 123 B3
Hafon Dirion LL18 125 A7
Halfway Sta* LL55 42 B8
Hall Farm Pk* LL18 137 D6
Hall Rd LL30 114 F1
Hammond Ct LL18 125 E5
Hampton Rd / Ffordd Hampton 11 LL55 152 E4
Hampton Way LL58 17 F4
Handsworth Cres LL18 125 E6
Hanlith Terr LL42 161 C5
Hanover Ct
Colwyn Bay / Bae Colwyn LL28 119 C7
Llandudno LL30 114 A2
Happy Days Holiday Camp LL22 124 B4
Happy Valley* LL30 113 E5
Happy Valley Rd LL30 113 E4
Harbour La LL42 161 D4
Harbour View LL65 138 E5
Harcourt Rd LL30 114 A1
Harding Ave LL18 137 F8
Harlech LL46 160 E7
Harlech Castle* LL46 160 E5
Harlech Rd LL30 113 F1
Harlech Sta LL46 160 E5
Harp Ct LL22 123 A1
Harrison Dr
Kinmel Bay / Bae Cinmel LL18 124 D5
Rhosneigr LL64 19 A8
Hartsville Ave LL30 115 A1
Haulfre Gdns* LL30 113 C4
Haulfryn
Blaenau Ffestiniog LL41 156 B4
Llanfair LL46 160 D2
Haven Villas 4 LL32 117 E2
Hawarden Rd LL29 119 F5
Hawes Dr LL31 117 D6
Hawk Ave LL65 13 A3
Hawthorn Ave LL28 119 D8
Hawthorn Terr LL65 138 C5
Hayden Cl LL29 120 E2
Haydn Cl LL18 124 E5
Hazel Ct LL18 125 E8
Hazlewood Cl LL28 119 B4
Heather Cl LL29 120 F3
Heaton Pl LL28 119 D6
Hebron Sta* LL55 31 D1
Hedre Cvn Pk LL53 66 B2
Hedsor St 8 LL65 138 D5
Heenan Rd LL29 120 E3
Helen Terr / Ffordd Helen LL56 147 A2
Helo Y Bryn / Hill St 7 LL55 152 E4
Helyg Rd / Ffordd Helyg LL34 127 D5
Hen-Afon Rd LL18 125 E6
Henar LL26 154 C4
Henbarc LL57 150 C3
Henbarc Rd / Ffordd Henbarc LL57 150 C4
Henblas Country Pk* LL62 20 F7
Henbont Rd / Heol Henbont LL52 68 D4
Hen Capel Lligwy* LL72 11 C5
Henddu Terr LL65 138 D4
Hendre LL59 142 A5
Hendre Cl LL18 125 F1
Hendre Cotts LL32 129 C5
Hendre Horse Magic* LL57 144 C3
Hendre Hywel LL75 16 C5
Hendre Rd LL32 129 C5
Hendre St / Stryd Yr Hendre 5 LL55 152 E3
Hendrewen Rd / Ffordd Hendrewen LL57 142 F3
Hen Durnpike LL59,LL61 141 C8
Hen-Durnpike LL57 150 A4
Hendwr La LL30 114 E1
Hendy LL32 23 D3
Henfaes LL40 162 C2
Hen Felin LL21 77 D3
Hen Felin / Sarn Rd LL40 162 C2
Hen Ffordd LL49 69 C7
Hen Ffordd Conwy / Conwy Old Rd LL34 128 B6
Hen Ffordd Gonwy / Old Conway Rd LL28 119 A3
Hen Gei Llechi LL56 147 B4
Hen Lon Henllan LL16 27 F3
Penygroes LL54 40 B4
Henryd Rd LL32 129 C4
Henry's Ave LL18 136 E4
Henry St LL65 138 E4
Hen Sinema SY20 163 D4
Henwalia LL55 152 E3
Heol Aled LL22 122 F3
Heol Aran / Aran St LL23 159 D4
Heol Arenig / Arenig St LL23 159 D5
Heol Awel LL22 123 A3
Heol Belmont / Belmont Dr LL57 142 D4
Heol Berwyn LL23 159 D5
Heol Bodran LL22 122 F3
Heol Bradwen LL65 7 C1
Heol Buddug / Victoria Rd LL54 40 B4
Heol Carrog LL28 24 B5
Heol Clwyd / Clwyd St 9 LL18 125 B7
Heol Colwyn LL22 123 A3
Heol Conwy LL22 122 F3
Heol Ddinbych / Denbigh St LL26 154 B4
Heol Dewi Bangor LL57 142 E3
Pensarn LL22 123 C3
Heol Dirion LL29 120 B2
Heol Edward / Edward St 8 LL55 152 E4
Heol Elinor / Eleanor St 9 LL55 152 E4
Heol Elwy LL22 122 F3
Heol Eryri LL48 70 C5
Heol Esgob LL57 137 F1
Heol Ffrydan / Ffrydan Rd LL23 159 D5
Heol Ffynnon Asa LL28 24 B5
Heol Fryn LL28 119 B3
Heol Gelert / Gelert St 3 LL55 152 E3
Heol Glyndwr / Glyndwr St LL40 162 C2
Heol Gomer LL22 123 A2
Heol Gwynfa / Paradise St 11 LL18 125 B7
Heol Hamdden LL53 157 B3
Heol Heddwch LL22 123 A2
Heol Henbont / Henbont Rd LL52 68 D4
Heol Hendre LL18 125 F1
Heol Hir LL22 123 A2
Heol Hiraethlyn LL28 24 B5
Heol Idris LL42 161 B5
Heol Ioan / John St LL26 154 B5
Heol Iorwerth SY20 163 D4
Heol Llewelyn LL42 161 B6
Heol Llugwy / Llugwy Rd LL18 124 D4
Heol Madog / Madog St LL49 158 D4
Heol Maengwyn SY20 163 D4
Heol Martin LL28 24 B5
Heol Meirion LL42 161 B5
Heol Newydd / New St LL49 158 D4
Heol Pen'rallt SY20 163 D4
Heol Penrhos / Penrhos Dr LL57 142 D3
Heol Pensarn / Pensarn Rd LL23 159 C4
Heol Pentrerhedyn SY20 163 C4
Heol Plasey / Plasey St LL23 159 D4
Heol Plas Uchaf / Springfield St LL40 162 C2
Heol Powys SY20 163 D4
Heol Rowen LL38 99 D3
Heol Sant Iago / St James Dr 1 LL57 142 F4
Heol Scotland / Scotland St LL26 154 C4
Heol Seithendre LL38 99 D3
Heol Sussex / Sussex St 17 LL18 125 B7
Heol Tegid / Tegid St LL23 159 D4
Heol Victoria / Victoria Dr LL57 142 E5
Heol-y-Bedyddwyr / Baptist St 2 LL54 40 A4
Heol-y-Berwyn / Berwyn St LL21 77 D4
Heol Y Bont / Bridge St LL40 162 C2
Heol Y Bryn LL46 160 E3
Heol-y-Capel / Chapel St LL40 162 C2
Heol Y Castell / Castle St LL23 159 C5
Heol-y-Coed LL22 123 A3
Heol-y-Doll SY20 163 C5
Heol Y Domen / Mount St LL23 159 D5
Heol Y Dwr LL40 162 C2
Heol y Dwr / Water St LL54 40 B4
Heol-y-Fedwen LL22 123 D4
Heol Y Frenhines / Queen St LL18 125 B7
Heol Y Gader LL38 99 D3
Heol-y-Llan LL42 161 B6
Heol-y-Llys 10 LL18 125 F7
Heol-y-Plas LL42 161 B5
Heol Yr Orsaf / Station Rd
Bala / Y Bala LL23 159 D5
Llan Ffestiniog LL41 72 A8
Heol-y-Sarn LL42 161 B5
Heol-y-Wyddfa / Snowdon St LL49 158 D4
Herbert St 7 LL65 138 D5
Herkomer Cres LL30 113 D2
Herkomer Rd LL30 113 D2
Hermon Rd LL57 31 F8
Heron Way LL31 117 D5
Hesketh Rd LL29 120 C3
Heulfryn Aberangell SY20 103 C1
Deganwy LL31 117 F4
Esgairgeiliog Ceinws SY20 108 B5
Hewitt Cl LL30 114 E1
Hibarnia Row LL65 138 D7
Highfield Pk
Abergele LL22 123 B1
Rhyl / Y Rhyl LL18 125 D8
Highfield Rd LL29 120 A4
Highgate 4 LL41 57 A1
High La LL28 119 D7
Highlands Cl / Clos Yr Ucheldir 6 LL18 125 F2
Highlands Rd LL29 121 A3
Highland's Rd / Ffordd-Yr-Ucheldir LL18 125 E2
High St Abergele LL22 123 B1
Bethesda LL57 150 C2
Blaenau Ffestiniog LL41 156 E4
Bodffordd LL77 14 F3
Cemaes LL67 3 D6
Conwy LL32 117 E2
Glasinfryn LL57 149 B6
Llandrillo LL21 77 D4
Llanerchymedd LL71 10 A3
Malltraeth LL62 20 D3
Penmachno LL24 45 C1
Rhiwlas LL57 31 C8
Rhosneigr LL64 19 A7
Rhuddlan LL18 125 E1
Talsarnau LL47 70 D2
Tremadog LL49 158 C7
Tywyn LL36 109 C7
Ysbyty Ifan LL24 59 C7
High Street / Stryd Fawr
Deiniolen LL55 31 C6
High Street / Stryd Fawr
continued
Llanberis LL55 31 C3
High St / Stryd Fawr
Bangor LL57 143 A5
Bangor,West End LL57 142 F4
Barmouth / Abermaw LL42 161 C4
Bryngwran LL65 13 D4
Brynsiencyn LL61 21 F2
9 Caernarfon LL55 152 D4
Criccieth LL52 68 D5
Llangefni LL77 139 D4
Menai Bridge / Porthaethwy LL59 142 B5
Penmaenmawr LL34 127 B5
Penrhyndeudraeth LL48 70 D6
Penygroes LL54 40 B4
Porthmadog LL49 158 D5
Pwllheli LL53 157 D5
Rachub LL57 150 C5
High St / Y Stryd Fawr
Bala / Y Bala LL23 159 D4
1 Rhyl / Y Rhyl LL18 125 B8
High Terr LL65 138 C5
Hillcrest Ct LL18 136 F2
Hillcrest Rd LL31 117 F4
Hillgrove Sch LL57 142 E4
Hillsborough Terr SY20 108 A7
Hillside / Ael Y Bryn LL30 114 D3
Hillside Ave LL29 120 C3
Hillside Cotts LL32 23 D2
Hillside Rd LL29 119 F4
Hillside Terr LL30 113 D4
Hill St
Holyhead / Caergybi LL65 138 D6
Porthmadog LL49 158 D3
Hill St / Helo Y Bryn 7 LL55 152 E4
Hill St / Lon Pen Nebo LL59 142 B5
Hill St / Rallt Isaf LL57 150 E2
Hill St / Stryd Yr Allt LL57 142 E5
Hill Terr LL30 113 E4
Hilltop Rd LL18 125 E5
Hill View Cl LL30 118 A7
Hill View Ct LL30 117 F7
Hill View Rd LL30 118 A7
Hirfron LL65 6 D5
Hoel Aran LL23 88 F4
Hoel Feurig / Meyrick St LL40 162 C2
Hoel Victoria / Victoria Pl 3 LL65 138 D5
Hoel-y-Parc LL49 158 D3
Holbeck Rd LL28 119 E6
Holborn Pl LL65 138 D5
Holborn Rd LL65 138 D5
Hole In The Wall St / Twll Yn Y Wal 13 LL55 152 D4
Holiday Bglws LL65 6 F2
Holland Dr LL22 123 D4
Holland Park Dr LL18 125 E6
Holland Pk LL65 138 E4
Holly Cl LL18 125 E8
Holyhead Maritime Mus* LL65 138 D7
Holyhead Rd
Bryngwran LL65 13 C5
Caergeiliog LL65 13 A5
Gwalchmai LL65 14 D2
Llanerchymedd LL71 10 A3
Valley / Y Fali LL65 7 D2
Holyhead Rd / Ffordd Caergybi
Bangor LL57 142 D5
Gaerwen LL60 21 C8
Llanfairpwllgwyngyll LL61 141 D3
Llangefni LL62,LL77 139 B1
Star LL60,LL61 140 C4
Holyhead Rd / Ffordd Caergybi LL24 155 C5
Holyhead Sta LL65 138 D5
Holyrood Ave LL29 120 C3
Holyrood Ct LL30 113 C2
Holywell Cres LL18 124 E3
Holywell Terr 5 LL52 68 D5
Home Front Experience Mus* LL30 113 E3
Honeysuckle La LL28 119 E2
Hopeland Rd LL35 109 F3
Hope Pl LL18 125 B7
Horton Dr LL28 119 C6
Hospital Rd LL41 156 C5
Hospital Rd / Ffordd Ysbyty LL30 113 E1
Howard Pl LL30 113 E2
Howard Rd LL30 113 E2
Howell Ave / Rhodfa Hywel 4 LL18 125 F2
Howell Dr LL18 125 F6
Howe St LL57 149 B6
HTM Bsns Pk LL18 137 D8
Hunters Chase LL65 7 A2
Hunters Hamlet Cvn Pk LL22 26 C8
Hunter's Rise LL65 13 A3
Hwfa Rd / Ffordd Hwfa LL57 142 F5
Hwylfa Lydan LL44 92 E7
Hwylfar Nant LL46 160 E6
Hwylfa Terr LL29 133 C6
Hyfrydle Caernarfon LL55 152 F3

Hyfrydle *continued*
Cerrigydrudion LL21 61 B7
Hyfrydle Rd LL54 40 C4
Hylas La / Lon Hylas LL18 137 F8
Hywel Pl LL30 113 E2

I

Iard yr Orsaf / Station Yd LL26 154 B5
Idris La LL42 161 D4
Idris St SY20 108 B6
Idris Terr SY20 108 A7
Idris Villas LL36 109 C7
Incline Terr LL41 156 D4
Indefatigable Training Ctr Plas Llanfair LL61 141 C3
Indigo Ho LL30 114 A3
Industrial Estate Rd LL77 139 E3
Inigo Jones Slateworks★ LL54 40 A6
Innes Est LL53 157 A3
Iola Dr LL29 120 E3
Iorwerth Terr LL62 20 C5
Irving Rd LL30 114 A3
Isallt LL65 6 F2
Isallt Lodges LL65 6 F2
Isallt Rd LL29 133 E5
Iscoed LL58 17 E3
Isfryn LL29 121 A2
Isfryn Terr LL41 156 E3
Isgoed LL32 129 D6
Isgraig Llangefni LL77 139 E4
Tremadog LL49 158 C6
Isis Ct LL30 114 A1
Islawrffordd Cvn Pk LL43 92 E4
Islwyn Ave LL18 125 D8
Ivy St LL29 120 A4
Ivy Terr LL49 158 C1

J

Jackson's Ct LL30 113 F2
James St LL30 113 E3
James St / Rhes James LL57 32 B8
James St / Stryd Jams 9 LL57 143 A5
James Terr LL53 65 A7
John's Dr LL18 136 F4
John St Bethesda LL57 150 C2
Llandudno LL30 113 E3
Penmachno LL24 45 C1
Rhyl / Y Rhyl LL18 125 A7
John St / Heol Ioan LL26 154 B5
Jones St LL41 156 C4
Jones Terr LL26 154 B4
Jubilee Rd
Barmouth / Abermaw LL42 161 C4
Trefriw LL27 34 F5
Jubilee St LL30 113 E2
Jubilee Terr / Min Y Don LL56 147 A4
Junction Way / Lon Y Gyffordd LL31 118 A2
Juniper Way LL18 125 E8

K

Kearsley Dr LL18 125 F5
Keffi St LL65 138 D5
Kendal Rd LL18 124 E5
Kenelm Rd LL28 119 E6
Kennedy Ct 8 LL29 120 D3
Kenneth Ave LL29 120 A3
Kensington Ave LL29 120 C4
Kensington Cl LL68 4 C5
Kerfoot Ave LL18 125 E1
Kerfoot's Cvn Camp LL22 124 B4
Kimberley Rd LL31 118 B2
Kinard Dr LL18 125 C8
King Edward's St LL42 161 C5
Kings Ave LL18 125 B7
King's Ave LL30 113 E2
Kingsbridge Camp & Cvn Site LL58 17 F5
King's Cres LL29 119 D5
Kings Cres / Ffordd Dyrpac LL42 161 C5
King's Dr
Colwyn Bay / Bae Colwyn LL29 119 E4
Llandudno LL30 113 D2
Kingsland Rd
Holyhead / Caergybi LL65 138 D4
Trearddur LL65 138 D3
Kingsland Sch / Ysgol Gynradd Kingsland LL65 138 E3
Kingsley Ave LL18 125 C6
Kingsley Ave / Rhodfa Kingsley LL57 143 B4
Kings Oak / Derwen Y Brenin LL29 119 D4
King's Pl LL30 113 D2
King's Rd
Colwyn Bay / Bae Colwyn LL29 119 E5
Holyhead / Caergybi LL65 138 D4
Llandudno LL30 113 D2
Old Colwyn LL29 120 E3
Kings Rd / Ffordd-y-Brenin LL54 40 B4
King St LL21 61 B7
Kingston Rd 6 LL18 125 A7
Kingsway
Colwyn Bay / Bae Colwyn LL29 119 F5
Kinmel Bay / Bae Cinmel LL18 124 E2
Llandudno LL30 114 A2
Pensarn LL22 123 B4
Kingswood Pl LL22 122 F2
Kinmel Ave LL22 123 A3
Kinmel Cl
Kinmel Bay / Bae Cinmel LL18 124 D5
Llandudno LL30 117 F8
Kinmel Cres LL18 124 C5
Kinmel Dr
Bodelwyddan LL18 136 F3
Kinmel Bay / Bae Cinmel LL18 124 D5
Kinmel Park Ind Est LL18 136 F3
Kinmel St / Stryd Cilmael LL18 125 B7
Kinmel Terr 15 LL18 125 B7
Kinmel Terr / Tai Kinmel LL54 40 F4
Kinmel Way / Maes Cinmel LL22 124 B3
Knowles Rd LL30 113 D2
Knowsley Ave LL18 125 D7
Kyffin Cl LL29 120 C3
Kyffin Sq / Sgwar Kyffin 5 LL57 142 F4

L

Laburnum Dr LL18 125 E8
Lake Ave LL18 125 A6
Lakeside Est LL64 19 B7
Lampeter Terr LL41 156 C4
Lancaster Sq 11 LL32 117 E2
Langford Dr LL18 124 D5
Langley Cl LL30 115 A1
Lansdowne Rd LL29 119 E5
Larch Dr LL18 125 E8
Larkmount Rd LL18 125 E7
Laurel Ct LL18 125 E8
Laurel Grove Mews LL22 124 B3
Lavan Sands / Traeth Lafan★ LL58 18 C2
Lawn The LL18 125 C8
Lawnt Y Plas SY20 103 D6
Lawson Rd LL29 120 A4
Leeds St LL41 156 C4
Lees Rd LL30 113 D2
Leonard Ave LL18 125 E6
Leonard St 6 LL65 138 D5
Lewascote LL65 138 F4
Lewis Cl LL30 114 A1
Lhassa St 4 LL65 138 D5
Liddell Dr LL30 114 A1
Life Foundation Ctr LL57 32 C7
Lilac Ave LL18 125 E8
Lime St LL54 51 B5
Links Ave LL28 115 D1
Links Av / Rhodfa Dolennau 4 LL18 125 F1
Links The LL30 115 A1
Links The / Y Links LL68 4 D6
Lion St LL40 162 C2
Little La 15 LL58 17 F3
Little Paddock LL18 124 E2
Liverpool Terr LL53 50 F2
Llain-bryniau Est LL65 138 E4
Llain Deg LL57 150 D2
Llain Deiniol 1 LL57 143 A5
Llain Delyn
Gwalchmai LL65 14 C2
Holyhead / Caergybi LL65 138 D3
Llain Deri 4 LL29 119 F5
Llainfain LL65 138 A6
Llain-Ffynnon LL54 40 B6
Llaingoch LL65 138 A6
Llain Hiraethog LL16 37 C8
Llainiau Uchaf / Church Pl LL53 157 C5
Llain Thomas Charles LL23 159 D4
Llain Wen LL74 11 D1
Llainwen Isaf 13 LL55 31 C3
Llainwen Uchaf 12 LL55 31 C3
Llain y Felin LL55 153 B4
Llain Y Maen LL41 156 D4
Llain Y Pebyll LL57 150 B3
Llain Yr Eglwys
Bangor LL57 143 B3
Penrhyndeudraeth LL48 70 D5
Llain Yr Ysgol LL57 143 B4
Llanbeblig Rd / Ffordd Llanbeblig LL55 153 A3
Llanbedr Prim Sch LL45 84 A1
Llanbedr Sta LL45 83 F1
Llanberis Lake Railway★ LL55 31 C4
Llanberis Rd / Ffordd Llanberis LL55 153 C4
Llanberis Sta★ LL55 31 D2
Llandanwg Sta LL46 83 F3
Llanddulas Avenue / Rhodfa Llanddulas LL18 124 E3
Llandecwyn Sta LL47 70 D4
Llandegai Rd / Ffordd Llandegai LL57 143 C4
Llandegai Rd / Lon Llandegai LL57 143 D6
Llandogged Rd / Ffordd Llandogged LL26 154 B6
Llandrillo Prim Sch LL21 77 D4
Llandrillo Rd LL21 77 F7
Llandrillo Tec Coll LL28 119 B8
Llandrillo-yn-Rhos Prim Sch LL28 119 D8
Llandudno Hospl / Ysbyty Llandudno LL30 117 E8
Llandudno Junction Sta / Cyffordd Llandudno LL31 118 A2
Llandudno Mus★ LL30 113 D3
Llandudno Pier★ LL30 113 F5
Llandudno Rd
Colwyn Bay / Bae Colwyn LL28 119 B8
Llandudno LL30 115 A1
Llandudno Sta LL30 113 E2
Llandudno Town Trail★ LL30 113 E3
Llanegryn St LL36 106 F6
Llaneilian Rd / Ffordd Llaneilian LL68 4 F5
Llanelian Hts LL29 120 D1
Llanelian Rd
Old Colwyn LL29 120 D1
Old Colwyn LL29 120 D2
Llanelltyd Rdbt / Cylchfan Llanelltyd LL40 162 A5
Llanerch LL32 23 D7
Llanerch-Y-Mor LL34 127 D5
Llanfachreth Sch / Ysgol Llanfachreth LL40 95 D5
Llanfaes Parc LL58 17 F5
Llanfairfechan Ind Est / Ystad Ddiwydiannol Llanfairfechan LL33 126 C1
Llanfairfechan Sta LL33 126 B3
Llanfair Hall LL55 146 D1
Llanfairpwllgwyngyll Sta LL61 141 B4
Llanfairpwllgwyngyll Workshops LL61 141 B4
Llanfair Rd LL22 135 A6
Llanfair Slate Caverns★ LL46 84 A3
Llanfair Talhaiarn Prim Sch LL22 26 B5
Llanfawr Cl LL65 138 E4
Llanfawr Rd LL65 138 E4
Llangower Sta★ LL23 89 C7
Llangwm Prim Sch LL21 61 C3
Llan Isa LL26 45 F6
Llanllechid Rd / Ffordd Llanllechid LL57 150 C5
Llannefydd Sch LL16 27 B5
Llannerch Rd LL33 126 C1
Llannerch Rd E LL28 119 E6
Llannerch Rd W LL28 119 D6
Llanrhos Rd
Colwyn Bay / Bae Colwyn LL28 119 A8
Llandudno Junction LL30 118 F8
Llandudno LL30 115 A1
Llanrwst Rd
Colwyn Bay / Bae Colwyn LL28 119 D2
Colwyn Bay / Bae Colwyn LL28 119 D4
Eglwysbach LL28 24 A7
Llanrwst LL26 154 A8
Llansanffraid Glan Conwy LL28 130 C3
Tal-y-cafn LL26,LL28 23 F4
Trefriw LL26 34 F7
Tyn-y-groes LL32 23 D4
Llanrwst Rd (Woodlands) LL32 117 E1
Llanrwst Sta LL26 154 C4
Llanrwst Workshop LL26 154 A5
Llanuwchllyn Sta★ LL23 89 A5
Llawrgors 5 LL53 157 D5
Llawr Pentre LL29 120 D3
Llawr Y Dref 10 LL77 139 D4
Llawr Y Nant LL57 150 D1
Llechwedd Slate Caverns★ LL41 156 C7
Lledfair Pl SY20 163 D4
Lledtroed Fawr LL69 4 F3
Lle'r Farchnad 3 LL41 57 A1
Llewelyn Ave
Llandudno LL30 113 D4
Llansanffraid Glan Conwy LL28 130 C4
Llewelyn Cl LL36 109 C7
Llewelyn Ct LL18 125 F6
Llewelyn Dr LL38 99 D4
Llewelyn Rd
Colwyn Bay / Bae Colwyn LL29 119 F4
Tywyn LL36 109 C7
Llewelyn St
9 Conwy LL32 117 E2
Penmachno LL24 45 D1
Llewelyn St / Stryd Llewelyn LL68 4 F6
Llewelyn Terr
Llansanffraid Glan Conwy LL28 130 C5
Penmachno LL24 45 D1
Llewelyn View LL28 119 B6
Llewelyn Wlk LL36 109 C7
Lleyn Valley Village Chalet Pk LL53 81 A5
Lligwy Burial Chamber★ LL72 11 C5
Lligwy Cvn Site LL70 11 B5
Lligwy St LL65 138 E4
Llindir Rd LL22 121 F2
Llindir St LL16 27 F3
Lloyd George Cl LL30 113 E1
Lloyd George Mus & Highgate Cottage★ LL52 68 B5
Lloyd Pas LL30 113 E3
Lloyd St LL30 113 E3
Lloyd St W LL30 113 C2
Llugwy Estates SY20 111 D7
Llugwy Rd / Heol Llugwy LL18 124 D4
Llugwy Terr LL24 33 E1
Llwybr Cwfaint / Convent La LL57 142 E4
Llwybr-Main LL57 31 F8
Llwybr Y Llan LL23 75 A5
Llwybr Yr Ysgol 9 LL57 142 E3
Llwyd Gr LL29 120 B3
Llwygdoed School / Ysgol Llwygdoed LL28 131 D3
Llwyn Beuno
Bontnewydd LL55 29 F3
Clynnog-fawr LL54 52 B8
Llwyn Bleddyn Rd LL57 150 B4
Llwyn Brith LL26 154 C3
Llwyn Ceirios LL55 152 F5
Llwyn Celyn LL53 80 C8
Llwyndu Rd / Ffordd Llwyndu LL54 40 B4
Llwyn Du Rd / Ffordd Llwyn Du LL28 24 B4
Llwyn Edwen LL61 141 A3
Llwyn-Einion LL41 71 E6
Llwyn Estyn LL31 118 A4
Llwyn Gwalch LL53 65 A7
Llwyn Gwgan LL33 126 C1
Llwyngwril Sta LL37 105 C8
Llwyn Harlech LL18 136 F4
Llwyn Hir LL41 156 E2
Llwyn Hudol LL57 143 B5
Llwyn Isaf LL32 129 D6
Llwyn Morfa LL22 123 C2
Llwynon Gdns LL30 113 D4
Llwyn Onn Abergele LL22 123 A1
Abersoch LL53 81 A2
Colwyn Bay / Bae Colwyn LL28 119 D8
Llwynon Rd LL30 113 C4
Llwyn Rhuthun LL18 136 F4
Llwyn-teg Cvn Pk LL36 105 E2
Llwyn Uchaf LL22 123 A1
Llwyn Y Fuches LL54 40 B4
Llwyn-y-Gadair LL46 160 D1
Llwyn-Y-Gell Rd LL41 156 C5
Llwynygell Terr LL41 156 C5
Llwyn-y-Gog LL33 126 C1
Llwyn-y-ne LL54 52 B8
Llwyn Ynn LL43 92 F5
Llwyn Ysgaw LL33 126 D1
Llyen St / Penlon Llyn LL53 157 B5
Llyn Alaw Nature Reserve★ LL66 9 F6
Llyn Alaw (Reservoir)★ LL66 9 F6
Llyn Brenig Archaeological Trail★ LL16 48 E8
Llyn Brenig Visitor Ctr★ LL21 48 C5
Llyn Brics / Brickpool LL68 4 F6
Llyn Idwal Nature Trail★ LL57 32 D2
Llynlloedd La SY20 163 D4
Llyn Mair Nature Trail★ LL41 71 B8
Llynnon Mill★ LL65 8 F4
Llyn Ogwen Nature Trail★ LL57 32 D3
Llyn Parc Mawr (Wildlife Pool)★ LL61 20 E2
Llys Abad LL28 119 D8
Llys Afron 1 LL55 152 F4
Llys Alarch LL18 125 F7
Llys Alwen LL18 125 F7
Llys Alyn LL28 115 D1
Llys Argoed LL29 119 E3
Llys Arthur Bangor LL57 143 B5
Towyn LL22 124 B3
Llys Bedwen LL18 125 F8
Llys Bedwyr LL57 143 B5
Llys Bodlondeb LL32 117 D2
Llys Bodnant 3 LL18 125 F7
Llys Branwell LL57 143 B4
Llys Branwen LL18 124 D4
Llys Brenig LL18 125 F8
Llys Brierley 9 LL30 114 A1
Llys Brompton LL28 119 D7
Llys Brunswick 1 LL18 125 C7
Llys Buddig 3 LL55 152 F4
Llys Cadnant 7 LL18 125 F7
Llys Cadwaladr LL57 143 B4
Llys Caradoc LL22 124 B3
Llys Catrin LL18 125 F8
Llys Charles LL22 124 B3
Llys Clwyd LL34 127 D5
Llys Colwyn LL29 120 D2
Llys Cowlyd 6 LL18 125 F7
Llys Cregyn LL18 124 E5
Llys Cwstenin 1 LL28 119 B4
Llys Cynan LL18 124 E6
Llys Cynffig LL18 124 E4
Llys Dafydd LL18 124 E4
Llys Dedwydd
Barmouth / Abermaw LL42 161 C4
Rhos On S LL28 119 D6
Rhyl / Y Rhyl LL18 125 F8
Llys Delyn 1 LL18 125 F7
Llys Dewi LL18 125 F8
Llys Dewi Sant 5 LL57 142 E3
Llys Dinas 2 LL18 125 F7
Llys Dolhaiarn LL22 26 C5
Llys Dulyn LL32 23 D3
Llys Dyffryn LL65 7 E2
Llys Dyfrig LL57 143 C5
Llys Edmund Prys LL17 137 C1
Llys Ednyfed 4 LL28 119 B4
Llys Edward LL22 124 B3
Llys Eirlys LL18 125 F8
Llys Elen 9 LL57 143 B6
Llys Elinor LL18 124 E4
Llys Emrys LL57 143 B6
Llys Eryi LL30 113 D2
Llysfaen Ave LL18 124 D5
Llysfaen Rd LL29 120 F3
Llysfaen Station Rd LL22,LL29 121 C3
Llys Gele LL22 123 B2
Llys Geraint LL57 143 C5
Llys Glan Aber LL18 125 C6
Llys Glanrafon LL18 124 E6
Llys Glyndwr
Machynlleth SY20 163 D4
Porthmadog LL49 158 D5
Towyn LL22 124 B3
Llys Gwyn
Caernarfon LL55 152 F6
Llandudno LL30 115 A2
Llys Gwynant LL18 125 F7
Llys Haffan LL28 119 E7
Llys Helig LL31 117 D6
Llys Helig Dr LL30 112 F5
Llys Helyg LL18 125 F8
Llys Hendre LL18 125 F1
Llys Hywal LL65 7 E2
Llys Janet 7 LL29 120 D3
Llys Llewelyn LL22 124 B3
Llys Llywelyn Countryside Ctr★ LL63 19 E4
Llys Madoc
2 Old Colwyn LL29 120 D3
Towyn LL22 124 B3
Llys Madryn 3 LL53 157 D5
Llys Maelgwn LL30 113 D3
Llys Mair Bangor LL57 142 D3
Holyhead / Caergybi LL65 138 C5
Llys Marni LL22 123 B2
Llys Meirion LL55 152 F6
Llys Miaren 3 LL18 125 F8
Llys Morgan LL18 125 E6
Llys Orwig 2 LL55 152 F4
Llys Owain LL57 143 B5
Llys Owain / Queen's Sq LL40 162 C2
Llys Padarn 4 LL18 125 F7
Llys Parc LL28 119 D8
Llys Pendefig LL18 124 D5
Llys Pentre Isaf LL29 120 E1
Llys Pen-y-Cefndy LL18 125 D5
Llys Pen-y-Ffordd LL18 125 F2
Llys Peris 5 LL18 125 F7
Llys Perlysiau 7 LL52 68 D5
Llys Sambrook LL34 127 D6
Llys Seiriol LL30 113 D2
Llys Siabod LL55 152 F3
Llys Sion LL18 125 F8
Llys Sychnant LL32 117 C1
Llys Taf LL18 125 F7
Llys Tegeirian LL62 21 A8
Llys Tegid LL18 125 F7
Llys Tegla LL59 142 B5
Llys Trahearne LL18 124 E4
Llys Trefor 6 LL29 120 A4
Llys Trefor Jones LL29 121 D2
Llys Tryfan LL55 152 F3
Llys Tudor LL22 124 B3
Llys Tudur
13 Bangor LL57 142 F5
Rhyl / Y Rhyl LL18 125 F8
Llys Tywi LL18 125 F7
Llys Wyn LL29 120 E4
Llys-y-Bioden LL26 154 C3
Llys Y Castell LL18 124 F3
Llys Y Coed LL21 77 D3
Llys-y-Dderwen LL22 25 F8
Llys Y Fedwen LL57 147 E8
Llys Y Foel LL55 152 F3
Llys Y Garn LL55 152 E2
Llys-y-Gerddi LL18 125 D5
Llys Y Goppa LL22 134 F6
Llys-Y-Gwynt LL55 31 A6
Llys-y-Marchog LL18 124 D5
Llys-y-Mor LL22 123 A3
Llys yr Efail SY20 163 E4
Llys Yr Eifl LL55 152 E3
Llys yr Engan LL65 13 C6
Llys-yr-Eos LL22 123 D4
Llys Y Rhos LL77 15 A1
Llys Yr Orsedd LL55 152 F5
Llys-yr-Wyddfa LL18 125 F8
Llys-y-Siglen LL26 154 C3

Llys-y-Tywysog 8 LL18 125 F8
Llys Y Wennol LL16 27 F3
Llys-y-Wennol LL26 154 C2
Llys-y-Wylan LL26 154 C2
Lombard St / Stryd Lombard
LL49 158 D3
Lombard St / Y Lawnt
LL40 162 C2
Lon Abaty / Abbey Rd
LL57 142 F4
Lon Aber LL74 11 E1
Lon Abererch / Abererch Rd
LL53 157 E5
Lon Aeron 6 LL18 125 F8
Lon Arfon LL55 152 F3
Lon Bach Amlwch LL68 4 D5
Caernarfon LL55 152 F4
Criccieth LL52 68 D4
Lon Bedw LL18 125 F8
Lon Bodlondeb LL53 65 B7
Lon Boduan LL53 66 A3
Lon Bribwll LL53 81 C7
Lon Bridin LL53 65 A7
Lon Bryn Gosol LL30 117 E6
Lon Bryn Mair LL78 16 A8
Lon Bryn Teg / Bryn Teg La
LL59 142 E8
Lon Bulkeley LL59 141 F6
Lon Bwlch LL55 30 F5
Lon Cae Darbi LL55 153 B4
Lon Cae Ffynnon LL55 153 B4
Lon Cae Glas LL53 64 F6
Lon Cae-Meini LL60 21 C3
Lon Caernarfon LL54 40 B4
Lon Cae Serri LL65 138 A6
Lon Cambell / Cambell Rd 1
LL55 152 E5
Lon Caradog LL22 122 F1
Lon Cariadon / Love La
Bangor LL57 143 A6
Menai Bridge / Porthaethwy
LL59 142 B4
Lon Carreg Fawr LL65 138 E1
Lon Cedric LL65 7 C1
Lon Cefn Du LL55 152 F3
Lon Cefn Glyn LL54 40 A7
Lon Cefn Gosen LL54 40 B6
Lon Cei Bont / Beach Rd
LL59 142 B4
Lon Ceirios LL22 134 F6
Lon Celynnen LL18 125 F7
Lon Ceredigion LL53 157 B3
Lon Cernyw LL53 81 B1
Lon Cerreg Fawr LL54 40 B6
Lon Ceunant LL77 139 D3
Lon Cilgwyn
Caernarfon LL55 152 F2
Llanerchymedd LL71 10 B2
Lon Cob Bach LL53 157 C4
Lon Coed LL53 67 F5
Lon Coedanna LL71 10 B1
Lon Coed Helen / Coed
Helen La LL54,LL55 152 D2
Lon Conwy LL74 11 F1
Lon Crecrist LL65 7 B1
Lon Crwyn 16 LL55 152 D4
Lon Cwybr LL18 125 E2
Lon Cymru LL30 113 F1
Lon Cynan LL22 122 F1
Lon Cytir / Cytir La
LL57 148 B8
Lon Cytun LL53 65 A7
Lon Dawel LL22 135 A6
Lon Dderwen LL22 122 F1
Lon Ddewi / St David's Rd
LL55 152 E5
Lon-Ddwr LL57 143 E2
Lon Ddwr LL54 40 B3
Lon Ddwr / Water St
LL57 150 D3
Lon Deg Abergele LL22 135 A6
Holyhead / Caergybi LL65 138 F4
Lon Derw LL22 135 A6
Lon Dinas / Stanley Rd
LL52 68 D4
Lon Dinorben LL22 123 A1
Lon Dirion LL22 135 A6
Londonderry Terr SY20 163 C4
London Rd
Garndolbenmaen LL51 53 D3
Holyhead / Caergybi LL65 138 E4
Valley / Y Fali LL65 7 E2
London Rd / Ffordd Llundain
LL65 13 C7
London Terr LL49 70 A8
Lon Dryll LL61 141 C4
Lon Dywod LL62 21 A6
Lon Dywod / New St
LL53 157 D5
Lon Ednyfed LL52 68 E5
Lon Efelyn / Evelyn Rd 3
LL57 142 F5
Lon Eglwys LL54 40 A3
Lon Eglwys / Church Rd
LL54 40 C4
Lon Eglyn 4 LL18 125 F8
Lon Eilian LL55 152 F3
Lon Eirin LL22 124 B2
Lon Elim LL53 50 F2
Lon Elwy LL22 26 B5
Lon Engan LL53 81 A3
Lon Eryri LL57 142 E3
Lon Fach LL30 113 E2
Lon Faen LL61 29 B8
Lon Farchog LL74 11 E1
Lon Farm Bryngwran
LL65 13 E4
Lon Fawr LL53 64 F6
Lon Fel LL52 68 D5
Lon Felin LL52 68 E4
Lon Ffawydd LL22 123 A1
Lon Fferam LL74 11 E1
Lon Fferas Uchaf LL75,
LL59 16 F3
Lon Ffynnon / Well St
LL65 13 D4
Lon Foel Graig LL61 141 C4
Lon Frondeg / Frondeg St 3
LL57 143 A5
Lon Fron / Fron Rd
LL77 139 D3
Lon Gadlas LL22 123 A1
Lon Ganol
Llandegfan LL59 142 D8
Menai Bridge / Porthaethwy
LL59 141 F6
Lon Gardener LL65 7 E2
Lon Garmon LL53 81 A3
Lon Garnedd LL22 123 A1
Lon Garret LL55 31 E4
Lon Garth LL59 141 F5
Lon Geraint / Geraint Rd
LL52 68 E5
Lon Gerddi LL53 64 F6
Lon Gernant LL59 142 A5
Longford Rd LL65 138 D5
Longford Terr LL65 138 D5
Lon Glandwr / Glandwr Rd
LL57 143 B7
Lon Glanfor LL22 123 D4
Lon Glanhwfa / Glanhwfa Rd
LL77 139 D3
Lon Glan Mor / Beach Rd
LL57 143 B6
Longleat Ave LL30 114 D3
Lon Glen Elen LL53 66 F3
Lon Glyd LL22 123 D4
Lon Glyndwr LL22 122 F1
Lon Goch Amlwch LL68 4 E5
Edern LL53 64 F6
Llanddona LL58 17 D8
Pentraeth LL77 16 A4
Lon Goed Abergele LL22 135 A6
Amlwch LL68 4 C7
Garndolbenmaen LL52 52 F1
Llandudno Junction LL31 118 A3
Llangybi LL53 67 F7
Llanystumdwy LL53 68 A7
Lon Gogarth LL74 11 F1
Lon Golff Abersoch LL53 81 B2
Machroes LL53 81 B1
Morfa Nefyn LL53 65 A7
Pwllheli LL53 157 B3
Lon Graig LL61 141 C4
Lon Groes Gaerwen LL60 21 F6
Llanrug LL55 30 E6
Morfa Nefyn LL53 65 B7
Lon Groesffordd LL53 64 F6
Lon Groes / Water St
LL57 150 C5
Long St / Stryd Hir
LL57 150 E2
Lon Gwalia LL30 114 A1
Lon Gwydryn LL53 81 B3
Lon Hafan LL22 135 A6
Lon Hafoty LL57 149 F4
Lon Hafren LL18 125 F7
Lon Hawen LL53 81 A2
Lon Hedydd LL61 141 C4
Lon Hedyn LL18 125 F8
Lon Helen LL55 152 F3
Lon Helyg LL22 134 F6
Lon Hen Felin LL55 153 B4
Lon Hen Ysgol LL61 141 C4
Lon Heulog
Abergele LL22 135 A6
Kinmel Bay / Bae Cinmel
LL18 124 D4
Lon Hyfryd LL22 135 A6
Lon Hylas / Hylas La
LL18 137 F8
Lon Isaf
Menai Bridge / Porthaethwy
LL59 142 A6
Morfa Nefyn LL53 65 B7
Lon Isallt LL65 6 F2
Lon Jack-Ffwrn LL16 27 F4
Lon Kinmel LL22 123 B4
Lon Las Henllan LL16 27 F3
Llanrhyddlad LL65 2 G1
Morfa Nefyn LL53 65 A7
Lon Las / Church Terr
LL77 139 D5
Lon Las / Mount St
LL59 142 B5
Lon Leidr LL71 10 D3
Lon Lelog 5 LL18 125 F8
Lon Llainfynnon LL54 40 B6
Lon Llan LL53 64 F6
Lon Llandegai / Llandegai Rd
LL57 143 D6
Lon Llannerch LL57 149 A2
Lon Llewelyn LL22 122 F1
Lon Llwyn / Bush Rd
LL56 147 B3
Lon Lwyd LL75 16 D6
Lon Lwyd Isaf LL75 16 D6
Lon Mafon LL18 125 F8
Lon Meirion / Meirion La
LL57 143 A6
Lon Melin Esgob / Bishops
Mill Rd LL57 143 A3
Lon Menai LL59 141 F5
Lon Merllyn LL52 68 E5
Lon Mieri LL57 142 D3
Lon Mynach LL30 115 A2
Lon Nant LL55 152 F4
Lon Nant-Iago LL53 81 D6
Lon Nant-Stigallt LL53 157 F6
Lon Newydd
Groeslon LL54 40 B6
Holyhead / Caergybi LL65 138 A6
Rachub LL57 150 C4
Lon-newydd / New Rd
LL77 139 E4
Lon Ogwen LL57 142 E4
Lon Oleuwen LL55 152 F2
Lon Olwen LL18 124 D4
Lon Padog LL32 117 C3
Lon Pant LL61 141 D4
Lon Pant y Cudyn LL74 11 E1
Lon Pant Y Gog LL54 40 B1
Lon Parc / Queen's Rd
LL52 68 D4
Lon Parc / South Rd
LL55 152 E3
Lon Pen Cei LL53 81 B3
Lon Pendyffryn LL22 121 E2
Lon Penmon LL74 11 E1
Lon Penmynydd /
Penmynydd Rd LL77 15 E2
Lon Pen Nebo / Hill St
LL59 142 B5
Lon Penrallt LL53 65 B7
Lon Penrallt / Penrallt Rd 24
LL57 142 F5
Lon Penrhiw LL22 121 E3
Lon Pen Rhos LL53 65 A7
Lon Penrhyn LL74 11 E1
Lon Penrhyn Garw LL65 7 A1
Lon Pentre Bach LL53 81 A2
Lon Penybryn LL53 81 C6
Lon Pin LL53 81 C7
Lon Pitar 3 LL54 40 A4
Lon Plas LL57 148 F2
Lon Pobty LL57 143 A4
Lon Pont Morgan LL53 81 B3
Lon Popty / Baker St
LL40 162 C2
Lon Powys LL57 142 D3
Lon Priestley / Priestley Rd
1 LL55 152 F5
Lon Pwll Clai LL53 64 F6
Lon Pwllfanogl LL61 141 B3
Lon Pwll Wiliam LL53 65 B7
Lon Rallt LL57 149 B2
Lon Refail LL61 141 D4
Lon Rhos LL53 64 F6
Lon Rhoslyn LL53 81 B3
Lon Rhosyn 7 LL18 125 F8
Lon Salem / Salem St
LL65 13 D4
Lon Sarn Bach LL53 81 A2
Lon Sarn-Bach LL53 81 A1
Lon Seiriol / Seiriol Rd
LL57 143 B6
Lon Spencer LL65 7 D2
Lon St Ffraid LL65 7 A2
Lon Sydney / Sydney Rd 3
LL55 152 E5
Lon Tabernacl / Tabernacl St
5 LL57 143 A5
Lon Tai Castell LL55 31 D6
Lon Talwrn / Talwrn Rd
LL77 139 F5
Lon Tan Y Bryn LL53 65 B7
Lon Tan-y-Grisiau LL57 149 B2
Lon Tarw LL68 4 C7
Lon Temple / Temple Rd 2
LL57 142 F5
Lon Terfyn LL53 65 A7
Lon Thelwal LL74 11 F1
Lon Totten / Totten Rd 1
LL57 143 B6
Lon Towyn Capel LL65 7 A2
Lon Traeth Abersoch LL53 81 B3
Valley / Y Fali LL65 7 E3
Lon Traeth Llydan LL64 19 A7
Lon Tudur LL77 139 F3
Lon Twnti LL61 28 F8
Lon Twrcelyn LL74 11 E1
Lon Twthill LL55 152 E4
Lon Ty Bach LL33 22 A8
Lon Ty Croes LL61 141 C4
Lon Ty Gwyn
Caernarfon LL55 152 F3
Llanllyfni LL54 40 B2
Lon Ty Gwyn / Whitehouse
Dr LL53 81 B3
Lon Ty-Hen / Ty-Hen Rd
LL65 13 E4
Lon Ty Mawr LL59 142 D8
Lon Ty Newydd
Caernarfon LL55 153 B4
Llandegfan LL59 142 C8
Lon Tynllan / Radcliffe Rd
LL52 68 E5
Lon Tyn Pwll LL53 65 B7
Lon Tyn-y-Caeau /
Tyn-y-Caeau Dr LL59 141 F5
Lon Tyn Y Mur LL53 65 A7
Lon Ty'r Gof LL53 66 F6
Lon Uchaf
Brynsiencyn LL61 21 E1
Morfa Nefyn LL53 65 B6
Lon Uwchmynydd LL53 78 E3
Lon Vardre LL31 117 E5
Lon Warfield / Warfield Rd
2 LL55 152 E5
Lon Wen Abergele LL22 135 A6
Rhyl / Y Rhyl LL18 125 F8
Lon Wen / Well St LL68 4 F6
Lon-y-Bedw LL57 142 D2
Lon-y-Berllan LL22 135 A6
Lon Y Brodyr / Friars Wlk 7
LL57 143 A6
Lon-y-Bryn LL57 142 D3
Lon Y Bryn LL55 152 F3
Lon-y-Bryn
Menai Bridge / Porthaethwy
LL59 141 F6
Trearddur LL65 7 B1
Lon Y Cei / Quay St LL68 4 E6
Lon-y-Cyll LL22 123 C4
Lon-y-Dail LL22 135 A6
Lon-y-Deri LL57 142 C3
Lon Y Domen / Mount La
LL23 159 D5
Lon-y-Dryw LL22 123 C4
Lon Y Dwr / Water St 3
LL57 143 B6
Lon-y-Felin LL57 143 B4
Lon Y Felin LL65 8 C1
Lon-y-Felin LL49 158 D4
Lon Y Felin / Mill Lane
LL55 152 D4
Lon Y Ffrith LL30 114 A2
Lon-y-Ffrwd LL57 142 D3
Lon-y-Gaer LL31 117 F4
Lon Y Gamfa LL59 142 A6
Lon-y-Glyder LL57 142 D4
Lon Y Gogarth / Orme Rd
LL57 143 B6
Lon-y-Gors LL22 123 C4
Lon-Y-Grug LL57 31 F8
Lon Y Gyffordd / Junction
Way LL31 118 A2
Lon Y Llwyn LL53 65 A7
Lon-y-Llyn LL22 123 C3
Lon-y-Meillion LL57 142 D3
Lon-y-Mes LL22 134 F6
Lon Y Parc LL57 143 C4
Lon-y-Pentref / Pentre La
LL18 125 F2
Lon Yr Efail LL31 118 E7
Lon Yr Eglwys LL53 65 A7
Lon Yr Eglwys / Church La 3
LL55 152 D4
Lon-yr-Ysgol LL69 5 A3
Lon Ysgol Rad 16 LL55 152 E4
Lon Ysgubor Wen / England
Road N LL55 152 F6
Lon Ystrad LL18 125 F7
Lon Y Traeth LL53 65 C7
Lon Y Waen LL59 142 A6
Lon-y-Waun LL22 123 A1
Lon Y Wennol LL61 141 C5
Lon Y Wern LL57 149 D6
Lon-y-Wylan LL22 123 D4
Lon Y Wylan LL61 141 C5
Lord St LL41 156 D4
Lorina Gr 6 LL30 114 A1
Love La / Lon Cariadon
Bangor LL57 143 A6
Menai Bridge / Porthaethwy
LL59 142 B4
Love La / Tylau Mair
LL40 162 C2
Lower Cwm Bowydd
LL41 156 D4
Lower Cwrt SY20 111 A7
Lower Gate St LL32 117 E2
Lower Park St LL65 138 D6
Lower Penrallt Rd / Penrallt
Isaf 28 LL57 142 F5
Lower St / Stryd Isaf
LL57 143 A4
Lowther Cl LL18 124 E3
Lowther Ct LL18 137 A4
Lyndon Dr LL18 124 E3
Lynton Wlk LL18 125 D8
Lynwood Dr LL18 125 D8

M

Machine St / Stryd Y Glorian
LL68 4 E6
Machno Terr LL24 57 F6
Machynlleth Music Festival
(Mus)* SY20 163 D4
Machynlleth Sta SY20 163 C5
MCinroy Cl LL30 113 E1
McKinley Rd LL31 118 B2
Madeley's Holiday Camp
LL22 123 F5
Madoc Cl LL28 119 B7
Madoc St LL30 113 E3
Madoc Terr LL32 129 D6
Madog Motor Mus*
LL49 158 E4
Madog St LL53 66 F6
Madog St / Heol Madog
LL49 158 D4
Madryn Ave LL18 125 D6
Madryn Terr Chwilog LL53 67 D5
Llanbedrog LL53 81 B7
Madyn Dysw LL68 4 E5
Maelgwn Prim Sch
LL31 118 A3
Maelgwyn Dr LL31 117 F4
Maelgwy Rd LL30 113 D3
Maenafon LL61 141 B4
Maenan Rd LL30 114 A1
Maenen LL29 121 A2
Maen Gwyn LL22 134 F6
Maengwyn St
3 Trawsfynydd LL41 72 A2
Tywyn LL36 109 C7
Maenofferen St LL41 156 D4
Maen-y-Wern LL52 68 B5
Maes Aberiestedd / West Par
LL52 68 D4
Maes Alaw
Llanfachraeth LL65 8 C1
Rhuddlan LL18 125 E1
Valley / Y Fali LL65 7 D3
Maes Aled
Cerrigydrudion LL21 61 B7
Llansannan LL16 37 C8
Maes Alltwen LL34 116 B1
Maes Alma LL68 3 E2
Maes Arthur 2 LL18 125 F6
Maes Arto Village* LL45 84 A1
Maes Athen LL71 10 A2
Maes Awel Abersoch LL53 81 A3
Llandegfan LL59 142 C7
Maes Baclaw LL32 129 D2
Maes Bedwen LL18 125 E2
Maes Benarth LL32 129 E6
Maes Berllan
Llandudno LL30 114 B1
Penmaenmawr LL34 127 D5
Maes Bleddyn LL57 150 C4
Maes Bodaelog LL27 34 F6
Maes Briallon LL30 117 E7
Maesbrith LL40 162 D2
Maes Bryn Melyd LL18 125 F6
Maes Bulkeley / Bulkeley Sq
8 LL77 139 D4
Maes Bwcla LL68 3 C4
Maes Cadnant LL55 152 F4
Maes Canol
Abergele LL22 123 B3
Llandudno Junction LL31 118 C3
Maes Castell LL54 40 B3
Maes Cefndy LL18 125 D6
Maes Ceidio LL71 10 A3
Maes Cinmel / Kinmel Way
LL22 124 B3
Maes Clwyd LL18 125 F6
Maes Clyd LL30 114 A2
Maes Coetmor LL57 150 C3
Maes Coron LL65 13 C7
Maes Creiniog LL16 37 C8
Maes Creuddyn LL31 117 D5
Maes Cuhelyn LL71 10 A3
Maes Cwm 4 LL18 125 F6
Maes Cwstennin LL31 118 B2
Maes Cybi
Holyhead / Caergybi LL65 138 C6
Pensarn LL22 123 C3
Maes Cynbryd LL22 121 F3
Maes Cynfor LL67 3 C6
Maes Cynlas LL63 19 D7
Maes Darlwyn LL55 31 D2
Maes Derw LL31 118 C2
Maes Derwen LL18 125 E2
Maes Derwydd LL77 139 C4
Maes Derwyn LL68 10 D6
Maes Dolfor LL33 126 C3
Maes Dolwen LL16 27 B5
Maesdu Ave LL30 117 E7
Maes Dulyn LL54 40 B3
Maesdu Pl LL30 113 E1
Maesdu Rd LL30 113 E1
Maes Dyfi SY20 163 D4
Maes Edeyrn LL65 13 C7
Maes Ednyfed LL68 4 F6
Maesegryn LL36 105 D4
Maes Eifion LL52 68 C7
Maes Eilian LL55 31 D4
Maes Elian LL29 120 C3
Maes Emlyn LL18 125 C8
Maes Famau 1 LL18 125 F6
Maes Ffyddion LL18 125 E1
Maes Ffynnon
Llanddulas LL22 121 F3
Llandegfan LL59 17 C1
Maes Gaer 5 LL18 125 F6
Maes Garnedd
Bethesda LL57 150 D2
Tregele LL67 3 B5
Maes Gele LL22 123 D4
Maes Geraint LL75 16 D5
Maes Gerddi
Bryngwyn LL55 30 E5
Porthmadog LL49 158 D6
Maes Glas Bethel LL62 20 C5
Colwyn Bay / Bae Colwyn
LL28 119 D7
Llanaelhaearn LL54 51 C3
Llandudno Junction LL31 118 A4
Machynlleth SY20 163 D4
Maes Gogor LL16 37 C8
Maes Goronwy LL74 11 E1
Maes Grugoer LL16 37 F6
Maes Gwelfor LL65 2 F2
Maes Gwerydl LL32 117 D1
Maes Gwndwn LL47 70 D2
Maes Gwydion LL54 39 F7
Maes Gwydir LL54 51 B5
Maes Gwydryn LL53 81 B2
Maes Gwylfa LL55 31 C5
Maesgwyn LL18 124 D3
Maes Gwyn
Llanddaniel Fab LL60 140 B2
Llanddoged LL26 154 D8
Llanddona LL58 17 C6
Pentraeth LL77 16 A4
Maes Gwyndy 8 LL41 72 A2
Maes Gwynedd LL55 152 F5
Maes Gwynfa LL65 13 C7
Maes Gwyn Rd LL30 115 B2
Maes Hafoty LL59 17 A3
Maes Hedd LL65 138 C6

Maes Hedydd LL18 125 E7
Maes Helyg LL18 125 E1
Maes Hendre LL48 70 C5
Maes Herbert LL68 5 A4
Maes Heulog LL55 152 F5
Maes Hir LL21 77 D4
Maeshyfryd Bangor LL57 143 A6
Bryncrug LL36 105 F2
Maes Hyfryd
Beaumaris LL58 17 F3
Caernarfon LL55 152 F5
Carmel LL54 40 D6
Cynwyd LL21 77 F8
3 Dwyran LL61 29 B8
Garndolbenmaen LL51 53 D3
Llansanffraid Glan Conwy LL28 130 D4
Moelfre LL72 11 E5
Morfa Nefyn LL53 65 A6
Maes-Hyfryd Rd LL65 138 C5
Maeshyfryd Rd / Ffordd Maeshyfryd LL77 139 E5
Maeshyfryd Road LL77 139 E5
Maes Idris LL36 109 B8
Maesincla LL55 152 F5
Maes Isaf LL18 125 F6
Maes Isalaw LL57 143 B6
Maes Llan LL28 24 B5
Maes Llety LL65 7 C1
Maes Llewelyn
Aberffraw LL63 19 E3
Rhyl / Y Rhyl LL18 125 E6
Maes Lliwen LL16 38 D5
Maes Llwyd LL52 68 B5
Maesllwyn LL68 4 D5
Maes Llydan
Capel Garmon LL26 45 F6
Pentraeth LL74 16 C8
Maes Machraeth LL65 8 C1
Maes Madog LL29 120 D1
Maes Madyn LL68 4 E5
Maes Maenefa LL18 125 F6
Maes Maethlu LL65 8 C5
Maes Mawr Bangor LL57 142 B1
Llanrwst LL26 154 C3
Maes Meddyg LL55 152 F3
Maes Meillr LL62 20 C5
Maes Melwr LL26 154 C3
Maes Menlli LL18 125 F6
Maes Merddyn
Carreglefn LL68 3 E2
Gaerwen LL60 21 F6
Maes Mihangel LL47 70 B2
Maes Mona LL68 4 D5
Maesmor Cotts LL21 62 B3
Maes Myfryd LL60 21 F6
Maes Mynach LL42 161 B5
Maes Myrddin
Chwilog LL53 67 D5
Llanrwst LL26 154 C3
Maesnewydd
Aberdovey / Aberdyfi LL35 109 F3
Machynlleth SY20 163 E5
Maes Newydg LL36 109 B7
Maes Ogwen LL57 149 F5
Maes Onnen LL18 125 E2
Maes Owen LL18 136 E4
Maes Padarn LL55 31 D2
Maes Padrig LL67 3 C6
Maes Rhosyn
Rhuddlan LL18 125 E2
Towyn LL22 124 A2
Maes Rhun LL32 23 E6
Maes Robert LL17 27 E6
Maes Sadwrn LL16 27 F3
Maes Salem LL68 4 E5
Maes Seiriol LL22 123 C3
Maes Sq LL53 157 C5
Maes Stanley LL18 136 E4
Maes Tawel LL26 154 C3
Maesteg LL42 161 B5
Maes Teg Minffordd LL48 70 C5
Pennal SY20 111 C7
Maes Tegid LL23 159 D4
Maes Trefor LL47 70 D2
Maes Tryfan LL54 40 C7
Maes Tudno LL22 123 C3
Maes Twrog LL65 14 C6
Maes Tyddyn To LL59 142 A5
Maes William LL68 4 E5
Maes-y-Barreg LL77 139 C5
Maes-y-Braich LL25 44 D2
Maes Y Bronydd LL23 159 C5
Maes-y-Bryn LL18 125 F2
Maes-y-Castell LL30 117 E6
Maes Y Coed
Deganwy LL31 118 A5
Menai Bridge / Porthaethwy LL59 142 B5
Maes-Y-Coed LL77 15 F4
Maes-y-Coed Ave LL29 120 C3
Maes-y-Cwm LL30 113 F1
Maes Y Delyn LL15 49 F8
Maes-y-Delyn LL65 138 D3
Maes-y-dre LL22 123 C1
Maes-y-Dref
Bangor LL57 143 A5
Holyhead / Caergybi LL65 138 C6
Maes-y-Efail LL16 27 F3
Maes-y-Farchnad / Market Pl 5 LL54 40 A4
Maes-y-Felin
Holyhead / Caergybi LL65 138 C5
Llanrwst LL26 154 E1
Maes-y-Ffynnon LL21 61 B7
Maes Y Foel LL22 134 A6
Maes-y-Fron
Colwyn Bay / Bae Colwyn LL29 120 B2
Llysfaen LL29 121 D2
Maes Y Garddi LL23 159 D4
Maes-y-Garth
Machynlleth SY20 163 F5
Minffordd LL48 70 B5
Maes-y-Glyn
Colwyn Bay / Bae Colwyn LL29 120 B2
Llanfairfechan LL33 126 C3
Maes-y-Grug LL36 105 E1
Maes Y Gwenith 2 LL30 114 F1
Maes Y Llan Amlwch LL68 4 E5
Cerrigydrudion LL21 61 B7
Maes-y-Llan
Conwy LL32 129 D6
Corris SY20 108 B6
Dolwyddelan LL25 44 D3
Dwygyfylchi LL34 116 A1
Maes Y Llan LL54 39 F7
Maes-y-Llan LL22 26 B5
Maes Y Llan LL22 124 A4
Maes-y-mor
Belgrano LL22 123 D4
Holyhead / Caergybi LL65 138 D7
Llandudno LL30 115 A2
Tremadog LL49 158 C6
Maes-y-Mor / West End LL54 40 A4
Maes Y Mynydd LL65 138 A6
Maes-y-Pandy LL23 88 F4
Maes Y Pandy LL27 34 E6
Maes Y Pandy / South St LL40 162 C1
Maes Y Parc 3 LL18 125 F6
Maes Y Plas
Blaenau Ffestiniog LL41 156 E3
Llanfechell LL68 3 C4
Maes Y Priordy LL23 76 E4
Maes-yr-Afon LL24 46 F2
Maes Yr Aradr / Plough Field LL26 154 B4
Maes yr Efail LL75 16 D3
Maes-yr-Haf LL65 138 D6
Maes-yr-Hafod
Glasfryn LL21 47 D1
Menai Bridge / Porthaethwy LL59 141 F6
Maes Yr Hebog 1 LL30 114 F1
Maes-yr-Heli LL36 109 B7
Maes Yr Henar LL26 154 C4
Maes Yr Odyn LL40 162 B2
Maes Yr Orsaf SY20 108 C8
Maes Yr Orsaf / Station Sq LL53 157 C4
Maes Yr Orsedd
Bodffordd LL77 14 F3
Llandudno LL30 113 E1
Maes-yr-Ysgol LL65 138 E5
Maes Y Waen LL24 45 D1
Maes Y Wennol LL30 114 F1
Maes Y Wylan LL30 114 F1
Maethlon Cl LL36 109 C7
Magdalen's Terr LL54 29 E3
Maglona Villas SY20 163 D4
Magnolia Ct LL18 125 E7
Main Rd LL49 69 C4
Mairion Terr LL41 156 D4
Maisonettes The LL31 118 C2
Malam Ct LL31 117 F3
Malltraeth St LL61 28 F8
Maltings The LL30 114 A2
Malvern Rise LL28 119 C8
Mandle Terr LL25 44 D3
Manning Dr LL65 7 E2
Manod Rd LL41 156 E2
Manor Ave / Ffordd-y-Faenor LL53 157 D3
Manor Pk LL30 113 D3
Manor Way LL18 124 E5
Maple Ave LL18 125 E7
Marble Arch 5 LL30 113 E3
Marble Church★ LL18 137 A3
Marble Church Gr LL18 137 A4
Marchog LL65 138 E4
Marconi Bglws LL36 109 D7
Marcus St / Stryd Marcws 8 LL55 152 E3
Marford Dr LL22 122 F1
Margaret St 12 LL58 17 F3
Margaret St / Stryd Marged 18 LL55 152 E4
Marian Mawr Ent Pk / Parc Menter Marian Mawr LL40 162 B2
Marian Pl LL30 113 D1
Marian Rd LL30 113 E1
Marian Rd / Ffordd-y-Marian LL40 162 C2
Marian Terr
3 Bangor LL57 143 A6
Pennal SY20 111 B7
Marie Cl LL30 114 F1
Marina Ave LL38 99 D3
Marina Ct LL57 143 A7
Marinaland LL53 157 E3
Marine Ave LL29 120 C3
Marine Cres
Criccieth LL52 68 D4
Deganwy LL31 117 D5
Penmaenmawr LL34 127 D6
Marine Ct Deganwy LL31 117 D6
Tywyn LL36 109 B7
Marine Dr
Colwyn Bay / Bae Colwyn LL28 115 D1
Llandudno,Gogarth LL30 113 A4
Llandudno,Great Orme LL30 113 C6
Marine Gdns LL42 161 B5
Marine Gdns / Gardd Y Mor LL31 117 D6
Marine Par
Barmouth / Abermaw LL42 161 B5
Rhyl / Y Rhyl LL18 125 B8
Tywyn LL36 109 B7
Marine Rd
Barmouth / Abermaw LL42 161 C4
Colwyn Bay / Bae Colwyn LL29 119 F5
Llandudno LL30 115 A1
Pensarn LL22 123 B4
Mariners Ct LL65 7 A1
Marine Sq LL65 138 D6
Marine Terr
Caernarfon LL55 152 F7
11 Cemaes LL67 3 D6
Llandudno Junction LL30 118 F8
Porthmadog LL49 158 D3
Rhosneigr LL64 19 A8
Marine Terr / Min Y Mor LL52 68 D4
Marine View LL28 119 B8
Marine Wlk LL32 117 D2
Market Pl Abergele LL22 123 B2
Blaenau Ffestiniog LL41 156 C4
Market Pl / Maes-y-Farchnad 5 LL54 40 A4
Market Sq
14 Beaumaris LL58 17 F3
Holyhead / Caergybi LL65 138 D6
Llanerchymedd LL71 10 A3
Pwllheli LL53 157 C5
Tremadog LL49 158 C7
Market St Abergele LL22 123 A2
Amlwch LL68 4 E5
Holyhead / Caergybi LL65 138 D5
5 Llanberis LL55 31 C3
3 Llandudno LL30 113 E3
Market St / Stryd Y Farchnad 5 LL18 125 B7
Market St / Stryd Y Farchnad 4 LL55 152 D4
Marl Ave LL31 118 B3
Marlborough Dr LL28 119 C8
Marlborough Gr LL18 124 F6
Marlborough Pl LL30 113 F3
Marl Cres LL31 118 B3
Marl Dr LL31 118 B3
Marl Gdns LL31 118 A4
Marl La LL31 118 A4
Marl View Terr LL31 118 A4
Marquis of Anglesey's Column★ LL61 141 C4
Marsh Rd Rhuddlan LL18 125 D1
Rhuddlan LL18 137 D8
Rhyl / Y Rhyl LL18 125 B6
Marston Dr LL28 119 B7
Marston Rd LL28 119 B8
Mary Jones' Chapel★ LL36 106 F7
Mary Jones Memorial★ LL36 106 F8
Masonic St LL30 113 E4
Mason St / Stryd Mason 10 LL57 143 B6
Maude St LL18 125 A7
Mauldeth Rd LL28 119 E7
Mawddach Cres LL39 99 F5
Mawddach Trail / Morfa Mawddach★ LL39 161 F1
Mawddwy Cotts SY20 103 D5
MawddwyTerr SY20 103 D5
Mawnog Fach LL23 159 C4
Mayfeild Gr LL18 125 E8
Meadowbank LL29 120 E1
Meadow Ct LL22 124 B2
Meadow Dr / Y Ddol LL49 158 D5
Meadow Gdns LL30 114 B1
Meadows The / Dolydd LL31 118 B3
Meadows Way LL28 119 B7
Meadway LL28 115 D1
Meifod LL16 27 F3
Meifod Rd / Ffordd Meifod LL16 27 F3
Meiriadog Rd LL29 120 E3
Meirion LL22 123 B4
Meirion Dr LL32 117 B4
Meirion Gdns LL29 120 A4
Meirion La / Lon Meirion LL57 143 A6
Meirion Rd / Ffordd Meirion LL57 142 F6
Meirion Terr LL37 105 D8
Meirion Woollen Mill★ SY20 103 D4
Melin Ardudwy LL35 109 E3
Melin Rhos Farm Cvn Site LL70 11 C5
Menai Ave LL18 125 B6
Menai Ave / Rhodfa Menai LL57 142 E5
Menai Ct 4 LL58 17 F2
Menai Ct / Menai Cwrt LL56 147 A3
Menai Rd / Ffordd Menai LL57 142 F6
Menai St / Stryd Menai LL56 147 A3
Menai Suspension Bridge★ LL59 142 B3
Menai View Terr
7 Bangor LL57 142 F5
Llangoed LL58 17 F6
Menai Ville Terr LL59 142 B5
Mercury Units LL18 124 D2
Meredith Cl LL18 125 D6
Meredith Cres LL18 125 D6
Merfyn Way LL18 125 F6
Merion Cl LL18 125 D5
Merivale Rd LL30 115 A1
Merllyn Rd LL18 125 E7
Mersey St LL49 158 C1
Merton Bglws LL34 127 E5
Merton Pk LL34 127 E5
Merton Pl LL18 125 E4
Mes Meilw LL65 138 C5
Mews Cotts LL22 25 F8
Mews The Conwy LL32 129 B6
Llandudno Junction LL31 118 A4
Meyrick Sq LL40 162 C2
Meyrick St / Hoel Feurig LL40 162 C2
Michaels Rd LL18 125 E5
Middle St / Stryd Ganol LL57 150 D3
Mile Rd The LL58,LL59 17 D2
Mill Bank LL65 138 C5
Millbank Rd LL18 125 C7
Mill Dr LL29 120 D3
Miller's Cottage Holiday Camp LL22 123 F6
Mill La Beaumaris LL58 17 F2
Henllan LL16 27 F3
Mill La / Lon Y Felin LL55 152 D4
Mill Rd
Holyhead / Caergybi LL65 138 C2
Llanfairfechan LL33 126 C2
Mills Row LL41 156 C4
Mill St Bethesda LL57 150 C2
Llanddulas LL22 121 F3
Llangefni LL77 139 E4
Ysbyty Ifan LL24 59 C7
Mill St / Wtra R Felin LL40 162 C2
Mill Terr LL53 66 A1
Minafon Bangor LL57 142 F4
Old Colwyn LL29 120 D3
Min-afon LL40 96 C5
Minafon Ind Est LL22 25 F8
Miners La LL29 120 F3
Minffordd Bangor LL57 142 F2
Deiniolen LL55 31 B6
6 Llanrug LL55 30 E6
Min Ffordd LL65 8 C1
Minffordd Rd
Caergeiliog LL65 13 B4
Llanddulas LL22 121 E3
Minffordd St SY20 108 B6
Minffordd Sta★ LL48 70 B5
Min Menai LL57 142 D3
Min y Brenig LL21 48 D3
Min-y-Clwyd LL21 62 D7
Min-y-Coed LL57 143 B4
Min-y-Ddol Bangor LL57 143 B3
Llanwrin SY20 108 E2
Min-y-Don
Abergele LL22 123 A3
Llandudno LL30 115 A3
Llanfairpwllgwyngyll LL61 141 B4
Min-y-Don Ave LL29 120 D4
Min-y-Don Dr LL29 120 D4
Min Y Don / Jubilee Terr LL56 147 A4
Min-y-Don Rd LL29 120 D4
Min-y-ffrwd LL61 141 B4
Min-y-Mor LL63 19 E3
Min-y-Morfa LL22 124 B3
Min Y Mor / Marine Terr LL52 68 D4
Min-y-Mor Rd LL65 138 C7
Min yr Afon LL74 11 E1
Min Yrallt / Edge Hill LL57 143 A7
Min-y-Traeth LL48 70 B5
Min-y-Traeth / Beachbank 7 LL52 68 E5
Min Y Treath LL53 157 D3
Mistrals The LL30 114 B3
Mitre Pl LL53 157 C5
Mitre Terr LL53 157 C5
Mochdre Bsns Pk LL28 119 A4
Mochdre Infants CP Sch LL28 119 A4
Mochdre Rd LL28 119 B1
Mochras (Shell Island)★ LL45 83 D1
Moel Eilio
Caernarfon LL55 152 F2
Llansanffraid Glan Conwy LL28 130 C4
Moelfre Path LL22 135 A4
Moelfre Seawatch Heritage Ctr★ LL72 11 E5
Moelfre Terr LL45 84 A1
Moelfre View Cvn Pk LL43 92 E4
Moelwen View 6 LL41 57 A1
Moelwyn Ave E LL18 124 E5
Moelwyn Ave N LL18 124 D6
Moelwyn Ave W LL18 124 D5
Mona Dr LL34 116 A1
Mona Rd LL32 117 C3
Mona Rd / Fford Mona LL59 142 A4
Mona St / Stryd Mona LL68 4 D5
Mona Terr
6 Criccieth LL52 68 E5
Llanfairfechan LL33 126 E4
Llangoed LL58 17 F6
Rhyl / Y Rhyl LL18 125 C7
Monks Vale Rd / Ffordd Bro Mynach LL42 161 B6
Monks Wlk LL30 113 D2
Moon St LL30 113 F3
Moor Pk LL22 122 F2
Moranedd Ct LL22 121 F3
Morannedd Criccieth LL52 68 E5
Moelfre LL72 11 E5
Mor Awel Abergele LL22 123 A3
Colwyn Bay / Bae Colwyn LL29 121 A3
Penygroes LL54 40 B4
Morawelon LL65 7 C1
Mor-Awelon LL62 20 D3
Morawelon Cl LL65 138 E5
Morawelon Rd LL65 138 E5
Morben-isaf Cvn Pk SY20 111 C5
Moreton Rd LL65 138 D5
Morfa Aber Nature Reserve★ LL33 145 B7
Morfa Ave LL18 124 C4
Morfa Bach LL18 125 C7
Morfa Clwyd Bsns Ctr LL18 125 B6
Morfa Cres LL36 109 B8
Morfa Dr LL32 117 C3
Morfa Gaseg LL48 70 D8
Morfa L Ctr★ LL22 124 C4
Morfa Lodge LL49 158 D4
Morfa Lodge Cvn Pk LL54 29 B1
Morfa Lodge Est LL49 158 D4
Morfa Mawddach / Mawddach Trail★ LL39 161 F1
Morfa Mawddach Sta LL39 161 F1
Morfa Rd Llandudno LL30 113 C2
Llandudno,Penrhyn Bay LL30 115 B1
Morfa'r Garreg LL53 157 E3
Morfa View LL18 136 F4
Morfa View Terr LL32 117 D3
Morgan St / Stryd Morgan LL57 150 E2
Moriah Terr LL53 50 F2
Morlais Conwy LL32 117 C4
Pensarn LL22 123 C4
Morlan Pk LL18 125 B8
Morley Rd LL30 114 A2
Morley Rd / Ffordd Morley LL18 125 C7
Morris Cl 3 LL30 114 F1
Morrison Cres LL65 138 E4
Morris St LL22 26 B5
Mortons Hoilday Camp LL22 124 A4
Mossley Mount LL30 114 F1
Mostyn Ave LL30 114 B2
Mostyn Broadway LL30 113 F3
Mostyn Champneys Ret Pk LL30 114 A2
Mostyn Cres LL30 113 D3
Mostyn Ct / Cwrt Mostyn LL30 113 E2
Mostyn Gall The LL30 113 F3
Mostyn Rd LL29 119 F5
Mostyn St LL30 113 E3
Mostyn Terr LL57 150 C2
Mountain La LL34 127 F4
Mountain Rd
Conwy LL32 117 D2
Llanfechell LL68 3 C4
Mountain Rd / Ffordd Y Mynydd LL57 150 D5
Mountain Sq / Sgwar Y Fron 16 LL57 143 A5
Mountain St / Pentre Newydd 12 LL55 152 E4
Mountain View
20 Bangor LL57 142 F5
Betws-y-Coed LL26 155 F4
Holyhead / Caergybi LL65 138 D4
Mountain View / Trem Y Garnedd LL59 142 B5
Mount La / Lon Y Domen LL23 159 D5
Mount Pk LL32 117 D1
Mount Pleasant
Bangor LL57 148 F6
10 Beaumaris LL58 17 F3
Conwy LL32 117 D2
1 Holyhead / Caergybi LL65 138 D5
Llanaelhaearn LL54 51 C3
Llithfaen LL53 50 F2
Llysfaen LL29 121 C1
Porthmadog LL49 158 D4
Mount Pleasant Rd / Bryn Teg LL40 162 C2
Mount Pleasant Terr
21 Bangor LL57 142 F5
Llandudno LL30 114 E2
Mount Rd
Llanfairfechan LL33 126 E2
Rhyl / Y Rhyl LL18 125 C7

Mount St / Ffordd Y Mynydd LL57 143 B5
Mount St / Heol Y Domen LL23 159 D5
Mount St / Lon Las LL59 142 B5
Mount St / Tai'r Mynydd 15 LL57 143 A5
Mowbray Rd LL30 113 D1
Mulberry Cl LL32 117 C4
Muriau LL52 68 D4
Murraydowns LL28 119 E8
Museum of Childhood Memories★ LL58 17 F3
Mynach Rd / Ffordd Mynach LL42 161 B6
Mynydd- Glas LL51 53 D3
Mynydd Isaf LL35 109 F3
Mynydd La LL28 119 C2
Mynydd Llwyd LL68 4 E4
Mynynd Crafcoed LL58 17 C6

N

Nant Cl / Cylch-y-Nant 1 LL18 125 F2
Nant Ddu Rd LL22 135 F5
Nant-Ddu Terr LL22 136 A6
Nant Ffynon LL55 31 F1
Nant Graen LL57 150 E1
Nant Gwernol Forest Wlk★ LL36 107 A5
Nant Gwernol Sta★ LL36 107 A5
Nant Gwrtheyrn Walks★ LL53 50 F3
Nant Helygen / Willowbrook LL29 120 E1
Nantiesyn LL35 110 A3
Nantle Rd LL54 40 D4
Nantlle Terr / Tai Nantlle LL54 40 E4
Nant Newydd Cvn Site LL78 15 F8
Nant Terr LL75 16 D5
Nant Terr / Rhesdai'r Nant LL77 139 C4
Nant-y-Berllan LL33 126 D1
Nant-y-Coed LL31 118 C3
Nant Y Coed LL28 130 D5
Nant-y-Coed Sch LL31 118 C3
Nant-y-Coed Wlk★ LL33 126 F1
Nant-Y-Faenol Rd LL18 137 D4
Nant Y Felin
Holyhead / Caergybi LL65 138 D3
Nefyn LL53 65 C7
Nant-y-Felin LL75 16 D5
Nantyfelin Rd LL33 126 D1
Nantyfelin Terr LL33 126 D1
Nant Y Gader LL40 162 B1
Nant-y-Gamar Rd LL30 114 B2
Nant Y Glyn LL31 118 B3
Nant-y-Glyn LL55 30 E6
Nant-y-Glyn Ave LL29 120 A3
Nant-y-glyn Holiday Pk LL29 120 A3
Nant-y-Glyn Rd LL29 120 A3
Nant-y-Gors LL60 21 D7
Nant-y-mount LL57 147 F7
Nant y Mynydd LL68 3 C3
Nant Y Pandy LL77 139 C5
Nant Yr Efail LL28 130 D4
Nanty-y-Glyn Rd LL29 119 F1
Narrow Gauge Railway Mus The★ LL36 109 C7
Narrow La LL31 118 C2
National Screen & Sound Archive of Wales LL54 41 E3
National St LL36 109 C7
Nazareth Terr LL48 70 C6
Nebo Rd / Ffordd Cae'r Melwr LL26 154 D3
Neptune Hall Cvn Pk LL36 109 C7
Neptune Rd / Ffordd Neifion LL36 109 C7
Netley Rd LL18 125 B6
Nevill Cres LL30 113 D3
Newboro Terr LL32 117 D2
Newborough St LL41 156 D4
Newborough St / Stryd Niwbwrch 30 LL55 152 E4
Newborough Warren Tywyn Niwbwrch National Nature Reserve★ LL61 28 F5
New Bryn Bowydd LL41 156 C4
New Cotts LL40 94 D1
New Council Hos LL78 11 C1
New Ebenezer Pl 18 LL57 143 A5
Newgate LL24 45 D1
New Park Rd LL65 138 C6
New Pier Bangor★ LL57 143 A7
New Precipice Wlk★ LL40 94 E2
New Rd LL41 156 D4
New Rd / Ffordd Newydd
Llanddulas LL22 122 A2
Llandudno Junction LL31 118 A3
9 Rhuddlan LL18 125 F1
New Rd / Lon-Newydd LL77 139 E4
New Row LL53 66 F3
Newry Dr LL33 126 E1
Newry-Fawr LL65 138 D7
Newry Fields LL65 138 D6
Newry St LL65 138 D6
New St
Aberdovey / Aberdyfi LL35 109 F3
Abergele LL22 123 B1
Beaumaris LL58 17 F2
Bethel LL55 30 D8
Blaenau Ffestiniog LL41 156 D4
Conwy LL32 129 D6
Deiniolen LL55 31 C6
Four Mile Bridge or Pont-rhydbont LL65 7 C1
Llandudno LL30 113 D3
Machynlleth SY20 163 D4
Trefor LL54 51 B5
New St / Heol Newydd LL49 158 D4
New St / Lon Dywod LL53 157 D5
New St / Strydd Newydd 26 LL55 152 E4
New St / Tan Y Bonc LL59 142 B4
New Tan-y-manod LL41 156 E3
New Terr
Llanfairfechan LL33 126 C1
9 Pwllheli LL53 157 D5
Tudweiliog LL53 63 H6
Newton Rd LL28 119 D8
Newton St / Stryd Newton 8 LL55 31 C3
Newtown Rd SY20 163 F4
New York Terr LL22 123 A2
Nimrod Wlk LL65 138 F5
Noddfa 8 LL48 70 D6
Norbreck Dr LL18 125 F5
Norcliffe Ave LL29 120 E3
Norman Ct LL64 19 A8
Norman Dr LL18 125 C7
Norman Rd LL30 113 E2
Norman Way LL30 113 E2
North Ave
Barmouth / Abermaw LL42 161 B5
Rhyl / Y Rhyl LL18 125 A7
North Dr LL18 125 E5
Northfield Rd LL42 161 C5
Northgate St / Stryd Pedwara Chwech 5 LL55 152 D4
North Llanrwst Sta LL26 154 A5
North Par LL30 113 E4
North Penrallt / Penrallt Uchaf 3 LL55 152 E4
North Rd / Ffordd Y Gogledd LL55 152 E6
North St / Pentre Poeth LL53 157 D5
North Terr 3 LL52 68 D5
North Western Rd LL41 156 C5
North West St LL65 138 D6
Norton Rd
Llandudno LL30 113 F3
Rhos On S LL28 119 D7
Norton Villas LL34 127 D5
Norwood Pas 4 LL30 113 E3

O

Oak Dr LL29 119 E4
Oak Drive Cl LL29 119 D5
Oakeley Sq LL41 156 B4
Oakeley Terr LL41 156 C7
Oakfield Cvn Pk LL18 124 C4
Oakland Ave LL18 125 A6
Oaklea LL18 124 E3
Oaklea Ct LL18 125 E6
Oakville Ave LL18 125 E8
Oakwood Rd LL18 125 E8
Oberon Wood LL55 55 A7
Ochr-y-Bryn LL16 27 F3
Off Hill St LL59 142 B5
Ogwen Ave LL18 124 F5
Ogwen Bank Cvn Pk LL57 32 B8
Ogwen St LL57 150 C2
Ogwen Terr
Bethesda LL57 150 C2
Llysfaen LL29 121 D2
Old Boatyard The LL53 81 B3
Old Brewery LL26 154 B4
Old Church Rd / Ffordd Hen Eglwys LL24 155 D5
Old Colwyn Jun Sch LL29 120 D3
Old Conway Rd / Hen Ffordd Gonwy LL28 119 A3
Old Foryd Rd LL18 124 E6
Old Highway
Colwyn Bay / Bae Colwyn LL29 120 A3
Colwyn Bay / Bae Colwyn,Moche LL28 119 C4
Old Mill Rd LL34 116 B1
Old Rd Conwy LL32 117 D2
Llandudno LL30 113 D4
Old School Rd / Ffordd Hen Ysgol LL65 138 A6
Old Sta LL65 138 D4
Old Tan-y-manod LL41 156 E3
Olgra Terr / Rhes Olra LL55 31 C3
Olinda St LL18 125 C8
Oliver Jones Dr LL30 114 E1
Orchard Gr LL28 119 B4
Orchard The LL59 142 B6
Oriel Plas Glyn-y-Weddw★ LL53 81 C6
Oriel Ynys Mon (Mus)★ LL77 139 D6
Orme Ave LL28 115 D1
Orme Rd LL28 119 A4
Orme Rd / Lon Y Gogarth LL57 143 B6
Orme Terr 3 LL57 142 E4
Ormonde Terr LL30 113 C4
Orton Gr 10 LL18 125 A6
Osborne Gr 3 LL18 125 A6
Osborne Terr LL31 118 B2
Osborne Terr / Rhes Osborne 2 LL57 143 B6
Osmond La LL49 158 D4
Osmond Terr
Minffordd LL48 70 B5
Porthmadog LL49 158 D4
Osmund Terr LL48 70 C6
Oswald Rd LL31 118 B2
Otter Trail★ LL23 75 B7
Oval The LL30 113 D2
Overlea Ave LL31 117 F4
Overlea Cres LL31 117 F4
Overstrand Ave LL64 19 B8
Owain Glyndwr LL18 124 E4
Owain Glyndwr Ctr (Mus)★ SY20 163 D4
Owain Gwynedd LL18 124 E4
Owen Cl LL18 125 D5
Owen's Holiday Camp LL22 124 A3
Owens Terr LL26 154 B4
Oxford Gr 13 LL18 125 B7
Oxford Rd LL30 113 F2
Oxford Terr LL41 156 D4
Oxwich Rd LL28 119 B4

P

Pabo La LL31 118 E3
Padarn Ctry Pk★ LL55 31 D3
Padarn Rd / Ffordd Padarn 20 LL55 31 C3
Palace Ave LL18 125 A7
Palace St / Stryd Y Plas 12 LL55 152 D4
Palins Holiday Camp LL18 124 C4
Pandy Cvn Pk LL43 92 E4
Pandy Sq LL36 106 F5
Panorama Walk★ LL42 161 F5
Panorama Wlk LL35, LL36 110 B4
Pant Caerhun LL57 148 E7
Pant Dreiniog Ind Est LL57 150 C3
Panteidal Chalet Pk LL35 110 E4
Pant Glas LL17 137 F2
Pant-Glas Rd LL57 150 D2
Pant Heulog 2 LL48 70 D6
Pantllwyd 7 LL41 57 A1
Pant Lodge LL61 141 D4
Panton St / Stryd Panton 7 LL57 143 A5
Pant Rd / Ffordd Pant
Bethesda LL57 150 D2
Caernarfon LL54 152 E1
Pant Teg LL31 118 A3
Pant-y-celin LL58 17 F6
Pant-y-Celyn
Llanllyfni LL54 40 B2
Trawsfynydd LL41 72 A3
Pant-y-Ffridd LL30 113 C4
Pant-Yr-Afon LL34 127 D5
Pant-yr-Onnen LL46 160 D2
Pant y Waun LL55 30 D2
Pantywennol LL30 114 D2
Parade The
Llandudno,Craig-y-Don LL30 114 A3
Llandudno LL30 113 F3
Paradise Rd LL34 127 D5
Paradise St / Heol Gwynfa 11 LL18 125 B7
Parc Aelas LL22 25 C2
Parc Benarth LL32 129 D6
Parc Bodnant LL30 113 F1
Parc Branwen LL65 7 E3
Parc Bron Y Graig LL46 160 E4
Parc Busnes Eryri / Snowdonia Bus Pk LL48 70 C5
Parc Busnes Porthmadog / Porthmadog Bsns Pk LL49 158 C5
Parc Caer Seion LL32 117 B3
Parc Cambria LL29 120 F3
Parc Clai Coediog LL75 16 D6
Parc Conwy LL26 154 C3
Parc Ddiwidiannol Bryn Cefni (Ind Pk) LL77 139 F3
Parc Derwen LL28 130 D5
Parc Diwydiannol Mona (Ind Pk) LL65 14 E2
Parc Eco Dyfi / Dyfi Eco Pk SY20 163 C5
Parc Edith LL18 125 E1
Parc Elen LL18 124 E3
Parc Esmor LL18 125 D8
Parc Felin Dwr LL65 138 A6
Parc Fforddlas LL18 125 C6
Parc Ffynnon LL29 121 D2
Parc Foel Lus LL34 127 E5
Parc Glang Aber LL22 122 F2
Parc Gwynedd LL30 114 F2
Parc Gwyrdd LL36 105 E1
Parc Henblas LL33 126 C2
Parc Hyde LL18 124 E3
Parciau LL53 81 A5
Parciau Cl LL29 120 D2
Parc Isaf LL33 126 C3
Parc Isallt LL65 7 A2
Parc Llynnon LL65 8 C1
Parc Luned LL18 124 E3
Parc Menai Bangor LL57 147 E8
Llanfairfechan LL33 126 C3
Parc Menter Marian Mawr / Marian Mawr Ent Pk LL40 162 B2
Parc Morfa LL18 124 D4
Parc Muriau LL55 152 E1
Parc Sychnant LL32 117 C1
Parc Tudur / Tudor Pk LL18 124 F3
Parc Twr LL61 141 C4
Parc Tyddyn LL75 16 D7
Parc Victoria / Victoria Pk LL57 142 E5
Parc Y Castell LL22 124 C2
Parc-y-glyn (Rare Breeds Ctr)★ LL32 23 E7
Parc-y-Llan LL16 27 F3
Parc-y-Lleng LL18 125 E1
Parc y Llethrau LL35 109 F3
Parc Yr Efail LL53 66 B2
Parc-yr-Eryr LL26 154 C3
Park Ave
Bodelwyddan LL18 136 E4
Kinmel Bay / Bae Cinmel LL18 124 E4
Llandudno LL30 114 B2
Park Cres LL33 126 C3
Park Dr Deganwy LL31 117 F4
Rhyl / Y Rhyl LL18 125 D7
Park Dulas SY20 108 B5
Park Gr LL22 123 A3
Park La 3 Llanberis LL55 31 C3
Llandudno LL30 114 B2
Park Nant Rd LL33 126 D1
Park Rd
Barmouth / Abermaw LL42 161 C5
Colwyn Bay / Bae Colwyn LL29 120 A4
Deganwy LL31 117 F4
Llanfairfechan LL33 126 C2
9 Penrhyndeudraeth LL48 70 D6
Park Road Cotts LL29 121 C1
Park Row LL40 162 C2
Park Sq LL41 156 D4
Park St LL65 138 D6
Park St / Stryd Y Parc 22 LL57 142 F5
Park Terr Beaumaris LL58 18 A7
Deganwy LL31 117 F4
11 Penrhyndeudraeth LL48 70 D6
Park Way LL28 119 D8
Parliament St LL18 125 E1
Parry Rd / Ffordd Pari LL26 154 B4
Parys Rd LL68 4 E6
Patagonia Ave LL18 125 D7
Paternoster Bldgs 21 LL55 152 D4
Patrick Ave LL18 125 E5
Peel St LL22 123 B2
Peibio Cl LL65 138 F5
Pemprys LL53 66 A6
Penaber LL52 68 D4
Penamser Ind Est / Ystad Ddiwydiannol Penamser LL49 158 C5
Penamser Rd / Ffordd Penamser LL49 158 B5
Penarth fawr★ LL53 67 C4
Penarwell Chalet Pk LL53 81 D7
Penbodeistedd LL68 3 C4
Pen Bonc LL54 40 C6
Penbryn LL54 40 B4
Penbrynglas LL40 162 C2
Penbrynlwyd LL41 156 B5
Penbryn Rd / Ffordd Penybryn LL55 152 F1
Pencae LL59 142 D8
Pencarnisiog Prim Sch LL63 19 E8
Pen Castell LL57 143 A4
Pen Cefn LL40 162 B3
Pencefn Rd LL41 156 A2
Pencei 7 LL53 157 D5
Pen Cei LL49 158 D3
Pen Cei / Upper Quay St LL68 4 F6
Pen Ceunant / Snowdon St LL56 147 A3
Penchwintan Rd / Ffordd Penchwintan LL57 142 E3
Pen Coed LL29 119 E3
Pencoed Ave / Rhodfa Pencoed LL22 121 F2
Pencoed Rd LL22 121 F2
Pencraig LL77 139 F4
Pencraig Mans LL77 139 F4
Pendalar LL55 152 F4
Pen Dalar LL33 126 E4
Pen Deitsh / Castle Ditch 18 LL55 152 D4
Penderlan LL56 147 B4
Pen Derwydd LL77 139 C5
Pendorlan Ave 8 LL29 120 A4
Pendorlan Rd LL30 115 B1
Pendraw R Llan LL28 130 C5
Pendre Ave LL18 125 E6
Pendref 4 Dwyran LL61 29 B8
Llanrwst LL26 154 C4
Pen Dref LL46 160 E5
Pen-Dref St LL61 28 F8
Pendre Ind Est LL36 109 D8
Pendre Rd LL30 114 E2
Pendre Wlk LL36 109 B7
Pen Dyffryn LL31 118 C3
Pendyffryn Rd LL18 125 D6
Pendyffryn Rd N LL18 125 E7
Penffordd-goch LL41 156 E1
Pen Garth LL32 117 C1
Pengelli Wyn LL55 153 A6
Pen Gerddi LL65 138 C4
Pengreigwen LL53 81 A6
Pengwern Est LL53 66 B2
Pengwern Hall Coll LL18 137 D6
Penhelig Rd LL35 110 A3
Penhelig Sta LL35 110 A3
Penhelyg Terr LL35 110 A3
Peniel St LL31 117 E4
Peniel Terr 2 LL41 57 A1
Penisaf Ave LL22 124 A3
Pen Isa'r Lon LL54 40 B1
Penlan Abergele LL22 123 B3
Llandudno LL30 117 D6
2 Trawsfynydd LL41 72 A2
Pen Lan LL22 124 A3
Penlan St / Stryd Penlan LL53 157 C5
Penlan Terr 5 LL48 70 D6
Penlan Uchaf 6 LL48 70 D6
Penllech-Nest LL65 138 D4
Penllwyn St LL54 40 C4
Penllyn 14 LL55 152 E4
Pen Llyn LL22 123 B4
Penllyn / Pool Hill 15 LL55 152 E4
Penllyn / Pool Side 13 LL55 152 E4
Penllyn Terr LL48 70 C6
Penllys Terr 27 LL57 142 F5
Penlon LL59 141 F6
Penlon Caernarvon / Caernarvon Rd LL53 157 E6
Penlon Gdns / Gerddi Penlon LL57 143 B5
Penlon Llyn / Llyen St LL53 157 B5
Penmachno Woollen Mill★ LL24 45 E3
Penmaen Cres LL32 117 C3
Penmaen Ct LL28 119 C6
Penmaen Cvn Pk SY20 111 A5
Penmaendovey Ctry Club SY20 111 A6
Penmaen Isa LL34 127 B5
Penmaenmawr Rd LL33 126 E4
Penmaenmawr Sta LL34 127 D6
Penmaen Rd LL32 117 C3
Penmaenrhos Inf Sch LL29 120 F3
Penmaen View LL33 126 C3
Penmon Priory (rems of)★ LL58 18 B7
Pen Morea LL55 152 F2
Pen Morfa LL36 109 C7
Penmount 12 LL53 157 D5
Penmount Terr 13 LL53 157 D5
Penmynydd Rd / Lon Penmynydd LL77 15 E2
Pennant LL77 139 C5
Pennant Cres / Cilgant Pennant 2 LL57 142 E3
Pennant Ct 5 LL30 113 F1
Pennant Rd / Ffordd Pennant LL28 24 B4
Penniel Terr LL41 156 E3
Pennington Terr LL22 121 D3
Penpaled Rd 5 LL52 68 E5
Pen Parc LL62 20 D4
Pen Parc Cvn Site LL78 11 C2
Penrallt Bontnewydd LL54 29 D2
Llanystumdwy LL52 68 B5
Pen Rallt LL59 142 A6
Penrallt Ct SY20 163 D4
Penrallt Isaf / Lower Penrallt Rd 28 LL57 142 F5
Penrallt Isaf / South Penrallt 4 LL55 152 E4
Penrallt / Penrallt Terr 2 LL77 139 D4
Penrallt Rd LL65 7 A2
Penrallt Rd / Lon Penrallt 24 LL57 142 F5
Penrallt Terr / Penrallt 2 LL77 139 D4
Penrallt Uchaf / North Penrallt 3 LL55 152 E4
Penrhiw Abergele LL22 123 A1
Clynnog-fawr LL54 52 C8
Dyffryn Ardudwy LL44 92 E6
Rhostrehwfa LL77 15 A1
Pen Rhiw LL57 31 F8
Penrhos Abergele LL22 123 B3
Bethel LL55 30 C8
Pen-Rhos SY20 108 B7
Pen Rhos
Morfa Nefyn LL53 65 A7
Newborough / Niwbwrch LL61 28 F8

Penrhos Ave
Llandudno Junction LL31 118 B3
Old Colwyn LL29 120 F3
Penrhos Ave / Rhodfa Penrhos LL57 142 C2
Penrhos Beach Rd LL65 7 B4
Penrhos Coastal Pk (Nature Res)★ LL65 7 C4
Penrhos Cvn Site LL35 109 E2
Penrhos Dr LL30 115 A1
Penrhos Dr / Heol Penrhos LL57 142 D3
Penrhos Rd LL28 119 F6
Penrhos Rd / Ffordd Penrhos LL57 142 C2
Penrhos Stanley Hospl / Ysbyty Penrhos Stanley LL65 138 F4
Penrhos Terr
Brynsiencyn LL61 21 E2
Moelfre LL72 11 E5
Penrhos View LL65 138 D4
Penrhydlyniog LL53 157 C4
Penrhyd Rd / Ffordd Penrhyd LL28 24 A6
Penrhyn Ave LL28 115 C1
Penrhyn Ave / Rhodfa Penrhyn LL57 143 B4
Penrhyn Beach LL30 114 F2
Penrhyn Beach E LL30 115 A2
Penrhyn Beach W LL30 114 F2
Penrhyn Castle★ LL57 143 E4
Penrhyn Cl
Caergeiliog LL65 13 A3
Llandudno LL30 114 F2
Penrhyn Ct
Colwyn Bay / Bae Colwyn LL28 115 D1
Llandudno LL30 114 F1
Penrhyndeudraeth Sta LL48 70 D5
Penrhyn Dr LL28 115 C1
Penrhyn Dr N LL38 99 D4
Penrhyn Dr S LL38 99 D3
Penrhyn Geiriol LL65 138 E1
Penrhyn Hill LL30 114 F2
Penrhyn-Isaf Rd LL30 115 A1
Penrhyn Madoc LL30 118 F8
Penrhyn Old Rd
Llandudno LL30 114 E1
Llandudno LL30 114 F2
Penrhyn Parc LL28 119 D8
Penrhyn Pk LL30 115 A1
Penrhyn Point Cvn Site LL74 11 E3
Penrhyn Rd LL29 119 F5
Penrhyn Sta★ LL48 70 D6
Penrhyn Terr / Rhes Penrhyn LL57 150 C2
Penrodyn LL65 7 D3
Pen'rorsedd LL53 65 B6
Pensarn
Aberllefenni SY20 108 D8
Penrhyndeudraeth LL48 70 C6
Pen-sarn Cotts LL31 118 D2
Pensarn Rd / Heol Pensarn LL23 159 C4
Pensarn Sta LL46 83 F3
Pensyflog LL49 158 C5
Pentaeth Rd / Ffordd Pentraeth LL79 16 F1
Pen Tai LL28 130 C5
Pen Tir LL30 115 A2
Pentraeth LL29 121 A3
Pentraeth Rd / Ffordd Pentraeth LL59 141 F6
Pentre Ave LL22 123 B2
Pentrebach LL22 36 C4
Pentre Bach LL42 161 B5
Pentre Canol LL29 120 E1
Pentrefelin Amlwch LL68 4 D4
Holyhead / Caergybi LL65 138 A6
Llansanffraid Glan Conwy LL28 130 C2
Pentre Felin LL24 155 C6
Pentrefoelas Craft Ctr★ LL24 46 F2
Pentregwyddel Rd LL22, LL29 121 D2
Pentregwyddel Terr LL29 121 D2
Pentre Helen LL55 31 C6
Pentre Isaf LL29 120 E1
Pentre La / Lon-y-Pentref LL18 125 F2
Pentre Mawr LL22 123 B3
Pentre Mawr Cvn Pk LL22 123 C3
Pentre Newydd LL29 120 D2
Pentre Newydd / Mountain St 12 LL55 152 E4
Pentre Pella LL65 6 D5
Pentrepiod Sta★ LL23 89 B6
Pentre Poeth / North St LL53 157 D5
Pentre'r Efail LL46 160 E4
Pentre Ucha LL22 123 B2
Pentre Uchaf
Dyffryn Ardudwy LL44 92 E6
Llanfairfechan LL33 126 C1
Pentre Wech LL32 117 D2
Pentywyn Rd LL30,LL31 117 F4
Penucheldre
Holyhead / Caergybi LL65 138 C5
Llanfairpwllgwyngyll LL61 141 B4
Pen-y-Banc LL49 158 D2
Pen-y-Berth LL61 141 D4
Pen Y Bonc LL59 142 D8
Penybonc Rd / Ffordd Penybonc LL68 4 E6
Pen y Bont LL68 3 C4
Pen-y-bont 8 LL18 125 E1
Pen-y-Bont Rd LL28 119 A7
Pen Y Bont Touring & Camping Pk LL23 159 E2
Penybryn
Blaenau Ffestiniog LL41 156 E3
Blaenau Ffestiniog,Tanygrisiau LL41 156 A3
Llanfairfechan LL33 126 C1
Llan Ffestiniog LL41 72 A8
Y Felinheli LL56 147 A3
Pen-y-Bryn
Caernarfon LL55 152 E1
Harlech LL46 160 E5
Llanrwst LL26 154 B6
Pen Y Bryn LL53 65 C7
Pen-y-Bryn LL29 120 D3
Penybryn Est LL53 81 A5
Penybryn Rd LL33 126 C2
Pen-y-Bryn Rd
Colwyn Bay / Bae Colwyn LL29 119 F3
Holyhead / Caergybi LL65 138 C7
Pen Y Bryn Rd / Allt Pen Y Bryn LL57 150 C2
Penybryn Rd / Ffordd Pen Y Bryn LL57 143 C5
Penycefn LL68 4 E5
Pen-y-Cefndy LL18 125 D5
Pen Y Cefn Rd / Ffordd Pen Y Cefn LL40 162 C3
Pen Y Cei / Corn Hill LL49 158 D3
Penychain Sta LL53 67 C3
Pen-y-Clwt LL57 150 E2
Pen Y Cwm LL30 113 E1
Pen-y-Ffordd LL35 109 F3
Pen-Y-Ffridd LL57 31 D8
Pen-y-Ffriddoedd LL57 149 F2
Pen Y Ffridd Rd / Ffordd Pen Y Ffridd LL57 142 C2
Pen-y-Fron LL54 40 C4
Pen-y-fron Terr LL58 18 B7
Pen-y-Gaer LL31 117 F4
Pen Y Gaer LL28 130 C3
Pen Y Gareg St LL41 72 A2
Pen Y Garreg La LL30 114 F2
Pen-y-Garth LL55 152 E5
Pen-y-gelli Terr LL41 156 E3
Pen-y-Graig
Bethesda LL57 150 C2
Bethesda LL57 32 B8
Pen Y Graig LL55 152 E4
Pen-y-Graig
Harlech LL46 160 E4
Llanfachraeth LL65 8 C1
Pen Y Graig / Pool La 24 LL55 152 E4
Penygroes LL41 156 E3
Pen-y-Groes Chwilog LL53 67 F4
Llanddeusant LL65 9 A4
Tregarth LL57 149 F4
Penygwndwn LL41 156 E3
Penyllyn Sta★ LL55 31 B5
Pen-y-Llys LL18 125 F7
Pen-y-Maes LL22 123 B3
Pen-y-Maes Ave LL18 125 F6
Pen-y-Mount Sta★ LL49 158 E6
Pen-y-Mynydd LL28 119 D3
Pen-y-Nant LL58 17 F6
Pen-y-Parc LL30 114 E2
Penyrardd Terr LL33 126 C2
Penyrhwlfa LL46 160 E6
Pen-Yr-Orsedd LL77 139 E3
Pen-yr-orsedd Terr / Tai Pen-yr-orsedd LL54 40 E4
Pen-y-Sarn Fawr LL69 5 A3
Pen-y-Wern LL57 142 D2
Pepper La 6 LL55 152 D4
Peris Ave LL22 124 B4
Perth-y-Paen LL77 139 C4
Petersfield Est LL68 3 C3
Peulwys Ave LL29 120 E2
Peulwys La
Old Colwyn LL29 120 E2
Old Colwyn,Mynydd Marian LL29 121 A2
Peulwys Rd LL29 120 E2
Philip Ave LL35 110 A3
Phoenix Workshops LL28 119 A4
Picton Terr LL41 156 D4
Pier Rd / Ffordd y Pier LL36 109 C7
Piggery Potteries★ LL55 31 C3
Pili Palas (Butterfly Farm)★ LL59 141 E7
Pine Ct LL28 119 D3
Pine Gr LL28 119 D8
Pine Grove Ct LL28 119 D8
Pines The LL58 18 B6
Pinfold Workshops LL18 125 C5
Pistyll Cain★ LL40 86 D2
Pistyll Terr LL53 65 E8
Plas Adda 4 LL57 142 E3
Plas Bach LL18 124 E5
Plas Bryngwyn LL65 138 C5
Plas Bryn Mor LL34 127 D5
Plas Coch Terr 11 LL58 17 F3
Plas Cyril LL18 125 C6
Plas Dr SY20 163 D4
Plas Edwards LL36 109 B7
Plas Eithin LL29 119 D5
Plasey St / Heol Plasey LL23 159 D4
Plas Foryd LL18 124 E6
Plas Glyndwr LL57 143 C5
Plas Gwenllian LL57 143 B5
Plas Gwilym LL29 120 F3
Plas Gwyn
Barmouth / Abermaw LL42 161 C4
Llanfairfechan LL33 126 C2
Plas Gwyn Rd LL33 126 C2
Plas Heulog 1 LL29 120 D3
Plashyfryd Cres LL65 138 C5
Plashyfryd Terr LL65 138 C5
Plas Isaf / Poplar Gr LL26 154 B5
Plas Llwyd Terr / Rhes Plas Llwyd LL57 143 A5
Plas Mabon LL57 143 B5
Plas Main LL65 13 C7
Plas Marchogion LL57 143 B5
Plas Mawr Mus★ LL32 117 E2
Plas Meirion Cvn Pk LL27 34 F6
Plas Newydd
Llandudno LL30 117 F8
Plas Newydd★ LL61 147 A8
Plasnewydd Bldgs LL22 123 B2
Plas Onn LL23 89 C7
Plas Penrhyn LL30 114 F1
Plas Pobty LL57 143 A4
Plas Rd
Holyhead / Caergybi LL65 138 B4
Llandudno LL30 113 D4
Rhyl / Y Rhyl LL18 125 E7
Plas Talgarth SY20 111 B6
Plas Talhenbont★ LL53 68 A6
Plas Tanrallt LL53 157 D5
Plas Tan-y-Bwlch Woodland Gdns★ LL41 71 B7
Plastirion LL22 124 A3
Plastirion Ct 3 LL18 125 C8
Plastirion Pk LL22 124 A3
Plas Tre Marl LL31 118 A3
Plas Tudno LL30 114 F1
Plas Tudur LL77 139 F5
Plas Twythill LL55 152 E4
Plas Uchaf Cvn Pk LL74 11 D2
Plas Villas LL61 141 C3
Plas Wylfa LL29 120 D3
Plas Y Berth LL33 126 C2
Plas-y-Brenin
Rhuddlan LL18 125 F1
12 Rhyl / Y Rhyl LL18 125 B7
Plas y Brenin (National Outdoor Activity Ctr)★ LL24 44 B8
Plas Y Brithdir LL40 162 D1
Plas Y Bryn LL22 135 A6
Plas Y Gerddi LL57 143 C5
Plas Y Llyn LL57 143 B5
Plas Yn Ddol LL23 159 D5
Plas-yn-Dref St LL40 162 C2
Plas yn Rhiw★ LL53 79 E5
Platt Ct LL31 117 D5
Pleasant Pl LL22 123 B2
Pleasant St LL30 114 A2
Pleasant View LL29 120 F3
Pleasant View Camp LL18 137 F8
Plough Field / Maes Yr Aradr LL26 154 B4
Plough St / Stryd Yr Aradr LL26 154 B4
Point Lynas Cvn Pk LL68 5 B5
Ponc-y-Felin LL58 17 C6
Ponc-y-Fron LL77 139 D4
Ponc-y-Lon LL57 143 F2
Pont ar Ddyfi SY20 163 C6
Pont Dronwy LL65 8 C2
Ponthwfa Terr LL65 138 B6
Pont Minllyn★ SY20 103 E4
Pont Relwe LL55 152 E5
Pont-y-Brenig Nature Trail★ LL16 48 C8
Pont-y-Brenin LL58 17 F6
Pontydd LL22 124 A3
Pont-y-pant Sta LL25 44 F4
Pont Yr Arran / Arran Rd LL40 162 D2
Pool Hill / Penllyn 15 LL55 152 E4
Pool La LL32 117 D2
Pool La / Pen Y Graig 24 LL55 152 E4
Pool Side / Penllyn 13 LL55 152 E4
Pool St Cwm-y-Glo LL55 31 A5
Llanfairfechan LL33 126 C2
Penrhyndeudraeth LL48 70 D6
Pool St / Stryd Y Llyn 23 LL55 152 E4
Poplar Gr / Plas Isaf LL26 154 B5
Poplar Rd SY20 163 D4
Poplars Dr LL18 125 D6
Poplar Sq SY20 163 C4
Poplar Terr SY20 163 C4
Porkington Terr
Barmouth / Abermaw LL42 161 D4
Harlech LL46 160 E5
Porth Bach 13 LL32 117 E2
Porth Canol / Finsbury Sq LL40 162 C2
Porth Cwyfan LL63 19 C4
Porthdafarch Rd LL65 138 C3
Porth Dafarch South Cotts LL65 138 A1
Porth Diana La LL65 7 A1
Porth Eilian Camping Site LL68 5 B6
Porth Ffordd Fangor 1 LL32 117 E2
Porthmadog Bsns Pk / Parc Busnes Porthmadog LL49 158 C5
Porthmadog Harbour Sta★ LL49 158 E3
Porthmadog Maritime Mus★ LL49 158 D3
Porthmadog Rd / Ffordd Porthmadog LL52 68 E5
Porthmadog Sta★ LL49 158 D5
Porth Penrhyn Sta★ LL42 161 D5
Porth Waterloo / Waterloo Port Rd LL55 152 F7
Porth-y-Felin Rd LL65 138 C6
Porth Y Gogledd LL55 31 C6
Porth-y-Llys LL18 125 F7
Porth yr Ynys LL72 11 E5
Portmeirion★ LL48 70 B4
Post Office La LL64 19 A7
Powys Rd LL30 113 F1
Precinct The LL74 11 E1
Precipice Wlk★ LL40 162 D8
Preswylfa 26 LL55 31 C3
Pretoria Terr LL55 152 D5
Priestley Rd / Lon Priestley 1 LL55 152 F5

Prifysgol = university

Prifysgol Cymru / Univ of Wales Bangor
Bangor LL57 142 C4
Bangor LL57 143 A5
Primrose Hill LL22 136 B4
Primrose Pas LL30 114 B2
Prince Edward Ave LL18 125 C7
Prince Edward Sq LL30 113 E4
Prince Llewellyn Terr LL25 44 E4
Prince Of Wales Rd LL65 138 D7
Princes Ave LL42 161 B5
Princes Dr LL29 119 F5
Prince's Dr LL30 114 B2
Princes Pk LL18 137 F8
Princes Rd LL18 125 F1
Prince's Rd / Ffordd Y Tywysog 5 LL57 142 F5
Princess Ave LL28 119 C7
Princess Elizabeth Ave LL18 125 D8
Princess Rd LL29 120 D3
Princes St LL18 125 B7
Priory Cl LL65 138 D5
Priory La LL65 138 E5
Promenade
Colwyn Bay / Bae Colwyn LL29 120 C4
Deganwy LL31 117 D5
Holyhead / Caergybi LL65 138 C7
Llanfairfechan LL33 126 C3
Promenade N LL36 109 B7
Promenade The LL18 124 C5
Promenade The / Y Prom LL53 157 C3
Promenade The / Y Promenad 1 LL55 152 D4
Prospect Pl LL35 109 F2
Prospect Terr LL30 113 D4
Pump St LL65 138 C5
Pwllheli Rd / Ffordd Bont Saint LL55 152 E1
Pwllycrochan Ave LL29 119 E4
Pydew Rd LL31 118 D5
Pyllau Rd LL30 113 C5

Q

Quarry Hospital Mus★ LL55 31 D3
Quay St LL18 124 F6
Quay St / Lon Y Cei LL68 4 E6
Queen's Ave
Colwyn Bay / Bae Colwyn LL29 119 F4
Old Colwyn LL29 120 E4
Queen's Ave / Rhodfa'r Frenhines LL57 143 B3
Queen's Dr LL29 119 F4
Queen's Gdns LL30 114 A1
Queens Park Cl LL65 138 C6
Queen's Park Ct LL65 138 D6
Queen's Pk
Colwyn Bay / Bae Colwyn LL29 119 F4
Holyhead / Caergybi LL65 138 C6
Queens Rd LL22 123 A2
Queen's Rd
Llandudno Junction LL31 118 B2
Llandudno LL30 114 A2
Old Colwyn LL29 120 E3
Queen's Rd / Lon Parc LL52 68 D4
Queen's Sq / Llys Owain LL40 162 C2
Queen St LL68 4 E5
Queen St / Heol Y Frenhines LL18 125 B7
Queensway
Llandudno LL30 114 A2
Old Colwyn LL29 120 E4
Pensarn LL22 123 B4
Queen's Wlk LL18 125 C8

R

Rachel Dr LL18 125 F5
Rachub Sq LL57 150 C4
Radcliffe Rd / Lon Tynllan LL52 68 E5
Raglan St LL58 17 F3
Railway Cotts LL60 21 D4
Railway Pl / Trem Y Graig LL49 158 D5
Railway Terr
7 Colwyn Bay / Bae Colwyn LL29 120 A4
Conwy LL32 117 D1
Machynlleth SY20 163 C5
Rallt Goch 15 LL55 31 C3
Rallt Goch (Ceunant) LL55 31 C2
Rallt Isaf / Hill St LL57 150 E2
Ralph St LL49 158 C1
Rathbone Pas 3 LL30 113 D3
Rathbone Terr LL31 117 E5
Rating Row 19 LL58 17 F3
Ravenspoint Rd LL65 7 A1
Rayleigh Ave LL29 120 C3
Rectory La LL30 113 D4
Red Gables LL34 127 C5
Redlands Cl LL30 115 A1
Red Lion St LL36 109 C7
Redwood Dr LL18 125 E8
Rees Ave LL18 125 D8
R'efail Est LL65 12 C4
Reform St LL30 113 E3
Regent Rd LL18 125 D8
Regent St / Stryd Regent 25 LL57 142 F5
Rehoboth Est LL63 19 C8
Rehoboth Terr LL63 19 C8
Rendezvous Cvn Pk LL22 121 F3
Rhaeadr Cynfal★ LL41 72 A8
Rhaeadr-fawr / Aber Falls★ LL33 145 F1
Rhaeadr Mawddach★ LL40 86 D2
Rhaeadr y Cwm★ LL41 72 D8
Rhaiadr Du★ LL40 95 A7
Rhea Coetmor / Coetmor Terr LL57 150 B2
Rhedyw Rd / Ffordd Rhedyw LL54 40 A2
Rheilffordd Llyn Tegid / Bala Lake Railway★ LL23 89 B6
Rhenc Newydd LL61 28 F8
Rhenysgol LL65 7 F1
Rhes Allt Castell / Castle Hill Terr LL57 143 A4
Rhes Assheton / Assheton Terr 2 LL55 152 E3
Rhes Bryn Difyr / Bryn Difyr Terr LL57 143 A4
Rhes Bryn Heulog / Bryn Heulog Terr LL55 142 E2
Rhes Bryn Teg / Bryn Teg Terr 18 LL57 142 F5
Rhes Cambrian / Cambrian Terr LL49 158 D5
Rhes Cwstenin 1 LL55 152 E3
Rhes Cynfi LL55 31 C6
Rhesdai Alma / Alma Terr 1 LL77 139 D4
Rhesdai Arenig LL23 159 D4
Rhesdai Clarke 21 LL55 152 E4
Rhesdai Gwyrfai LL54 41 B8
Rhesdai Hafod 22 LL55 152 E4
Rhesdai'r Nant / Nant Terr LL77 139 C4
Rhesdal Carados / Caradog Terr 9 LL77 139 D4
Rhes Efrog / York Terr LL55 31 D2
Rhes Eilian LL55 31 C3
Rhes Fictoria / Victoria Terr LL55 31 D2
Rhes Ganol LL54 40 E7
Rhes Gethin LL24 155 A6
Rhes Glyn LL55 31 C6
Rhes Glynllifon / Glynllifon Terr LL54 40 B6
Rhes Gosen LL54 40 B6
Rhes Grugan LL54 40 B6
Rhes James / James St LL57 32 B8
Rhes Lon Les LL55 31 C6
Rhes Marian LL55 31 C6
Rhes Olra / Olgra Terr LL55 31 C3
Rhes Osborne / Osborne Terr 2 LL57 143 B6
Rhes Penrhyn / Penrhyn Terr LL57 150 C2
Rhes Pen Y Bryn LL57 150 D2
Rhes Plas Llwyd / Plas Llwyd Terr LL57 143 A5
Rhes Priordy LL55 152 D4
Rhes Rathbone LL54 40 B6
Rhes Rhythallt LL55 30 F6
Rhes Sant Paul / St Paul's Terr 4 LL57 142 F4

Rhes Segontiwm / Segontium Terr 36 LL55 ......152 E4
Rhes Seiriol / Seiriol Terr 6 LL57 ......143 B6
Rhes Tabernacle LL57 .150 C2
Rhestai Rhos LL60 ......21 F6
Rhestai Rhyddgaer LL60 .21 E6
Rhes Tan-y-bryn LL30 .114 B2
Rhes Tan Y Bryn / Tan Y Bryn Terr LL57 ......143 A4
Rhes y Faenol / Vaynol Cotts LL55 ......31 D2
Rhianfa LL74 ......11 F1
Rhiw Bank Ave LL29 .120 A4
Rhiw Bank Terr 1 LL29 .120 A4
Rhiw-fach Terr LL24 .....57 F6
Rhiw Grange LL29 .120 A3
Rhiwlas LL22 ......123 A1
Rhiwlas Rd LL54 ......40 C4
Rhiwlas Rd / Fford Rhiwlas LL28 ......24 B3
Rhiwledyn LL30 ......114 D3
Rhiw Rd LL29 ......119 F4
Rhiw Staerdywyll LL36 .101 D1
Rhiw-Tir LL55 ......55 C4
Rhoddfa Meyrick LL61 ....28 F8
Rhoddfa Plas Coed 8 LL18 ......125 F7
Rhodfa Anwyl LL18 .....125 E2
Rhodfa Bach LL61 ......28 F8
Rhodfa Belg / Belgian Prom LL59 ......142 D4
Rhodfa Belmont / Belmont Ave LL57 ......142 D4
Rhodfa Bodrhyddan / Bodrhyddan Ave 8 LL18 ......125 F1
Rhodfa Brenig LL29 ....119 F2
Rhodfa Caer / Chester Ave LL18 ......124 D4
Rhodfa Canolblas (Avenue) LL18 ......136 E4
Rhodfa Clwyd / Clwyd Ave LL18 ......125 E2
Rhodfa Conwy / Conwy Ave 7 LL18 ......125 F1
Rhodfa Cregyn LL22 ....123 D4
Rhodfa Criccieth LL18 ..136 F4
Rhodfa Dolennau / Links Ave 4 LL18 ......125 F1
Rhodfa Dulas / Dulas Ave LL18 ......124 D4
Rhodfa Fictoria / Victoria Ave 12 LL57 ......142 F5
Rhodfa Glyn / Glyn Ave 3 LL18 ......125 F7
Rhodfa Gorllewin / West Par LL18 ......125 A7
Rhodfa Greenwood / Greenwood Ave LL57 .143 B4
Rhodfa Grenville / Grenville Ave 5 LL18 ......125 F1
Rhodfa Gwilym LL65 .....7 C1
Rhodfa Hywell / Howell Ave 4 LL18 ......125 F2
Rhodfa Kingsley / Kingsley Ave LL57 ......143 B4
Rhodfa Llanddulas / Llanddulas Avenue LL18 ......124 E3
Rhodfa Lwyd LL29 .....121 D2
Rhodfa Maen Gwyn LL18 ......125 F6
Rhodfa Maes Fr LL18 ......125 F6
Rhodfa Mair / St Mary's Ave 2 LL57 ......143 A5
Rhodfa Marian Y Mor LL53 ......157 B3
Rhodfa Menai / Menai Ave LL57 ......142 F5
Rhodfa Nant / Brook Ave LL22 ......124 B2
Rhodfa Pencoed / Pencoed Ave LL22 ......121 D2
Rhodfa Penrhos / Penrhos Ave LL57 ......142 C2
Rhodfa Penrhyn / Penrhyn Ave LL57 ......143 B4
Rhodfa R Carneddau LL29 ......119 F3
Rhodfa'r De / South Par LL22 ......123 B4
Rhodfa'r Frenhines / Queen's Ave LL57 ......143 B3
Rhodfa'r Garn LL53 .....65 C7
Rhodfa'r Garth / Garth Dr LL60 ......21 F6
Rhodfa R Graig / Craigside Dr LL30 ......114 D3
Rhodfa'r Grug LL29 ....119 F3
Rhodfar Mor LL53 ......65 C7
Rhodfa Ronald / Ronaldsway LL18 ......136 F4
Rhodfa Sant Elian LL29 .120 D1
Rhodfa's Brodyr / Friars Ave 5 LL57 ......143 B6
Rhodfa Shorney LL32 ....7 C2
Rhodfa Sychnant LL32 .117 C1
Rhodfa Wen LL29 ......121 D1
Rhos LL55 ......30 D8
Rhos Abbey LL28 ......119 E8
Rhos Bach LL52 ......68 D4
Rhos Adda LL57 ......142 E8
Rhos Carrington / Carrington Terr LL26 ......154 B5
Rhos Cotts LL32 ......117 E1
Rhos Cvn Pk LL75 ......16 C6

Rhos Dolafon LL53 .....157 C4
Rhos Dulyn LL54 ......40 B1
Rhos Dyfi LL35 ......109 E3
Rhos Ellen LL60 ......21 F6
Rhosfaelog LL64 ......19 A7
Rhos Fawr LL22 ......123 D4
Rhosffordd LL72 ......11 E5
Rhosfryn LL55 ......148 A8
Rhosgaer LL60 ......21 F5
Rhosgoch LL60 ......21 F6
Rhos-goch LL24 ......57 F6
Rhos Gwyn LL29 ......120 F3
Rhos Helyg LL21 ......77 D3
Rhoslan Bangor LL57 ...142 A1
Caernarfon LL55 ......153 E4
Rhos Lan LL55 ......30 D8
Rhoslan Pk 2 LL29 ....119 F5
Rhos Llan LL21 ......77 D3
Rhos Llwyn LL77 ......139 D3
Rhos Manor LL28 ......119 E8
Rhosneigr Sta LL64 ....19 B8
Rhos Prom LL28 ......119 E8
Rhos Rd LL28 ......119 D7
Rhos Ty Malin LL53 ....150 E2
Rhos Uchaf LL57 ......142 B1
Rhoswen LL60 ......21 F6
Rhos-y-Coed LL57 .....150 C6
Rhos-y-gad LL61 ......141 D4
Rhos-y-Gaer Ave LL65 .138 C5
Rhos-y-Nant LL57 ......150 C6
Rhuddlan Abergele LL18 .113 F1
Rhuddlan Castle LL18 137 E8
Rhuddlan Rd
Abergele LL18 ......123 C2
Rhyl / Y Rhyl LL18 ......125 E5
St George / Llansan-Sior LL22 ......136 C7
Rhyd-Ddu Sta LL54 ....41 F3
Rhyd Dr LL55 ......115 C1
Rhyd Fadog LL55 ......31 D5
Rhyd Menai LL59 ......142 A5
Rhydwen Cl LL18 ......125 B5
Rhydwen Dr LL18 ......125 B5
Rhyd Y Fenai LL56 .....147 A3
Rhyd-y-foel Rd LL22 ...122 A2
Rhydygro LL55 ......156 B4
Rhyd-Y-Groes LL57 ....148 F3
Rhydyronen Sta LL36 ..105 F1
Rhyl High Sch LL18 ....125 D7
Rhyl Rd LL18 ......125 F1
Rhyl Sta LL18 ......125 D7
Rhys Ave LL18 ......124 C5
Rhys Evans Cl LL30 ....114 F1
Richmond Hill LL65 ....138 C5
Richmond Terr LL41 ...156 E4
Rise The LL65 ......7 A2
Riverside Camping Gd LL24 ......155 D6
Riverside Cl LL18 ......124 E5
Riverside Ct LL31 ......117 D6
Riverside Holiday Apartments LL45 ......84 A1
River St LL18 ......125 A7
River View Terr LL31 ...118 B2
Riviere Ave LL30 ......114 A2
Riviere's Ave LL29 ....119 F4
RNLI Mus LL42 ......161 C4
Roberts St LL65 ......138 C5
Roberts Touring Cvn Pk LL22 ......26 C8
Robert St / Stryd Robert 13 LL57 ......143 B6
Rochester Way LL28 ...119 C8
Roche Terr LL49 ......158 B3
Rockfield Dr LL30 ......117 E7
Rock St LL65 ......138 C5
Rock Terr LL46 ......160 E4
Rock Villa Rd LL34 ....127 C5
Rofft Pl LL30 ......113 D4
Roland Ave LL18 ......124 D6
Roland St 5 LL65 ......138 C5
Roman Bridge Sta LL25 ..44 B2
Roman Steps The LL45 .85 B4
Ronald Ave LL31 ......118 C3
Ronaldsway LL18 ......114 B2
Ronaldsway / Rhodfa Ronald LL18 ......136 F4
Roosevelt Terr LL31 ...118 B2
Roseberry Ave LL30 ...114 B2
Rosedale Gdns LL18 ...125 F5
Rose Gerlan Cotts LL32 .23 C6
Rose Hill LL29 ......120 D3
Rosehill Rd LL18 ......125 F1
Rose Hill St LL32 ......117 E1
Rosemary Ave LL29 ...120 A3
Rosemary La
9 Beaumaris LL58 ......17 F3
Conwy LL32 ......117 D1
Rosemount LL30 ......124 D6
Rose Place Ct LL32 ....117 D1
Roseview Cres / Trem-y-Rhosyn LL18 .124 E5
Roslin Gdns LL30 ......114 B2
Roslyn Ct 3 LL29 ......119 F5
Roumania Cres LL30 ...114 B2
Roumania Dr LL30 .....114 B2
Rowan Dr LL18 ......125 F5
Rowan Nature Centre LL38 ......99 D3
Ro-wen LL12 ......159 D4
Rowen Cvn Pk LL43 ....92 C4
Rowen Rd LL32 ......23 E6
Rowland's St LL55 .....152 E5
Royal Welch Ave LL18 .136 F4
Royal Welch Fusiliers Mus

Royd Terr LL28 ......119 D6
RSPB Conwy Nature Reserve LL28 ......118 B1
RSPB Penmaenpool Reserve LL40 ......94 D1
Russell Ave LL29 ......119 F3
Russell Ct LL18 ......125 C8
Russell Gdns LL18 ......125 C8
Russell Rd / Fford Russell LL18 ......125 C8
Rutland Rd LL68 ......4 C7
Rydal Penrhos LL29 ...119 E4
Rydal Prep Sch LL29 ..119 E4
Rynys Cvn Pk LL70 ......11 C5

S

Sackville Rd / Fford Sackville 3 LL57 ......142 F4
St Agnes Rd LL22 ......117 D1
St Andrew's Ave LL18 .113 D2
St Andrew's Pl LL30 ...113 D3
St Andrews Rd LL29 ...119 E2
St Annes Ct LL30 ......118 A6
St Anne's Gdns LL30 ...118 A6
St Anne's Sq LL42 .....161 C4
St Ann's St LL18 ......125 C7
St Asaph Ave
Kinmel Bay / Bae Cinmel LL18 ......124 E3
Towyn LL22 ......136 E8
St Asaph Bsns Pk
Bodelwyddan,Groesffordd Marli LL17 ......27 E8
Bodelwyddan LL17 ....137 D1
St Asaph Rd
Bodelwyddan LL18 ....136 C5
Rhuddlan LL18 ......137 E6
St George / Llansan-Sior LL22 ......136 A5
St Asaph St LL18 ......125 E8
St Barbara's Ave LL18 .136 E4
St Beuno's Ct LL54 ....52 B8
St Beuno's Rd LL30 ...113 F4
St Catherine's Cl LL58 ..17 F4
St Catherine's Dr LL29 .120 D3
St Cybi St LL65 ......138 D6
St David's Ave LL18 ...125 C6
St David's Cl 5 LL30 ..114 F1
St Davids Coll LL30 ...118 C8
St David's Est Cvn Pk LL75 ......16 E8
St David's Pl LL30 .....113 D2
St David's Rd
Abergele LL18 ......122 F2
Holyhead / Caergybi LL65 .138 C7
Llandudno LL30 ......113 D2
Llandudno,Penrhyn-side LL30 ......114 F1
Old Colwyn LL29 ......120 F3
Penmaenmawr LL34 ...127 C5
St David's Rd / Lon Ddewi LL55 ......152 E3
St David's Ret Pk LL57 .142 E3
St David's Sq LL18 ....125 C6
St David's Terr LL34 ..127 C5
St Deiniols Church Flats 1 LL52 ......68 E5
St Elfod Jun Sch LL22 .123 C2
St George Prim Sch LL22 ......136 A4
St George Rd LL22 .....135 C6
St Georges Cres LL18 .125 D8
St George's Cres LL30 .113 D3
St George's Dr LL31 ...118 A3
St George's Rd LL30 ...113 D3
St George's Rd
Colwyn Bay / Bae Colwyn LL28 ......119 D7
St George / Llansan-Sior LL22 ......135 E6
St George's Rd / Fford Cynan LL59 ......142 B5
St Gerards Sch Trust LL57 ......142 E4
St Helens Pl 8 LL18 ...125 B7
St Helen's Rd / Fford Santes Helen LL55 ......152 E3
St Helen's St / Santes Helen 6 LL55 ......152 E3
St Helen's Terr 9 LL55 .152 E3
St Hilary's Dr LL31 ....117 F3
St Hilary's Rd LL30 ....118 A8
St James Dr / Heol Sant Iago 1 LL57 ......142 F4
St John's Cres LL29 ...120 D3
St Johns Hill LL12 .....159 D2
St John's Park E LL34 .127 C5
St John's Park W LL34 .127 C5
St John's Pk LL34 .....127 C5
St Joseph's RC Prim Sch LL29 ......119 F5
St Margaret's Dr
Llandudno LL30 ......114 D3
Rhyl / Y Rhyl LL18 ......125 D6
St Margaret's Rd LL31 .118 B2
St Margaret's Row LL18 ......136 F4
St Mary's Ave / Rhodfa Mair 2 LL57 ......143 A5
St Mary's Ct LL18 .....125 D5
St Mary's Dr LL18 ....125 D5
St Mary's RC Sch / Ysgol Santes Fair LL22 .138 D5
St Mary's Rd LL30 .....113 E3
St Michaels Cvn Pk LL22 ......124 B3

St Michael's Mews LL47 .70 B2
St Monica's LL29 ......120 D4
St Paul's Terr / Rhes Sant Paul LL57 ......142 F4
St Peter's Terr LL53 ...157 C5
St Seiriol's Cl LL57 ....138 C6
St Seiriol's Gdns LL30 .113 D3
St Seiriol's Rd LL30 ...113 D2
St Tanwy's Church LL46 ......83 E3
St Trillo's Ct LL28 .....119 E8
St Trillo's Chapel LL28 ......115 E1
St Tudno's Rd LL30 ...113 B6
St Tudwal's LL53 ......81 A5
St Tudwal's Ct 8 LL53 ......157 D5
St Winifred's Cl LL33 .126 C3
Salem Cres LL53 ......157 C5
Salem Ct 11 LL57 ......143 B6
Salem Pl LL41 ......156 C6
Salem St LL68 ......4 E5
Salem St / Lon Salem LL65 ......13 D4
Salem Terr
6 Criccieth LL52 ......68 D3
Pwllheli LL53 ......157 C5
Rhyd-y-foel LL22 ......134 A6
Salisbury Ct LL30 ......113 D3
Salisbury Pas LL30 ....113 D3
Salisbury Rd LL30 .....113 D3
Salisbury Terr LL54 ...158 B5
Sandbank Rd LL22 .....124 A4
Sandfield Pl 6 LL18 ...125 A6
Sandfield Rd LL29 .....120 D3
Sandhills LL29 ......120 D3
Sandilands Rd LL36 ...109 B8
Sandringham Ave LL18 .125 A6
Sand St / Y Traeth LL53 ......157 D5
Sandy Bay Holiday Camp LL22 ......124 A4
Sandy La LL64 ......19 B8
San Remo Ave LL22 ...124 A4
San Remo Chalet Pk LL22 ......124 A4
Santes Helen / St Helen's St 6 LL55 ......152 E3
Sapphire Ho LL30 ......114 A3
Sarn Bedrig LL53 ......157 D3
Sarn Est LL68 ......3 C4
Sarnfaen Cvn Site LL43 ..92 E4
Sarn Farm Cvn & Camping Site LL53 ......81 A1
Sarn Helen LL25 ......44 D1
Sarn Hir LL55 ......83 F2
Sarn Rd / Hen Felin LL40 ......162 C2
Saunders Way LL18 ...125 D5
Sch of Ocean Sciences, Univ of Wales, Bangor LL57 .142 B5
School Bank Rd / Fford Tan Y'r Ysgol LL26 ......154 C3
School La
Llanfair Talhaiarn LL22 ...26 B5
Penmaenmawr LL34 ...127 D5
School La / Fford yr Ysgol LL76 ......16 C7
School St / Stryd yr Ysgol
Henllan LL16 ......27 F3
Penrhyndeudraeth LL48 ..70 D5
Scotland St / Heol Scotland LL26 ......154 C2
Scotland Terr LL77 .....14 F3
Seabank Rd LL18 ......125 A6
Sea Bank Rd LL28 .....119 F6
Seabourne Rd LL65 ...138 C7
Sea Breeze Cvn Pk LL75 .16 C7
Seafield Dr LL22 ......123 D4
Seafield Rd LL29 ......119 F3
Sea Life Ctr LL18 ......125 B8
Sea Rd LL22 ......123 A3
Seaview LL28 ......130 C5
Sea View LL54 ......51 C5
Sea View Ct LL18 ......124 C5
Sea View Cvn & Camping Site LL53 ......81 A1
Sea View Rd LL29 .....120 A4
Seaview Terr 3 LL22 ..117 E2
Sea View Terr
Aberdovey / Aberdyfi LL35 .109 F2
Borth-y-Gest LL49 ......158 C4
4 Cemaes LL67 ......3 D6
Sea View Terr / Tai Gwelfor LL56 ......147 A2
Second Ave LL28 ......119 C8
Sefton Rd LL29 ......120 E4
Sefton Rd LL18 ......117 D5
Segontium Rd S / Fford Segontiwm 7 LL55 ......152 E3
Segontium Roman Mus LL55 ......152 F3
Segontium Terr / Rhes Segontiwm 36 LL55 ......152 E4
Seion Terr LL55 ......147 F2
Seiont Mill Rd / Fford Felin Seiont LL55 ......152 E2
Seiriol Rd / Lon Seiriol LL34 ......127 D5
Seiriol Rd / Lon Seiriol LL57 ......143 B6
Seiriol St LL55 ......152 E3
Seiriol Terr / Rhes Seiriol 6 LL57 ......143 B6
Seren-y-Dyffryn Cvn Pk LL28 ......119 B4
Severn Rd LL29 ......120 B2

Seymour Dr / Gyrfa Seymour 6 LL18 ......125 F1
Sgwar Bodorgan LL63 ..19 E3
Sgwar Britania / Britannia Sq 10 LL57 ......142 F4
Sgwar Buddug LL57 ...150 C2
Sgwar Dinorben LL57 .150 C2
Sgwar Kyffin / Kyffin Sq 5 LL57 ......142 F4
Sgwar Peniel LL68 .....4 F6
Sgwar Victoria / Victoria Sq 6 LL57 ......142 F4
Sgwar Y Fron / Mountain Sq 16 LL57 ......143 A4
Sgwar Y Fron / Vron Sq 19 LL57 ......142 F5
Shaftesbury Ave 6 LL30 ......114 F1
Shamrock Ct LL31 .....118 A4
Shamrock Terr LL31 ...118 A4
Shaun Cl LL18 ......125 E5
Shaun Dr LL18 ......125 E5
Sherwood Ho LL36 ....109 C7
Ship Terr LL53 ......66 F3
Shirehall St / Stryd Y Jel 10 LL55 ......152 E4
Sholing Dr LL18 ......125 F8
Shore Rd LL33 ......126 C3
Shore Rd E LL33 ......126 D3
Short St / Stryd Fer LL57 ......150 E2
Sibrwd-y-Coed LL65 .....7 C3
Siliwen Rd / Ffrodd Siliwen LL57 ......143 A7
Silver Bay Cvn Pk LL65 ..12 D2
Singleton Cres 7 LL28 .119 D4
Sisial-y-Mor LL64 ......19 B8
Sisson St LL18 ......125 C5
Skerryvore Rd LL31 ...118 D5
Slate Mill Cotts LL57 ..150 A1
Slate Quay / Cei Llechi LL55 ......152 E4
Smith Ave LL29 ......120 C3
Smithfield Sq / Felin Isaf LL40 ......162 C2
Smithfield St / Ffos-y-Felin LL40 ......162 C2
Smith St LL49 ......158 B4
Smithy Hill LL22 ......26 B5
Snowdonia Bus Pk / Parc Busnes Eryri LL48 ....70 C5
Snowdon Mountain Railway LL55 ......42 C7
Snowdon St / Heol-y-Wyddfa LL49 ......158 D4
Snowdon St / Pen Ceunant LL56 ......147 A3
Snowdon St / Stryd Capel Joppa 29 LL55 ......152 E4
Snowdon St / Stryd-yr Wydda 16 LL55 ......31 C3
Snowdon St / Stryd-yr-Wyddfa 6 LL54 ......40 A4
Snowdon Summit Sta LL55 ......42 C5
Snowdon View
Llanfairpwllgwyngyll LL61 .141 C4
Llangaffo LL60 ......21 B3
Snowdon View Cvn Pk LL55 ......31 B6
Snowdon View Rd LL65 ...7 A2
Snowdon View / Trem Yr Wyddfa 11 LL57 ......142 F5
Somerset St LL30 ......113 D3
South Ave
Barmouth / Abermaw LL42 ......161 B4
Rhyl / Y Rhyl LL18 ......125 A6
South Dr LL18 ......125 E4
South Kinmel St / Stryd Cilmael 14 LL18 ......125 F7
Southlands Rd LL18 ...124 E3
South Par / Rhodfa'r De LL22 ......123 B4
South Penrallt / Penrallt Isaf 4 LL55 ......152 E4
South Pl LL28 ......119 D8
South Rd / Lon Parc LL55 ......152 E3
South Snowdon Wharf LL49 ......158 E3
South St
Blaenau Ffestiniog LL41 ..56 E4
Llanfairfechan LL33 ...126 D4
South Stack Rd LL65 ...6 D5
South Stack / Ynys Lawd LL65 ......6 B5
South St / Maes Y Pandy LL40 ......162 C1
Spinneys, Aber-Ogwen Nature Reserve LL57 144 A5
Sportsman's Row LL54 .52 A7
Springdale LL29 ......120 E1
Springfield St / Heol Plas Uchaf LL40 ......162 C2
Spring Gdns LL22 .....123 A2
Spruce Ave LL18 ......125 E8
Square The
Blaenau Ffestiniog LL41 .156 C4
Cynwyd LL21 ......77 F8
Kinmel Bay / Bae Cinmel LL18 ......124 D5
Kinmel Bay / Bae Cinmel LL18 ......124 E4

Square The *continued*
Pentraeth LL75 . . . . .16 D5
Stable Mews **2** LL58 . . . . .17 F2
Stad Alaw LL68 . . . . .4 C1
Stad Berllan LL68 . . . . .21 B3
Stad Bryn Rhosyn LL68 . . . .4 C1
Stad Bwlch Y Fedwen **5**
LL61 . . . . .29 B8
Stad Cae Berllan LL68 . . . .21 B3
Stad Cwn Tecaf LL68 . . . . . .4 C1
Stad Ddiwydiannol Tre Marl
(Ind Est) LL31 . . . . .118 C2
Stad Eryri LL55 . . . . .30 D8
Stad Foel Graig LL61 . . . .141 C4
Stad Garnedd LL60 . . . . . .140 E5
Stad Glanrafon LL68 . . . . . . .3 C4
Stad Glyn Afon LL55 . . . . .30 D2
Stad Glyndwr LL55 . . . . . .153 B2
Stad Gorseddfa LL52 . . . . .68 D5
Stad Gwynfryn LL68 . . . . . . .4 C2
Stad Hafod LL55 . . . . .31 C6
Stad Llwyn Aethnen LL54 51 B3
Stad Minnffordd LL74 . . . . .11 E1
Stad Moelgwil **1** LL41 . . .57 A1
Stad Plas Hen LL60 . . . . . .140 B1
Stad Roebuck LL65 . . . . .8 C1
Stad Saith Lathen LL63 . . .19 D7
Stad Siop Newydd LL68 . . . .4 C1
Stad Swn Y Gwynt LL77 . . .15 A1
Stad Treaserth LL60 . . . . . .21 B3
Stad Tyddyn LL67 . . . . .3 C6
Stad Ty'n Cwrt / Ty'n Cwrt
Est LL61 . . . . .21 F2
Stad Ty'n Llidiart LL68 . . . .4 C1
Stafford Park Holiday Camp
1 LL18 . . . . .125 B6
Stamford St LL31 . . . . . . .117 F4
Stanley Ave LL65 . . . . .7 E2
Stanley Oak Rd LL31 . . . . .118 B2
Stanley Park Ave LL18 . . .125 E6
Stanley Rd LL38 . . . . .99 D3
Stanley Rd / Lon Dinas
LL52 . . . . .68 D4
Stanley St
4 Beaumaris LL58 . . . . . . .17 F3
Holyhead / Caergybi LL65 138 D6
Stanmore St LL18 . . . . . . .125 A6
Station Rd
Abergwyngregyn LL33 . . .145 C6
Barmouth / Abermaw
LL42 . . . . .161 C4
5 Colwyn Bay / Bae Colwyn
LL29 . . . . .119 F5
Deganwy LL31 . . . . .117 E8
Fairbourne LL38 . . . . .99 D3
Llanddulas LL22 . . . . . . .121 F3
Llanfairfechan LL33 . . . . .126 C3
Llanfairpwllgwyngyll LL61 .141 B3
Llanrwst LL26 . . . . .154 B4
Llanuwchllyn LL23 . . . . . . .88 F4
Mochdre LL28 . . . . .119 A4
Old Colwyn LL29 . . . . . . .120 E3
Rhosneigr LL64 . . . . .19 B8
Rhuddlan LL18 . . . . .137 E8
Talsarnau LL47 . . . . .70 D3
Talysarn LL54 . . . . .40 C3
Trawsfynydd LL41 . . . . . . .72 B2
Tywyn LL36 . . . . .109 C7
Valley / Y Fali LL65 . . . . . . .7 E2
Station Rd E LL34 . . . . . .127 D6
Station Rd / Fford-yr-Drsaf
LL54 . . . . .40 A4
Station Rd / Ffordd Yr Orsaf
Bangor LL57 . . . . .142 F4
Dyffryn Ardudwy LL44 . . . .92 E6
Station Rd / Ffordd Y Stesion
LL57 . . . . .30 B2
Station Rd / Heol Yr Orsaf
Bala / Y Bala LL23 . . . . . .159 D5
Llan Ffestiniog LL41 . . . . .72 A8
Station Rd / Stryd Yr Orsaf
LL24 . . . . .155 C6
Station Rd W LL34 . . . . . .127 D5
Station Sq / Maes Yr Orsaf
LL53 . . . . .157 C4
Station St
Holyhead / Caergybi LL65 138 D5
Pensarn LL22 . . . . .123 B4
Station Terr
Llandudno Junction LL31 . .118 B2
Llysfaen LL22 . . . . .121 B3
Station Terr / Tai Cowlyn
LL26 . . . . .154 B5
Station Yd / Iard Yr Orsaf
LL26 . . . . .154 B5
Steeple La LL58 . . . . .17 F3
Stephenson Cl
Conwy LL32 . . . . .117 C4
Llandudno LL30 . . . . .114 E1
Stephen St LL30 . . . . .113 E3
Stone Science Mus*
LL75 . . . . .16 B5
Stones Holiday Camp
LL22 . . . . .124 A4
Strand St / Ffordd Y Traeth
14 LL57 . . . . .143 B6
Stryd Albert / Albert St **9**
LL57 . . . . .142 F5
Stryd Ambrose / Ambrose St
LL57 . . . . .143 B6
Stryd Ardudwy LL41 . . . . .72 B3
Stryd Bangor / Bangor St
Caernarfon LL55 . . . . . . .152 E5

Stryd Bangor / Bangor St
continued
Y Felinheli LL56 . . . . .147 C4
Stryd Batus / Baptist St
LL65 . . . . .13 C7
Stryd Belmont / Belmont St
2 LL57 . . . . .142 E4
Stryd Bethesda / Bethesda St
Amlwch LL68 . . . . .4 D5
14 Llanberis LL55 . . . . .31 C3
Stryd Bodfor / Bodfor St **7**
LL18 . . . . .125 B7
Stryd Bower LL54 . . . . .41 E3
Stryd Britannia LL57 . . . .150 C5
Stryd Bryngwynt / Bryngwynt
St LL18 . . . . .4 F6
Stryd Bryn Owen / Bryn
Owen St LL57 . . . . .150 C4
Stryd Cae Brics / Brickfield
St LL68 . . . . .4 F6
Stryd Cae / Field St
LL57 . . . . .142 E5
Stryd Capel / Chapel St
LL55 . . . . .31 C2
Stryd Capel Joppa /
Snowdon St **29** LL55 . . .152 E4
Stryd Caple / Chapel St
LL57 . . . . .150 D2
Stryd Cefnfaes / Cefnfaes St
LL57 . . . . .150 D2
Stryd Ceunant / Ceunant St
LL55 . . . . .31 C2
Stryd Churton / Churton St
LL53 . . . . .157 D3
Stryd Cilmael / Kinmel St
LL18 . . . . .125 B7
Stryd Cilmael / South Kinmel
St **14** LL18 . . . . .125 B7
Stryd Clarence / Clarence St
LL57 . . . . .142 E4
Stryd Deiniol / Deiniol St **28**
LL57 . . . . .142 F5
Stryd Dinorwic / Dinorwic St
32 LL55 . . . . .152 E4
Stryd Edmund / Edmund St
8 LL57 . . . . .143 B6
Stryd Fawr Abersoch LL53 .81 B3
Dolgellau LL40 . . . . .162 C2
Harlech LL46 . . . . .160 E5
Nefyn LL53 . . . . .65 C7
Stryd Fawr / High St
Bangor LL57 . . . . .143 A5
Bangor,West End LL57 . . .142 F4
Barmouth / Abermaw
LL42 . . . . .161 C4
Bryngwran LL65 . . . . .13 D4
Brynsiencyn LL61 . . . . . . .21 F2
9 Caernarfon LL55 . . . .152 D4
Criccieth LL52 . . . . .68 D5
Deiniolen LL55 . . . . .31 C6
Llanberis LL55 . . . . .31 C3
Llangefni LL77 . . . . .139 D4
Menai Bridge / Porthaethwy
LL59 . . . . .142 B5
Penmaenmawr LL34 . . . .127 B5
Penrhyndeudraeth LL48 . . .70 D6
Penygroes LL54 . . . . .40 B4
Porthmadog LL49 . . . . . .158 D5
Pwllheli LL53 . . . . .157 D5
Rachub LL57 . . . . .150 C5
Stryd Fer / Short St
LL57 . . . . .150 E2
Stryd Ganol / Middle St
LL57 . . . . .150 D3
Stryd Garnon / Garnon St **28**
LL55 . . . . .152 E4
Stryd Glaslyn / Glaslyn St
LL49 . . . . .158 D5
Stryd Goodman / Goodman
St **10** LL55 . . . . .31 C3
Stryd Goronwy / Goronwy St
LL57 . . . . .150 E1
Stryd Gray / Gray St
LL57 . . . . .150 C3
Stryd Gwynant LL55 . . . .55 B7
Stryd Hir / Long St
LL57 . . . . .150 E2
Stryd Ianci **11** LL55 . . . .31 C3
Stryd Iorweath / Edward St
LL53 . . . . .157 D3
Stryd Isaf / Lower St
LL57 . . . . .143 A4
Stryd Jams / James St **9**
LL57 . . . . .143 A5
Stryd John Llwyd / Wesley St
25 LL57 . . . . .152 E4
Stryd Kingshead LL53 . . .157 C5
Stryd Llewelyn
Beaumaris LL58 . . . . .17 F4
Rhosneigr LL63 . . . . .19 E4
Stryd Llewelyn / Llewelyn St
LL68 . . . . .4 F6
Stryd Lombard / Lombard St
LL49 . . . . .158 D3
Stryd Marcws / Marcus St **8**
LL55 . . . . .152 E4
Stryd Marged / Margaret St
18 LL55 . . . . .152 E4
Stryd Mari **20** LL55 . . . .152 E4
Stryd Mason / Mason St **10**
LL57 . . . . .143 B6
Stryd Menai / Menai St
LL56 . . . . .147 A3
Stryd Moch / Gaol St
LL53 . . . . .157 C5
Stryd Mona / Mona St
LL55 . . . . .4 D5
Stryd Moreia LL53 . . . . . .65 C7
Stryd Morgan / Morgan St
LL57 . . . . .150 E2

Stryd Newton / Newton St **8**
LL55 . . . . .31 C3
Stryd Newydd LL55 . . . . .31 A5
Stryd Newydd / New St **26**
LL55 . . . . .152 E4
Stryd Niwbwrch /
Newborough St **30**
LL55 . . . . .152 E4
Stryd Panton / Panton St **7**
LL57 . . . . .143 A5
Stryd Pedwara Chwech /
Northgate St **6** LL55 . . .152 D4
Stryd Penlan LL53 . . . . . .81 B3
Stryd Penlan / Penlan St
LL53 . . . . .157 C5
Stryd Potts LL53 . . . . . . .157 D3
Stryd Regent / Regent St **25**
LL57 . . . . .142 F5
Stryd Robert / Robert St **13**
LL57 . . . . .143 B6
Stryd Siarlot **4** LL55 . . .31 C3
Stryd Sior / George St
LL26 . . . . .154 B4
Stryd Smith LL55 . . . . .55 B7
Stryd Thomas / Thomas St **6**
LL55 . . . . .152 E4
Stryd Tomas **9** LL55 . . .31 C3
Stryd Tyllwyd LL41 . . . . . .72 B3
Stryd Tyrner **6** LL55 . . .31 C3
Stryd Victoria / Victoria St
8 Bangor LL57 . . . . . . .142 F5
10 Caernarfon LL55 . . . .152 E4
Stryd Walter / Walter St
LL57 . . . . .150 D4
Stryd Warden / Warden St **7**
LL55 . . . . .31 C3
Stryd Waterloo / Waterloo **27**
LL55 . . . . .152 E4
Stryd Waterloo / Waterloo St
13 LL57 . . . . .143 A5
Stryd Wesla / Chapel St
LL49 . . . . .158 D4
Stryd Wesle / Wesley St
LL65 . . . . .13 C7
Stryd Wesley / Wesley St
LL68 . . . . .4 E6
Stryd William / William St
Bangor LL57 . . . . .143 B5
17 Caernarfon LL55 . . . .152 E4
Stryd Y Baddon / Bath St **3**
LL18 . . . . .125 B8
Stryd Y Bangor / Bangor St
LL63 . . . . .19 E3
Stryd Y Bont LL63 . . . . . . .19 E3
Stryd-Y-bont / Bridge St
LL77 . . . . .139 D4
Stryd y Bont / Bridge St
Llanrwst LL26 . . . . .154 B4
Menai Bridge / Porthaethwy
LL59 . . . . .142 B4
Stryd-y-cae / Field St **5**
LL77 . . . . .139 D4
Stryd Y Capel LL63 . . . . . .19 E3
Stryd-y-Capel / Chapel St
Menai Bridge / Porthaethwy
LL59 . . . . .142 B4
4 Penygroes LL54 . . . . .40 A4
Stryd Y Castell LL48 . . . . .70 D5
Stryd Y Castell / Castle St **11**
LL55 . . . . .152 E4
Stryd-y-Dderwen LL22 .123 D4
Stryd Y Degwm LL55 . . . .152 E4
Stryd Y Deon / Dean St
LL57 . . . . .143 A5
Stryd-y-Dwr **1** LL55 . . .31 C3
Stryd Y Dwr / Water St
LL18 . . . . .125 B7
Stryd Y Eglwys / Church St
LL63 . . . . .19 E3
Stryd Y Faenol / Vaynol St **33**
LL55 . . . . .152 E4
Stryd Y Farchinad / Market
St **5** LL18 . . . . .125 B7
Stryd Y Farchnad / Market St
4 LL55 . . . . .152 E4
Stryd-y-Ffynnon LL55 31 C3
Stryd Y Ffynnon LL53 . . . .65 C7
Stryd Y Ffynnon / Well St
Bethesda LL57 . . . . .150 E1
Menai Bridge / Porthaethwy
LL59 . . . . .142 B5
Stryd Y Fron LL23 . . . . . .159 D4
Stryd Y Glorian / Machine St
LL68 . . . . .4 E6
Stryd-y-Gwynt / Wind St
LL32 . . . . .117 D2
Stryd Y Jel / Shirehall St **10**
LL55 . . . . .152 D4
Stryd Y Llan LL53 . . . . . . .65 C7
Stryd-y-Llan LL53 . . . . . .157 C5
Stryd Y Llan / Church St
LL49 . . . . .158 D5
Stryd Y Llyn / Pool St **23**
LL55 . . . . .152 E4
Stryd Y Mynach LL53 . . . .65 C7
Stryd Y Parc / Park St **22**
LL57 . . . . .142 F5
Stryd Y Pistyll / Fountain St
12 LL57 . . . . .143 B6
Stryd Y Plas LL53 . . . . . . .65 C7
Stryd Y Plas / Palace St **12**
LL55 . . . . .152 D4
Stryd Y Porth Mawr **8**
LL55 . . . . .152 D4
Stryd Yr Allt / Hill St
LL57 . . . . .142 F5
Stryd yr Aradr / Plough St
LL26 . . . . .154 B4

Stryd Yr Eglwys
Bala / Y Bala LL23 . . . . . .159 D5
Beddgelert LL55 . . . . .55 B7
Penrhyndeudraeth LL48 . . .70 D5
Stryd Yr Eglwys / Church St
7 Bangor LL57 . . . . . . .142 E3
Barmouth / Abermaw
LL42 . . . . .161 C4
2 Caernarfon LL55 . . . .152 D4
Henllan LL16 . . . . .27 F3
7 Llangefni LL77 . . . . .139 D4
7 Rhyl / Y Rhyl LL18 . . .125 B8
Tremadog LL49 . . . . .158 C6
Stryd Yr Hendre / Hendre St
5 LL57 . . . . .152 E5
Stryd Yr Orsaf / Station
Road LL24 . . . . .155 C6
Stryd-yr-Wydda / Snowdon
St **18** LL57 . . . . .31 C3
Stryd-yr-Wyddfa / Snowdon
St **6** LL54 . . . . .40 A4
Stryd yr Ysgol / School St
Henllan LL16 . . . . .27 F3
Penrhyndeudraeth LL48 . . .70 D5
Stryd Y Tabernacl LL55 . .31 C6
Stryd Y Tryfan LL29 . . . . .119 F3
Stuart Dr LL28 . . . . .119 C7
Styrd Y Felin LL53 . . . . . . .65 C7
Sudbury Cl **4** LL18 . . . .125 B6
Summer Hill LL65 . . . . . .138 D6
Summerhill Terr LL41 . . . .156 E4
Sunningdale LL22 . . . . . . .122 F2
Sunningdale Ave LL29 . . .119 E3
Sunningdale Dr LL30 . . . .114 F2
Sunningdale Gr LL29 . . . .119 E3
Sunnyhurst Flats LL28 . . .119 C8
Sunnysands Cvn Pk LL43 92 E3
Sunnyside LL49 . . . . .158 C7
Sunnyvale Holiday Camp
LL18 . . . . .124 E6
Sunray Ave LL22 . . . . . . .123 D4
Sunrise Terr LL55 . . . . . .138 B5
Sun St / Fordd Heulog
LL18 . . . . .72 A8
Sun Valley Cvn Pk LL18 . .125 D1
Sussex La LL18 . . . . .125 B8
Sussex St / Heol Sussex **17**
LL18 . . . . .125 C7
Swallow Falls* LL24 . . . . .45 A8
Swan Bldgs LL28 . . . . . . .119 B3
Swan Rd / Ffordd Yr Alarch
LL28 . . . . .119 A3
Swan Sq LL22 . . . . .26 B5
Swift Sq LL65 . . . . .138 D6
Swn Y Dail LL18 . . . . . . .136 F4
Swn y Don LL74 . . . . .11 E2
Swn-y-Don LL29 . . . . . . .121 A3
Swn Y Mor **1** LL29 . . . .119 F5
Swn-y-Nant LL40 . . . . . . .94 A1
Swn Yr Afon
Llangefni LL77 . . . . .139 E5
Moelfre LL72 . . . . .11 E5
Swn-yr-Engan LL60 . . . . .21 F6
Sycamore Gr LL18 . . . . . .125 D8
Sychnant Pass Rd
Conwy LL32 . . . . .117 B1
Penmaenmawr LL32 . . . .128 E6
Sychnant View / Golygfa
Sychnant LL34 . . . . .116 B1
Sydenham Ave
Abergele LL22 . . . . .123 B2
Rhyl / Y Rhyl LL18 . . . . .124 F6
Sydney Rd / Lon Sydney **3**
LL55 . . . . .152 E5
Syenite Terr LL48 . . . . . . .70 B5
Sygun Copper Mine*
LL55 . . . . .55 C7
Sylva Gdns N LL30 . . . . .114 B2
Sylva Gdns S LL30 . . . . .114 B2
Sylva Gr LL30 . . . . .114 B2

T

Tabernacl Chapel Flats **11**
LL57 . . . . .143 A6
Tabernacl St / Lon Tabernacl
5 LL57 . . . . .143 A5
Tabor Hill LL30 . . . . .113 D4
Tabor La LL52 . . . . .69 A6
Tafarn-y-Grisiau LL56 . .146 F2
Tai Arthur LL55 . . . . .31 A7
Tai Baladeulyn / Baladeulyn
Terr LL54 . . . . .40 F4
Tai Beuno LL54 . . . . .52 B8
Tai Bodawen LL54 . . . . . . .40 D8
Tai Bro Eryri LL54 . . . . . . .40 E7
Tai Bryngwyn LL55 . . . . . .30 E5
Tai Brynhyfryd LL54 . . . . .40 D6
Tai Bryn-hyfryd LL55 . . . . .31 A7
Tai Cadfan LL54 . . . . .40 F4
Tai Cae Rhos / Cae-rhos
Terr LL55 . . . . .147 F3
Tai Capel LL65 . . . . .138 D3
Tai Coed Anna LL54 . . . . .40 D8
Tai Cowlyn / Station Terr
LL26 . . . . .154 B5
Tai Craig-y-don LL55 . . . .31 A5
Tai Dines LL77 . . . . .139 E4
Tai Dolawen LL54 . . . . . . .40 E6
Tai Dulas LL22 . . . . .121 D3
Tai Elen Glyn LL54 . . . . . . .39 F7
Tai Eryr LL54 . . . . .40 E6
Tai Ffynnon LL55 . . . . .31 C3
Tai Foel LL41 . . . . .156 B5
Tai Glangwne LL55 . . . . .153 C2

Tai Glyn Afon / Glyn Afon
Terr LL55 . . . . .30 D2
Tai Gweledfa LL55 . . . . . .31 C6
Tai Gwelfor / Sea View Terr
LL56 . . . . .147 A2
Tai Gwel-y-Don / Bay View
Terr LL54 . . . . .40 B8
Tai Kinmel / Kinmel Terr
LL54 . . . . .40 F4
Tai Lawr LL65 . . . . .14 B2
Tai Libanus LL54 . . . . .29 F2
Tai Llan Ddwyn LL41 . . . .156 D4
Tai Lleuar LL54 . . . . .39 D3
Tai Lon LL53 . . . . .65 D7
Tai Lon Amlwch LL68 . . . . .4 C1
Tai Lon Newydd
Rhosybol LL68 . . . . .4 C1
Talwrn LL77 . . . . .15 F4
Tai Louis Rodgers Almhouses
LL65 . . . . .16 C1
Tai Madog LL55 . . . . .31 A6
Tai Nantlle / Nantlle Terr
LL54 . . . . .40 E4
Tai Newydd
Brynsiencyn LL61 . . . . . . .21 E2
Gwalchmai LL65 . . . . .14 C6
Talwrn LL77 . . . . .15 F4
Tai Newydd Est LL63 . . . .19 C8
Tai Orwig LL55 . . . . .31 A5
Tai Parc Gele LL22 . . . . . .123 B1
Tai Pen-yr-orsedd /
Pen-yr-orsedd Terr
LL54 . . . . .40 E4
Tai Pisgah LL54 . . . . .40 D6
Tai Plastyroin **3** LL55 . . .30 E6
Tai'r Faenol LL55 . . . . .31 D6
Tai'r Felin
Porthmadog LL49 . . . . . .158 E4
Valley / Y Fali LL65 . . . . . . .7 E2
Tai'r Ffridd LL54 . . . . .40 E8
Tai'r Gelli LL41 . . . . .156 D3
Tai'r Heli LL42 . . . . .161 B6
Tai-rhos LL60 . . . . .21 D5
Tai'r Mynydd / Mount St **15**
LL57 . . . . .143 A5
Tai Sygyn LL55 . . . . .55 B7
Tai Trallwyn LL54 . . . . . . .40 D5
Tai-ty'n-lon LL58 . . . . . . .17 F5
Tai Victoria / Victoria Terr
LL54 . . . . .40 F4
Talafon **19** LL55 . . . . . .31 C3
Talbot Rd LL38 . . . . .99 D4
Talcymerau Rd / Fford
Talcymerau LL53 . . . . . .157 B3
Taldrwst LL61 . . . . .29 B8
Tal Gae LL57 . . . . .149 F5
Tal Garnedd LL54 . . . . . . .40 B2
Taliesin St **1** LL30 . . . . .113 E3
Taliesin Terr LL41 . . . . . .156 C4
Talsarnau Sta LL47 . . . . . .70 C3
Talwrn Rd / Lon Talwrn
LL77 . . . . .139 F5
Tal-y-Bont LL55 . . . . .30 F6
Talybont Rd / Ffordd
Talybont LL26 . . . . .154 B4
Talybont Sta LL43 . . . . . . .92 E4
Tal-y-Cae LL57 . . . . .149 E5
Tal-y-cafn Sta LL28 . . . . .23 F6
Tal Y Fan LL28 . . . . .130 C4
Talyllyn Dr LL36 . . . . .109 C7
Tal-y-Sarn LL41 . . . . .118 B2
Talysarn Sch LL54 . . . . . . .40 C4
Tan Benarth LL32 . . . . . . .129 D6
Tan Capel LL77 . . . . .139 E3
Tan Fefail LL63 . . . . .19 E3
Tan-lan LL48 . . . . .55 D1
Tan Llan LL21 . . . . .61 B7
Tanllwyfan LL29 . . . . .121 A3
Tanrallt Caernarfon LL55 . .152 E4
Cwm Penmachno LL24 . . . .57 F6
Llanystumdwy LL52 . . . . .68 B5
4 Pwllheli LL53 . . . . . .157 D5
Tanrallt Ave LL18 . . . . . . .124 F2
Tan'r-allt Cotts LL34 . . . .128 A6
Tan Rallt Cvn Pk LL22 . . .134 A4
Tanrallt Rd SY20 . . . . . . .163 D5
Tanrallt St
Machynlleth SY20 . . . . . .163 D5
Rachub LL57 . . . . .150 C5
Tan 'refail LL31 . . . . .118 A5
Tan Rhiw LL30 . . . . .114 F2
Tan Rofft LL61 . . . . .28 F8
Tan'r Ogo Farm Camp (Cvn
Site) LL22 . . . . .122 A3
Tan Treflys / Treflys St
LL57 . . . . .150 D2
Tan Y Barcty **2** LL53 . . .157 D5
Tan-y-Benar LL25 . . . . . . .44 D2
Tan-y-Berllan LL31 . . . . . .118 A4
Tan-y-bonc LL33 . . . . . . .126 E1
Tan Y Bonc / New St
LL57 . . . . .142 B4
Tan Y Bont / Greengate St **14**
LL55 . . . . .152 E4
Tan-Y-Bryn
Bodelwyddan LL17 . . . . . .137 F2
Llandudno Junction LL31 . .118 A3
Tan Y Bryn LL49 . . . . .70 A8
Tan-y-Bryn LL65 . . . . .7 E2
Tan-y-Bryn Dr LL28 . . . . .119 C7
Tan-y-Bryn Rd
Holyhead / Caergybi LL65 .138 C7
Llandudno LL30 . . . . .114 B2
Rhos On S LL28 . . . . . . .119 C7
Tanybryn Rd / Ffordd
Tanybryn LL68 . . . . .4 D5
Tan-y-Bryn St LL36 . . . . .106 F5

Tan Y Bryn Terr / Tan Y Bryn LL57 143 A4
Tan-y-Buarth LL55 30 D8
Tan-Y-Bwlch LL57 31 F8
Tanybwlch Rd / Ffordd Tan Y Bwlch LL57 150 D5
Tan-y-Bwlch Sta★ LL41 71 B8
Tan-y-Cae LL55 30 D8
Tan-y-Capel LL60 140 A1
Tan Y Castell Workshops LL46 160 E5
Tan-y-cefn LL54 40 B8
Tan y Clogwyn LL16 38 D7
Tan-y-clogwyn Terr LL41 156 E4
Tan Y Coed Bangor LL57 142 B1
Llandudno LL30 114 E1
Maesgeirchen LL57 143 B4
Tan Y Craig 8 LL57 142 E3
Tan y Fedw LL36 106 F6
Tan-y-Felin LL32 117 E1
Tan Y Felin LL65 2 F1
Tan-y-Ffordd LL55 30 D8
Tan Y Ffordd LL59 17 B3
Tanyfoel SY20 111 A2
Tan-y-Foel LL57 150 E3
Tan Y Foel LL49 158 C2
Tan-y-foel Dinorwig LL55 31 D5
Llanerchymedd LL71 10 B3
Llanfor LL23 159 F6
Rhyd-y-foel LL22 134 A6
Tan y Fron LL29 120 B2
Tan-y-Fron LL31 117 F5
Tan Y Fron Rd LL22 135 D4
Tan-y-Fron Rd LL22 135 D5
Tan-y-Fynwent LL57 143 A5
Tan Y Fynwent / Gas La LL68 4 E5
Tan-y-Gaer LL22 122 F1
Tan Y Gaer LL53 81 A3
Tan-y-Gaer
Bethesda LL57 150 D3
Deganwy LL31 118 A5
Tan-y-Garth LL57 150 D5
Tan-y-Gopa Rd LL22 122 F1
Tan Y Graig LL26 154 B4
Tan-y-Graig SY20 163 D4
Tan Y Graig LL49 158 E3
Tan-y-graig LL54 41 F3
Tan-y-Graig Farm Cotts LL75 16 C5
Tan-y-Graig Rd LL29 121 B1
Tanygrisiau Sta LL41 56 E3
Tanygrisiau Terr
Blaenau Ffestiniog LL41 156 A3
Criccieth LL52 68 E4
Tan-y-Lan Rd LL29 120 F4
Tan-y-Ion LL57 144 B3
Tan-y-Maes Bangor LL57 142 F3
Llandudno Junction LL31 118 C3
Llansanffraid Glan Conwy LL28 130 D4
Y Felinheli LL56 147 A2
Tan-y-Marian LL22 121 F3
Tan-y-mur 19 LL55 152 D4
Tan-y-Mynydd LL57 143 B4
Tan-y-mynydd (L Pk) LL22 135 C1
Tanyrallt LL54 40 C3
Tan-yr-Allt Corris SY20 108 B7
Penysarn LL69 5 A3
Tan Yr Allt LL54 40 D8
Tan-Yr-Allt Ave LL28 119 B4
Tan-yr-Allt Rd LL22 121 E3
Tanyrallt St LL28 119 B3
Tan-yr-allt Terr LL41 156 E4
Tan-yr-Efail LL65 138 D4
Tan Yr Eglwys LL26 154 B4
Tan-Yr-Eglwys LL18 125 E1
Tan-Yr-Eglwys Rd LL18 125 E1
Tan-y-rhiw Hen LL55 55 B7
Tan-yr-Ogof Rd LL30 113 D4
Tan-yr-ogo Terr LL30 113 D4
Tan-yr-Wylfa LL22 122 F1
Tan-yr-Ywan LL32 23 D4
Tanysgafell LL57 150 A2
Tan-y-Wal LL29 120 F3
Tara St LL65 138 C4
Tarleton St LL18 125 C8
Tarquin Dr LL18 125 F5
Taverners Ct LL30 113 D2
Tawel-Fan LL58 17 F6
Tayler Ave LL32 23 D2
Tegfan Terr LL59 17 C1
Tegid St / Heol Tegid LL23 159 D4
Telford Cl LL32 117 C4
Telford Rd / Ffordd Telford LL59 142 B4
Tel-y-Bont LL53 67 C3
Temple Rd / Lon Temple 2 LL57 142 F5
Terence Ave LL18 125 B6
Terfyn Cotts LL18 136 C5
Terfynfa LL53 65 A7
Terfyn Terr LL56 147 B4
Terrace Rd
Aberdovey / Aberdyfi LL35 109 F3
Porthmadog LL49 158 D4
Terrace Wlk LL33 126 D1
Thelford Cl LL64 19 B7
Tholl Sq 3 LL67 3 D6
Thomas Blgs 10 LL53 157 D5
Thomas Cl LL58 17 E3
Thomas Rd LL30 113 F3
Thomas St LL65 138 D6
Thomas St / Stryd Thomas 6 LL55 152 E4
Thornley Ave LL18 125 E6
Thornton Cl 3 LL18 125 B6
Thorpe St LL18 125 C7
Thorp St LL30 113 E2
Tir Estyn LL31 118 A4
Tir Llwyd Ent Pk LL18 124 D2
Tir Llwyd Ind Est LL18 124 D1
Tom White Ct LL30 114 E1
Tonfanau Sta LL36 105 A2
Top Llan Rd LL28 130 C4
Toronnen LL57 142 D2
Torrent Wlk★ LL40 95 D1
Totten Rd / Lon Totten 1 LL57 143 B6
Tower Ct LL18 125 D5
Tower Gdns
Holyhead / Caergybi LL65 138 D6
Rhyl / Y Rhyl LL18 125 D5
Tower Rd SY20 111 B7
Towers The 7 LL30 113 E3
Town Ditch Rd LL32 117 E2
Town Hill / Fyny'r Allt LL26 154 C4
Townsend 3 LL58 17 F2
Towyn Jun Sch LL18 124 C4
Towyn Rd Belgrano LL22 123 D5
Blaenau Ffestiniog LL41 156 C4
Towyn Way E LL22 124 C2
Towyn Way W LL22 124 A2
Traeth Atsain LL65 6 F2
Traeth Coch Uchaf LL75 16 D7
Traeth Lafan / Lavan Sands★ LL58 18 C2
Traeth Lafan National Nature Reserve★ LL33 145 E2
Traeth Melyn LL31 117 D6
Traeth Penrhyn LL30 115 A3
Trafalgar St LL23 76 E4
Trafford Pk LL30 114 F1
Traffwll Rd LL65 13 B4
Tram Rd / Ffordd Haearn Bach LL54 40 A4
Trawscoed Rd LL29 133 D6
Trawsfynydd Holiday Village LL41 86 B6
Tre Ambrose LL65 138 A6
Trearddur Ct LL65 7 A2
Trearddur House Mews LL65 7 A2
Trearddur Mews LL65 7 A2
Trearddur Rd LL65 7 A2
Trearddur Sq LL65 138 D6
Treborth Bsns Pk LL57 142 B3
Treborth Hall Residential Sch LL57 142 A2
Treborth Rd / Ffordd Treborth LL57 142 A2
Trecastell Pk LL68 4 C6
Trecastell Terr LL32 128 F2
Tredaffydd LL54 40 B4
Treetops Ct LL18 125 F1
Trefeddian Terr LL35 109 D3
Tref Eilian LL55 30 D2
Tre Fenai LL61 21 F1
Treffos Sch LL79 16 F2
Treflan
Aberdovey / Aberdyfi LL35 109 F3
Bangor LL57 142 F4
Y Flor LL53 66 F6
Treflys St / Tan Treflys LL57 150 D2
Trefnant Ave LL18 124 E4
Trefonnen LL65 138 A6
Trefonwys LL57 142 D4
Trefor Ave LL18 124 C5
Treforris Rd LL34 116 A1
Trefor Terr LL55 30 E5
Trefriw Terr LL26 34 F7
Trefriw Wells Spa★ LL27 34 E8
Trefriw Woollen Mill★ LL27 34 E6
Tregaean LL57 142 B2
Tre Garn LL53 67 A8
Tregarth SY20 163 E5
Tre Gof LL60 140 B2
Tregof Terr LL67 3 C6
Trehearn Dr LL18 125 D8
Trehwfa LL57 142 D2
Trehwfa Cres LL65 138 B6
Trehwfa Rd LL65 138 B5
Tre Ifan Est LL65 7 F1
Trellewelyn Cl LL18 125 E6
Trellewelyn Rd LL18 125 E6
Trem Afon LL28 130 C4
Trem Arfon
Llandegfan LL59 17 B1
Llanrwst LL26 154 C5
Trem Berwyn LL23 76 E4
Trem Cinmel LL22 124 B3
Trem Cymyran LL65 13 A4
Trem Eilian LL55 31 A6
Trem Eirias / Eirias View LL29 120 A2
Trem Elidir LL57 142 E3
Trem Elldir LL57 142 E4
Trem Elwy LL18 124 E5
Trem Eryri
Llanfairpwllgwyngyll LL61 141 B4
Menai Bridge / Porthaethwy LL59 142 A5
Tremfathew LL36 105 E2
Trem Hyfryd / Belle View 5 LL41 57 A1
Trem Nant Eirias / Dingle View LL29 120 A2
Tremorfa Rd LL38 99 D4
Trem-y-Bont LL18 124 E5
Trem Y Bwlch LL41 156 C4
Trem Y Castell 1 LL57 143 A6
Trem-y-Castell LL22 124 A2
Trem-y-coed LL32 23 E6
Trem-y-Don LL29 121 D2
Trem-y-Dyffryn LL18 124 F3
Trem-y-Ffair LL18 124 D5
Trem-y-Ffridd LL23 159 D4
Trem Y Foel Cynwyd LL21 77 F8
Llangwm LL21 61 C3
Y Felinheli LL56 147 A3
Trem-y-Foryd LL18 124 E5
Trem-y-Garnedd LL57 143 B3
Trem Y Garnedd / Mountain View LL59 142 B5
Trem-y-Garth LL47 70 E4
Trem-y-Geulan LL18 124 E5
Trem Y Graig / Railway Pl LL49 158 D5
Trem y Leri LL35 109 F3
Trem Y Moelwyn LL48 70 C5
Trem-y-Mor LL22 122 F1
Trem y Mor Benllech LL74 11 E1
Rhosneigr LL64 19 B8
Trem-y-Mynydd LL22 123 D4
Trem-y-Nant LL57 142 E4
Trem-yr-Afon LL18 124 E5
Trem Yr Afon LL31 118 C2
Trem yr Allt SY20 163 D4
Trem-yr-Harbwr LL18 124 E5
Trem-y-Rhosyn / Roseview Cres LL18 124 E5
Trem yr Orsedd SY20 163 F4
Trem-yr-Wyddfa
Minffordd LL48 70 C5
Penygroes LL54 40 A3
Trem Yr Wyddfa / Snowdon View 11 LL57 142 F5
Trem-y-Wylfa LL71 9 D1
Treowain SY20 163 E4
Treowain Ind Est SY20 163 E4
Tre'r Ddol LL53 79 F8
Tre'r Ddol LL52 69 A6
Tre'r Ddul LL53 65 E1
Tre'r-Felin LL57 143 E2
Tre'r Gof / Chapel St 35 LL55 152 E4
Tre Rhosyr LL61 28 F8
Tresaethon LL48 55 F3
Treseifion Est LL65 138 D4
Treseifion Rd LL65 138 C4
Trevelyan Terr LL57 143 B5
Trevor Ave LL18 125 F2
Trevor Rd LL29 120 B4
Trevor St LL30 113 E4
Tre Wen LL54 40 B6
Trewerin LL53 80 C6
Treweryn LL54 51 B5
Trigfa LL72 11 E5
Trillo Ave LL28 119 E8
Trinity Ave LL30 113 D2
Trinity Cres LL30 113 D1
Trinity Ct Llandudno LL30 113 D2
10 Rhyl / Y Rhyl LL18 125 B7
Trinity Sq LL30 113 E3
Troed-y-Bwlch LL31 117 F5
Troed Y Garn
Llanfairynghornwy LL65 2 G4
Llangybi LL53 67 C7
Troedyrallt LL53 157 C5
Troon Cl LL29 119 E3
Troon Way Abergele LL22 122 F2
Colwyn Bay / Bae Colwyn LL29 119 E3
Tros-y-Bont / Brittania Terr LL49 158 E3
Tros-yr-afon 1 LL58 17 F2
Tros yr Afon LL58 18 A6
Tryfan LL28 130 C4
Tryfan Junction Sta★ LL54 30 B2
Tryfar LL46 160 E5
Tudno St LL30 113 D4
Tudor Ave LL18 125 D6
Tudor Cres / Cylch Tudor LL30 113 F2
Tudor Ct Caergeiliog LL65 13 A4
Deganwy LL31 117 E4
Llandudno LL30 113 F3
Tudor Gr LL18 124 D5
Tudor Park / Parc Tudur LL18 124 F3
Tudor Rd LL30 113 F3
Tudor Royal Est 5 LL67 3 D6
Tudor St LL71 10 A2
Tuhwnt-Ir-Bwlch LL49 158 D4
Turkey Shore Est LL65 138 E5
Turkey Shore Rd LL65 138 E5
Turnberry Dr LL22 123 A2
Twll Yn Y Wal / Hole In The Wall St 18 LL55 152 D4
Twr Cuhelyn St LL71 10 A3
Twthill E / Dwyrain Twthill 5 LL55 152 E5
Twthill W / Gorllewin Twthill 6 LL55 152 E4
Twtil LL46 160 E5
Ty Ardudwy LL35 109 E3
Ty Canol LL46 160 E7
Ty-Coch Rd LL30 113 D4
Ty-Coch St LL16 27 F3
Ty Croes LL60 21 F6
Ty Croes Circuit (Motoring Racing)★ LL63 19 C3
Ty Croes Sta LL63 19 D7
Tyddyn Adi LL49 69 B4
Tyddyn Canol LL57 150 C4
Tyddyn Ddeici LL61 141 C4
Tyddyn Drycin LL33 126 D4
Tyddyn Fadog LL74 11 E1
Tyddyn Gwladys Forest Trail★ LL40 86 D1
Tyddyn Gwyn LL41 156 D2
Tyddyn Gyrfa LL67 3 C6
Tyddyn Isaf
Aberdovey / Aberdyfi LL35 109 F3
Menai Bridge / Porthaethwy LL59 142 A6
Tyddyn Isaf Cvn Site LL70 11 C5
Tyddyn Llwydyn LL55 152 F2
Tyddyn-Llwyn Cvn Site LL49 158 B3
Tyddyn Llwyn Terr LL48 70 B5
Tyddyn Mali LL26 154 D8
Tyddyn Mostyn LL59 142 A5
Tyddyn Nicholas LL59 142 A6
Tyddyn Sander Cvn Site LL53 63 G6
Tyddyn Terr
Cerrigydrudion LL21 61 B7
Llanrwst LL26 154 C4
Tyddyn To LL59 142 A5

Ty = house

Ty Du Rd LL28 130 D4
Ty Du Rd / Ffordd Ty Du LL55 31 C3
Ty Golau LL37 105 D8
Ty Gwyn Gdns LL32 117 D1
Ty Gwyn Jones LL22 123 B1
Ty Gwyn Llan LL21 61 C3
Ty-Gwyn Rd LL30 113 D4
Ty Gwyn Rd / Ffordd Ty Gwyn LL28 24 A6
Tygwyn Sta LL47 70 C1
Ty Gwyn Terr LL47 70 B2
Ty Gwyrdd Terr 10 LL32 117 E2
Ty Hen LL77 139 B4
Ty-Hen Rd / Lon Ty-Hen LL65 13 E4
Ty-hyll★ LL24 44 F8
Ty-Isa Rd LL30 113 E3
Tylau Mair / Love La LL40 162 C2
Ty Llewelyn 1 LL29 119 F4
Ty-Mawr LL65 138 E5
Ty Mawr LL59 142 A5
Ty Mawr Holiday Pk LL22 123 F5
Ty Mawr Rd LL31 117 E4
Ty Mawr Wybrant★ LL25 45 A3
Tyn Cae LL61 141 B4
Ty'n Caeau LL61 141 B4
Ty N Coed LL77 139 E5
Ty'n Coed Uchaf LL77 139 E5
Ty'n Cwrt Est / Stad Ty'n Cwrt LL61 21 F2
Tynddol LL23 88 F4
Ty'n Dwr LL51 53 D3
Ty Newydd Burial Chamber★ LL63 19 D8
Ty Newydd Cvn Pk LL76 16 B8
Tynewydd Cvn Site LL53 80 F1
Tynewydd Rd LL18 125 E8
Ty-newydd Terr LL18 125 E7
Ty'n Ffordd LL65 13 C7
Ty N Llan LL54 29 E1
Tyn'n Llan LL54 39 E7
Ty'n Llan Farm Mus★ LL49 69 C7
Tyn Llwyn LL41 156 A3
Tynllwyn Forest Wlks★ LL24 34 D1
Tyn Lon LL56 147 C5
Ty'n Lon LL65 2 G1
Tyn Pistyll 1 LL41 72 A2
Ty'n Pwll LL53 81 B7
Tyn Pwll Rd LL65 138 D3
Tyn Rhos Caergeiliog LL65 7 F1
Penysarn LL69 5 A3
Ty'n-Rhos LL53 67 D5
Ty'n Rhos Criccieth LL52 68 D5
Gaerwen LL60 21 F6
Llanfairpwllgwyngyll LL61 141 B4
Tyn Rhos Cvn Pk LL65 12 B4
Ty'n-Rhos Cvn Site LL72 11 C5
Ty'n-twr LL57 150 D1
Tyn Weirglodd LL54 40 B6
Tyn-y-Afridd LL54 51 C3
Ty'n-y-Bryn Est LL61 21 F1
Tyn-y-Cae LL61 28 F8
Tyn-y-Caeau Dr / Lon Tyn-y-Caeau LL59 141 F5
Tyn Y Celyn LL28 130 C3
Tyn-y-Coed LL57 150 D3
Ty'n-y-Coed Rd LL30 113 C4
Ty'n-Y-Ddol Rd LL24 45 C1
Ty'n Y Ffrith Rd LL30 114 A3
Tyn-y-Ffrwd Terr LL48 70 C6
Ty'n-y-Fron Rd LL31 118 B2
Ty'n y Groes Nature Trail★ LL40 95 B6
Tynymaes LL41 56 F1
Ty'n-y-maes LL29 121 D2
Ty'n-y-Maes Hill LL30 113 D4
Tyn Y Mur LL53 65 A7
Ty'n-y-weirglodd LL54 40 B3
Tywyn and District Com Meml Hospl LL36 109 D7
Tywyn Pendre Sta★ LL36 109 D7
Tywyn Pottery★ LL36 109 D8
Tywyn Sta LL36 109 C7
Tywyn Wharf Sta★ LL36 109 C7

U

Ucheldre Llangefni LL77 139 F4
Newborough / Niwbwrch LL61 28 F8
Ucheldre Ave LL65 138 C6
Uncorn Terr LL41 156 D5
Unicorn La / Wtra Plas Coch LL40 162 C2
Univ of Wales, Bangor
Bangor LL57 142 F4
Bangor LL57 142 F5
Univ of Wales, Bangor, Pen-y-ffridd LL57 142 C1
Univ of Wales Bangor / Prifysgol Cymru
Bangor LL57 142 C4
Bangor LL57 143 A5
Upland Rd LL29 120 A3
Upper Baptist St LL65 138 C5
Upper Cardiff Rd / Ffordd Caerdydd Uchaf LL53 157 C4
Upperfield St LL40 162 C2
Upper Garth Rd / Ffordd Garth Uchaf LL57 143 A6
Upper Gate St LL32 117 D2
Upper Hill St LL57 150 E2
Upper Maenen LL34 127 C5
Upper Mill Rd LL33 126 D1
Upper Park St LL65 138 D6
Upper Prom LL28 119 E6
Upper Quay St / Pen Cei LL68 4 F6
Upper Water St LL34 127 B5
Uwch Afon LL53 66 B4
Uwchlawrffynnon LL41 156 E3
Uwch Menai / Augusta Pl LL56 147 A3
Uwch-y-Don Ave LL29 120 F3
Uwch-y-llan LL21 61 B7
Uwch Y Maes LL40 162 D1
Uxbridge Ct 2 LL57 142 F4
Uxbridge Sq 31 LL55 152 E4
Uxbridge Sq / Y Sgwar LL59 142 B5

V

Vale Pk LL18 125 C6
Vale Rd
Llandudno Junction LL31 118 A2
Rhyl / Y Rhyl LL18 125 C6
Vale Road Bridge LL18 125 C7
Vale View Terr
Llandudno Junction LL31 118 B2
Rhyl / Y Rhyl LL18 125 C7
Valley Mews LL65 7 E2
Valley Rd
Llanfairfechan LL33 126 D1
Llanfairfechan LL33 22 C8
Valley Rd / Ffordd y Glyn LL29 120 A2
Valley Sh Ctr LL65 7 E2
Valley Sta LL65 7 E2
Vane Hall Pl SY20 163 D4
Vardre Ave LL31 117 E4
Vardre Cl LL31 117 F5
Vardre La LL30 113 E4
Vardre View Terr LL31 117 F4
Vaughan St
Llandudno LL30 113 F3
3 Rhyl / Y Rhyl LL18 125 B7
Vaynol Cotts / Rhes y Faenol LL55 31 D2
Vaynol St / Stryd Y Faenol 33 LL55 152 E4
Vezey St LL18 125 C7
Vicarage Ave LL30 118 A8
Vicarage Cl
Bodelwyddan LL18 137 A4
Llandudno LL30 118 A8
Vicarage Gdns LL30 118 A8
Vicarage La LL65 138 D7
Vicarage La / Coetiau Postol LL18 125 E1
Vicarage Rd LL30 118 A8
Victoria Ave
Colwyn Bay / Bae Colwyn LL29 120 A5
Llandudno LL30 114 A3
Rhyl / Y Rhyl LL18 125 A6
Victoria Ave / Rhodfa Fictoria 12 LL57 142 F5
Victoria Bsns Pk LL18 125 C6
Victoria Cres LL31 118 B3
Victoria Ct
Llandudno LL30 114 A2
Rhosneigr LL64 19 A8
Victoria Dr LL31 118 A3
Victoria Dr / Heol Victoria LL57 142 E5
Victoria Gdns / Gerddi Victoria LL29 119 F3
Victoria Pk LL29 119 D5
Victoria Pk / Parc Victoria LL57 142 E5
Victoria Pl
Barmouth / Abermaw LL42 161 C5
Bethesda LL57 150 C2
Victoria Pl / Hoel Victoria 3 LL65 138 D5

Victoria Rd **8** Cemaes LL67 .. **3** D6
Holyhead / Caergybi LL65 .138 D5
Old Colwyn LL29 ....120 D3
Rhyl / Y Rhyl LL18 ....125 C6
Victoria Rd / Ffordd Victoria
34 LL55 ....152 E4
Victoria Rd / Heol Buddug
LL54 ....40 B4
Victoria Sq / Sgwar Victoria
6 LL57 ....142 E3
Victoria St LL30 ....114 A3
Victoria St / Stryd Victoria
8 Bangor LL57 ....142 F5
10 Caernarfon LL55 ....152 E4
Victoria Terr
18 Beaumaris LL58 ......17 F3
2 Criccieth LL52 ....68 D5
Deiniolen LL55 ....31 C6
Holyhead / Caergybi LL65 .138 D5
Llanrwst LL26 ....154 B4
Trefriw LL27 ....34 F6
Victoria Terr / Rhes Fictoria
LL55 ....31 D2
Victoria Terr / Tai Victoria
LL54 ....40 F4
Victor Rd LL29 ....120 A4
Victor Wilde Dr LL28 ....119 D8
Village Rd LL33 ....126 C2
Village The LL18 ....137 A4
Vincent Ave LL30 ....114 A1
Vincent Cl LL18 ....125 C8
Viola Ave LL18 ....125 D5
Violet Gr LL18 ....125 C6
Voel Rd LL34 ....127 C5
Voryn Ave LL29 ....120 F4
Vron Sq / Sgwar Y Fron **19**
LL57 ....142 F5
Vulcan St LL65 ....138 C5

W

Waen Fawr LL65 ....138 B6
Waenfawr Est LL65 ......138 B6
Waenfawr Sta★ LL54 .....30 D1
Waen Helyg LL52 ....68 C5
Waen Terr LL32 ....117 D3
Waen-wen LL57 ....148 F6
Waen Y Pandy LL57 ......149 D3
Walford Ave LL18 ....125 C6
Walnut Cres LL18 ....125 F8
Walshaw Ave LL29 ....119 E5
Walter St / Stryd Walter
LL57 ....150 D4
Walter Terr LL41 ....156 D5
Walthew Ave LL65 ....138 C6
Walthew La LL65 ....138 C6
Walton Cres LL31 ....118 B3
Walton Rd LL31 ....118 B3
Ward Cl LL30 ....114 E1
Warden St / Stryd Warden **7**
LL55 ....31 C3
Warehouse St LL30 ......113 E2
Warfield Rd / Lon Warfield
2 LL55 ....152 E5
War Memorial Ct LL18 ...125 D7
Warren Dr LL31 ....117 F3
Warren Rd Deganwy LL31 117 F4
Rhosneigr LL64 ....19 B8
Rhyl / Y Rhyl LL18 ....125 A6
Warwick Pl LL36 ....109 C7
Washington Ct LL18 .....125 E5
Waterloo Port Rd / Porth
Waterloo LL55 ....152 F7
Waterloo / Stryd Waterloo **27**
LL55 ....152 E4
Waterloo St / Stryd Waterloo
13 LL57 ....143 A5
Waterside LL65 ....138 D6
Water St Abergele LL22 ..123 B2
Abergwyngregyn LL36 ....106 F6
Barmouth / Abermaw
LL42 ....161 C4
Holyhead / Caergybi LL65 .138 D6
Llandudno LL30 ....113 D4
Llanerchymedd LL71 ......10 A3
Llanfair Talhaiarn LL22 ...26 B5
Penmaenmawr LL34 ......127 B3
Water St / Ffordd Y Paced
LL59 ....142 B4
Water St / Heol y Dwr
LL54 ....40 B4
Water St / Lon Ddwr
LL57 ....150 D3
Water St / Lon Groes
LL57 ....150 C4
Water St / Lon Y Dwr **3**
LL57 ....143 B6
Water St / Stryd Y Dwr
LL18 ....125 B7
Watkin Ave LL29 ....120 E3
Watkin St LL32 ....117 D2
Watling St LL26 ....154 B4
Waun Dirion LL74 ....11 E1
Waun Rd LL31 ....118 F7
Waverley Rd LL38 ....99 D4
Weaver Ave LL18 ....125 E6
Weaverton Dr LL18 ......125 E5
Weirglodd-Newydd LL54 40 C4
Wellington Ct LL65 ....7 A2
Wellington Rd LL29 .....120 D3
Wellington Rd / Ffordd
  Wellington LL18 ....125 A7
Wellington Rd / Ffordd
  Wellington LL71 ....10 A3

Wellington Terr
Barmouth / Abermaw
LL42 ....161 B5
4 Criccieth LL52 ....68 E5
8 Rhyl / Y Rhyl LL18 ...125 A6
Well St Dolgellau LL40 ...162 C2
Rachub LL57 ....150 D4
Well St / Ffordd Y Ffynnon
6 LL57 ....143 A5
Well St / Lon Ffynnon
LL65 ....13 D4
Well St / Lon Wen LL68 ...4 F6
Well St / Stryd Y Ffynnon
Bethesda LL57 ....150 E1
Menai Bridge / Porthaethwy
LL59 ....142 B5
Welsh Highland Rly
  (Caernarfon)★ LL54,
LL55 ....152 D1
Welsh Highland Rly
  (Porthmadog)★ LL49 .158 E5
Welsh Mountain Zoo★
Welsh Slate Mus★ LL55 .31 D3
Wenallt LL40 ....162 D1
Wenallt View LL40 ......162 C1
Wendon Dr / Ffordd Y
  Wendon LL65 ....4 E6
Wendover Ave LL22 .....124 A3
Wenfro LL22 ....123 B1
Wentworth Ave
Abergele LL22 ....123 A2
Colwyn Bay / Bae Colwyn
LL29 ....119 E3
Wern Cres **3** LL28 .....119 B4
Wernfach LL44 ....92 E5
Wernlas LL22 ....123 D4
Wern Las Hospital Dr
LL40 ....162 D2
Wernol Cvn Site LL53 .....67 E5
Wern Rd LL22 ....121 D3
Wern Y Wylan
Criccieth LL52 ....68 E5
Llanddona LL58 ....17 B6
Llandudno LL30 ....113 E4
Morfa Nefyn LL53 ....65 A7
Wesleyan Terr LL39 .....100 A5
Wesley St LL57 ....31 C8
Wesley St / Stryd John Llwyd
25 LL55 ....152 E4
Wesley St / Stryd Wesle
LL65 ....13 C7
Wesley St / Stryd Wesley
LL68 ....4 E6
Wesley Terr
Cwm Penmachno LL24 .....57 F6
Holyhead / Caergybi LL65 138 D6
Westbourne Ave LL18 ...125 A6
Westbourne Ctr **5** LL18 125 A6
Westbury LL28 ....119 F6
Westdale Ct LL18 ....119 F6
West End Bangor LL57 ...142 E3
6 Beaumaris LL58 ......17 F2
Blaenau Ffestiniog LL41 ..56 E4
West End Hill LL30 ......113 D3
West End / Maes-y-Mor
LL54 ....40 A4
Westfield Rd LL18 ......125 D7
West Kinmel St LL18 ....125 B7
West Mains Ct LL28 ....115 E1
Westminster Ave LL18 ..125 E6
Weston Rd LL18 ....125 B6
West Par LL30 ....113 C2
West Par / Maes Aberiestedd
LL52 ....68 D4
West Par / Rhodfa Gorllewin
LL57 ....142 E3
West Point Cvn Site LL54 39 D3
West Prom LL28 ....119 E6
West Rd LL29 ....120 E3
West Shore LL33 ....126 B3
West St LL18 ....125 A6
Westwood Cvn Pk LL29 ..121 C2
Wexham St LL58 ....17 F3
Whinacres LL32 ....117 C3
Whiston Pas LL30 ......113 D3
Whitehall Rd LL28 .....119 E7
Whitehouse Dr / Lon Ty
  Gwyn LL53 ....81 B3
White Rose Sh Ctr The
LL18 ....125 B8
White St LL24 ....45 C1
White Tower Cvn Pk
LL54 ....29 C1
Wian St LL65 ....138 E5
Williams St
Holyhead / Caergybi LL65 138 D6
Rhyl / Y Rhyl LL18 ....125 C7
Williams Terr LL57 .....150 C2
William's Terr LL61 ....141 B4
William St / Stryd William
Bangor LL57 ....143 B5
17 Caernarfon LL55 ....152 F5
Willoughby Rd LL28 ....119 D6
Willowbrook / Nant Helygen
LL29 ....120 E1
Willow Cl LL29 ....120 E1
Willow Ct LL18 ....125 E8
Willow St / Bro Helys
LL26 ....154 B4
Winchester Cl LL28 ....119 C8
Windsor Ct Conwy LL32 .117 C1
Windsor Gr LL18 ....124 D5
Windsor Ho LL28 ....130 C4
Windsor Pas LL30 ......113 D4
Windsor St **6** LL18 ...125 B7

Windsor Villas LL65 ....138 E5
Wind St / Stryd-y-Gwynt
LL53 ....117 D2
Winkup's Camp LL22 ...124 B4
Winllan Ave LL30 ......113 D2
Winnard Ave LL18 ......125 A6
Winston Cl LL29 ....120 F3
Withington Ave LL29 ...120 D3
Woodbine Terr LL30 ....114 E1
Woodend Dr LL29 ......120 E3
Woodfield Ave LL29 ....120 A3
Woodhill Rd LL29 ......119 F4
Woodland Ave LL29 ....120 E3
Woodland Ct **3** LL29 ..119 F4
Woodland Pk LL29 .....119 F4
Woodland Pk W LL29 ...119 F4
Woodland Rd E LL29 ...119 F4
Woodland Rd W LL29 ...119 F4
Woodlands LL31 ....118 A5
Woodlands Ave LL28 ...119 E7
Woodlands Holiday Pk
LL36 ....105 F2
Woodlea Gdns LL28 ....119 D6
Wood Rd LL18 ....125 A6
Woodside Ave LL18 ....124 C5
Woodside Gdns LL18 ...124 C5
Wood St / Ffordd Y Ffair
LL59 ....142 B5
Wormhout Way LL30 ...118 A7
Wtra Plas Coch / Unicorn La
LL40 ....162 C2
Wtra R Felin / Mill St
LL40 ....162 C2
Wyddfa LL28 ....130 C4
Wyddfid Cotts LL30 ....113 C5
Wyddfyd Rd LL30 ......113 D4
Wylecop St SY20 ....103 D5
Wylfa Power Sta Visitor Ctr★
LL67 ....3 B6
Wylfa Terr LL65 ....14 B3
Wynn Ave LL29 ....120 E3
Wynn Ave N LL29 ......120 E4
Wynn Cres LL29 ....120 E3
Wynn Dr LL29 ....120 E3
Wynne Ave LL41 ....156 D4
Wynne Cl LL18 ....137 E4
Wynne Rd LL41 ....156 D4
Wynn Gdns LL29 ....120 E3
Wynnstay Rd
Colwyn Bay / Bae Colwyn
LL29 ....119 F5
Old Colwyn LL29 ....120 E3

Y

Y Berllan Llanrwst LL26 ..154 C3
Penmaenmawr LL34 ......127 D5
Eglwysbach LL28 ....24 B3
Y Brif Heol LL44 ....92 E6
Y Bryn Bontnewydd LL55 ..29 F3
Llanfaethlu LL65 ....8 C5
Llansanffraid Glan Conwy
LL28 ....130 C5
Y Cilgant / The Crescent **17**
LL57 ....142 F5
Y Clawstrau / The Cloisters
LL28 ....115 D1
Y Clogwyn / England Road S
4 LL55 ....152 E5
Y Dalar SY20 ....163 E4
Y Ddol Belgrano LL22 ...123 D4
Bethel LL53 ....30 D8
Y-Ddol LL53 ....64 F6
Y Ddol / Meadow Dr
LL29 ....158 D3
Y Domen Fawr LL40 ....162 C2
Y Dref / Castle Sq LL52 .68 D4
Y Dreflan LL54 ....40 E8
Y Dwnan LL53 ....157 D3
Yerburgh Ave LL29 .....119 D5
Y Felin LL22 ....117 C1
Y Ffrith LL18 ....125 D8
Y Ffridd LL49 ....69 C4
Y Fron Aberffraw LL63 ...19 E3
Nefyn LL53 ....65 C7
Pandy Tudur LL22 ....36 A7
Y Fron / Fron Farm
LL53 ....141 F6
Y Ganolfan Farchnata /
  Farchnata Marketing Ctr
LL49 ....158 B5
Y Garreg LL61 ....141 B5
Y Garreg LL54 ....40 B6
Y Garth Amlwch LL68 .....4 C7
Llanerchymedd LL71 .....10 A3
Y Gelli LL22 ....121 F4
Y Gerddi / Garden La
LL65 ....13 C7
Y Gilan LL22 ....121 D2
Y Glyn Caernarfon LL55 .152 F5
Llandudno Junction LL31 .118 A4
Y Glynnor LL41 ....71 E6
Y Golff LL49 ....69 C4
Y Gorlan
Maesgeirchen LL57 ......143 B3
Rhyl / Y Rhyl LL18 ....125 C8
Y Gors LL53 ....138 B5
Y Groes LL53 ....65 C7
Y Grugan LL54 ....40 B6
Y Gwyngyll LL61 ....141 B4
Y Lawnt / Lombard St
LL40 ....162 C2
Y Links / Links The LL68 ..4 D6
Y Lon Gam LL53 ....65 C7
Y Maes LL53 ....65 C7
Y Maes / Castle Sq **17**
LL55 ....152 D4

Ynys Fawr LL53 ....81 A2
Ynys-hir Nature Reserve★
SY20 ....111 A3
Ynys Lawd / South Stack★
LL65 ....6 B5
Ynysmaengwyn Cvn Pk
LL36 ....105 E1
Ynys Terr LL41 ....156 D4
Ynys-y-Pandy Slate Mill★
LL51 ....54 D2
York Pl Bangor LL57 ....143 A5
7 Conwy LL32 ....117 E2
York Rd
Colwyn Bay / Bae Colwyn
LL29 ....119 F4
Deganwy LL31 ....117 D5
Llandudno LL30 ....113 D3
York Terr / Rhes Efrog
LL55 ....31 D2
Y Parciau LL23 ....159 D4
Y Plas (Celtica Visitor Ctr)★
SY20 ....103 D5
Y Plase Ctr★ LL23 .....159 D4
Y Promenad / The
  Promenade **1** LL55 ..152 D4
Y Prom / The Promenade
LL53 ....157 C3
Yr Ala / Ala Rd LL53 ...157 B4
Yr Angorfa LL32 ....117 C4
Yr Ardd Fawr LL55 ......81 A5
Yr Ardd Wair **4** LL77 .139 D4
Yr Eifl LL53 ....157 C3
Yr Encil LL22 ....123 C3
Yr Hafan LL23 ....159 D4
Yr Harbwr LL53 ....81 B3
Yr Hen Ysgol
Rachub LL57 ....150 C4
Trefor LL54 ....51 B5
Y Rhos LL57 ....142 B1
Yr Hwylfa LL55 ....152 F5
Yr Ogof LL65 ....138 D3
Yr Wyddfa National Nature
  Reserve★ 42 E4
Yr Ynys LL54 ....150 C4
Yr Ysgol LL38 ....99 E3

Ysbyty = hospital

Ysbyty Abergele (Hospl)
LL22 ....135 B4
Ysbyty Bron Y Garth / Bron Y
  Garth Hospital LL48 ...70 C5
Ysbyty Bron Y Garth / Bron Y
  Garth Hospl LL48 ......70 C5
Ysbyty Bryn Beryl (Hospl)
LL53 ....66 F4
Ysbyty Bryn Seiont (Hospl)
LL55 ....152 E1
Ysbyty Conwy / Conwy Hospl
LL32 ....117 C3
Ysbyty Dolgellau Y Bermo a'r
  Cylch / Dolgellau &
  Barmouth District Hospl
LL40 ....162 D2
Ysbyty Eryri (Hospl)
LL55 ....152 F2
Ysbyty Glan Clwyd (Hospl)
LL18 ....137 A5
Ysbyty Gwynedd (Hospl)
LL57 ....142 B1
Ysbyty Gymuned Bro Ddyfi /
  Bro Ddyfi Com Hospl
SY20 ....163 E4
Ysbyty Llandudno /
  Llandudno Hospl LL30 .117 E8
Ysbyty Minffordd (Hospl)
LL57 ....142 F3
Ysbyty Penrhos Stanley /
  Penrhos Stanley Hospl
LL65 ....138 F4
Ysbyty Pwllheli (Hospl)
LL53 ....157 C5
Ysgethin Mus★ LL43 ...92 F4

Ysgol = school

Ysgol Abercaseg LL57 ...150 D1
Ysgol Aberconwy LL32 ..117 D3
Ysgol Arddwy LL46 .....160 D6
Ysgol Babanod SY20 ....163 F5
Ysgol Babanod Coed Mawr
LL57 ....142 D2
Ysgol Babanod
  Llanfairfechan LL33 ...126 C2
Ysgol Baladeulyn LL54 ...40 B4
Ysgol Betws-y-Coed
LL24 ....155 A6
Ysgol Bodafon LL30 ....114 D2
Ysgol Bod Alaw LL29 ...120 B3
Ysgol Bodfeurig LL57 ...149 E2
Ysgol Borth-y-Gest
LL49 ....158 C1
Ysgol Botwnnog LL53 ...80 C6
Ysgol Bro Aled Llansannan
LL16 ....37 C8
Ysgol Bro Cernyw LL22 ..25 C2
Ysgol Bro Ddyfi SY20 ...163 C4
Ysgol Bro Gwydir LL54 ..154 C4
Ysgol Bro Hedd Wyn
LL41 ....72 C4
Ysgol Bro Lleu LL54 .....40 B4
Ysgol Bronyfoel LL54 ....40 B3
Ysgol Bro Plennydd LL53 66 F6
Ysgol Bro Tegid LL23 ...159 D4
Ysgol Bro Tryweryn LL23 .75 C4
Ysgol Brynaerau LL54 ...39 E2
Ysgol Bryn Elian LL29 ..120 C2
Ysgol Brynrefail LL55 ...30 E6

Ysgol Bueno Sant Y Bala
LL23 ....159 D5
Ysgol Capel Garmon
LL26 ....45 F6
Ysgol Capelulo LL34 ....116 A1
Ysgol Cefn Meiriadog
LL22 ....27 D8
Ysgol Coedmenai LL57 ..141 E1
Ysgol Craig Y Don LL30 .114 A2
Ysgol Crud y Werin LL53 78 G3
Ysgol Cymerau LL53 ....157 C3
Ysgol Cystennin LL28 ...119 B4
Ysgol David Hughes
LL59 ....141 F5
Ysgol Deganwy LL31 ...117 F4
Ysgol Dewi Sant LL18 ..125 C4
Ysgol Dinas Mawddwy
SY20 ....103 D5
Ysgol Dinmael LL21 .....62 A3
Ysgol Dolbadarn LL55 ...31 C2
Ysgol Dolgarrog LL32 ...23 D2
Ysgol Dyffryn Conwy
Llanrwst LL26 ....154 C4
Llanrwst LL26 ....154 D3
Ysgol Dyffryn Nantlle
LL54 ....40 B4
Ysgol Dyffryn Ogwen
LL57 ....150 C3
Ysgoldy Terr LL57 .....147 F8
Ysgol Edmwnd Prys LL41 72 C4
Ysgol Eifion Wyn LL49 .158 D4
Ysgol Eifionydd LL49 ...158 D5
Ysgol Ein Harglwyddes
LL57 ....142 F4
Ysgol Emmanuel LL18 ..125 C6
Ysgol Emrys Ap Iwan
LL22 ....123 B2
Ysgol Emrys Ap Iwan
  (Dinorben Block) LL22 123 C2
Ysgol Esceifiog Gaerwen
LL60 ....21 E6
Ysgol Feithrin LL59 ....142 A5
Ysgol Ffordd Dyffryn
LL30 ....117 D5
Ysgol Ffridd y Llyn LL23 .76 C2
Ysgol Ffrwd Win LL65 ....8 B4
Ysgol Foel Gron LL53 ...81 A5
Ysgol Friars LL57 ......142 C3
Ysgol Glanadda LL57 ...142 E2
Ysgol Glancegin LL57 ...143 B4
Ysgol Glan Gele LL22 ...123 C2
Ysgol Glan Morfa LL22 ..123 C2
Ysgol Glanwydden LL30 118 F8
Ysgol Glan-y-mor LL53 .157 C3
Ysgol Gogarth LL30 ....114 C2
Ysgol Goronwy Owen
LL74 ....11 E1
Ysgol Gwaun Gynfi LL55 .31 C6
Ysgol Gyfun LL77 ......139 C4
Ysgol Gymraeg Morswyn
LL65 ....138 E3
Ysgol Gymuned Bodorgan
LL62 ....20 C4
Ysgol Gymuned Bryngwran
LL65 ....123 C2
Ysgol Gymuned Carreglefn
LL68 ....3 E1
Ysgol Gymuned Cylch Y Garn
LL65 ....2 G1
Ysgol Gymuned Dwyran
LL61 ....29 B8
Ysgol Gymuned
  Llanerchymedd LL71 ...10 A3
Ysgol Gymuned Llanfechell
LL68 ....3 C1
Ysgol Gymuned Moelfre
LL72 ....11 D5
Ysgol Gymuned Penisa'waun
LL55 ....31 A6
Ysgol Gymuned Pentraeth
LL75 ....16 D5
Ysgol Gymuned Rhosybol
LL68 ....4 C1
Ysgol Gymuned Y Dyffryn
LL65 ....7 D2
Ysgol Gynradd Aberdyfi
LL35 ....109 E3
Ysgol Gynradd Aberech
LL53 ....66 F3
Ysgol Gynradd Aberffraw
LL63 ....19 E3
Ysgol Gynradd Abergynolwyn
LL36 ....106 F5
Ysgol Gynradd Amlwch
LL68 ....4 E6
Ysgol Gynradd Beaumaris
LL58 ....17 E3
Ysgol Gynradd Beddgelert
LL55 ....55 A7
Ysgol Gynradd Bethel
LL55 ....30 D8
Ysgol Gynradd Bodffordd
LL77 ....14 F3
Ysgol Gynradd Bontnewydd
LL55 ....29 F2
Ysgol Gynradd Brithdir
LL40 ....95 E1
Ysgol Gynradd Bryncrug
LL36 ....105 F2
Ysgol Gynradd Brynsiencyn
LL61 ....21 F1
Ysgol Gynradd Caergeiliog
LL65 ....13 A5
Ysgol Gynradd Cae Top
LL57 ....142 C3
Ysgol Gynradd Camaes
LL67 ....3 C5

Ysgol Gynradd Carmel LL54 ....40 D6
Ysgol Gynradd Cerrigydrudion LL21 ..61 B7
Ysgol Gynradd Chwilog LL53 ....67 D5
Ysgol Gynradd Corris / Corris Prim Sch SY20 .108 B6
Ysgol Gynradd Croesor LL48 ....70 D5
Ysgol Gynradd Cwm-y-glo LL55 ....31 A5
Ysgol Gynradd Cynfran LL29 ....121 D1
Ysgol Gynradd Dolgellau LL40 ....162 C3
Ysgol Gynradd Dolwyddelan LL25 ....44 D3
Ysgol Gynradd Edern LL53 ....64 F6
Ysgol Gynradd Eglwysbach LL28 ....24 B5
Ysgol Gynradd Eglwys Crist LL18 ....125 C6
Ysgol Gynradd Garndolbenmaen LL51 .53 D3
Ysgol Gynradd Glan Conwy LL28 ....130 C5
Ysgol Gynradd Gwalchmai LL65 ....14 C2
Ysgol Gynradd Henllan LL16 ....27 F3
Ysgol Gynradd Hirael LL57 ....143 A6
Ysgol Gynradd Kingsland / Kingsland Sch LL65 ..138 E3
Ysgol Gynradd Llanbedrgoch LL75 ....16 C7
Ysgol Gynradd Llanddeusant LL65 ....8 F4
Ysgol Gynradd Llanddona LL58 ....17 C6
Ysgol Gynradd Llandegfan LL59 ....17 B1
Ysgol Gynradd Llandrygarn LL65 ....14 C6
Ysgol Gynradd Llandwrog LL54 ....39 F7
Ysgol Gynradd Llanegryn LL36 ....105 D4
Ysgol Gynradd Llanfachraeth LL65 ....8 C1
Ysgol Gynradd Llangoed LL58 ....17 F6
Ysgol Gynradd Llanllechid LL57 ....150 C4
Ysgol Gynradd Llanrug LL55 ....30 E6
Ysgol Gynradd Llawrybetws LL21 ....62 C1

Ysgol Gynradd Llwyngwril LL37 ....105 D8
Ysgol Gynradd Maesincle LL55 ....152 F4
Ysgol Gynradd Nebo LL54 ....40 C1
Ysgol Gynradd Nefyn LL53 ....65 C7
Ysgol Gynradd Niwbwrch LL61 ....28 F8
Ysgol Gynradd Penmachno LL24 ....45 D1
Ysgol Gynradd Pennal SY20 ....111 B7
Ysgol Gynradd Pentrefoelas LL24 ....46 F2
Ysgol Gynradd Penysarn LL69 ....5 A3
Ysgol Gynradd Rhiwlas LL57 ....148 F1
Ysgol Gynradd Rhosgadfan LL54 ....40 E8
Ysgol Gynradd Rhosneigr Prim Sch LL64 ....19 B8
Ysgol Gynradd Rhydgaled LL16 ....38 C7
Ysgol Gynradd Rhyd-y-clafdy LL53 ....65 E1
Ysgol Gynradd Ro Wen LL32 ....23 D6
Ysgol Gynradd Talsarnau LL47 ....70 D2
Ysgol Gynradd Tal-y-bont LL32 ....23 D3
Ysgol Gynradd Talysarn LL54 ....40 C4
Ysgol Gynradd Tanygrisiau LL41 ....156 A3
Ysgol Gynradd Tudweiliog LL53 ....63 H6
Ysgol Gynradd Waunfawr LL55 ....30 D2
Ysgol Gynradd Y Felinheli LL56 ....146 F2
Ysgol Gynradd Y Ganllwyd / Ganllwyd Prim Sch LL40 ....95 A7
Ysgol Gynradd Y Parc LL65 ....138 D6
Ysgol Gynradd y Talwrn LL77 ....15 F4
Ysgol Hafod Lon LL53 ..66 F6
Ysgol Henblas LL62 .....20 F8
Ysgol Ieuan Gwynedd LL40 ....96 C4
Ysgol John Bright LL30 .113 F2
Ysgol Llaingoch LL65 ..138 B6
Ysgol Llanaelhaearn LL54 ....51 C3
Ysgol Llanbedrog LL53 ..81 C7
Ysgol Llanddoged LL26 154 D8

Ysgol Llanddulas LL22 ..121 F3
Ysgol Llandygai LL57 ...143 E2
Ysgol Llanfachreth / Llanfachreth Sch LL40 .95 D5
Ysgol Llanfairpwllgwyngyll LL61 ....141 B4
Ysgol Llanfawr LL65 ...138 E5
Ysgol Llangaffo LL60 ...21 B3
Ysgol Llangelynnin LL32 ....129 C2
Ysgol Llangybi LL53 ....67 C7
Ysgol Llanllyfni LL54 ...40 B2
Ysgol Llanystumdwy LL52 ....68 B5
Ysgol Llwygdoed / Llwygdoed School LL28 ....131 D3
Ysgol Llywelyn LL18 ...125 E6
Ysgol Maenofferen LL41 ....156 D4
Ysgol Maes Hyfryd LL21 .77 F8
Ysgol Mair RC Sch LL18 125 D6
Ysgol Manod LL41 .....156 D2
Ysgol Moelwyn LL41 ..156 C4
Ysgol Morfa Nefyn LL53 .65 A7
Ysgol Morfa Rhianedd LL30 ....113 E2
Ysgol OM Edwards LL23 ..88 F5
Ysgol Pant Y Rhedyn LL33 ....126 C3
Ysgol Parc Y Bont LL60 .140 B2
Ysgol Pencae LL34 ....127 E5
Ysgol Pendalar LL55 ...152 F4
Ysgol Pendorlan LL29 ..120 B4
Ysgol Pentreuchaf LL53 .66 B6
Ysgol Penybryn LL57 ...150 D2
Ysgol Pen-y-Byrn LL29 .119 E3
Ysgol Pont y Gof LL53 ..80 B6
Ysgol Porth Y Felin LL32 ....117 D1
Ysgol Rhoscolyn LL65 ..12 B4
Ysgol Rhostryfan LL54 ..40 D8
Ysgol San Sior LL30 ...113 C3
Ysgol Santes Fair / St Mary's RC Sch LL65 ....138 D4
Ysgol Santes Helen LL55 ....152 E5
Ysgol Sarn Bach LL53 ..81 A1
Ysgol Syr Hugh Owen LL55 ....152 F5
Ysgol Syr Thomas Jones LL68 ....4 D5
Ysgol Tan y Castell LL46 ....160 E6
Ysgol Tan y Marian LL29 ....121 A2
Ysgol T Gwynn Jones LL29 ....120 D3
Ysgol Tir Morfa Rhuddlan LL18 ....125 F2
Rhyl / Y Rhyl LL18 ....125 D5

Ysgol Treferthyr Criccieth LL52 ....68 D4
Ysgol Trefriw LL27 .....34 F6
Ysgol Tregarth LL57 ...149 F4
Ysgol Tryfan LL57 .....142 D3
Ysgol Tudno LL30 .....113 E2
Ysgol Uwchradd Bodedern LL65 ....13 C7
Ysgol Uwchradd Caergybi LL65 ....138 C6
Ysgol Uwchradd Eirias / Eirias High Sch LL29 ..120 B4
Ysgol Uwchradd Tywyn LL36 ....109 C7
Ysgol Y Berwyn LL23 ..159 D5
Ysgol Y Bont LL77 .....139 E4
Ysgol Y Borth LL59 ...142 A5
Ysgol y Castell LL18 ..137 F8
Ysgol Y Clogau LL40 ...94 A1
Ysgol y Creuddyn LL30 .118 F8
Ysgol Y Faenol
Bangor LL57 ....142 A1
Bodelwyddan LL18 ...136 E4
Ysgol Y Foryd LL18 ...124 D4
Ysgol y Friog LL38 .....99 E3
Ysgol Y Gader LL40 ...162 D2
Ysgol Y Garnedd LL57 .142 C2
Ysgol Y Garreg LL49 ...70 D8
Ysgol y Gelli LL55 ....153 A6
Ysgol Y Gorlan LL49 ...158 B7
Ysgol Y Graig LL77 ...139 E3
Ysgol-y-Graig LL29 ...120 F3
Ysgol Y Groeslon LL54 ..40 B6
Ysgol Y Parch Thomas Ellis LL65 ....138 D4
Ysgol y Plas Llanelian LL29 ....132 F4
Ysgol Yr Eifl LL54 .....51 B5
Ysgol Yr Hendre LL55 ..152 F3
Ysgol Ysbyty Ifan LL24 ..59 C7
Ysgol Y Traeth LL42 ...161 B5
Ysgol y Tywyn LL65 ....13 A3
Ysgol Y Wyddfid LL30 .113 C4
Ysguboriau Cvn Pk LL36 ....105 E1
Ysguborwen Rd LL34 ..116 A1
Y Sgwar / Uxbridge Sq LL59 ....142 B5
Yspytty Rd LL24 .....45 D1

Ystad = estate

Ystad Cae Bach LL23 ..159 D4
Ystad Coetmor LL57 ..150 B3
Ystad Ddiwdydiannol Coed-y-Parc LL57 .....150 B2
Ystad Ddiwidiannol Bala / Bala Ind Est LL23 .....159 E4
Ystad Ddiwidiannol Llangefni (Ind Est) LL77 ....139 E3

Ystad Ddiwidiannol Llwyn Gell LL41 ....156 C5
Ystad Ddiwydiannol Amlwch / Amlwch Ind Est LL68 ..4 E5
Ystad Ddiwydiannol Cibyn / Cibyn Ind Est LL55 ...153 B4
Ystad Ddiwydiannol Cyffordd Llandudno (Ind Est) LL31 ....118 D2
Ystad Ddiwydiannol Glaacn-y-don LL53 ..157 E5
Ystad Ddiwydiannol Griffiths / Crossing Ind Est LL55 30 A8
Ystad Ddiwydiannol Llandegai (Ind Est) LL57 ....143 C3
Ystad Ddiwydiannol Llanfairfechan / Llanfairfechan Ind Est LL33 ....126 C1
Ystad Ddiwydiannol Morawelon LL65 ......138 E5
Ystad Ddiwydiannol Penamser / Penamser Ind Est LL49 ....158 C5
Ystad Ddiwydiannol Penrhos LL65 ....138 F3
Ystad Ddiwydiannol Penygroes (Ind Est) LL54 ....40 A3
Ystad Ddiwydiannol Y Glyn LL55 ....31 C3
Ystad Glorian LL68 ....4 E6
Ystad Gwylfa / Gwylfa Est LL68 ....4 E6
Ystad Mur Poeth LL53 ..81 A5
Ystad Nant Bychan LL72 .11 E4
Ystad Ty'n Berllan LL65 ..13 E4
Ystad Y Wenallt LL45 ...84 A2
Ystryd Faen LL41 .....72 A2
Y Stryd Fawr / High St
Bala / Bala LL23 .....159 D4
1 Rhyl / Y Rhyl LL18 ...125 B8
Y Swan LL54 ....39 D4
Y Traeth / Sand St LL53 ....157 D5
Y Waun LL46 ....160 E6
Y Wenallt LL22 ......135 A6
Y Wern
Llanfairpwllgwyngyll LL61 .141 C4
Y Felinheli LL56 ....147 A2

Z

Zealand Pk LL65 ....7 F1
Zion Pas 6 LL30 ....113 E3

PHILIP'S MAPS

the Gold Standard for serious driving

- ◆ Philip's street atlases cover every county in England and Wales, plus much of Scotland

- ◆ All our atlases use the same style of mapping, with the same colours and symbols, so you can move with confidence from one atlas to the next

- ◆ Widely used by the emergency services, transport companies and local authorities

- ◆ Created from the most up-to-date and detailed information available from Ordnance Survey

- ◆ Based on the National Grid

BEST BUY • BEST BUY
Auto EXPRESS
BEST BUY • BEST BUY

STREET ATLAS **London**
The definitive London
from Britain's national ma
PHILIP'S

STREET ATLAS **Devon**
Unique comprehensive coverage
with time-saving through-routes
Includes Lyme Regis, Sidmouth and Wellington, plus Exeter and Plymouth city centres at extra-large scale

STREET ATLAS **Norfolk**
Unique comprehensive coverage
with time-saving through-routes
Includes Norwich city centre at extra-large scale, plus town maps of Bury St Edmunds and Lowestoft

STREET ATLAS **Cumbria**
Unique comprehensive coverage
Every named street, road and lane
Plus town maps of Dumfries and Morecambe, with Carlisle city centre at extra-large scale

BRITAIN'S MOST DETAILED ROAD ATLAS
PHILIP'S
NAVIGATOR **Britain**
Ultra-large scale mapping 1½ miles to 1 inch
50 fully indexed town plans
'Extremely clear maps with the most detail by far'
Auto Express
Recommended by The Institute of Advanced Motorists

For national mapping, choose **Philip's Navigator Britain** – the most detailed road atlas available of England, Wales and Scotland. Hailed by Auto Express as 'the ultimate road atlas', this is the only one-volume atlas to show every road and lane in Britain.

Street atlases currently available

England
Bedfordshire
Berkshire
Birmingham and West Midlands
Bristol and Bath
Buckinghamshire
Cambridgeshire
Cheshire
Cornwall
Cumbria
Derbyshire
Devon
Dorset
County Durham and Teesside
Essex
North Essex
South Essex
Gloucestershire
North Hampshire
South Hampshire
Herefordshire Monmouthshire
Hertfordshire
Isle of Wight
Kent
East Kent
West Kent
Lancashire
Leicestershire and Rutland
Lincolnshire
London
Greater Manchester
Merseyside
Norfolk
Northamptonshire
Northumberland
Nottinghamshire
Oxfordshire
Shropshire
Somerset
Staffordshire

All England and Wales coverage

Suffolk
Surrey
East Sussex
West Sussex
Tyne and Wear
Warwickshire
Birmingham and West Midlands
Wiltshire and Swindon
Worcestershire
East Yorkshire Northern Lincolnshire
North Yorkshire
South Yorkshire
West Yorkshire
Wales
Anglesey, Conwy and Gwynedd
Cardiff, Swansea and The Valleys
Carmarthenshire, Pembrokeshire and Swansea
Ceredigion and South Gwynedd
Denbighshire, Flintshire, Wrexham
Herefordshire Monmouthshire
Powys
Scotland
Aberdeenshire
Ayrshire
Edinburgh and East Central Scotland
Fife and Tayside
Glasgow and West Central Scotland
Inverness and Moray
Lanarkshire

How to order

Philip's maps and atlases are available from bookshops, motorway services and petrol stations. You can order direct from the publisher by phoning **01903 828503** or online at **www.philips-maps.co.uk**
For bulk orders only, phone 020 7644 6940